Daniel Paquette

Policier-inventeur-entrepreneur

Inventarium
L'escouade des inventions

+ SECTIONS
+ SPÉCIALES

Hommage à
50 inventeurs

Le guide pratique
de l'inventeur
en herbe

D1374084

Éditions
CARTE BLANCHE

www.inventarium.com

Révision linguistique : Ghislaine Lamoureux
Conception graphique et infographie : Sandy Lampron
Retouches et calibration photos : Stéphane Jennings
Photo de la couverture : Stéphane Jennings

Éditions Carte blanche
Tél. : 514 276-1298
carteblanche@vl.videotron.ca
www.carteblanche.qc.ca

Distribution au Canada : Édipresse
Tél. : 514 273-6141

**Catalogage avant publication de Bibliothèque et Archives
nationales du Québec et Bibliothèque et Archives Canada**

Paquette, Daniel, 1951-
    L'escouade des inventions
    ISBN 978-2-89590-198-3

© Inventarium, 2012
Dépôt légal : 4ᵉ trimestre 2012
Bibliothèque et Archives nationales du Québec
ISBN 978-2-89590-198-3

Imprimé au Canada

Je dédie ce livre à Jeanne, mon épouse, mon associée, ma complice dans tout ce que j'entreprends et, d'abord et avant tout, ma meilleure amie.

Je le dédie également à nos enfants et à leurs conjoints, Éric et Joëlle, Jamie et Fiorella, Tina et Stéphane, ainsi qu'à nos petits-enfants, Élizabeth, Janie et Cloé.

Remerciements

Mes remerciements les plus sincères à mes quatre complices qui ont accompli un travail exceptionnel à partir de mon manuscrit, Jeanne, pour la validation de mes textes, Ghislaine pour sa correction, Sandy, sa mise en page et Stéphane, sa calibration et ses retouches photos.

Un grand merci également à mon ami Georges Brossard pour avoir spontanément accepté d'en signer la préface.

Table des matières

Préface

Un Inventarium pour les Québécois

C'est un honneur pour moi de signer la préface de ce nouveau livre de Daniel Paquette, ce Québécois fort sympathique, inventeur, entrepreneur, philanthrope et même écrivain.

J'ai toujours eu beaucoup de respect et d'admiration pour les inventeurs ; ces phénomènes venus de nulle part ne manquent pas de nous séduire par leur originalité, leur créativité. Toute invention agit dans le temps comme un artefact, c'est-à-dire un document social qui révèle et transmet les valeurs de celui qui l'a créée, qui l'a offerte à sa communauté. Toute invention devrait être considérée comme un cadeau à la population.

J'ai toujours été sensibilisé au monde des inventeurs à cause de mes amis les insectes que j'ai étudiés, observés et aimés depuis ma tendre enfance. Qu'on le veuille ou non, les insectes sont les plus grands inventeurs de la planète. En effet, depuis des temps immémoriaux, bien avant que l'homme n'apparaisse sur terre, les insectes, eux, avaient conçu, développé, fabriqué une multitude d'inventions que l'on attribue à tort à l'intelligence des humains. Quelle injustice ! Ce fait est significatif du mépris que les humains ont toujours nourri envers les hexapodes.

La paternité d'une multitude d'inventions revient aux insectes : ce sont eux qui ont inventé les tunnels, les ponts, le papier, le miel, la cire, la prestine, le camouflage, le canon, la seringue, la pompe, le vol, l'air conditionné, la domestication, les boulevards, le compas, le piège, le velcro, la plongée sous-marine, la nage, le radar, le sonar, la colle, le monofilament et le bikini !… Faut être assez humble pour s'inspirer de plus petits que soi ! Et oui, l'inspiration est la qualité première d'un inventeur.

La seconde qualité d'un inventeur, c'est la passion, et là encore Daniel Paquette a su réaliser lui-même plusieurs inventions et encourager de nombreux inventeurs. Inventer, c'est noble, car toute invention vient contribuer à l'amélioration de la qualité de nos vies, de la condition humaine, du sort des humains, et je pense qu'inventer est le placement le moins égoïste qui puisse se concevoir, car, à elle seule, l'invention aide à rendre le monde meilleur et plus performant.

Et à mes yeux, la plus belle invention de Daniel est son Inventarium, qui éveille et soutient le sens de la créativité chez les Québécois.

En terminant, Daniel, mon ami Daniel, je te salue avec respect et admiration comme le « Monarque » des inventeurs du Québec...

Amitiés

Georges Brossard
Fondateur de l'Insectarium

Prologue

En 1989, j'ai vécu le pire cauchemar d'un inventeur : la perte d'une de mes inventions aux mains d'une entreprise à laquelle je l'avais présentée. Mais je ne pouvais rien contre elle, car je n'avais pas protégé cette invention par un brevet provisoire, comme j'aurais dû.

À l'époque, j'en parlais à tout le monde que je rencontrais, tout le temps, au point où certains ont commencé à m'éviter. Lorsque je m'en suis rendu compte, j'ai décidé de cesser d'en parler complètement. Dès lors, je me souviens très bien à quel point la rage me rongeait de l'intérieur. Je n'étais plus le même.

Un soir, je regardais une émission de télé où le lutteur Maurice « Mad Dog » Vachon présentait le livre qu'il venait d'écrire, *Une vie de chien dans un monde de fous*. Il racontait les bons et mauvais moments de sa carrière. Puis, il a parlé de l'accident survenu en 1987 à la suite duquel il a dû subir l'amputation d'une jambe. Il expliquait comment il en voulait à la vie après son accident et combien, après avoir écrit son livre, il s'était senti libéré et avait retrouvé sa joie de vivre. « Ceux qui veulent entendre mon histoire n'auront qu'à acheter mon livre ! » a-t-il ajouté. Ce fut le déclic !

Quelle belle façon de confier ma révolte intérieure à ceux et celles qui veulent bien l'entendre ! Si Mad Dog est capable d'écrire un livre, je dois sûrement être capable d'en faire autant. Moins de quinze minutes plus tard, je commençais à coucher mes états d'âme sur papier. J'ai pondu une bonne partie de ce livre avec la rage au cœur, soit jusqu'à la fin du sixième chapitre alors que je relatais ma mauvaise expérience avec ce chevalier d'industrie.

Le premier texte que j'ai écrit de ce sixième chapitre comptait dix-huit pages dans lesquelles je ne ménageais pas cet entrepreneur qui m'avait fauché mon invention. Chaque mot, chaque phrase et chaque juron qu'il m'avait lancés à la tête y figuraient, à la virgule près.

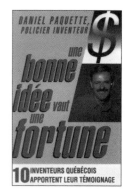

Le lendemain matin, en pratiquant mon jogging, je me disais que j'avais peut-être été trop dur dans mes textes. Plus j'avançais et plus je songeais à au moins enlever les jurons, que ça aurait moins l'air d'un règlement de comptes pour les lecteurs. Le soir venu, j'ai déchiré toutes les pages écrites la veille et réécrit le chapitre en entier, en prenant soin bien sûr d'enlever les jurons…

Le surlendemain, j'ai commencé à voir la rédaction de mon livre d'un point de vue complètement différent. Je n'avais plus cette rage au cœur qui me motivait depuis le début; bien au contraire, je me sentais totalement libéré et je voyais maintenant cet ouvrage comme un outil visant à éviter aux futurs inventeurs de faire les mêmes erreurs que moi. J'ai donc encore une fois refait le texte en entier, non sans reconnaître cette fois mon erreur d'avoir omis de protéger cette invention avec un brevet provisoire.

Aujourd'hui, c'est différent. J'écris le présent livre sans aucune colère: que mes expériences à vous raconter et ma joie de vivre à partager. Je vous y fais découvrir le chemin parcouru, du tout premier jour de ma vie jusqu'à aujourd'hui. Un chemin quelquefois semé d'embûches peut-être, mais que je referais volontiers, du premier pas jusqu'au dernier. Si en plus, le récit de mes expériences vous motive à persévérer, vous permet d'éviter de faire une erreur ou vous aide à prendre une décision plus éclairée, alors tant mieux, j'aurai ainsi atteint mon second objectif.

Mon livre se veut également un hommage très particulier à Jeanne, mon épouse, mon associée et, surtout, ma meilleure amie. Une femme exceptionnelle, sans qui le projet Inventarium ne serait encore qu'un grand rêve dans la tête du «policier-inventeur».

Mais à quoi servirait l'Inventarium sans ces gens créatifs qui ont l'audace d'entreprendre les démarches pour protéger, développer et commercialiser leurs idées? Mon livre vise donc également à vous présenter quelques-uns d'entre eux. À noter que, tout au long de mon livre, le mot «inventeurs» inclut autant les femmes que les hommes.

En dernier lieu, cet ouvrage inclut un guide pratique qui s'adresse à tous ceux et celles qui ont ou auront un jour une bonne idée d'invention. C'est ma façon de donner au suivant. J'ai toujours cru que, dans la vie, on avait un devoir moral de transmettre les connaissances acquises au fil de nos expériences. Ce que vous lirez dans ce guide, ce sont les informations que j'aurais aimé avoir au début de ma carrière pour éviter de faire certaines erreurs ainsi que les services auxquels j'aurais aimé avoir accès pour me faciliter la vie et diminuer mes coûts.

Espérons maintenant que vous ayez autant de plaisir à lire mon livre que j'en ai eu à l'écrire.

Daniel Paquette

Chapitre 1

Ma jeunesse

« La jeunesse s'instruit par intuition.
Si l'on ne savait que ce qu'on apprend, on ne saurait rien. »
– Aurélien Scholl

« Je n'ai jamais vu un enfant aussi entreprenant ; quand il veut quelque chose, il ne lâche jamais. » Ma mère disait souvent ça de moi quand j'étais tout petit. Peut-être avais-je alors déjà de la fibre d'entrepreneur. Aussi loin que je puisse me souvenir, j'ai toujours réussi à avoir ce que je voulais. Si je ne pouvais l'acheter, je le fabriquais, comme ce fut le cas pour ma première bicyclette, dont la grande majorité des pièces provenaient du dépotoir situé à quelques pas seulement de la maison où nous habitions.

Je suis le sixième d'une famille de neuf enfants, huit gars et une fille. Je suis né le 22 octobre 1951 rue Dickson, dans l'est de Montréal, plus précisément aux limites sud-ouest de la paroisse Notre-Dame-des-Victoires. Nous habitions alors une maison qui à l'origine était un « bungalow » et à laquelle Henri, mon père, avait un jour ajouté un étage pour arrondir ses fins de mois. J'ai eu une enfance extraordinairement heureuse et je la recommencerais demain matin sans hésiter et, surtout, sans rien y changer.

De gauche à droite en partant de l'arrière, Denis, Bernard, Serge, Gérard, Michel, moi et Gaétan

Henri et
Madeleine

Du plus loin que je me sou-
vienne, à part pour aller à la messe
du dimanche ou faire l'épicerie,
ma mère, Madeleine, ne quittait
jamais la maison. Mon père, quant
à lui, était employé du Canadien
Pacifique et voyageait beaucoup.
Il n'était pas souvent à la maison,
mais on ne s'en plaignait pas trop,
car ses corrections étaient parfois
mémorables. Remarquez qu'avec
sept garçons à contrôler, ma mère
avait souvent de quoi se plaindre à son mari lorsqu'il revenait
à la maison. Mais c'est ainsi que
ça fonctionnait dans le temps.
En fait, il ne se passait pas une
seule journée sans qu'on entende,
quelque part dans la ruelle, un de nos copains recevoir la fessée. Bref, ça faisait
partie de notre quotidien.

Nous n'étions pas riches et vivions bien humblement, comme la grande
majorité des familles du quartier. Nous n'avons jamais manqué de nourriture
ni de vêtements, même si on portait toujours ceux rapiécés de celui qui nous
précédait. Dans mon temps, on ne pensait à rien d'autre qu'à jouer ; les jeux
éducatifs, ça n'existait pas. Un de mes plus beaux souvenirs de cette époque,
c'est que, chaque hiver, mon père faisait une grande patinoire dans notre cour.
On s'y amusait ferme avec tous les copains du secteur. Nous n'avions pas
d'auto, nos sorties étaient donc limitées à une journée de pique-nique à l'île
Sainte-Hélène de temps à autre.

La première
édition de
l'équipe
des frères
Paquette.
De gauche
à droite,
Serge, Bernard,
Denis, Michel,
Gérard et moi,
la recrue.

Mon père était serveur dans la salle à manger des trains de voyageurs et faisait de bons pourboires. Un dimanche par mois, il arrivait au déjeuner avec son petit sac bleu et nous donnait 5 cents chacun. C'était peu, mais ça nous faisait tellement plaisir que je m'en souviens encore comme si c'était hier. Quand les voisins nous voyaient sortir de la maison en courant pour nous rendre au dépanneur du coin, ils disaient : « Tiens, les frères Paquette viennent d'avoir leurs 5 cents. »

Comme je l'ai mentionné précédemment, je fabriquais une bonne partie des objets dont j'avais besoin. La plupart du temps c'était des jouets, épées en bois, bâtons de hockey, arcs et flèches, frondes, bicyclettes, etc. Je fabriquais même des couteaux avec l'aide de la machinerie lourde. En effet, il suffisait d'étendre un clou de six pouces à quelques reprises sur la voie ferrée pour avoir une lame plate qu'il ne restait plus qu'à aiguiser sur la meule à métal de mon père. Le manche était réalisé avec une branche d'un des pommiers de la voisine.

Mais il arrivait parfois que je doive trouver un peu d'argent pour acheter certaines pièces manquantes. Des chambres à air pour ma bicyclette, par exemple. Je m'étais constitué une route, le long de la voie ferrée située à quelques mètres de la maison, pour trouver des bouteilles vides. Je surveillais aussi les chantiers de construction, qui foisonnaient dans ces années-là. Et, bizarrement, je trouvais toujours assez de bouteilles pour me permettre de concrétiser le projet en cours. Chose certaine, il y avait un itinérant accroc à la bière de marque DOW parmi mes fournisseurs !

Il y avait également dans le temps un vieux bonhomme surnommé « guenillou » qui sillonnait les ruelles avec sa charrette tirée par un cheval et qui ramassait tout ce qui était recyclable. Il donnait même quelques sous selon la valeur de l'article qu'on voulait lui vendre. De mémoire, le maximum qu'il

Celui qu'on avait toujours hâte de voir passer dans la ruelle, le guenillou.

payait était 50 cents. En tout cas, c'est le plus haut montant que j'ai reçu de lui pour une vieille laveuse munie d'un tordeur à linge.

Vers l'âge de six ans, notre maison a été expropriée pour faire place à la construction d'un viaduc permettant de passer par-dessus la voie ferrée. Nous avons donc déménagé dans une maison flambant neuve située rue Marseille, toujours dans le même quartier. Peu après, la famille s'est agrandie avec la naissance d'une belle petite fille, Francine, et quelques années plus tard, d'un autre garçon, Jean.

Je venais à peine d'entrer en première année à l'école. Dans ce temps-là, il nous fallait fréquenter l'école des filles pendant deux années avant de pouvoir aller à celle des grands située juste en face. Je n'ai pas vraiment de souvenir de ces deux premières années, sauf que j'avais hâte de traverser à l'école François-Laflèche.

Mais l'école n'était pas ma tasse de thé. Je me rappelle que mon plus grand plaisir était de faire rire mes compagnons de classe et, le reste du temps, je le passais à regarder par la fenêtre, enviant la liberté des oiseaux. Évidemment, mes notes scolaires reflétaient mon état d'esprit, mais je finissais toujours par m'en sortir avec un peu plus de 60 % dans mon bulletin, grâce à ma bonne étoile, et peut-être aussi au fait que j'arrivais à copier sur mes voisins sans me faire attraper... Cette note était suffisante pour monter de classe l'année suivante.

Chaque année, dès mon arrivée dans ma nouvelle classe, je m'emparais rapidement de l'un des derniers pupitres au fond. De cette façon, je pouvais m'amuser et faire le pitre sans trop me faire remarquer. Mais la plupart du temps, je me faisais prendre. C'est ce qui explique d'ailleurs mes lobes d'oreilles un peu plus longs que la normale. Même qu'une fois, je me suis fait étirer le lobe de l'oreille droite pendant au moins dix minutes sans intervalle par un frère du Sacré-Cœur.

C'était un dernier vendredi du mois et les plus vieux se souviendront que ce jour-là, tous les élèves de l'école se rendaient à l'église pour la messe. Un des surveillants avait toujours sur lui un petit bidule qu'on appelait « cliquet ». Un clic signifiait debout, deux clics, assis et trois clics, à genoux. Ce jour-là, en entrant dans la classe, j'aperçois ce cliquet sur le coin du bureau de mon professeur. Je le prends et le mets dans ma poche avec l'idée de faire rire tout le monde avant que le prof arrive. Mais presque au même moment ce dernier entre dans la classe en criant : « Allez, allez, tout le monde debout, on s'en va à l'église », de sorte que je n'ai pas le temps de jouer mon tour.

Pendant la messe, le cliquet toujours au fond de ma poche, une idée de fou me passe par la tête. Vous aurez sûrement deviné. Il y a tellement d'élèves dans l'église que je suis certain que je ne me ferai pas prendre. Je fais un clic et tout le monde se lève, suivi rapidement de deux clics. Mais là, tous autour de moi me regardent et sont morts de rire. Mon professeur arrive de nulle part, m'attrape par un bras et me sort du banc à la vitesse de l'éclair. Il m'agrippe le lobe de l'oreille droite et me traîne jusqu'à l'école située à deux rues de l'église. Ma sanction a été à la hauteur de ce coup raté. Quinze coups bien sentis, sur chaque main, d'une petite lanière en cuir qu'on appelait « banane ». À noter qu'il est aussi possible que j'en aie reçu un peu plus, car si on avait le réflexe de retirer sa main lorsque le bourreau frappait, deux coups supplémentaires s'ajoutaient à la sanction.

Mes amis m'ont dit qu'ils n'ont jamais tant ri que lorsque le prof m'a sorti de l'église. Même récemment, un ancien compagnon de classe rencontré au hasard d'un voyage à Cuba m'a confié qu'à chaque fois qu'il me voyait à la télévision, il pensait à cette scène. Personnellement, la seule chose dont je me rappelle de cette folie passagère, c'est une grosse madame assise sur une chaise berçante au deuxième étage d'une maison qui me regardait passer, toujours tiré par l'oreille, en se tordant de rire.

En sixième et septième année, j'eus le malheur de tomber sur Réal Séguin, celui que personne dans toute l'école, pour ne pas dire dans tout le Québec, ne voulait comme professeur. J'en connais même qui sont allés prier à l'église pour ne pas l'avoir. C'était un fou qui avait la très mauvaise habitude, pour te punir, de te frapper les jointures avec sa grosse règle de bois. Cette sanction, même constituée parfois de seulement quelques coups, faisait enfler les jointures qui devenaient bleuâtres en quelques secondes. Et mon père n'aimait pas que je me présente à la maison avec des jointures de cette couleur. Non pas qu'il se dirigeait immédiatement à l'école pour engueuler ou battre Séguin, mais plutôt parce qu'il m'en rajoutait là où le dos perd son nom.

Je n'oublierai jamais cette première journée où Séguin, le tortionnaire, s'était placé devant la porte de la classe pour nous souhaiter la bienvenue. Après un bref discours d'usage avec un petit sourire en coin, il nous invite à choisir nos places. Comme c'était toujours le cas, les «pas fins» se sont précipités à l'arrière de la classe et les *nerds* en avant. Mais Séguin, qui en avait vu d'autres, nous dit avec son plus beau sourire : «Tous ceux qui sont en arrière s'en viennent en avant et vice versa.» Ces deux années-là, j'ai eu des bulletins de 80 %...

En passant, durant mes trente années de carrière comme policier, il y a deux gars que je rêvais d'arrêter pour une infraction au code de la sécurité routière, mon ex-prof Séguin et André Hubert, mon ex-coiffeur. Malheureusement, ça ne s'est jamais produit. Mettons que j'aurais eu autant de plaisir à leur écrire quelques billets d'infractions que j'en ai actuellement à écrire ce livre.

André Hubert était propriétaire du salon de barbier situé à deux rues de la maison. Un samedi par mois, mon père passait à son salon et payait d'avance pour qu'il nous coupe les cheveux durant la journée. On devait tous avoir la coupe de cheveux que mon père considérait comme étant la grande mode, mais qui datait de vingt ans, une «brosse». Mais Elvis avait changé la donne avec ses beaux cheveux longs, noirs, graisseux et peignés vers l'arrière.

J'arrive donc au salon de monsieur Hubert et l'avise officiellement que je ne veux plus de brosse. Mais il insiste en spécifiant d'un ton sec que c'est mon père qui paie et qu'il veut que tous aient une brosse. J'insiste à mon tour et menace de quitter la place. Il cède enfin et me dit : «OK, alors je vais te faire la toute nouvelle coupe qui s'en vient, la grosse mode, la coupe CUP», et il beurre encore plus épais en ajoutant «tous tes amis à l'école vont vouloir se faire couper les cheveux comme toi, alors tu me les enverras ici». Je trépigne de joie, mais pas pour longtemps...

Mine de rien, il sort un rasoir électrique communément appelé *clipper* et me rase littéralement le peu de cheveux que j'ai sur la tête. Je suis sorti du salon en pleurant à chaudes larmes et j'ai dû porter une casquette pendant deux ou trois semaines pour aller à l'école. À noter que durant ces années, contrairement à aujourd'hui, porter une casquette et avoir la tête rasée n'étaient vraiment, mais vraiment pas à la mode. Vous comprenez maintenant pourquoi j'ai tant rêvé de voir un jour André Hubert me remettre son permis de conduire.

À l'âge de huit ou neuf ans, une petite épicerie a ouvert ses portes presque en face de la maison. C'était encore en construction quand ma mère m'a intimé l'ordre d'aller voir si on n'aurait pas besoin d'un livreur d'occasion. Le propriétaire, Raymond Daoust, un drôle de numéro celui-là, m'a dit : « J'peux pas t'engager... *stie*, j'ai pas d'argent ; si tu veux travailler, ça va être juste pour les *tips*. » J'ai accepté l'offre illico. J'ai commencé à livrer les commandes avec une petite voiture ; plus tard, j'ai gradué sur le triporteur, avec salaire de base, et j'ai terminé ma carrière sur le camion !

Vers l'âge de 12 ans, j'ai travaillé le soir et les fins de semaine au restaurant Sambo comme laveur de vaisselle. Je m'y suis vraiment bien amusé avec un copain, Gilles Delaunais. Un soir, après que je lui avais fait un mauvais coup, il m'a lancé une de ses chaussures qui m'a frôlé la tête de quelques pouces pour finir sa course dans un immense plat de sauce à spaghetti. On a failli se faire tuer par le chef cuisinier. Ce fut la fin de la carrière de laveur de vaisselle de mon ami Delaunais...

J'ai été livreur tout au long de mon adolescence, sauf durant l'été de mes quatorze ans. Cette année-là, j'avais décidé de me trouver un emploi plus rémunérateur. Une annonce dans le journal mentionnait que l'entreprise Canada Man Power avait besoin de main-d'œuvre pour différentes tâches. Je m'y suis présenté le lendemain matin à 6 heures pile, avec deux de mes amis. Une file importante attendait déjà à la porte, parmi laquelle plusieurs semblaient des itinérants. À l'intérieur du local, il y avait quatre longs bancs en bois installés contre les murs et un grand comptoir rond au milieu où s'activaient trois ou quatre personnes.

La sélection des travailleurs à peine commencée, à notre grande surprise, un des gars derrière le comptoir nous demande à tous les trois de le suivre. Il prend nos coordonnées et nous avise que nous allons travailler à un déménagement pour la compagnie United Van Lines. Il nous informe également que nous toucherons 1,20 $ de l'heure, que nous en recevrons les deux tiers, soit 0,80 $, le soir même à notre retour, et que le tiers restant (0,40 $) sera cumulé tous les jours et nous sera payé à la fin de l'été. Chaque matin, les jours de semaine, nous prenions le métro à 5 heures pour nous rendre rue Notre-Dame à Saint-Henri. La plupart du temps, nous faisions des déménagements ou vidions des remorques dans des entrepôts non climatisés. Nous avons travaillé vraiment fort, souvent jusque très tard le soir. Dès notre retour à la maison, nous notions soigneusement les heures accumulées.

Le jeudi précédant le retour à l'école, en terminant ce qui devait être notre dernier jour de travail, nous demandons à recevoir notre paie habituelle mais également la somme amassée depuis le début de l'été. De mémoire, ils me devaient environ 150 $. Mais le gars, celui-là même qui nous engageait tous les jours et qui nous remettait notre paie chaque soir, nous répond que le comptable est parti et que nous devons revenir le lendemain.

Le lendemain matin, un seul des employés se trouvait derrière le comptoir. Nous n'avions jamais eu affaire à lui, même s'il était présent tout au long de l'été. Il nous demande notre nom tour à tour, fouille dans ses papiers, ou plutôt fait semblant de fouiller dans ses papiers, et nous dit qu'il n'y a rien à notre nom. Nous protestons fortement et il commence rapidement à se fâcher : « J'vous connais pas ni l'un ni l'autre, crissez-moé votre camp d'icitte avant que je vous sorte à coups de pied dans le cul. » Cette phrase me résonne encore dans la tête aujourd'hui comme si c'était hier. On n'a jamais été payés ; j'en ai pleuré un *sapré* bout, et mes amis aussi. C'est fou comme écrire un livre peut permettre de se défouler, même 45 ans plus tard !

À cette époque, je pratiquais deux sports dans mes temps libres, le hockey et le base-ball. Je ne valais rien dans le premier, mais je me débrouillais assez bien dans le deuxième, où j'évoluais comme lanceur. J'ai même réussi une partie parfaite dans la catégorie pee-wee, aucun point, aucun coup sûr et aucun coureur sur les buts. Cette année-là, j'avais participé au tournoi pee-wee du parc La Fontaine. C'était tout un événement dans le temps et on s'y préparait très sérieusement.

Nous n'avions pas une bonne équipe, car nous étions une toute petite paroisse et le choix des joueurs était passablement restreint. Mais déjà à douze ans, je mesurais 5 pieds 8 pouces environ et je dépassais de beaucoup la plupart des autres joueurs. J'avais une balle rapide que les joueurs adverses avaient beaucoup de difficulté à frapper, de sorte que nous nous sommes rendus jusqu'en finale contre l'équipe de Parc-Extension. Je n'oublierai jamais cette interminable et excitante partie que nous avons finalement perdue par le compte de 1 à 0 à la dixième manche, après trois manches supplémentaires.

Mais une chose m'a toujours chicoté depuis cette fameuse partie. Le lanceur adverse était un immigrant au teint très foncé du nom de Ronnie Abraham. Il était aussi grand et costaud que moi et sa balle aussi rapide sinon plus que la mienne. Sauf qu'il portait une petite barbiche sous le menton. Notre instructeur était persuadé, comme nous tous d'ailleurs, qu'il ne pouvait avoir douze ans, soit l'âge limite pour évoluer au niveau pee-wee. Il y a eu une longue discussion à ce sujet, entre les arbitres et les instructeurs, avant le début de la partie. Mais finalement, devant les huées des partisans de l'équipe adverse, notre instructeur a abdiqué. Croyez-le ou non, encore l'année dernière, pour m'amuser, j'ai essayé de retrouver ce Ronnie Abraham sur Internet pour lui demander s'il avait vraiment douze ans lors de cette partie !

Suite à mon passage chez les pee-wee, j'ai été recruté par l'équipe de Saint-Bernard où j'ai évolué aux niveaux bantam et midget, pour ensuite terminer ma carrière avec les Expos de Ville-Marie au niveau junior. J'ai plus tard tenté ma chance au poste d'arrêt court avec les Mineurs de Thetford Mines de la ligue provinciale, mais sans succès. Nous étions alors une dizaine de candidats à nous disputer ce poste, mais c'est finalement Peppe Frias qui l'a obtenu. Quelques années plus tard, Peppe passait chez les Expos de Montréal.

J'ai eu quelques bons amis au cours de mon adolescence, dont la plupart étaient des coéquipiers au hockey ou au base-ball. Nous allions tous à la même école, de sorte qu'on était pratiquement toujours ensemble. Mais je les ai tous perdus d'un seul coup à la suite d'une décision prise en quelques secondes que je n'ai, par contre, jamais regrettée.

Un jour, vers l'âge de quatorze ans, j'attends mes amis, assis sur le balcon, lorsqu'une auto tourne le coin sur les chapeaux de roue et s'arrête en face de moi. Je n'en crois pas mes yeux : Denis, un de mes meilleurs copains, est au volant et deux autres de mes amis l'accompagnent. Je saute par-dessus la rampe et me rends près de la voiture. Je n'ai pas le temps de dire un mot que Denis me fait signe de grimper à l'arrière. Devant mon hésitation et mon air interrogateur, il me dit qu'il vient de la voler à l'agent d'assurance qui est présentement chez lui. Le pauvre avait laissé ses clés sur la table de cuisine pendant qu'il discutait assurance au salon avec la mère de Denis.

Je refuse net son invitation, pas question que je monte dans cette auto. Les dernières paroles dont je me souviens de Denis, c'est « maudit pissou ». Il y avait un peu de vrai dans ces mots, mais aussi beaucoup des valeurs morales que mes parents m'ont transmises dans ma décision de refuser. Le lendemain matin, à l'école, il manquait au moins quatre élèves.

En effet, après m'avoir quitté, ils avaient fait monter un autre de mes amis et s'étaient rendus dans un chalet du lac Noir, à une centaine de kilomètres de Montréal. Un employé de dépanneur, où ils s'étaient arrêtés pour acheter une caisse de bières, intrigué de voir ces jeunes dans une auto, avait communiqué avec la Sûreté du Québec pour l'en aviser. Ils se sont tous retrouvés en prison et l'agent d'assurance n'a pas eu le temps de faire sa réclamation. Si par malheur j'avais décidé de les suivre dans leur aventure, je n'aurais jamais été policier.

Un jour, en patrouillant, j'ai rencontré Yvon, un des deux passagers de l'auto volée lorsque j'ai refusé d'embarquer. Nous avons parlé de notre adolescence et il m'a confié que la pire gaffe de sa vie avait été de monter dans cette voiture ce jour-là, car son dossier juvénile l'a empêché de concrétiser son grand rêve de devenir pompier.

Du côté études, comme mon seul et unique objectif était de devenir policier, je me devais de réussir ma dixième année. Cependant, le jour même où j'ai reçu mon diplôme, j'ai reçu un véritable coup de masse lorsque Lionel Descoteaux, un voisin policier, m'a annoncé que depuis quelques semaines il fallait faire une onzième année pour entrer au service de police. Sincèrement, je me rappelle avoir pleuré comme un veau. Mais, quand on a un rêve à réaliser, il faut parfois faire de grands sacrifices. J'ai donc fait ma onzième année, de peine et de misère, mais avec succès et grâce à l'aide d'un professeur très généreux.

Comme vous avez pu le constater à la lecture de ce chapitre, s'il y a quelque chose que j'ai détesté dans ma vie, c'est bien l'école. Eh bien, croyez-le ou non, au cours de ma carrière d'inventeur, j'ai eu l'honneur de me retrouver à quatre reprises dans des manuels scolaires aux côtés de Joseph-Armand Bombardier et Jean Saint-Germain, l'inventeur du biberon Playtex. L'histoire ne dit cependant pas si ma présence dans ces manuels a contribué à motiver certains élèves...

L'école étant chose du passé, ne me restait plus qu'à attendre d'avoir l'âge requis pour faire application pour entrer au Service de police de la Ville de Montréal. Mais en attendant, il me fallait gagner ma croûte. Comme ce fut le cas pour la plupart de mes frères, mon père m'a fait entrer au Canadien Pacifique. J'y ai travaillé comme laveur de vaisselle sur la ligne Montréal-Winnipeg pendant tout l'été. J'ai vraiment détesté cet emploi, pour plusieurs raisons, entre autres la discrimination dont les employés de race noire étaient victimes.

Difficile à croire, mais ceux qu'on appelait les « Red Cap », les préposés aux bagages, devaient manger après tout le monde et aucun employé blanc n'avait le droit de s'asseoir avec eux. Ça me mettait en beau fusil, et, dès que le temps me le permettait, je me faisais un plaisir d'aller à l'encontre de ce règlement. Le problème, c'était que mon père se trouvait à être mon patron et chaque fois il venait se plaindre qu'à cause de mon attitude, il risquait de perdre son emploi. À part mon père, tous les employés avec qui je travaillais étaient de langue anglaise et

Les « Red Cap » du Canadian Pacific

aucun ne faisait même un petit effort pour me dire quelques mots en français. Les journées de travail commençaient à 5 heures le matin et se terminaient à minuit, et ce, quatre jours de suite. Vraiment, j'avais hâte que l'été se termine.

Jusqu'alors, je n'avais eu que des emplois à temps partiel ou d'été, mais là, il m'en fallait un à temps plein. Comme à peu près tous les jeunes qui cherchent du travail, je me suis préparé une liste des grandes entreprises comme Bell Canada, Hydro-Québec, Postes Canada, etc.

Je me suis donc rendu en premier chez Hydro-Québec où j'ai rempli un formulaire d'application. Une jeune fille faisait de même et nous avons bavardé pendant quelques minutes. Comme il était 11 h 15 environ, nous avons convenu d'aller dîner ensemble. Mais auparavant, elle avait rendez-vous pour une entrevue à la Banque Royale du Canada, dont le siège social était situé Place Ville-Marie. J'ai donc décidé de l'accompagner et de l'attendre sur les lieux avant d'aller dîner.

J'attendais que son entrevue soit terminée lorsqu'une porte s'ouvre et qu'un type me dit « bonjour, c'est votre tour ». Je le suis donc dans son bureau et il me demande : « Qu'est-ce qui vous attire à la Banque Royale ? » Je réponds, avec un large sourire et plein d'enthousiasme, que c'est un rêve de jeunesse et que j'ai toujours voulu être banquier... Il se lève d'un bond, me tend la main et m'informe que mon rêve va enfin se réaliser. En arrivant à la maison, j'annonce à ma mère, tout excité, que je viens de me trouver un emploi à la Banque Royale. Elle rétorque : « Ça m'surprend pas, tu entres dans une banque comme tu entres chez vous, ils engagent n'importe qui. » Elle ne pouvait pas si bien dire !

Deux jours plus tard, j'étais assis à la succursale située angle Mont-Royal et Papineau. Je m'y suis bien amusé, mais, croyez-moi, ce n'était vraiment pas ma place. Un an plus tard, j'ai été transféré à la succursale de Thetford Mines. J'y ai également passé une très belle année. Tout ce dont je me souviens de cette ville, c'est qu'à l'époque, il y avait un gars pour 20 filles. Tous les hommes étaient partis travailler à Montréal ou à Québec. Alors, au lieu d'aller demander à une fille pour danser, c'était l'inverse. Mon premier choc culturel.

De retour à Montréal, je me suis retrouvé à la succursale Iberville et Dandurand où, pendant six mois, ce fut une guerre continuelle avec le gérant. À un moment donné, j'ai été convoqué au siège social où on m'a donné le choix entre remettre ma démission ou me faire mettre à la porte. J'ai choisi la première option sur-le-champ, une véritable délivrance.

Je devais maintenant annoncer à mes parents que je n'avais plus d'emploi et, du même coup, que je ne pourrais plus payer de pension pour un certain temps. Rien de très excitant en vue. Si je leur dis que j'ai laissé mon emploi, je suis « fait » et si je dis qu'ils m'ont foutu à la porte, je suis perdu de toute façon... Mais la chance était avec moi ce jour-là. En effet, j'arrête à l'épicerie Daoust, qui fut mon premier vrai employeur, et lorsque j'apprends à Raymond que je n'ai plus de travail, son visage s'illumine. Son livreur venait de le laisser tomber. J'ai fait ce travail jusqu'au jour où j'ai été accepté dans le service de police.

Je n'oublierai jamais ma réponse à la dernière question qu'on m'a posée lors de mon entrevue d'embauche comme policier. « Qu'est-ce qui vous a poussé à démissionner prématurément de la Banque Royale ? – C'est qu'on m'avait offert une importante promotion et comme mon rêve a toujours été d'être policier, j'ai voulu être honnête avec eux. – Bravo, c'est tout à votre honneur ! » Et j'ai été embauché.

Chapitre 2

L'entrepreneur en moi se révèle

*« Il n'y a pas un caractère d'entrepreneur,
mais il faut du caractère pour l'être. »*
– Peter Drucker

Quelques mois avant de devenir policier, j'ai fait la connaissance de Ginette, celle qui allait devenir ma première épouse trois années plus tard. Lorsqu'elle a accepté ma demande en mariage, elle n'imaginait certainement pas dans quoi elle s'embarquait ! J'étais tout sauf un pantouflard dont le passe-temps favori serait de regarder les téléromans.

Mes premières années comme policier ont donc été partagées entre le hockey avec mes confrères policiers, à raison de trois à quatre fois par semaine, la balle molle l'été au même rythme, le golf pratiquement tous les jours, la pêche, le motocross, et la liste pourrait s'allonger *ad nauseam*. Mettons que je n'étais pas souvent à la maison…

Durant ces quelques années, j'ai trouvé le temps de suivre un cours d'électronique par correspondance de l'Institut TECCART de Montréal et même un cours de tailleur de verre dans le but de

Mon
deuxième
uniforme
de
policier

fabriquer des lampes Tiffany. En effet, depuis plusieurs semaines, Ginette désirait absolument une lampe Tiffany pour la cuisine, ce qui était très à la mode à l'époque. Je n'avais alors aucune idée de ce à quoi pouvait bien ressembler une telle lampe et j'ai décidé de l'accompagner dans sa démarche. Nous nous sommes donc rendus dans une boutique d'artisans du Vieux-Montréal.

À peine entré dans la boutique, mon cœur n'a fait qu'un tour en voyant le prix des lampes qui commençait autour des 300 $. Je trouvais que ça n'avait aucun sens et que ça ressemblait à une arnaque. J'en ai fait part à Ginette, mais, comme elle y tenait vraiment, nous en avons acheté une quand même. Bien

Ma première et dernière lampe Tiffany

décidé à lui prouver que ce prix était exagéré, je suis également ressorti avec la trousse du parfait tailleur de verre. J'ai mis plus d'un mois à tailler mes pièces une à une et à les souder ensemble. Croyez-moi, j'en ai brisé des morceaux de verre. Ce fut donc la seule et unique lampe que j'ai fabriquée dans ma vie et je n'ai toujours pas envie de récidiver. À la fin de ce cauchemar, je me suis demandé pourquoi les artisans vendaient leurs lampes à prix dérisoire !

Ma première maison

Un matin de l'été 1976, alors que j'emprunte la rue Desmarteaux pour me rendre chez un oncle, mon attention est attirée par une pancarte « À vendre » devant chaque maison située du côté est. Et en face de la dernière, juste avant l'intersection, il y a un gros monsieur en train d'en installer une autre.

Par curiosité, je m'arrête à sa hauteur pour lui demander pourquoi toutes ces maisons sont à vendre. Il me répond qu'il est agent immobilier et que c'est lui qui a le mandat de toutes les vendre. Il m'explique en outre qu'elles appartiennent toutes au même propriétaire, un riche homme d'affaires nommé William O'Bront, celui que la Commission d'enquête sur le crime organisé (CECO) vient d'identifier comme le magnat de la viande avariée. L'agent ajoute qu'avant d'avoir à témoigner à l'enquête, O'Bront s'est enfui aux États-Unis et que par la suite il a mandaté la firme Royal LePage pour liquider toutes ses propriétés situées au Québec.

Contre toute attente, il me propose alors d'en choisir une et de lui faire une offre. Le prix établi pour chaque maison est de 45 000 $. Ne connaissant absolument rien au domaine immobilier, je n'ai aucune notion de ce que ça vaut. D'autant plus que l'idée d'acheter une maison ne m'a encore jamais même effleuré l'esprit.

J'appelle donc mon père, Henri, pour avoir son avis, qui me demande si j'ai visité l'intérieur de la maison en question, et je réponds que je n'en ai encore choisi aucune. Je lui relate l'histoire de William O'Bront, après quoi il me suggère d'y aller avec une offre verbale seulement de 40 000 $. Je m'exécute et l'agent me relance immédiatement avec une contre-offre à 42 500 $. Henri m'encourage à accepter. Ce que je fais dans la minute qui suit. À noter qu'à cette époque, les téléphones cellulaires n'existaient pas : je me promenais donc de la cabine téléphonique à la maison en question, et vice versa.

Mon offre fut finalement acceptée et l'agent m'a demandé quelle maison je voulais. Comme on était toujours en face de la même maison où les négociations avaient eu lieu, j'ai décidé de prendre celle-là. Le contrat d'achat fut signé et, en moins de trente minutes, Ginette et moi étions devenus propriétaires d'un magnifique duplex, chose qu'elle ignorait encore.

Il me fallait maintenant un prêt hypothécaire. Encore une fois, je fais appel à l'expérience d'Henri dans ce domaine. Je me rends donc immédiatement avec lui à la Caisse populaire Notre-Dame-des-Victoires où il est en excellents termes avec le gérant avec qui il fait affaire depuis de nombreuses années. Ce que personne ne m'avait dit cependant, c'est qu'il me fallait un montant de base de 5 000 $ pour pouvoir obtenir une hypothèque de 37 500 $. Léger détail pour un gars qui change d'auto tous les six mois et qui dépense sa paie à mesure qu'il la reçoit ! Je finis donc par obtenir deux emprunts, un personnel de 5 000 $ et l'autre en hypothèque. Mes premières vraies responsabilités financières.

C'est donc à son retour du travail que mon épouse a appris qu'elle déménageait bientôt. Évidemment, elle voulait visiter sa nouvelle acquisition le plus vite possible. Nous avons donc pris rendez-vous le soir même. C'était affreux, et le mot est faible. Je n'avais jamais vu une maison en si mauvais état. Ginette pleurait en me disant qu'elle ne viendrait jamais habiter dans cette maison. Heureusement, pour la circonstance, nous étions accompagnés de Marcel, un oncle qui habitait tout près et avec qui je m'entendais à merveille. Un gars débrouillard comme c'est pas possible. Marcel la consolait tout en lui expliquant la simplicité des réparations à effectuer. Honnêtement, je dois dire qu'il devait aussi me consoler car je n'avais jamais touché à un marteau de ma vie.

Marcel, mon mentor en rénovation de maison

Pendant tout le mois suivant la prise de possession de notre maison, j'ai procédé aux rénovations avec Marcel, qui m'a tout appris. En fin de compte, on avait vraiment une belle maison. Je ne sais pas trop pourquoi, mais pour la première fois de ma vie, j'avais le sentiment d'être devenu un homme. Beau sentiment !

Évidemment, même si Ginette travaillait et gagnait un salaire honorable, nos finances étaient à leur plus bas. L'hypothèque, le prêt personnel et les rénovations, ça crève un budget. Ma première décision a donc été de couper dans les dépenses : adieu golf, pêche et motocross. Mais le temps est long à ne rien faire quand on est habitué à être actif…

Dans le cadre des rénovations de ma nouvelle maison, j'avais eu besoin de plusieurs gallons de peinture. Un de mes amis qui travaillait pour la compagnie de peinture Sherwin Williams me vendait de la « Master », destinée exclusivement aux entrepreneurs peintres. Selon lui, cette peinture, qui coûtait le tiers du prix d'un gallon régulier, était exactement la même que celle vendue aux consommateurs dans les grands magasins.

Je suis donc devenu « trafiquant de peinture » depuis mon garage, en d'autres mots, une entreprise non officielle. Le principe est vieux comme le monde : tu achètes un gallon à 5 $, tu le vends 10 $ et tu fais 5 $. Tu multiplies par le nombre de gallons vendus et ça arrondit les fins de mois. Et en plus, le client est content, car il vient de sauver 5 $ du gallon… plus les taxes.

Quelques semaines plus tard, je me présente à l'épicerie où j'avais travaillé pendant toute ma jeunesse et qui entre-temps avait changé de mains. Le nouveau propriétaire m'informe que son fils, alors livreur, s'est blessé au dos et qu'il ne pourra reprendre le boulot avant quelques mois, et me demande si par hasard je ne connaîtrais pas quelqu'un qui serait intéressé à le remplacer. Je suis donc devenu livreur à temps partiel, pour ne pas dire à temps plein.

À compter de la minute où j'ai accepté cet emploi jusqu'à aujourd'hui, j'ai toujours eu deux emplois et même quelquefois trois simultanément. Entre autres, j'ai touché à la rénovation, la pose de fenêtres d'aluminium et la réparation de carrosserie d'auto. Bref, comme le dit l'expression, je n'ai jamais chômé.

Je travaillais tout le temps, de jour, de soir et de nuit. Ma seule journée de congé était un dimanche sur deux et encore, la plupart du temps, un ou deux clients venaient chercher leur commande de peinture. Je pense que c'est ce qu'on appelle un *workaholic*. Mais en moins d'une année j'avais atteint mon but, mon prêt personnel était entièrement remboursé.

Ma première vraie entreprise

Un soir de canicule en septembre 1979, je patrouillais avec Yvon, mon partenaire, lorsque nous sommes passés devant un comptoir de crème glacée devant lequel se trouvait une longue file d'attente. Yvon, qui connaissait bien le propriétaire, a fait une remarque qui n'est pas tombée dans l'oreille d'un sourd : « Ça, c'est le meilleur commerce au monde ; il n'est ouvert que l'été et le propriétaire passe l'hiver en Floride. » « Pourquoi on n'en ouvrirait pas un nous-mêmes ? » que je lui réponds spontanément, sans même réfléchir.

Ce soir-là, nous faisions un double comme c'était le cas une fois par mois, c'est-à-dire qu'on continuait jusqu'à 8 heures du matin avant de tomber en congé pour quatre jours. Nous avons donc passé la nuit à chercher, sans succès cependant, un emplacement pour notre futur comptoir de crème glacée. À part manger un cornet de temps à autre, nous ne connaissions absolument rien à la crème glacée, encore moins au fonctionnement d'un tel commerce. Je dirais même plus, nous n'avions absolument aucune espèce d'idée du fonctionnement d'un commerce tout court.

Vers 6 heures du matin, nous nous sommes arrêtés pour déjeuner au restaurant Chez Pierrot situé dans un petit centre commercial de la rue Jarry à Saint-Léonard. Comme nous parlions de notre projet au propriétaire, un bon ami, pour connaître son opinion, il a trouvé l'idée tellement bonne qu'il nous a offert d'ouvrir notre crèmerie dans son commerce, moyennant un léger loyer mensuel. Avant de quitter le restaurant, le marché était conclu par une bonne poignée de main. Je capotais littéralement, c'est le moins qu'on puisse dire.

L'entente avec Yvon était d'investir à parts égales et de partager les heures de travail. Le matin même, j'étais déjà à la recherche d'équipement de bar laitier alors qu'Yvon, lui, était parti se coucher... Voilà probablement la différence entre l'entrepreneur et celui qui ne l'est pas.

J'avais déniché un commerce qui vendait des accessoires de restaurant usagés et quelques semaines plus tard, l'équipement de bar laitier au complet était acheté. Nous avons commencé les travaux de construction au mois de février et ouvert les portes le 19 avril suivant. C'était un dimanche et, par chance, il faisait très chaud, avec un soleil de plomb, c'était même exceptionnel comme température. Nous avions annoncé un spécial 2 pour 1. La journée a commencé bien lentement, mais dans l'après-midi, le restaurant était plein à craquer, c'était l'enfer. À ce bas prix, tout le monde voulait des banana splits. On en a travaillé un coup et on en a passé des bananes !

Yvon et moi avions convenu de ne pas prendre de salaire jusqu'à ce qu'on se soit remboursé nos mises de fonds respectives. Nous avions embauché Larry, mon beau-père, pour tenir le commerce pendant nos heures de travail. Les jours de congé ou après le travail, je passais tout mon temps à la crèmerie, et ce, sept jours sur sept. J'adorais ça, mais c'était différent pour mon associé qui semblait mal à l'aise à l'extrême. Quand il n'avait pas une partie de balle molle, il devait couper le gazon ou nettoyer sa piscine. En réalité, il n'était tout simplement pas prêt à faire les sacrifices qu'une telle aventure exige.

Mais lui et moi étions partenaires depuis plusieurs années, nous étions comme deux frères. Même que nos collègues de travail nous surnommaient « les deux fesses ». Donc, pas question pour moi de lui mettre de la pression qui aurait pu créer un malaise entre nous. J'étais prêt à vivre très longtemps cette situation. Mais après un mois d'activité, il n'en pouvait plus de me voir aller et m'a offert de lui acheter sa part au même montant qu'il avait investi. J'ai évidemment accepté. Les affaires roulaient au-delà de mes espérances, de sorte qu'avant la fin de l'été, je lui avais déjà remboursé sa part en entier.

À chaque fermeture, Larry avait la mauvaise habitude de dévoiler le montant des recettes de la journée au propriétaire du restaurant dans lequel était installé mon bar laitier. Ce dernier commençait à se demander s'il n'aurait pas dû l'ouvrir lui-même. Vers la fin de l'été, alors que je m'apprêtais à fermer boutique pour la période hivernale, il m'avisa qu'il devait augmenter mon loyer pour l'année suivante de 200 $ à 600 $. J'étais furieux ! En homme d'affaires débutant que j'étais, je ne l'avais pas vu venir celle-là.

À cette époque, 600 $, c'était une grosse somme, d'autant plus que je n'occupais qu'un espace de 200 pieds carrés environ. Je me sentais trahi, car je voyais clair dans son jeu. Ou j'acceptais de payer ce montant faramineux, ou je lui cédais mon bar laitier à un prix dérisoire puisque je ne pourrais le vendre à personne d'autre. J'étais coincé. J'ai passé une bonne partie de la nuit suivante à réfléchir et, finalement, c'est moi qui l'ai acheté. Comme je ne prenais toujours pas de salaire, j'avais réussi à accumuler une assez bonne somme d'argent. Le reste fut financé par la banque située dans le même centre commercial.

Me voilà donc propriétaire de Chez Pierrot, un restaurant spécialisé dans les hot-dogs et les hamburgers. Quelques mois plus tard, j'ai ajouté les sous-marins au menu et changé la raison sociale pour «Larry Submarine». Une belle aventure qui s'est cependant mal terminée. En effet, un après-midi, un léger incendie, déclenché par une cafetière défectueuse, a causé des dommages assez importants à nos équipements.

J'avais bien des assurances pour les dommages causés au local, qui somme toute étaient minimes, mais je n'en avais pas pour l'équipement. J'avais encore une balance de dette à la banque et, en plus, il restait sept mois à mon bail. J'étais déchiré entre m'équiper de nouveau, ce qui se serait traduit par une augmentation substantielle de ma dette, ou payer le restant du loyer et fermer définitivement.

En outre, une année auparavant, j'avais acheté, en partenariat avec un de mes oncles, une franchise «Rénov-ar», un concept américain assez révolutionnaire qui consistait à recouvrir de vieilles armoires de cuisine avec un panneau de PVC, leur donnant ainsi l'apparence de différentes essences de bois. Notre entreprise allait très bien. Il y avait sept franchises d'ouvertes au Québec et nous avions le chiffre d'affaires le plus élevé. Je devais donc partager mon temps entre mon restaurant où Larry était maintenant à temps plein, mon entreprise de rénovation d'armoires de cuisine et mon emploi de policier.

Ma première décision fut de rouvrir mon restaurant avec l'intention de le mettre en vente quelques mois plus tard. Mais avant d'investir dans de nouveaux équipements, j'ai demandé à rencontrer le propriétaire du centre commercial pour renégocier un nouveau bail de trois ans. En fait, je voulais m'assurer qu'il n'allait pas augmenter le loyer de la même façon que l'avait fait l'ancien propriétaire du restaurant. Mais son intention était toute autre : il s'apprêtait lui-même à m'offrir de reprendre son local pour y installer un restaurant spécialisé dans la viande fumée. Son offre, que j'ai acceptée illico, venait de mettre un point final à ma carrière de restaurateur.

Au cours d'une patrouille avec Raynald Aubut comme partenaire, nous recevons un appel pour un vol dans une remise de jardin d'une superbe maison presque neuve du quartier Nouveau-Rosemont. Le plaignant, d'origine grecque et ayant guère plus de 25 ans, en est le propriétaire. Il me dit l'avoir payée 325 000 $, une fortune à l'époque. Pour les fins de mon rapport, il m'informe en outre qu'il est commis chez Provigo. Je n'en crois pas mes oreilles et lui demande comment il a bien pu faire pour acheter cette maison avec son salaire de commis. Il me répond qu'il a commencé en achetant une première maison modeste, qu'il a retapée et revendue, puis une deuxième avec laquelle il a fait la même chose et ainsi de suite. Je suis stupéfait devant la simplicité de sa réponse.

Je dis alors à Raynald : « Nous, les Québécois, on est vraiment stupides, on achète une maison et on la garde 40 ans. » Je lui demande donc de me conduire chez RE/MAX afin d'y rencontrer l'agent Rémi Roy et l'informer de mon désir de vendre ma maison. Il prépare les documents, que je signe immédiatement. Je termine mon quart de travail à minuit et arrive à la maison 20 minutes plus tard. Évidemment, Ginette dort, donc pas question de la réveiller pour lui annoncer la « bonne nouvelle ». D'autant plus que ses parents viennent à peine d'emménager à l'étage au-dessus.

Mais le lendemain matin, elle me réveille brusquement. Elle est dans tous ses états en me disant qu'un agent immobilier est en train d'installer une pancarte à vendre sur le parterre. De toute évidence, l'annonce officielle ne va pas être facile. Je m'habille et descends rencontrer Rémi Roy. Je lui dis que pour éviter la troisième guerre mondiale, il y aurait lieu d'annuler le contrat. Mais malheureusement, c'est impossible car l'annonce a déjà été publiée dans MLS. Cependant, il me propose d'envoyer un avis d'erreur à MLS et de mentionner que le prix de vente de la maison est 69 900 $ et non 62 900 $. De cette façon, dit-il, personne ne va m'offrir un tel montant et je n'aurai qu'à refuser les offres. La guerre est ainsi évitée, mais une petite tempête a quand même fait rage…

Le lendemain, vers l'heure du souper, le téléphone sonne et un agent immobilier m'informe qu'un client est intéressé à visiter notre maison. Je n'ai pas le droit de refuser, donc le rendez-vous est fixé à 19 heures le jour même. À l'heure prévue, l'agent se pointe avec deux personnes, un père et son fils âgé d'environ 18 ans. Il est clair que le fils a un gros mot à dire dans le choix de leur future maison. À chaque pièce qu'il visite, il fait preuve d'un enthousiasme délirant et indique à son père où seront placés les meubles. À son arrivée dans le sous-sol, c'est l'apothéose. Il trippe littéralement et sort son ruban à mesurer pour vérifier si sa table de billard peut y être installée. À ce moment, je regrette presque d'avoir mis autant de cœur à bien finir le sous-sol.

Les deux larrons partent ensuite avec leur agent et, moins de 15 minutes plus tard, celui-ci se pointe avec une offre d'achat en main au montant de 62 000 $. Je la refuse net en ajoutant que, de toute façon, on ne veut plus vendre la maison. Et je n'ai pas à le convaincre parce qu'il s'en était lui-même rendu compte en voyant l'attitude de Ginette durant la visite. Et ce qui devait arriver, arriva. À peine 30 minutes plus tard, il revient avec une offre de 69 900 $, que je n'avais pas le choix d'accepter sans quoi je devais payer la commission de l'agent. Tout le monde pleurait sur les deux étages, mais, moi, je capotais littéralement à l'idée de faire un gain de plus de 20 000 $ en une année à peine. Mon ami grec n'avait vraiment pas tort. La seule différence entre lui et moi, c'est qu'il était célibataire…

Nous avons ensuite acheté un duplex plus spacieux, toujours dans l'est de Montréal. Pratiquement le même scénario que pour la première maison. Ça faisait quelques semaines qu'on cherchait et on ne trouvait rien qui correspondait à notre goût ni au prix que nous étions prêts à payer. Je venais d'aller dîner chez mes parents lorsqu'en passant dans la rue Desautels, je remarque un agent en train d'installer une enseigne. La maison était située exactement dans le secteur qui nous intéressait et le prix demandé de 89 000 $, en plein dans notre fourchette.

Au lieu de faire une offre immédiatement, je décide de communiquer avec Rémi Roy, l'agent immobilier. En moins de temps qu'il n'en faut pour le dire, Rémi était assis dans mon auto pour discuter de la stratégie à adopter. Il m'a demandé si je voulais visiter la maison, mais c'était inutile, je la voulais. D'autant plus que je savais maintenant comment utiliser un marteau.

Rémi va à la rencontre de l'autre agent et s'entretient quelques minutes avec lui. Il revient et me met au courant de la situation. Cinq enfants – quatre filles de Montréal et un garçon qui habite à Québec – viennent d'hériter de cette maison après le décès de leur père. Tous doivent signer mon offre, qu'ils l'acceptent ou non. Alors, Rémi, rusé comme un renard, me suggère de faire une offre à 74 000 $ valide jusqu'à minuit seulement. Aussitôt dit, aussitôt fait.

Le gars de Québec se pointe vers 19 heures et, trente minutes plus tard, Rémi sort de la maison en me tendant la main pour me féliciter. Nous étions propriétaires d'un magnifique duplex et en étions très heureux – y compris Ginette ! –, même si, encore une fois, nous n'avions pas visité l'intérieur. D'autant plus qu'elle était enceinte et que, juste en face, il y avait une maternelle et une école primaire. Un coup de maître !

Comme pour notre première maison, j'ai dû refaire l'intérieur des deux étages et j'ai transformé le sous-sol en logement. Durant les rénovations, Ginette a donné naissance à Éric, notre seul enfant. À partir de ce moment, le peu de temps libre qu'il me restait serait consacré à ma petite famille.

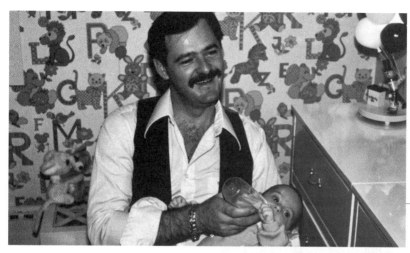

Mon meilleur ami

Malheureusement, Éric est venu au monde avec un pied difforme. Dans le langage médical, on appelle ça un pied bot. Pendant plusieurs années, nous avons dû nous rendre à l'hôpital pour des traitements à raison d'une fois par semaine. Cette malformation lui a valu quelques opérations pour des greffes de tendons, ce qui l'a empêché de jouer au hockey pendant sa prime jeunesse. L'hiver, il pratiquait le ski sur une base régulière et l'été, il adorait le base-ball dans lequel il excellait. Même avec un pied dans le plâtre, à la suite d'une de ses opérations, il tenait à être sur le terrain avec son équipe. Avec

Éric, dans son rôle de frappeur

l'accord de son instructeur et des officiels, il pouvait frapper la balle et un de ses coéquipiers courait sur les buts à sa place.

À peu près au même moment, j'ai transféré ma petite entreprise de peinture à mon frère Michel, car elle commençait à prendre beaucoup trop de mon temps. Je pouvais dorénavant me consacrer entièrement à mon entreprise de revêtement d'armoires, en dehors de mon travail de policier, bien sûr. Les affaires étaient florissantes, nous avions maintenant trois employés et notre chiffre d'affaires montait en flèche. Mais la récession de 1981 nous a coupé les jambes. Notre carnet de commandes s'est mis à diminuer et plusieurs contrats furent annulés par les clients.

En plus, un jour de juillet 1983, alors que nous étions à charger des modules d'armoires dans notre camion, mon associé s'est affaissé à mes pieds, victime d'une crise cardiaque. J'ai dû pratiquer sur lui les manœuvres de réanimation pour le ramener à la vie. Quelques semaines plus tard, à sa sortie de l'hôpital, son médecin lui a interdit de travailler pour les six prochains mois. J'étais un excellent assistant, mais je n'avais pas son expertise pour exécuter les contrats. J'ai bien tenté de passer à travers les contrats déjà signés, mais c'était ardu.

Quatre mois après sa crise cardiaque, notre bail venant à terme, j'ai dû me résigner à vendre tous les contrats signés à un autre franchisé et à fermer boutique. J'ai ensuite liquidé tous nos équipements de même que l'inventaire. Finalement, je m'en suis très bien tiré, pas de gain, pas de perte non plus, seulement la fin d'une belle aventure.

La salle d'exposition de Rénov-ar

Un ami à qui on envoyait les clients qui voulaient faire installer des fenêtres d'aluminium m'a offert un emploi d'installateur à temps partiel. J'ai accepté immédiatement et mon ex-associé de Rénov-ar, remis sur pied après ses six mois de convalescence, s'est joint à moi. On travaillait maintenant sans la pression qu'engendre une entreprise et on s'est amusé comme des fous. Côté sport et loisir, à part une partie de hockey par semaine l'hiver avec mes frères, plus rien. J'ai donc pris beaucoup de poids… et perdu ma forme.

Sans nécessairement être des échecs, mes deux premières expériences en affaires n'étaient pas non plus des succès.

Depuis ma naissance, je ne me souviens pas d'avoir lu un livre autre que les livres d'école et encore, je ne suis pas tout à fait certain de les avoir vraiment lus. Par hasard, à peu près au moment où je mettais fin aux activités de Rénov-ar, dans une vente de garage, je suis tombé sur le livre *Les dix hommes les plus riches du monde et les secrets de leur réussite*, de Christian Godefroy et Charles-Albert Poissant. Je ne cacherai pas que c'est la première phrase du titre qui a attiré mon attention, mais je peux vous assurer que c'est la deuxième qui l'a retenue.

Pour ceux qui ne connaissent pas Charles-Albert Poissant, celui-ci a été le mentor de Pierre Péladeau et le président de Donohue Inc. Peu avant son décès, le 11 mars 2011, il a publié le livre *Réussir : programmer son succès*. Pierre Péladeau disait toujours que, sans lui, il n'aurait jamais pu atteindre le succès qu'il a connu. En ce qui a trait à Christian Godefroy, c'est une sommité internationale qui a une quinzaine de livres à son actif dans le domaine de la croissance personnelle. Pour en savoir plus sur ces deux phénomènes, tapez leurs noms sur Google.

Ce livre, *Les dix hommes les plus riches du monde et les secrets de leur réussite*, a complètement changé ma façon de voir les choses, autant en affaires que sur le plan personnel. Je l'ai lu et relu à plusieurs reprises tout en m'efforçant de mettre en pratique les nombreux conseils de ces deux experts. J'ai fait tous les exercices qu'ils proposaient, même si j'avais des doutes sur leur utilité. Bizarrement, c'est à peine quelques mois plus tard que j'ai eu ma première idée d'invention.

J'ai toujours ce livre bien en vue dans ma bibliothèque et j'aime y jeter un coup d'œil de temps à autre pour constater à quel point j'ai bien fait mes devoirs.

Chapitre 3

Mon rêve de jeunesse enfin réalisé

« Le bonheur est un rêve d'enfant réalisé dans l'âge adulte. »
– Sigmund Freud

À 9 heures pile du matin, le jour même où j'ai atteint l'âge de pouvoir enfin postuler pour être policier, je remplissais le formulaire d'application. J'attendais ce moment depuis tellement longtemps ! Dans mes plus lointains souvenirs, j'ai toujours voulu être policier. Chaque fois que je voyais une auto-patrouille s'arrêter quelque part, c'était plus fort que moi, je m'approchais pour voir ce qui se passait et j'aurais donné n'importe quoi pour être à la place des policiers. Vers l'âge de dix ou onze ans, j'avais même acheté un poste de radio qui me permettait de capter les ondes de la police. Pour être honnête, je ne me voyais pas faire autre chose dans la vie.

Ayant remis le formulaire d'application, j'attendais avec impatience mon tour de passer les tests. Ce fut très rapide et je n'ai eu aucun problème à réussir avec succès les tests physique, oral et écrit. J'attendais donc l'appel du Service de police de Montréal qui allait confirmer mon embauche. Il ne me restait en fait que le test médical, qui m'apparaissait comme une simple formalité. Deux mois après ce dernier test, ma mère m'appelle à l'épicerie pour me dire que la lettre du Service de police venait d'arriver.

En moins d'une minute j'avais ouvert l'enveloppe : REFUSÉ ! L'espace d'une seconde, mon rêve s'écroulait. Et là, je l'avoue, j'ai réellement fondu en larmes. On me refusait parce que, semblait-il, j'avais un œil trop faible. Tout n'était cependant pas perdu puisqu'on me suggérait de reprendre un rendez-vous avec le même médecin pour passer un deuxième test.

Revenu de ma mauvaise surprise mais toujours aussi découragé, je suis retourné à l'épicerie. Inutile d'ajouter que je n'avais plus vraiment le cœur à l'ouvrage. Dans mon entourage, tout le monde savait que j'attendais cette fameuse lettre d'embauche. La nouvelle s'est donc répandue comme une traînée de poudre. François Lalancette, un ami policier qui habitait le logement en haut de l'épicerie, est descendu me voir pour en discuter et, surtout, pour me remonter le moral.

Après avoir lu ma lettre, François m'a conseillé de ne pas prendre rendez-vous immédiatement avec le médecin en question. Il m'a plutôt incité à aller passer un test de la vue chez un ophtalmologiste indépendant et à lui revenir avec le rapport. En fait, non seulement j'ai suivi son conseil, mais je suis allé en voir trois. Et les trois m'ont confirmé que mes deux yeux étaient parfaits. J'ai donc remis mes trois rapports à François qui les a ensuite transmis à la Fraternité des policiers de Montréal.

Une semaine plus tard, j'étais convoqué pour un deuxième examen devant ce médecin qui m'avait fait passer le premier test. Plusieurs personnes étaient présentes, dont deux membres de l'exécutif de la Fraternité. J'ai passé ce second test haut la main et le médecin s'est défendu en disant que je devais être très fatigué lors du premier test. J'ai su seulement plus tard que François avait flairé l'arnaque, car le bruit courait que certains médecins véreux exigeaient des pots-de-vin en échange d'un deuxième rapport favorable.

Mais pendant cette saga, ne prenant aucun risque, j'avais fait application à Saint-Léonard, une petite municipalité située au nord de Montréal. Après avoir passé tous les tests avec succès, cette fois la mauvaise nouvelle se situait à un autre niveau : j'étais arrivé huitième aux examens alors que la municipalité n'engageait que sept nouveaux policiers. J'étais encore une fois déçu mais pas autant que la première fois puisque je savais que mon embauche à Montréal n'était plus qu'une question de temps.

Quelques jours plus tard, le malheur des uns faisant parfois le bonheur des autres, un policier de Saint-Léonard se tue dans un terrible accident sur le boulevard Métropolitain. Le lendemain matin, un appel téléphonique m'apprenait que c'était moi qui allais remplacer le policier disparu. Le 10 mai 1971, je me suis présenté tel que prévu à 9 heures du matin et, à 10 heures précises, je signais ma lettre d'embauche avec un énorme soupir de soulagement. Mon rêve devenait réalité, enfin.

Peu de temps après, je recevais la lettre du Service de police de Montréal qui me confirmait également que j'étais accepté et que mon entraînement commençait le 24 mai. J'étais déchiré entre remettre ma démission sur-le-champ pour me tourner vers Montréal, ou rester à Saint-Léonard. À ce moment, nous suivions un programme d'entraînement de deux semaines pour devenir pompier. En effet, dans cette ville, les policiers agissaient aussi comme pompiers au besoin.

Après mûre réflexion, j'ai finalement choisi de démissionner et d'opter pour Montréal. Ce qui avait grandement facilité mon choix, c'est que l'entraînement des nouveaux policiers de Saint-Léonard se faisait à l'Institut de police de Nicolet, sur la rive sud de Trois-Rivières, alors que celui de Montréal se tenait au 3030 rue Viau, à quelques rues de chez moi.

Mais l'entraînement des pompiers était tellement intéressant que j'ai décidé d'y rester jusqu'à la fin avant de remettre ma démission. Coup de théâtre, à quelques jours seulement de notre départ pour Nicolet, on nous avise que le lieu de notre entraînement vient de changer et que nous allons nous joindre au 80ᵉ contingent du Service de police de la Ville de Montréal. Du même coup, ma décision venait de basculer : je restais à Saint-Léonard. Et je ne l'ai jamais regretté.

La durée totale de l'entraînement était de douze mois et nous recevions un salaire annuel assez intéressant de près de 6 000 $, ce qui était très raisonnable pour l'époque. À noter qu'aujourd'hui, les jeunes qui s'inscrivent à l'Institut de police de Nicolet ne reçoivent aucun salaire ; bien au contraire, ils doivent débourser 6 000 $, et ce, sans aucune garantie d'être embauchés.

Nous étions 180 policiers, le plus gros contingent de toute l'histoire de la police de Montréal. Les entraîneurs, tous aussi passionnés par leur travail les uns que les autres, étaient excellents et compétents sur toute la ligne. J'ai apprécié chaque minute, chaque heure et chaque journée de cette année extraordinaire. De toute évidence, cette fois, j'étais bel et bien à ma place.

Tout s'est terminé par une cérémonie grandiose de style militaire qui se déroulait devant nos familles respectives. J'ai dû être assez bon dans le cours d'arts martiaux pour qu'on me choisisse pour jouer, dans une courte scène, le rôle d'un policier qui se fait attaquer par un individu armé d'un couteau. Cette soirée, qui fut une réussite du début à la fin, s'est achevée par la remise des diplômes. Le moment précis où j'ai reçu le mien est gravé dans ma mémoire pour la vie. J'étais officiellement policier.

Le groupe D du 80ᵉ contingent de la CUM. Je suis le 4ᵉ de la dernière rangée en commençant par la gauche.

À part la joie extrême de me retrouver dans une auto-patrouille, je n'ai rien à raconter de ma première journée comme policier, car j'ai travaillé de nuit et nous n'avons reçu aucun appel. Ma vie était dans la rue et dans l'action, j'ai donc choisi de rester patrouilleur pendant mes trente années de service. Je n'ai jamais passé un seul examen pour un grade supérieur.

Au début, j'ai travaillé avec différents partenaires jusqu'à ce qu'un jour, je sois jumelé avec Yvon Bisson, un gars avec qui je m'entendais à merveille. Yvon avait également décidé qu'il passerait sa carrière sur la patrouille, de sorte que nous sommes demeurés coéquipiers pendant près d'une vingtaine

Photo prise en 1999 alors que j'étais devenu patrouilleur solo au poste 51 dans le quartier Rosemont.

d'années. Yvon était un excellent conducteur et, dès le départ, nous nous sommes entendus sur deux points bien précis : lui allait toujours conduire et moi j'écrirais les rapports d'événements. De toute évidence, c'est cette entente qui a fait de moi un écrivain !

Ma carrière s'est déroulée sans problèmes majeurs. Je n'ai jamais subi de blessure ni été impliqué dans une fusillade. Ma plus grande peur est survenue lorsqu'un individu dépressif m'a pointé un revolver chargé au milieu du front. Heureusement pour vous, il n'a jamais pressé sur la gâchette, car vous ne seriez pas en train de lire ces lignes !

L'incendie du motel Métropole

Un dimanche de 1973, vers 6 heures du matin, je patrouillais avec Yvon lorsque nous avons aperçu de la fumée noire qui sortait par la fenêtre d'une des chambres du motel Métropole situé à Saint-Léonard, à l'angle des rues Lacordaire et Jarry. Immédiatement après avoir alerté les pompiers, nous avons pénétré à l'intérieur. Yvon s'est occupé d'évacuer le rez-de-chaussée et moi je suis monté à l'étage, déjà envahi par une épaisse fumée noire.

Dans le long corridor gisaient trois individus inconscients. J'ai dû ramper pour les atteindre et suis finalement arrivé à les sortir tous. Le dernier, un homme corpulent, a été très difficile à traîner à l'extérieur et j'avoue qu'à ce moment-là, j'ai eu très peur d'y laisser ma peau. En fait, j'allais abandonner lorsque j'ai senti que quelqu'un arrivait à ma rescousse ; c'était le concierge. À deux, on a finalement réussi à le sortir. J'ai dû recevoir de l'oxygène, sans toutefois être hospitalisé. Les trois personnes, deux femmes et un homme, ont été transportées à l'hôpital. Les deux femmes ont quitté l'hôpital le jour même, mais l'homme est resté quelques jours dans le coma.

Le plus drôle dans tout ça est que, trois ans plus tard, j'ai arrêté cet homme après qu'il eut grillé un feu rouge. Je ne l'ai pas reconnu immédiatement, mais seulement dans mon auto-patrouille lorsque j'ai vu son nom et son adresse sur son permis de conduire. À un moment donné, il vient à ma rencontre dans mon véhicule et, voyant que je suis en train de rédiger son constat d'infraction, il me lance quelques jurons à la tête et retourne dans son auto. En lui remettant sa contravention, je lui ai mentionné que c'était moi qui l'avais sorti du motel lors de l'incendie ; il m'a répondu que j'aurais dû le laisser là... Son épouse n'avait probablement pas apprécié qu'il se trouve au motel aux petites heures du matin !

Pour cette action, j'ai reçu une citation pour bravoure par la Ville de Saint-Léonard et j'ai bénéficié d'une belle journée de congé aux frais des contribuables.

Je n'ai jamais couru après les médailles, mais cela m'a tout de même fait plaisir d'en recevoir une.

La sage-femme

Parmi mes plus beaux moments figure l'accouchement d'un mignon petit bébé alors que je travaillais sur l'ambulance. Dans ces années-là, Urgence Santé n'existait pas et ce sont les policiers qui jouaient le rôle d'ambulanciers. Lorsque nous avons installé la dame dans notre véhicule, la tête du poupon commençait déjà à poindre : pas le temps de nous rendre à l'hôpital ! Quelques heures plus tard, Giuseppe Spina, l'heureux papa de cette jolie petite fille, est venu au poste pour nous remettre quelques cigares.

Le mariage de Céline

Il y a aussi le mariage de Céline Dion qui figure en haut du palmarès des meilleurs moments de ma carrière. J'ai fait plusieurs jaloux parmi mes collègues en étant attitré à la surveillance de l'entrée de la basilique Notre-Dame. J'ai ainsi pu rencontrer les heureux époux et leurs invités de marque, en plus d'assister en direct à la cérémonie alors que des milliers de personnes étaient rassemblées à l'extérieur. Certains d'entre eux auraient tout donné pour être à ma place !

J'ai passé une bonne partie de la cérémonie à discuter avec le directeur de la sécurité de sorte qu'après le départ des époux et de leurs invités, celui-ci m'a invité à la réception qui suivait. Mais, trop pris par mes mille et une occupations, j'ai dû refuser son invitation.

L'assassinat de Paolo Violi, le parrain

Le meurtre du parrain de la mafia demeure sans nul doute un autre fait marquant. Le 22 février 1978, Paolo Violi, surnommé « le seigneur de Saint-Léonard », est abattu dans son commerce de crème glacée situé rue Jean-Talon Est. C'était un dimanche soir et c'est moi qui ai reçu l'appel. Je suis arrivé le premier sur les lieux, alors qu'il ne restait qu'un seul individu présent dans le commerce, à part le corps sans vie de Violi.

Il avait été abattu d'une balle à la tête tirée avec une « lupara », une arme artisanale fabriquée en Italie et qui est spécifiquement destinée à la mise à mort d'un haut gradé de la mafia. Le hasard a fait en sorte que, par la suite, je sois également en devoir au moment où ses deux frères, Francesco et Rocco, furent assassinés à quelques mois d'intervalle l'un de l'autre.

Le meurtre du Hells Angels Nomads Richard « Crow » Émond

Le 15 septembre 1995, en pleine guerre des motards, je patrouillais seul lorsque j'ai décidé d'entrer dans le stationnement du centre commercial Boulevard, à l'angle des rues Jean-Talon et Pie-IX. Une voiture conduite par une personne âgée me bloquait le chemin sans aucune raison, au point que j'ai dû utiliser mon klaxon pour la faire avancer. Au même moment, mon attention a été attirée par un cycliste qui s'adressait à moi tout en pointant du doigt une jeune femme très excitée à environ 50 mètres plus loin dans le stationnement.

Croyant qu'il s'agissait d'un vol à l'étalage, j'ai plus ou moins porté attention à l'auto grise qui tournait devant moi, avec deux personnes à bord. Arrivé à la hauteur de la dame, j'ai aperçu un individu allongé sur le dos. Il venait tout juste d'être abattu par les deux types assis dans l'auto grise croisée quelques secondes avant. Avec l'aide d'une infirmière témoin de la scène, nous avons tenté les manœuvres de réanimation mais en vain, son sort était définitivement scellé. Richard « Crow » Émond, membre du chapitre Nomads des Hells Angels, fut le premier membre en règle à être assassiné au cours de la guerre des motards qui a sévi de 1994 à 2002.

Avec le recul, contrairement à ma première impression, je pense que la personne âgée qui me bloquait l'entrée du stationnement n'était pas dans la lune mais avait fort probablement été témoin du règlement de compte et continuait à fixer la scène lorsque j'ai klaxonné. En me retardant de cette façon, sans le savoir, cette personne m'a probablement sauvé la vie.

Situations cocasses

Depuis mes débuts comme inventeur, j'ai été très sollicité pour des entrevues télévisées, ce qui m'a valu d'être régulièrement reconnu lors d'événements où j'ai eu à intervenir comme policier. Ça ne m'a jamais causé de problèmes désagréables, mais, à quelques reprises, il en a plutôt résulté des situations cocasses.

Bonjour m'sieur le président

Une nuit, quatre personnes ont perpétré un vol par effraction dans une école de Saint-Léonard. Un témoin nous a raconté avoir vu les quatre individus en question entrer dans le sous-sol d'un duplex. La porte d'entrée n'étant pas verrouillée, on a pénétré dans le logement sans problème.

À l'intérieur, c'est le silence total, on aurait pu entendre une mouche voler. J'entre le premier dans une chambre où deux personnes sont couchées avec une couverture par-dessus la tête. Je m'approche lentement du premier lit ; d'un coup sec, je soulève la couverture et le gars s'exclame : « Aye, je vous connais vous, vous êtes le policier-inventeur, je suis membre de votre association ! » Tous mes confrères ont éclaté de rire, mais pas les trois autres suspects qui faisaient semblant de dormir.

L'arrestation d'un de mes « fans »

Un jour que je participais à une perquisition pour une affaire de stupéfiants dans une résidence privée, j'ai eu la surprise de ma vie en apercevant six de mes Gourd'O (une de mes inventions, sorte de petite gourde) présentant différents logos, dont ceux des Alouettes et des Canadiens, suspendues au mur d'une chambre. Mes confrères n'ont pas manqué de me taquiner en alléguant que c'était sûrement à contrecœur que je procédais à l'arrestation d'un de mes admirateurs !

Le Hells inventeur

Durant la guerre des motards, j'étais en train de dîner au poste lorsque je reçois un appel téléphonique d'un enquêteur de l'escouade Carcajou. Celui-ci m'explique qu'un Hells devenu délateur a fait inscrire dans son contrat avec la Sûreté du Québec qu'il doit rencontrer le « policier-inventeur ». Il me demande donc de venir le rejoindre à son bureau situé au quartier général de la Sûreté du Québec, rue Parthenais à Montréal.

Je sentais l'arnaque organisée par mes collègues de travail, mais mon officier supérieur eut tôt fait de me convaincre que c'était bel et bien sérieux. Arrivé à Parthenais, l'enquêteur me présente le motard repenti en question, lequel a une idée d'invention qu'il souhaiterait protéger. Il veut que je lui explique le processus menant à l'obtention d'un brevet. Je vous laisse imaginer la scène : moi en uniforme de policier, dans une cellule, assis face à face avec « Bouboule » le tatoué et deux policiers qui nous surveillent. Tout simplement irréel !

Certificat de reconnaissance professionnelle

À

MONSIEUR DANIEL PAQUETTE

Le Service de police de la Communauté urbaine de Montréal
vous rend un profond hommage et se fait l'interprète de la population pour
souligner vos **30** années de vie professionnelle consacrées à la
sécurité et au mieux-être de vos concitoyens.

Le Service reconnaît également que vous avez contribué de façon
significative au rayonnement et à la croissance de notre organisation
et vous en remercie sincèrement.

En ce **10e** jour de **mai**   2001

Le Directeur

Chapitre 4

L'élément déclencheur

« Patience et longueur de temps font plus que force ni que rage. »
– Jean de La Fontaine

La nécessité – ou la paresse –, dit-on, est la mère des inventions. Celui qui a pensé aux tondeuses à gazon motorisées devait en avoir assez de suer derrière son exténuante tondeuse mécanique, et celui qui a mis au point les aspirateurs électriques devait estimer qu'il fallait un appareil capable de remplacer plusieurs «ménagères». Du même coup, il soulagerait celles-ci dans leurs travaux quotidiens.

Pour ma part, un simple repas de mets chinois devait me décider à modifier ma façon de vivre et ainsi paver la voie à ce qui allait me permettre, quelques mois plus tard, de mettre au point ma première invention, les contenants-haltères pour les amateurs de course à pied, Jog'O.

Un soir, alors que nous étions en patrouille, Yvon, mon compagnon de travail habituel, m'a proposé d'aller manger des mets chinois. Mais j'ai tellement mangé ce soir-là que je suis sorti de table avec des malaises importants, ayant presque de la difficulté à respirer. De retour dans la voiture de patrouille, j'ai dit à mon partenaire que je commencerais une diète dès le lendemain, ajoutant que j'avais aussi l'intention de perdre du poids et de reprendre l'entraînement en course à pied.

Le lendemain matin, je chaussais mes souliers de course et quittais la maison avec une ambition en tête : participer à un demi-marathon de vingt kilomètres organisé par la Fraternité des policiers de Montréal. On était alors au début d'avril et la compétition devait avoir lieu à la mi-mai, ce qui me laissait peu de temps pour atteindre une forme me permettant d'effectuer le parcours. Mon frère Denis avait décidé lui aussi de relever le défi ; le fait de nous entraîner ensemble m'aidait grandement à espérer atteindre mon but. Chose certaine, j'ai été assez sérieux au cours de mon entraînement pour que je puisse faire la course et terminer les vingt kilomètres sans être trop amoché.

Denis ayant été, tout comme moi, emballé par l'expérience, nous nous sommes juré de faire le marathon de Montréal, la même année. Nous avions donc quatre mois devant nous pour suivre un entraînement qui nous permettrait de terminer la course.

La journée du marathon, j'étais dans une forme splendide et le simple fait d'être parmi ces milliers de coureurs me stimulait. J'ai réussi à faire le parcours en quatre heures six minutes et je me souviendrai jusqu'à la fin de mes jours de la joie que j'ai ressentie en franchissant la ligne d'arrivée. Je réalisais, tout à coup, que plus rien ne pourrait m'arrêter à partir du moment où j'aurais décidé de faire quelque chose.

J'ai fait part de ce sentiment à mon frère. Nous étions alors assis par terre, au parc La Fontaine, complètement vidés de toute énergie, mais ivres de joie. Denis a réfléchi quelques secondes et m'a dit : « Pourquoi pas les huit frères Paquette au prochain marathon de Montréal ? » Cette suggestion m'a totale-

La décision de participer au Marathon était prise. Gérard, bras croisés, fut le plus difficile à motiver.

ment électrisé et est devenue par la suite une véritable obsession. Dès le lendemain du marathon, je me mettais au travail et tentais de rassembler les arguments nécessaires pour convaincre mes frères. Comme notre entraînement au hockey débutait la semaine suivante et que nous jouions tous dans la même équipe, j'ai décidé de profiter de ce rendez-vous sportif pour vendre l'idée de Denis au reste de la famille. Contrairement à ce que j'appréhendais, ils n'ont pas été difficiles à convaincre. Certes, il y eut bien quelques réticences, mais la décision de participer tous les huit au marathon était prise.

Pour motiver mes troupes, je leur ai fait part de mon intention de contacter le groupe Guinness pour m'informer des possibilités de figurer dans le livre des records si on réussissait tous à terminer le marathon. Six semaines plus tard, l'éditeur me faisait savoir que si l'exploit était réalisé, il homologuerait le tout dans la prochaine parution de sa prestigieuse édition.

Néanmoins, le défi était de taille et il me fallait garder la motivation au sein du groupe familial de coureurs. Je ne voyais pas cet entraînement comme une corvée et je souhaitais que tous partagent ma vision. Si cette course devait devenir une punition pour un des membres, j'étais convaincu de le perdre. Il me fallait donc m'organiser pour que les séances de course constituent une espèce de fête. Après tout, courir sans arrêt 42,195 kilomètres n'est pas une sinécure...

J'avais prévu que nos séances d'entraînement familial se dérouleraient les mercredis soir. Mes frères venaient me retrouver à la maison et on en repartait dans quatre voitures pour se stationner au parc La Fontaine. De là, on s'entassait dans deux voitures pour se rendre à l'angle des rues Viau et Rosemont et courir les 25 derniers kilomètres du marathon, qui allait se terminer au parc

La Fontaine. Dans l'ensemble, les choses se déroulaient plutôt bien. Henri, mon père, nous attendait à l'arrivée avec bière et pizza. J'avais mis au point des douches portatives en me servant de vieux extincteurs à eau qui nous permettaient de nous rafraîchir et de nous laver dans le parc. Ces douches étaient

Bière, pizza et douches nous attendaient au parc La Fontaine.

pratiques, malgré leur simplicité. Je n'avais eu qu'à en changer le tuyau et à adapter une pomme de douche au nouveau tuyau de plastique. Il suffisait de remplir ensuite les bonbonnes d'air pour obtenir une pression suffisante.

Malgré cette atmosphère de fête et de jeu, je devais quand même composer avec les réticences de certains de mes frères. Trois d'entre eux, plus particulièrement, contribuaient à entretenir mon anxiété en me laissant craindre que mon projet tombe à l'eau. Bernard et Gaétan se montraient hésitants, mais ils venaient quand même assez régulièrement aux séances. C'est avec Gérard que j'éprouvais le plus de difficulté. Il manquait de motivation et ne venait tout simplement pas le mercredi soir. À l'occasion, quand, pour entretenir le moral de la troupe, je faisais venir un spécialiste de la course à pied, comme Jo Mallejac ou Normand Tremblay, Gérard prenait son courage à deux mains et nous accompagnait. Mais le cœur n'y était pas.

Il restait moins de quatre mois avant le marathon quand j'ai enfin trouvé l'élément capable de le convaincre. Ce jour-là, j'avais organisé une course depuis le pont Jacques-Cartier jusqu'à la maison de mes parents, dans l'est de Montréal. Gérard participait à la course parce que c'était la fête des Mères et que nous avions une petite réunion familiale après notre entraînement.

Je savais depuis toujours que les trois fils de Gérard étaient l'orgueil de sa vie et je pensais bien qu'ils pourraient jouer un rôle déterminant dans sa volonté de faire le marathon. Même si son rythme était plus lent que le mien, j'ai décidé de le suivre et de discuter avec lui tout en courant. Après tout, à cette cadence, j'avais moins d'efforts à fournir et je pouvais me permettre d'entretenir une conversation. Notre petite discussion, amorcée sur des banalités se rapportant à la course à pied, m'a permis de l'amener tranquillement sur la fierté qu'éprouveraient ses fils de le voir courir le marathon au complet. « Tes enfants seront fiers de raconter à l'école que leur père a couru le marathon et qu'il figure dans le livre des Records Guinness », lui ai-je dit tout en courant. Il n'en fallait pas plus pour l'aiguillonner et lui insuffler une nouvelle énergie.

Dès le lendemain, il m'appelait pour me demander quand aurait lieu la prochaine séance d'entraînement et il entreprenait lui-même des séances quotidiennes, en attendant la rencontre hebdomadaire. De plus, Gérard s'était mis en tête de convaincre Gaétan du bienfait de cette course pour tous… J'avais déjà gagné une partie de mon pari.

Le 22 septembre 1985, à 5 h 30 du matin, tous mes frères étaient réunis chez moi avant de se rendre à l'île Sainte-Hélène pour le grand départ. À cet endroit, des journalistes et des cameramans nous attendaient, mais nous étions trop nerveux pour avoir envie de raconter comment on se sentait.

À 9 h 20, le départ était donné et les coureurs s'élançaient sur le pont. Mes frères m'entouraient et je voyais défiler devant moi l'année qui venait de se terminer, une année épuisante passée à motiver le groupe, répondre aux questions des journalistes, participer à des émissions de radio et de télévision, et mettre au point ma première invention, les Jog'0... J'étais fatigué, mais fier du résultat. Une ombre au tableau venait cependant gâcher ma joie. J'aurais tout donné pour voir ma sœur Francine prendre part elle aussi à ce marathon, mais, malheureusement, quelques mois après le début de son entraînement, elle a dû abandonner à cause d'une opération au foie. Sa convalescence ne lui permettrait pas de reprendre le jogging assez vite pour courir le marathon de Montréal.

Après un peu plus de quatre heures de course, le fil d'arrivée se profilait enfin devant moi. Puis, ce fut le tour de Michel, de Bernard et de Gérard. Trois autres de mes frères étaient déjà arrivés et ce fut l'explosion de joie car, avec l'arrivée de Gérard, on nous apprenait que nous venions de battre l'exploit de six frères australiens qui détenaient le record du monde, une information qu'on nous avait cachée.

Gaétan manquait toujours au rendez-vous, malgré sa détermination. Il faut dire qu'il avait déjà beaucoup de mérite de s'être inscrit et d'avoir fait le circuit. Après tout, il pesait plus de 200 livres et fumait trois paquets de cigarettes par jour quand il a commencé son entraînement ! Après quelques semaines, sa forme s'était grandement améliorée. Il avait arrêté de fumer et commencé à maigrir. Il avait également une entreprise à gérer, ce qui l'obligeait à s'imposer des horaires d'entraînement barbares.

Trois semaines avant le marathon, il n'avait pas encore trouvé son rythme de course et désespérait de ne jamais pouvoir faire cette compétition. Heureusement, Normand Tremblay, un ami policier qui avait déjà 50 marathons à son

Photo prise après l'arrivée de Gaétan. Mission accomplie.

crédit, est intervenu en lui proposant une méthode de course composée de petits sprints suivis d'une marche rapide. Cette technique plaisait à Gaétan et il affirmait se sentir en mesure de terminer le marathon en adoptant cette façon de faire.

N'empêche que nous commencions tous à désespérer quand, après six heures et cinq minutes d'un long calvaire, il apparut dans la dernière section du parcours. Pour nous, l'impossible allait se concrétiser : pour la première fois au monde, huit frères venaient de franchir la ligne d'arrivée d'un marathon d'envergure internationale. Il s'agissait là de notre plus belle victoire d'équipe. Les félicitations ont été particulièrement chaleureuses.

Quelques heures plus tard, à la maison, le champagne coulait à flots. Pour ma part, je me souvenais du moment où j'avais parlé de ce projet dans le vestiaire des joueurs, un an auparavant. Je venais de comprendre qu'avec une volonté à toute épreuve, on peut réussir de grandes choses, même si leur réalisation semble parfois impossible. Cette leçon de persévérance allait me servir dans tous mes projets à venir. J'ai répété l'expérience du marathon de Montréal chaque année jusqu'en 1989.

Remise de son opération, Francine s'est jointe à nous pour le Maski-Courons.

À la suite de notre réussite, nous avons reçu plusieurs invitations à différentes courses au Québec et nous en avons accepté quelques-unes, dont à Terrebonne, Saint-Léonard et au Maski-Courons de Saint-Gabriel-de-Brandon.

Nous avons également été honorés à quelques occasions, dont entre autres, par l'organisation des Expos de Montréal. Ce fut une journée magnifique où, tour à tour, nous nous sommes rendus sur le terrain au pas de course après avoir été présentés à la foule.

Une journée inoubliable

Nous avons également été reçus au bureau de comté du premier ministre de l'époque, Pierre-Marc Johnson. Il en a profité pour nous remettre une plaque commémorative de l'événement.

Un bel honneur pour toute la famille. Jean et Michel n'ont pu être présents à la cérémonie.

Voici justement une petite anecdote au sujet des honneurs récoltés. Un matin, je reçois un appel très surprenant du bureau des communications de l'organisation des Nordiques de Québec, qui désiraient nous rendre hommage à leur tour. Je croyais à un canular et je demande à l'homme, dont je n'ai pas souvenir du nom, de me donner son numéro de téléphone, disant que j'allais le rappeler aussitôt. Je vérifie ensuite avec l'opératrice le numéro du bureau des communications des Nordiques et, à ma grande surprise, ça correspond à celui que j'ai pris en note.

Je communique donc avec le monsieur en question qui m'informe de la date et des détails de l'événement. Après notre présentation sur la patinoire, nous allons procéder à la mise au jeu. À la fin de la partie, nous aurons droit à une visite du vestiaire des joueurs et allons recevoir quelques cadeaux à l'effigie des Nordiques. Tout cela, à condition que les huit frères soient présents. Je joins donc mes frères tour à tour et chacun me confirme sa présence. J'en avise le directeur des communications : l'affaire est dans le sac ! En fait, il est clair dans mon esprit que les Nordiques veulent damer le pion à l'organisation du Canadien qui, elle, ne nous a pas donné signe de vie.

Ce qu'il faut savoir, c'est que, dans un précédent reportage sur notre épopée du marathon, Bertrand Raymond avait mentionné que nous étions huit fervents amateurs du Canadien de Montréal depuis notre tendre enfance. Alors imaginez, avec le niveau de rivalité qui régnait à l'époque, huit maniaques du Canadien de Montréal honorés par les Nordiques de Québec !

Mais quelques jours plus tard, Bertrand Raymond apprend cette nouvelle et tente de communiquer immédiatement avec moi pour connaître mes impressions. Sauf qu'il n'a pas pu me joindre, alors, en bon journaliste qu'il était, il finit par trouver le numéro de téléphone de mon frère Serge et s'entretient avec lui. Évidemment, la question d'usage est : « Comment vous sentez-vous d'être honorés par les Nordiques au lieu du Canadien alors que vous êtes venus au monde avec un chandail du Canadien sur le dos ? » Et Serge a répondu à cette question comme chacun de nous l'aurait fait : « On est effectivement tous déçus que ce ne soit pas le Canadien qui nous honore ainsi… »

Et c'est exactement ce qu'on pouvait lire le lendemain matin dans le *Journal de Montréal* ! Sans surprise, moins de deux heures plus tard, le directeur du marketing des Nordiques m'appelait pour m'annoncer que l'événement était annulé. Mais je pense sincèrement qu'aucun d'entre nous n'en fut déçu. Nous nous sentions en quelque sorte fidèles à notre équipe.

Les Paquette ont réussi!

Huit sur huit! Les huit frères Paquette ont tous terminé le marathon et ils inscrivent ainsi leur nom dans le gros livre des records Guinness.

Ils ont battu l'ancienne marque de six Australiens.

Jean a terminé le premier en trois heures et 31 minutes, il fut suivi dans l'ordre de Denis (3h35), Serge (3h38 (4h06), Michel (4h29), Bernard (5h05), Gé (5h05).

HUIT FRÈRES AU MARATH

Possibilité d'un record Guin

Participation au marathon de Montréal

Gaétan Paquette encore indécis

Dans quelques jours à peine, des milliers de coureurs venus de plusieurs coins du globe sillonneront les rues de Montréal dans le cadre de son populaire marathon. Déjà, plusieurs coureurs de la région parcourent les rues, tout en intensifiant leur entraînement. On peut d'ailleurs les voir

8 FRÈRES À L'ASSAUT DU MARATHON

journal de montréal

GUY LAFLEUR DÉCOIT

LES HUIT FRÈRES PA SERONT TOUS SUR LA LIGNE DE DÉPART

La famille Paquette et le Guiness

[DM] Lors du marathon de Montréal, édition 1985, huit frères de la famille

Rétrospective de l'année 1985... Rétrospe

Henri Paquette est père d

L'odyssée des frères Paquette

"Flambeauville"

Chapitre 5

Ma première invention

« L'action libère, l'action vivifie, l'action récompense. »
– Reine Malouin

Je m'entraînais déjà depuis quelques mois en vue de mon premier marathon quand j'ai constaté que, dans toutes les revues traitant de jogging, on conseillait fortement aux coureurs de boire beaucoup d'eau durant leur entraînement pour éviter le coup de chaleur, une déshydratation qui cause des maux de tête et des nausées. Pour prévenir ces malaises, il suffit d'absorber de l'eau tout au long de l'entraînement. C'est d'autant plus important qu'un coup de chaleur peut, à la limite, être mortel...

Je voulais bien courir, mais je n'étais absolument pas prêt à me rendre malade pour autant. J'ai donc téléphoné au bureau du marathon de Montréal pour demander comment les autres coureurs composaient avec ça. Jo Malléjac, le directeur des relations publiques du marathon, m'apprend que les coureurs réglaient ce problème en effectuant d'abord leur parcours en automobile et en cachant des bouteilles d'eau à intervalles réguliers. Une autre méthode voulait qu'un parent ou un ami suive le coureur à vélo et lui tende au besoin une bouteille d'eau.

Ces explications m'ont déçu. Je croyais bien qu'il devait exister une autre façon de résoudre le problème, mais, visiblement, il n'y avait rien. J'ai donc tout d'abord utilisé une bouteille de hockey que je transportais avec moi. Ce n'était pas si mal, mais il y avait quand même quelques petits inconvénients. Tout d'abord, la bouteille était trop grosse et trop lourde, ce qui m'obligeait à la passer fréquemment d'une main à l'autre. Cette situation, déjà déplaisante, était aggravée du fait que, comme la plupart des coureurs, j'enduisais mes aisselles de vaseline afin d'éviter les échauffements de la peau. Il m'en restait toujours un peu sur les mains, ce qui rendait ma bouteille glissante. En fait, transporter cette bouteille rendait désagréable la pratique de mon sport favori.

J'ai donc décidé de changer cette grosse bouteille encombrante pour deux petites bouteilles : déjà plus confortable et mieux balancé. Mais il restait toujours le problème de la vaseline. L'idée m'est venue de lier les bouteilles à mes mains avec deux bandes élastiques. Pas très esthétique, mais somme toute assez efficace.

Puis, un jour, alors que je courais rue Sherbrooke, j'ai croisé un autre coureur qui transportait dans ses mains de petits haltères en métal. Je me dis qu'il pouvait peut-être entraîner ses membres supérieurs, mais qu'il ne pouvait pas boire d'eau. Je pensais aussi qu'après avoir couru 15 ou 20 kilomètres, ces haltères devaient sûrement devenir très encombrants, car, la fatigue aidant, leur poids devait paraître amplifié. Mais cette vision m'avait donné une bonne idée. Si l'on pouvait utiliser de petits haltères remplis d'eau, il serait possible à la fois d'entraîner les muscles des membres supérieurs et de boire de l'eau. Et plus la course serait longue, moins il resterait d'eau dans les haltères, ce qui en diminuerait le poids et réduirait la fatigue. Il ne restait plus qu'à trouver la forme idéale pour les empêcher de glisser des mains... De retour à la maison, je me suis installé devant une planche à dessin et, au bout de quelques heures, j'étais certain d'avoir trouvé la forme parfaite. Du moins, c'est ce que je croyais.

Ma curiosité piquée au vif, et sentant confusément que je tenais peut-être une bonne affaire, je me suis rendu, au cours des jours suivants, dans différents magasins d'articles de sport pour voir si quelque chose de semblable existait déjà. Devant l'insuccès de mes démarches, je décide de me rendre dans une agence de brevets de Montréal. À ce moment, je crois fermement que mes contenants-haltères vont se vendre comme des petits pains chauds et qu'aucun coureur n'osera plus s'entraîner sans transporter sa paire... Le chemin conduisant au succès s'avèrera plus long que prévu, mais, encore aujourd'hui, je demeure convaincu que si je n'avais pas eu une telle attitude, j'aurais tout laissé tomber.

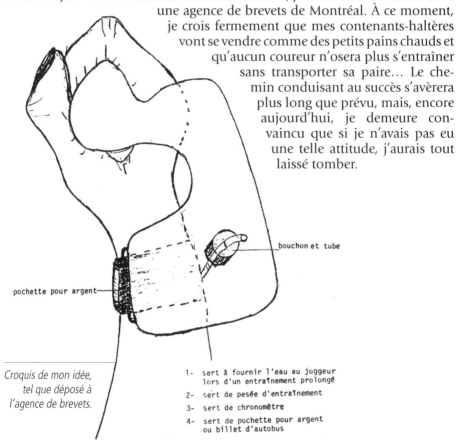

bouchon et tube

pochette pour argent

Croquis de mon idée, tel que déposé à l'agence de brevets.

1- sert à fournir l'eau au joggeur lors d'un entraînement prolongé

2- sert de pesée d'entraînement

3- sert de chronomètre

4- sert de pochette pour argent ou billet d'autobus

Au lendemain de ma visite à l'agence, je m'attaque à la phase de fabrication. Je n'ai alors aucune idée des exigences de la production, mais je suis débordant d'enthousiasme, ce qui, selon moi, compense pour toutes les lacunes.

Sachant que mes haltères doivent être faits de matière plastique, je consulte donc le plus simplement du monde l'annuaire téléphonique pour tenter de trouver un fabricant de bouteilles en plastique. Mon choix s'arrête sur la compagnie Bromar Plastic, principalement parce que ses locaux se trouvent à Ville d'Anjou, à proximité de chez moi. Décidé, je compose le numéro de téléphone de la compagnie et je me présente comme étant l'inventeur d'une bouteille destinée aux joggeurs. La standardiste m'invite à passer au bureau le lendemain matin. J'y rencontre Martin Keat, qui n'a certainement pas plus de 25 ans. Il est le fils du propriétaire et responsable de la production.

Comme je suis en uniforme, il se permet quelques blagues au sujet des policiers tout en m'invitant à le suivre dans son bureau. Au mur, toutes sortes de bouteilles sont disposées sur des tablettes. Je suis fasciné par la diversité des modèles et je cherche à voir si, parmi ces bouteilles empoussiérées, il s'en trouve une semblable à la mienne.

Déjà, à ce moment, malgré la protection que me procure mon brevet provisoire, je crains de me faire voler mon idée. Pourtant, je ne peux faire autrement que de montrer mes dessins à Martin Keat. D'autant plus qu'il souhaite les garder pour avoir le temps de faire une soumission adéquate. Je l'avoue, j'étais un peu inquiet. Ce qui m'agaçait, c'est que Keat connaissait très bien le problème, étant lui-même fervent de jogging... et lui aussi voyait dans cette bouteille la solution à une multitude de petits ennuis vécus quotidiennement par les coureurs.

Il me met cependant en confiance en m'expliquant les différentes étapes du processus de production des bouteilles de plastique. Bref, l'homme est presque aussi enthousiaste que moi. Je lui laisse donc mes dessins en échange de la promesse d'une nouvelle rencontre, dès le lendemain matin.

Mais, 24 heures plus tard, mon enthousiasme se met à fondre comme neige au soleil. Les vérifications que Martin a faites lui ont démontré qu'il faudrait probablement deux moules pour parvenir à fabriquer mon produit. Un investissement minimum de plusieurs milliers de dollars ! Impossible dans de telles conditions de songer à produire ces haltères. Je ne dispose pas d'une telle somme et je ne peux me permettre de l'emprunter. Déçu, j'explique sommairement à Martin ma situation.

Pour ajouter à mon découragement, il m'avise qu'il faudrait modifier la forme de la bouteille pour la rendre plus économique, celle que j'ai présentée étant techniquement complexe à fabriquer et demanderait trop de travail. Cependant, Martin conclut que l'idée est bonne et que, s'il m'est possible de concevoir un modèle plus simple, il est prêt à tenter l'aventure avec moi. Mieux, il a parmi ses connaissances un fabricant de moules qui se montre intéressé et accepterait d'investir dans cette affaire.

Je n'ai pas le choix. C'est ça ou rien et, à ce moment-là, une seule chose m'importe : avoir des échantillons à présenter. Il me faut donc plonger et jouer le tout pour le tout.

Une semaine plus tard, le contrat est signé. Heinz Jacobelli, un fabricant de moules, se joint à nous pour produire les contenants. C'est l'association parfaite : Jacobelli produira les moules, Martin Keat fabriquera les bouteilles et moi je les vendrai. Merveilleux ! Tout d'abord, Heinz confirme ce que m'a dit Martin, qu'il est impossible de fabriquer un moule pour une bouteille d'une telle forme. Ils me demandent donc de revoir mes dessins, mais, cette fois, en m'expliquant bien toutes les étapes et les exigences de la réalisation d'un moule.

Avec deux emplois à plein temps, je me demande sérieusement où je vais trouver le temps nécessaire pour résoudre ce problème. Chaque fois que j'ai cinq minutes à moi, je m'installe pour tenter de trouver la solution. Rien à faire, je n'y arrive pas. Mais, quelques semaines plus tard, je suis dans mon auto-patrouille quand la solution m'apparaît comme par enchantement. J'ai devant les yeux une enseigne lumineuse de la chaîne de marchés d'alimentation Dominion. La première lettre du nom, un énorme D, prend soudainement des allures d'apparition miraculeuse ! Cette lettre géante ressemble à un haltère, mais un haltère muni d'une anse qui l'empêcherait de glisser des mains.

Logo des marchés Dominion de l'époque et un Jog'O

Plus je regarde ce gros D et plus j'y vois des avantages. Selon les renseignements que m'a fournis Heinz, la forme se prête très bien à la fabrication d'un moule et le bouchon des bouteilles-haltères peut alors très bien se placer sur le dessus, ce qui est indispensable. Bref, la solution idéale.

J'en suis tellement convaincu que, dès le matin, je décide de reproduire cette forme dans une pièce de pin plutôt que de la dessiner. Ce travail ne me prend que quelques heures et je me dépêche de soumettre à mes associés ma sculpture de pin que j'ai pris le temps de peindre et de laquer. Le modèle est immédiatement accepté et le processus de fabrication est entamé.

La confection d'un objet en apparence aussi simple est parfois beaucoup plus compliquée qu'on le croit. Une fois ma « sculpture » acceptée par mes partenaires, il a fallu l'envoyer chez un modéliste industriel, une sorte de sculpteur professionnel qui possède l'ensemble des connaissances techniques requises pour la fabrication du moule de production. Aujourd'hui, la création d'un moule est beaucoup plus simple car on peut le reproduire à partir d'un logiciel.

Le travail est confié à M. Horst, un modéliste de Pierrefonds, qui se charge de donner la forme finale au produit. C'est lui, par exemple, qui a sculpté les encavures permettant aux doigts de bien agripper le contenant et qui assurent un maximum de confort au coureur. La participation d'un professionnel comme M. Horst nous donne l'assurance que le design de l'objet sera convenable. Le design est d'une importance capitale car il permet d'attirer la clientèle. La différence entre un bon et un mauvais design constitue souvent la différence entre le succès ou l'échec de la mise en marché d'un produit.

Le travail de M. Horst, une fois son modèle terminé et accepté par les producteurs, consiste à couper en deux la pièce de bois ainsi sculptée afin de permettre la fabrication des moules d'époxy. La deuxième étape de la confection est simple : elle consiste à reproduire la forme de ces pièces de bois dans un récipient quelconque, selon le principe des moules de plâtre. Autrement dit, il suffit de plonger les pièces dans un liquide durcisseur. Lorsque le produit est sec, il ne reste plus qu'à retirer les pièces de bois pour voir apparaître, inversée, une forme identique en creux. Pour mes Jog'O, il s'agissait d'époxy, un produit qui en séchant devient plus dur que du ciment.

La troisième étape consiste à soumettre le moule d'époxy à un duplicateur, un appareil capable de reproduire dans un cube d'aluminium ou d'acier les particularités qui se retrouvent dans le moule. Cette étape met la patience de l'inventeur à l'épreuve, puisqu'elle dure entre 10 et 15 semaines, selon la taille de la pièce à fabriquer. C'est aussi l'étape la plus coûteuse, d'autant plus que ce travail est toujours suivi d'une interminable série d'ajustements.

Personnellement, ces ajustements me rendent malade, tellement je suis anxieux de voir le produit fini. Mais je n'ai pas encore tout vu. Une fois les ajustements terminés, il faut procéder à la mise en place des moules et à la fabrication expérimentale. On constate alors que les pièces s'ajustent mal, que le goulot est défectueux, que la bouteille fuit, etc. Chaque fois, il faut rentrer à la maison les mains vides et de plus en plus conscient de la longueur du cheminement industriel. C'est frustrant, mais avec le temps j'ai appris que ces complications sont inévitables si on veut mettre sur le marché un produit de qualité.

Faut-il ajouter que la production normale d'une usine ne cesse pas parce qu'on met au point un nouveau produit ? Les fabricants ont des échéanciers serrés et si une tentative ne donne pas le résultat escompté, on fixe une date pour un nouvel essai, ce qui prolonge une attente déjà à la limite du supportable. Dans le cas de mes contenants-haltères, il aura fallu compter cinq mois entre la conception du produit et sa réalisation. Quand la première vraie bouteille a surgi de la machine, à l'automne 1985, c'était presque une délivrance, un sentiment semblable, j'imagine, à celui qu'on ressent quand un enfant vient de naître. Le soir de la première production, nous avons sablé le champagne !

J'ai bien fait d'en profiter immédiatement car, contrairement à ce que je croyais, la production en série n'a pas pu être entreprise sur-le-champ. Les problèmes techniques se succèdent. Par exemple, pour corriger les bouteilles qui fuient, on peut renvoyer les moules une dizaine de fois chez le fabricant pour y effectuer des ajustements. Chaque fois, il faut compter des semaines avant que les moules reviennent. Heureusement, j'ai mes échantillons et j'ai décidé d'entreprendre mes démarches commerciales malgré ce défaut de fabrication. Je sais d'ailleurs très bien que cette difficulté est temporaire et cela ne m'embarrasse pas de présenter dès maintenant le produit. Entre-temps, j'avais demandé l'enregistrement de la marque de commerce Jog'O au Canada et aux États-Unis.

Cependant, il me reste un autre problème à régler, et il est de taille. Le bouchon des Jog'O ne peut être un bouchon à filets seulement. Il est impensable que des coureurs, les mains bien agrippées aux Jog'O, puissent dévisser le bouchon pour prendre une gorgée d'eau. Je crois bien avoir visité une dizaine de fournisseurs de bouchons sans trouver ce que je cherchais.

Mes critères sont précis : un bouchon qui ne se dévisse pas, du moins pour boire, et qui ne laisse pas filer l'eau non plus. C'est tout à fait par hasard, en me penchant sous l'évier de la cuisine, que je trouve la solution : j'en cherchais une partout à travers la province et je l'avais sous mon nez, sur la bouteille de savon à vaisselle. C'est trop souvent ainsi que ça se passe !

Le produit prêt pour la commercialisation

Les derniers ajustements faits, j'obtiens des Jog'O dans lesquels je peux mettre de l'eau sans craindre les fuites. Je suis en mesure de vérifier pour la première fois mes prétentions, à savoir que les coureurs veulent et ont besoin de ce produit. On peut avoir conçu le plus beau produit du monde, si personne n'en veut, ca ne vaut pas grand-chose...

Je décide donc de viser haut. Si mes Jog'O doivent faire le tour du monde, comme je l'espère, mieux vaut m'adresser à des individus respectés dans le monde du jogging pour qu'ils en reconnaissent les mérites. Le premier est Jo Malléjac, sommité dans le domaine de la course à pied. En moins de dix minutes, il est convaincu du bien-fondé de mon idée, mais, avant de se prononcer définitivement, il préfère en faire l'essai. Je suis plus qu'heureux de lui laisser une paire de Jog'O. Quelques jours plus tard, il me contacte pour me demander de passer à son bureau. Cette fois, il est emballé et me remet une lettre sans équivoque :

ATTESTATION

Nous, soussigné, certifions, après en avoir effectué l'essai à plusieurs reprises, que les haltères d'eau Jog'O constituent une innovation fort utile pour les spécialistes des courses de grand fond.

Leur légèreté et le peu d'encombrement qu'ils occasionnent en font des atouts indispensables pour les longues sorties d'entraînement au cours desquelles il est parfois difficile, sinon impossible de lutter contre la déshydratation. À l'usage, ils permettent de planifier méthodiquement l'alimentation en eau naturelle ou glucosée (on peut même avoir une bouteille d'eau plate et une sucrée à sa convenance).

À coup sûr, il s'agit là d'une invention qui résout le problème le plus important auquel les marathoniens ont à faire face. De ce fait, nous les recommandons à toutes celles et à tous ceux qui pratiquent cette discipline d'une manière suivie.

Jo Malléjac

Il s'agit de ma première grande victoire et, devant ce succès, je décide de frapper un autre grand coup en m'adressant à Normand Tremblay, un coureur de fond notoire. Il est policier, mais à cette époque je ne le connais que de réputation. Je demande donc à un compagnon de travail de me mettre en contact avec lui, ce qui ne pose aucune difficulté. Lors de notre rencontre, je lui remets les Jog'O en lui demandant de les utiliser et de me faire part de ses commentaires.

À l'époque, Tremblay a déjà couru 48 marathons. Plusieurs de ces compétitions ont eu lieu après qu'il eut subi un grave accident d'automobile : fractures multiples, vertèbres endommagées, côtes fêlées. Les médecins qui l'ont soigné ne lui ont pas fait de cachotteries : il aurait besoin de quatre à six semaines de traction et par la suite il devrait se déplacer en fauteuil roulant pour une période indéterminée. On lui avait dit également qu'il serait contraint de réapprendre à marcher. Quant à la course à pied, les médecins avaient été formels : Tremblay devait d'abord être en mesure de se tenir sur ses deux jambes. Pour le reste, on verrait plus tard...

C'était sans compter avec le bonhomme. Sorti de l'hôpital en décembre dans un fauteuil roulant, il effectuait son premier kilomètre de course à pied en janvier. Douloureusement et en y mettant 25 minutes, mais tout de même ! Aujourd'hui, Tremblay compte plus de 80 marathons à son actif. Son histoire m'a beaucoup impressionné et je savais que Tremblay était respecté des autres coureurs. J'étais conscient que ses commentaires me seraient précieux et ils l'ont vraiment été,

Normand Tremblay et Jo Malléjac utilisant mes Jog'O pour leur entraînement.

même si je ne les ai obtenus que quelques mois plus tard, de façon inattendue et à un moment où j'en avais bien besoin.

Avant d'avoir les commentaires de Normand Tremblay, je reçois une autre lettre encourageante, celle du docteur François Croteau, directeur médical du Marathon international de Montréal. Il se dit très satisfait de mon produit.

> *J'ai reçu par l'entremise de M. Richard Paul vos haltères d'eau et je vous en remercie. J'ai aussi reçu des documents au sujet de ces derniers. J'ai noté qu'au niveau de la couleur, déjà vous aviez pensé à y ajouter un petit collant qui reflète la lumière, augmentant ainsi la sécurité du coureur. C'est une excellente idée que j'avais eue lorsque j'ai examiné les haltères, mais je n'avais pas à ce moment-là vos documents en main.*
>
> *Il est certain que je suis très favorable à votre invention, car on sait que la déshydratation est le pire ennemi du coureur de fond. Il est cependant à noter qu'il faut quand même insister pour que le coureur de fond boive une bonne quantité d'eau dans les 45 minutes qui précèdent son départ. On recommande l'absorption de 500 à 600 ml d'eau. Par la suite, on recommande en général la consommation de 250 à 300 ml à chaque 20 minutes lorsque l'exercice dure plus de 40 minutes.*
>
> *En faisant donc un calcul rapide, on peut dire qu'un coureur peut partir et courir près d'une heure trente sans risque de déshydratation sauf, bien sûr, si la température est extrêmement chaude et humide. Je crois donc que votre invention sera vraiment d'un grand secours pour tous les adeptes de la course à pied et j'espère qu'ils sauront l'utiliser à bon escient et je vous souhaite bonne chance.*
>
> Dr François Croteau

Cette lettre m'est remise en novembre 1985, alors que je frôle le découragement. La période n'est pas favorable pour mes Jog'O. Si j'avais lancé ce produit cinq ans auparavant, j'aurais probablement fait fortune, mais j'arrive un peu tard. Le jogging est alors un sport en régression et les investisseurs préfèrent dépenser temps et argent dans des produits plus lucratifs et plus prometteurs. Le cyclisme est en pleine croissance et c'est dans cette discipline qu'investissent la plupart des hommes d'affaires intéressés par de nouvelles inventions. Je ne parviens donc pas à trouver un distributeur pour mon produit. Tout le monde se dit intéressé, mais personne ne s'engage.

Ma situation financière était alors fragile. Les brevets pour mes Jog'O nécessitaient des déboursés et, en plus de mon travail de policier, j'installais des fenêtres d'aluminium et je travaillais dans un centre de patins à roulettes, les fins de semaine, pour amasser les sous servant à payer ces brevets que je désirais tant.

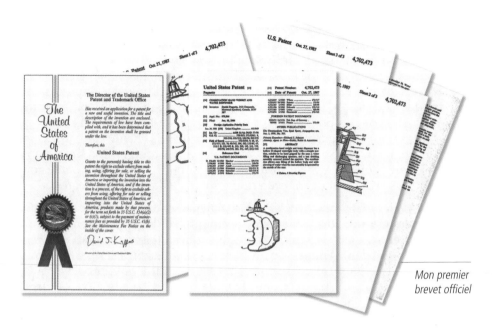

*Mon premier
brevet officiel*

Mes associés, eux, s'impatientaient et me le laissaient savoir. Les ventes piétinaient. Quatre ou cinq mois après la livraison de la première commande, je n'en avais vendu que quelques centaines de paires, ce qui était loin d'être intéressant.

Cette situation me préoccupait d'autant plus que je savais que Martin et Heinz avaient mis beaucoup de temps et d'argent dans ce projet et n'avaient rien eu en retour de leurs efforts. Cette pression m'était devenue insupportable, et j'en intensifiais l'importance en me tourmentant avec l'acquisition des brevets pour le Canada et les États-Unis. Pour cette opération, je n'avais plus que six mois devant moi et il me fallait accumuler 15 000 $ au total.

Honnêtement, je n'en pouvais plus. J'avais une pression énorme sur les épaules et je vivais une période d'angoisse destructrice. Aussi, alors que je travaillais au centre de patins à roulettes un samedi soir, une bagarre ayant éclaté entre plusieurs personnes, j'ai dû m'en mêler et séparer les belligérants. J'ai même été obligé d'en expulser deux ou trois. Mais ces derniers sont revenus avec des battes de base-ball et ont fait exploser quelques vitrines de l'établissement.

À ce moment, j'ai réalisé que j'étais au bout du rouleau, et j'ai pris la décision de tout lâcher. Je n'avais plus rien à faire des brevets, de cet endroit, du travail, de mes associés ! J'ai informé le directeur du centre de loisirs que je ne reviendrais pas le lendemain et, à deux heures du matin, quand je suis rentré chez moi, je me souviens de m'être endormi comme une bête, d'un sommeil sans rêves. Je me sentais libéré. Ma simple décision de tout abandonner venait de me redonner vie et me permettre de retrouver le sommeil.

Mais le lendemain matin, à peine éveillé, je recevais un nouveau coup de fouet. Normand Tremblay, dont je n'avais pas entendu parler depuis des semaines, m'appelait. Résumer son appel est assez simple : «Quand vas-tu les sortir, tes maudits Jog'O? Tout le monde en veut, mais personne ne sait où les acheter...» Sur le coup, j'ai eu l'impression que Normand était au courant de ma décision de tout abandonner et qu'il me téléphonait pour me signaler, justement, qu'on n'abandonne pas ce qu'on a entrepris. Le message était d'autant plus facile à accepter qu'il venait de lui. Quand on connaît les épreuves qu'il a traversées, on se dit que la vie, après tout, nous a bien servis. Ces quelques paroles m'avaient suffisamment stimulé pour me donner le goût de reprendre le collier et de foncer à nouveau. Je ne devais pas le regretter.

Les discussions avec mes associés qui se plaignaient de la pauvreté des ventes n'ont jamais été virulentes. Cependant, je comprenais leur déception. Comme moi, ils avaient cru à ce produit et, après quelques mois, seulement une centaine de paires étaient vendues. Le problème, c'est que je n'avais pas suffisamment de temps à consacrer à la vente. Mes seules journées libres, les dimanches, je les passais à m'entraîner pour le marathon ou dans les expositions et les foires à exhiber mes Jog'O. Malgré ma bonne volonté, ces démarches ne pouvaient rivaliser avec un réseau commercial bien structuré. Or, c'était ce qui nous faisait le plus défaut et, je l'ai déjà dit, je ne parvenais pas à intéresser des distributeurs à mon produit.

Le lendemain du coup de fil de Normand Tremblay, j'avais rendez-vous avec Martin. La rencontre, malgré les circonstances, fut cordiale. Je lui ai expliqué que, pour l'instant, je ne pouvais faire plus pour les Jog'O. Après tout, ai-je dit, je ne peux me séparer en douze et, avec mes nombreuses obligations, tout ce que j'avais pu faire n'était déjà pas si mal, précisant que la situation me causait une pression supplémentaire que je n'étais plus en mesure de supporter. Je lui ai donc demandé combien il me faudrait payer pour le moule et pour le rachat du contrat qui nous liait.

Martin semblait aussi soulagé que moi de cette proposition. Cette conversation d'affaires, finalement, s'est bien terminée. Martin promettait de discuter avec Heinz et de me donner des nouvelles rapidement. Mon offre était la suivante : je proposais aux deux hommes d'affaires de racheter le contrat et le moule pour une somme de 6 000 $ et de le payer en versements trimestriels de 500 $. De plus, Bromar Plastic demeurait le fabricant exclusif des Jog'O jusqu'à ce que les 6 000 $ soient totalement remboursés. Lors d'une deuxième rencontre quelques jours plus tard, cette offre a été acceptée. Au terme de cette rencontre, je respirais mieux et j'avais la conviction de pouvoir disposer honorablement et à ma guise de mon invention.

Je n'étais pas pour autant tiré d'embarras. Si mes partenaires venaient de trouver une issue convenable, au moins autant que la mienne, personnellement, je me trouvais aux prises avec la nécessité, une fois pour toutes, de mettre ce produit sur le marché. Aujourd'hui, avec des années de recul, je me demande à quel point l'obligation ou même le désespoir, dans une certaine mesure, n'est pas l'élément galvanisant capable de vous faire faire des choses que vous n'auriez pas réalisées autrement.

Quoi qu'il en soit, en sortant de cette réunion, je songeais vraiment à corriger la situation. Si les Jog'O n'avaient pas connu plus de succès, c'est que personne n'avait voulu ou pu s'en occuper sérieusement. J'avais bien tenté de trouver un distributeur, mais je ne m'étais heurté qu'à des portes closes. Cette fois, je songeais à engager quelqu'un pour représenter mon produit.

Un de mes amis, Pierre Bourgeoys, faisait ce genre de travail et je me demandais s'il accepterait de s'occuper des Jog'O. L'ayant contacté rapidement, il m'a expliqué comment tout cela fonctionnait. À vrai dire, les notions qu'il me présentait alors étaient tout à fait nouvelles pour moi. Jamais je n'aurais cru que le commerce, même local, puisse être d'une telle complexité. Quand même, il m'opposa une fin de non-recevoir. Lui, disait-il, ne pouvait s'occuper de ce produit. Et il avait de bonnes raisons pour refuser. Cependant, s'est-il empressé d'ajouter, son père, qui travaillait au ministère de l'Industrie et du Commerce du Québec, pouvait certainement établir des contacts pour que j'aie un surplus d'informations. J'acceptai avec plaisir de le rencontrer.

Cette entrevue a été sympathique et le père de mon camarade, Rodrigue Bourgeoys, m'affirma sérieusement qu'il tenterait de m'aider. Il ne s'agissait pas alors de demande de subventions ou de choses du même genre. Je ne voulais que des contacts pour distribuer mon produit et j'étais tout à fait prêt à vendre ma salade moi-même. Mais j'avais absolument besoin qu'on me dirige. Ce qui fut fait.

Quelques semaines plus tard, par son entremise, on m'a mis en contact avec un homme d'affaires du nom de Ronald Bannon, le président d'une société montréalaise se spécialisant dans la distribution d'articles de sport. Ce dernier avait eu un certain succès avec un autre produit sportif, la balle AKI, et en recherchait un nouveau pour maintenir son roulement.

À notre première rencontre, je n'ai pas eu besoin d'expliquer longuement à M. Bannon ce qu'était mon produit. Il le connaissait déjà, les gens du ministère lui ayant expliqué de quoi il s'agissait. Il m'attendait plutôt avec un contrat par lequel il exigeait que je lui cède la distribution exclusive du produit pour le Canada et les États-Unis. En vertu de quoi, il me versait six pour cent de redevances sur chaque paire de Jog'O vendue.

Cette offre me permettait de garder mes emplois et allait constituer un fonds suffisant pour défrayer en partie les sommes exigées pour l'obtention des brevets. Le contrat a été signé le 23 décembre 1985. Une nouvelle fois, je me sentais libéré. N'ayant plus à m'occuper des Jog'O, je pouvais consacrer mes énergies à amasser l'argent nécessaire aux brevets que je devais déposer quelques semaines plus tard.

J'étais convaincu que le contrat signé avec Bannon allait rectifier le tir, même si je ne pouvais me fier sur les rentrées des ventes à court terme pour payer les brevets. Ma situation, sans être dramatique, était néanmoins sérieuse. Je voulais ces brevets et je m'efforçais d'accumuler les sommes nécessaires. La date limite pour le dépôt des demandes était le 24 juin. J'étais parvenu à débourser les 7 000 $ exigés pour les brevets canadiens et américains, mais je n'avais pas les 8 000 $ qu'exigeait la firme Robic et Robic pour déposer les demandes de brevets en Europe et en Australie qui, au total, coûtaient 11 000 $.

Encore une fois, je me retrouvais dans un cul-de-sac. Je n'avais plus le choix : j'étais maintenant allé trop loin pour accepter de perdre des droits sur un territoire aussi important que l'Europe. La situation exigeait que je trouve une solution immédiate.

Je me suis alors tourné vers mon comptable. Au moment où je faisais toutes les démarches concernant mes Jog'O, j'avais aussi décidé d'investir avec deux autres policiers dans un immeuble de classe 31 qui procurait des avantages fiscaux. Un de mes confrères m'avait alors présenté le comptable Pierre Jubinville. Bien sûr, mon confrère avait insisté pour me présenter en tant qu'inventeur, et cette particularité avait piqué la curiosité du comptable qui, après quelques minutes de discussion, me laissait savoir qu'il connaissait beaucoup d'investisseurs capables de risquer des capitaux dans une aventure.

Je ne l'avais pas rappelé. Mais à la mi-juin, alors que je cherchais le moyen de protéger mes droits en Europe et en Australie, le nom de ce comptable me revint à l'esprit. J'ai décidé de l'appeler immédiatement. À ma grande surprise, il se souvenait encore très bien de moi et acceptait de me rencontrer dans les heures suivantes.

Notre rencontre s'est limitée à des questions et des réponses directes. Nous n'étions pas là, ni l'un ni l'autre, pour nous enfarger dans les fleurs du tapis. La question a vite été réglée. Je lui ai expliqué que je voulais trouver des investisseurs capables d'acheter 50 pour cent de mes brevets européens et australiens pour 8 000 $. On était le 22 juin et nous n'avions que jusqu'au lendemain après-midi, 17 heures, pour régler cette question. Le lendemain matin, il me rappelait pour me dire qu'un syndicat d'hommes d'affaires dont il était membre était prêt à verser cette somme et que je n'avais qu'à passer à son bureau.

Soulagé, je lui dis alors que je le rappellerais. Il me restait une autre tâche importante à accomplir : convaincre l'agent de brevet de chez Robic et Robic de remplir les demandes de brevets et les enregistrements avant 17 heures. Pour la réalisation de cette dernière phase de l'opération, rien n'était gagné. Je ne pouvais plus penser faire appel à mon « charme ». Il me fallait être totalement convaincant et capable de faire basculer en quelques secondes la détermination froide de cet avocat français conservateur.

Il ne restait plus qu'une méthode : celle du «bulldozer». Après être allé chercher le chèque chez Pierre Jubinville, je me suis présenté chez Robic et Robic pour avoir une entrevue avec mon agent. Je revois encore sa tête quand je suis entré dans son bureau. Compte tenu de l'heure et de ma façon de m'introduire chez lui, je crois qu'il aurait préféré refuser de me recevoir... Mais il a dû estimer aussi, à juste titre, que je n'allais pas abandonner si près du but. Les papiers furent remplis, à mon grand soulagement. Je venais de gagner une bataille importante ; après tout, je n'avais perdu que 50 pour cent de l'Europe et de l'Australie...

Il y avait déjà quelques mois que j'avais signé mon contrat avec Ronald Bannon et, pour une raison inexplicable, je sentais vaguement que quelque chose se tramait. Par exemple, il devait m'envoyer un compte rendu des ventes effectuées depuis le début de notre association et y joindre, à chaque trimestre, un chèque couvrant le montant des droits à verser pour les Jog'O. En janvier, donc quelques semaines après la signature du contrat qui nous liait, il avait participé au Salon national des accessoires de sport. J'étais allé lui donner un coup de main et la réponse du public m'avait semblé excellente, ce qui me laissait croire que l'avenir se présentait, enfin, sous un jour meilleur.

Bannon lui-même, au cours de conversations ultérieures, me laissa entendre à plusieurs reprises que les résultats étaient intéressants, particulièrement au retour d'une tournée en province. Bref, tout serait allé pour le mieux dans le meilleur des mondes, n'eût été de cette clause qui m'empêchait de disposer d'une seule paire de Jog'O.

À la fin du premier trimestre, alors que de mon côté j'avais respecté scrupuleusement les clauses de notre entente, j'étais excité à l'idée de recevoir le premier compte rendu et de savoir comment les choses s'étaient véritablement déroulées. En plus, j'avais une autre raison de me sentir excité : j'allais enfin toucher les premiers droits qui m'étaient dévolus ! Et, surtout, j'en avais vraiment besoin...

En recevant l'enveloppe contenant le relevé des opérations pour le premier trimestre, je me souviens très bien de l'avoir exposée à la lumière, d'avoir fermé un œil et tenté de deviner le montant du chèque qu'elle contenait. Malheureusement, l'enveloppe était opaque et je ne pouvais en deviner le contenu. C'est donc le cœur un peu battant que je l'ai décachetée pour constater amèrement qu'elle ne contenait aucun chèque. Seul le compte rendu des ventes à ce jour s'y trouvait.

Je ne parvenais pas à comprendre. Bien sûr, j'avais besoin du relevé, mais tellement plus du chèque qui aurait dû l'accompagner... J'ai donc téléphoné à Bannon et exigé des explications. Il m'a répondu alors que la plupart des magasins n'avaient pas encore payé leurs commandes et que les redevances en retard seraient ajoutées au chèque du prochain terme. Déçu, je n'ai pu faire autrement que d'accepter son explication... Le compte rendu de Bannon me disait au moins que mes Jog'O étaient vendus dans une quarantaine de magasins d'articles de sport. C'était déjà pas mal...

Au cours des mois suivants, Bannon et moi avons eu quelques discussions au téléphone. Selon lui, les choses évoluaient bien et il n'y avait pas lieu de s'inquiéter. Puis arriva la fin du second trimestre. La même mauvaise surprise qu'au premier trimestre m'attendait. Il y avait un compte rendu des ventes, mais toujours pas de chèque pour en payer les droits.

Cette situation ne me plaisait pas du tout ; le doute s'étant installé en moi, je me suis permis un autre appel explicatif à Bannon. J'ai eu tout juste la chance de l'attraper avant un déménagement. Il m'expliqua alors qu'il fermait son bureau du centre-ville pour aller s'installer dans le sous-sol de sa maison de Laval. Quant aux ventes des Jog'O, il ne pouvait me donner de détails, les documents concernant les transactions étant déjà rangés dans des boîtes. Cependant, il promettait de régler tout litige au sujet de cette affaire à la fin du trimestre suivant.

Je n'arrivais pas à y croire...

Du même coup, je réalisais que je ne pouvais pas faire grand-chose. L'été étant passablement entamé, le marché se trouvait donc à la baisse. Je n'avais d'autre choix que de donner la chance au coureur et d'attendre la fin du trimestre suivant. Au cours des semaines suivantes, j'ai eu avec Bannon quelques conversations téléphoniques, toujours sur le même sujet. À la fin de ce troisième trimestre, comme prévu, il m'envoyait un compte rendu des ventes, mais toujours pas de chèque.

Cette fois, j'ai exigé un rendez-vous dans les plus brefs délais. Évidemment, il n'était pas intéressé à me rencontrer. Néanmoins, il m'a expliqué qu'il avait de graves problèmes d'argent et qu'il ne pourrait probablement pas me payer ce qu'il me devait dans un court délai.

N'espérant plus rien de ce personnage, je lui ai annoncé que j'étais prêt à annuler le contrat qui nous liait l'un à l'autre. Je lui offrais, en échange de cette annulation, la possibilité de garder les sommes d'argent qu'il me devait. Il m'a semblé un peu surpris de ma proposition et a promis de me rappeler aussitôt que possible.

Après trois jours, Bannon me rappelait et m'affirmait, le plus sérieusement du monde, qu'après avoir consulté son avocat, il était prêt à résilier le contrat en échange d'une somme de 30 000 $, en compensation pour la perte des deux années qui restaient à courir sur ce contrat.

J'ai failli tomber de ma chaise ! Malgré le choc que son culot venait de me causer, j'ai décidé de jouer le jeu car j'avais absolument besoin de son offre par écrit. Je lui ai donc demandé très simplement et très calmement de me mettre cette proposition sur papier et de me l'envoyer. Trois jours plus tard, une lettre provenant du bureau de l'avocat de Bannon et contresignée par ce dernier me parvenait, m'expliquant que je pouvais me libérer de mon contrat en échange de 30 000 $. J'ai toujours conservé cette lettre en souvenir, ne serait-ce que pour confondre les sceptiques.

Le lendemain, je me suis rendu chez mon avocat pour lui soumettre le dossier. Celui-ci a attiré mon attention sur une clause claire et précise du contrat spécifiant qu'à défaut de payer les redevances pour droits au plus tard trois jours après la fin de chaque trimestre, ledit contrat devenait nul. Bannon reçut donc une lettre lui expliquant que le contrat était révolu.

Quelques jours après, le comptable, Pierre Jubinville, m'offrait de reprendre mes droits pour 8 000 $, soit exactement le prix que le syndicat avait versé. Mieux, le groupe ne fixait aucune date d'échéance quant au remboursement. Pour expliquer cette générosité, il m'a confié que, de toute sa vie, il n'avait jamais vu un gars aussi déterminé à réussir. Cette dette fut rapidement chose du passé et Pierre est devenu mon comptable agréé pour de nombreuses années.

Un an et demi plus tard, je me retrouvais donc presque au point de départ. Il y avait cependant des nuances de taille : cette fois, je possédais le moule de mon invention, tous les droits et également les brevets. De plus, mon produit était vendu dans plusieurs magasins et commençait à être connu un peu partout au Québec, en bonne partie grâce au marathon auquel toute la famille avait participé et à Bertrand Raymond, du *Journal de Montréal*, qui devait s'enthousiasmer pour ce produit au point de lui consacrer une page complète. Cette fois, c'était vrai, l'argent commençait enfin à rentrer.

En fin de compte, cette histoire de première invention aura été pour moi comme un cours accéléré sur tout ce qui entoure la protection d'une idée, son développement et sa commercialisation. Toutes ces connaissances acquises à la dure allaient me servir pour les années à venir.

L'invention du policier Daniel Paquette réglera les problèmes du jogger

DANIEL PAQUETTE, UN POLICIER INVENTEUR

RÈGLE LES PROBLÈMES DES JOGGERS

A voir en page 3

Les coups de chaleur ne sont plus à craindre

L'idée d'un policier de haltères remplies d'eau

Running water

Hot-weather runners need water and these cleverly shaped plastic bottles make it easy to carry your own: invented by Montreal policeman Daniel Paquette, they are on sale at the Montreal International Marathon-registration centre, Complexe Desjardins, at $8 a pair.

Daniel Paquette ne se contente pas de courir, il invente

Les haltères d'eau ...il s'agissait d'y penser !

bertrand raymond

Les cas de Penney et Soetaert: aucun progrès enregistré

Chapitre 6

Une invention en amène une autre

« Le génie chez les uns, c'est une intuition constante ;
chez les autres, une constante attention. »

– Alfred Capus

Le jour où j'ai eu ma première idée d'invention, en 1984, s'il y a une chose à laquelle je ne m'attendais pas, c'est bien l'intérêt qu'auraient les différents médias à mon égard. Mais, avouons-le, j'ai peut-être un peu provoqué les choses... En effet, je venais à peine de recevoir les premiers échantillons de mes Jog'O lorsque j'ai décidé de me présenter à l'édifice de Télé-Métropole, aujourd'hui TVA, situé sur le boulevard De Maisonneuve à Montréal. L'état de mes finances ne me permettant pas d'investir dans la publicité, je devais trouver un moyen d'en avoir gratuitement.

Dans le hall d'entrée de Télé-Métropole, j'arrive face à face avec un sympa-thique gardien de sécurité qui m'interroge sur ma présence. Après de brèves explications, il m'indique qu'il n'est pas possible d'accéder aux étages sans avoir au préalable un rendez-vous. Il m'invite donc à quitter les lieux, en pre-nant soin cependant de me donner les numéros de téléphone de quelques recherchistes.

Je me rends alors dans une petite cafétéria adjacente au hall d'entrée où il y a un téléphone public. Alors que je m'apprête à faire un premier appel, je vois le gardien qui quitte son poste pour aller aux toilettes. Sans perdre un instant et, surtout, sans réfléchir aux conséquences possibles, je me dirige vers l'ascenseur et m'y engouffre.

Au premier étage, rien du tout si ce n'est un long corridor sombre. Mais au deuxième, il y a plein d'activité. Je sors de l'ascenseur et tombe nez à nez avec Serge Grenier, ex-membre des Cyniques, qui agissait alors à titre de re-cherchiste pour l'émission *Casse-tête* animée par l'humoriste Daniel Lemire. Par bonheur, Serge est le frère de Gilles, un grand ami de mon frère Bernard. Je n'ai donc aucune difficulté à le convaincre de me faire passer à l'émission de Daniel Lemire. Mieux encore, il me présente à Edward Rémy, alors recher-chiste en chef pour plusieurs autres émissions. Grâce à ce dernier, qui semblait avoir toujours du plaisir à me rencontrer, j'ai été invité à différentes émissions par la suite.

Presque en même temps, Bertrand Raymond, chroniqueur sportif au *Journal de Montréal*, que j'avais croisé dans le cadre de l'aventure du marathon de Montréal avec mes frères, avait réservé une page complète pour moi et mes Jog'O. Dans son article, il m'identifiait comme le «policier-inventeur». Comme la principale hantise des inventeurs est de se faire voler leur idée, le fait que je sois policier représentait une certaine sécurité. J'ai alors reçu de nombreux appels d'inventeurs qui désiraient que je les renseigne sur la marche à suivre pour protéger leur idée.

Si, après chacune de mes apparitions télévisées, je recevais des dizaines d'appels, ceux reçus à la suite du reportage de Bertrand Raymond se comptaient par centaines. Le téléphone n'a pas dérougi, et ce, pendant plusieurs semaines. Tous les jours, j'avais plusieurs messages sur mon répondeur et je peux vous assurer qu'il n'y en a pas un seul que je n'ai pas retourné. J'adorais tout simplement ça, comme c'est d'ailleurs encore le cas aujourd'hui.

Au printemps de l'année 1986, mes Jog'O se retrouvaient dans tous les Sports Experts au Québec et dans plusieurs autres boutiques spécialisées dans la vente de souliers de course. Je cherchais donc toutes les façons possibles d'en faire la promotion avant le début de la saison estivale. J'ai réussi à obtenir quelques reportages dans les journaux et dans la revue *Jogging*, très populaire à cette époque, de même qu'à me faire inviter à quelques émissions de télévision, dont *Montréal en direct* animée par Pierre Marcotte. Mais cette dernière émission ne m'a pas tout à fait apporté la publicité à laquelle je m'attendais.

Dans une capsule humoristique à l'intérieur de l'émission, je me retrouve assis au bar avec Claude Blanchard comme serveur pour parler de mes Jog'O. Je n'ai pas le temps d'ouvrir la bouche que Claude m'arrache littéralement les Jog'O des mains et dit: «Ça, c'est l'invention du siècle, avant de partir pour faire ton jogging, tu mets du coke dans l'un et du rhum dans l'autre.» Joignant le geste à la parole, il se met à verser du coke dans un de mes contenants. Tout le monde se tord de rire dans le studio, sauf moi, et à peine a-t-il terminé de verser du rhum dans l'autre qu'il se met à crier «on ferme, on ferme». Une publicité qui n'a pas fait augmenter mes ventes!

J'ai été beaucoup plus chanceux quelques semaines plus tard. En effet, une dame de très forte corpulence a commencé à participer aux différentes courses de fond organisées un peu partout dans la province. La première fois que je l'ai vue, elle passait le fil d'arrivée alors que les rues étaient rouvertes à la circulation depuis déjà un bon moment. Elle m'avait vraiment impressionné et j'admirais son courage.

À la fin de la course, je suis allé à sa rencontre pour la féliciter et l'encourager à continuer. Comme j'avais mes Jog'O dans les mains, elle m'a demandé où je me les étais procurés, m'expliquant qu'elle courait tellement lentement que les bénévoles avaient déjà enlevé les points d'eau à son passage. Il lui fallait trouver une autre façon de s'hydrater lors des prochaines courses. C'est donc avec grand plaisir que je lui ai donné ma paire de Jog'O tout en lui mentionnant, bien sûr, que j'en étais l'inventeur.

Cette dame a par la suite participé pendant plusieurs années à la plupart des courses organisées au Québec. Elle est rapidement devenue une véritable vedette et une inspiration pour tous les coureurs. Lorsqu'elle participait au marathon de Montréal, et elle le faisait chaque année, les rues étaient toujours rouvertes à la circulation quand elle terminait le parcours, de sorte qu'elle était toujours précédée d'une auto-patrouille avec feux clignotants et sirène activée. Et pendant le reportage à Radio-Canada, on pouvait la voir à de nombreuses reprises. Quand elle franchissait le fil d'arrivée, elle était applaudie à tout rompre et, chaque fois, elle avait mes Jog'O dans les mains. Bref, un petit don d'environ 1 $ s'est transformé en une publicité que je n'aurais jamais pu me payer autrement !

En janvier 1986, par hasard, je tombe sur un article de journal qui annonce la tenue d'une exposition, fin mars, au Stade olympique. Je communique donc avec les organisateurs pour connaître les modalités d'inscription et le coût de location d'un espace. L'espace minimum qu'on pouvait réserver était 100 pieds carrés et le prix de la location était beaucoup trop élevé pour mes moyens. Même si j'exerçais toujours mon second emploi de poseur de fenêtres, tous mes revenus étaient utilisés pour rembourser les 8 000 $ à Pierre Jubinville et à son groupe. Le paiement complet d'une dette, le plus rapidement possible, a toujours été pour moi une priorité.

Au cours de ma conversation téléphonique avec la responsable de la location des kiosques, celle-ci m'avait semblé fort enthousiaste à l'idée que j'y présente mon invention. Elle m'avait même laissé sous l'impression qu'elle serait prête à faire un certain compromis sur le prix de location de l'espace. J'étais déterminé à me présenter à cet événement et j'étudiais différents scénarios possibles. J'eus alors une idée qui allait régler mon problème, au-delà de mes espérances.

J'ai communiqué de nouveau avec la dame pour lui proposer une attraction supplémentaire dans son salon, un kiosque d'inventeurs québécois. L'idée était simple, je réunissais dix inventeurs, incluant moi-même, et elle me fournissait l'espace et le kiosque. L'idée reçut un bon accueil des organisateurs. Après quelques négociations assez rapides, il fut convenu que, moyennant un coût minime de location qui serait partagé entre les inventeurs, elle nous fournissait un kiosque clés en main suffisamment grand pour y installer les dix inventeurs.

Ce salon, dans son ensemble, n'a pas connu le succès escompté, de sorte qu'il n'a pas été représenté l'année suivante. Mais le kiosque des inventeurs fut un grand succès, bondé de monde tout au long des quatre jours qu'aura duré l'exposition. J'ai eu l'occasion de répéter cette expérience à de nombreuses reprises par la suite, dont une dizaine de fois au Salon national de l'habitation.

Je n'ai pas vendu beaucoup de paires de Jog'O durant cette exposition, les amateurs de jogging longue distance n'étant pas légion, mais j'en suis tout de même sorti grand gagnant. Tout d'abord, j'ai pu constater à quel point un kiosque rempli d'inventeurs peut être populaire. J'y ai ensuite puisé l'idée de ma seconde invention. Mais, également, j'y ai appris que le meilleur temps pour vendre un nouveau produit, c'est durant la période des Fêtes.

Voici le topo. Un couple se présente à mon kiosque. L'homme est bedonnant, a les cheveux noirs et graisseux peignés vers l'arrière et arbore des favoris qui lui descendent de chaque côté du menton. La dame est deux fois plus corpulente que son homme, qu'elle tient par le bras comme pour s'assurer qu'il ne s'envolera pas. Bref, aucun doute dans mon esprit que ni l'un ni l'autre ne sont des adeptes de la course à pied.

Je ne voulais pas trop élaborer sur l'utilité de mes Jog'O avec eux, de peur de laisser passer quelques clients potentiels. Comme prévu et le plus sérieusement du monde, l'émule d'Elvis Gratton me confirme qu'il ne pratique pas le jogging. Mais sa conjointe, qui sans surprise me fait la même confidence, poursuit avec ce commentaire qui n'est pas tombé dans l'oreille d'un sourd : « Peut-être que ti-Claude aimerait ça. » Ce ti-Claude était leur fils et courait le marathon de Montréal depuis quelques années. Cinq minutes plus tard, ils repartaient avec une paire de Jog'O.

Une leçon que je n'oublierai jamais plus et qui m'a fait réaliser qu'il est parfois beaucoup plus facile de vendre un produit pour donner en cadeau que de convaincre le futur utilisateur de sa nécessité. Une constatation qui allait me servir de façon assez extraordinaire, à l'approche des Fêtes, des années plus tard.

Tout au long des quatre jours de l'exposition, les visiteurs examinaient mes Jog'O et les trouvaient intéressants. Mais la très grande majorité d'entre eux ne pratiquaient pas le jogging. Ceux qui le pratiquaient repartaient inévitablement avec une paire de Jog'O. Financièrement parlant, le peu de ventes effectuées ne justifiait pas ma présence à cet événement, mais les commentaires des visiteurs, porteurs d'un message évident, la justifiaient amplement. Il y avait clairement un marché pour un contenant pratique qui serait utilisé sous les vêtements lors d'activités hivernales, dont le ski de fond et les festivals.

Cette idée d'un nouveau contenant finit par me hanter. Comme la plupart des commentaires des gens avaient rapport au ski de fond, ma première idée fut de mettre au point un contenant pouvant s'ajuster aux bâtons de ski de fond, mais je rejetai rapidement cette idée. Il était impensable qu'un skieur, pour boire une gorgée d'eau, ait à lever son bâton au complet. De plus, si les skieurs mettaient de l'eau dans un tel contenant, elle gèlerait.

Néanmoins, la demande était là, et si j'imaginais un contenant pratique capable d'y répondre, je trouverais probablement en même temps une source intéressante de revenus. Bizarrement, au début, ce qui me motivait surtout à inventer ce nouveau contenant était de pouvoir en vendre à tous ceux qui ne voudraient pas de mes Jog'O lors des prochaines expositions. Par la suite, j'ai rapidement réalisé que, si je pouvais en vendre aux amateurs de festivals d'hiver, je pourrais sans aucun doute en vendre aux organisateurs de ces festivals, comme la canne du Carnaval de Québec, par exemple. J'étais alors convaincu que si je trouvais la solution à ce problème, je mettrais fin à mes ennuis d'argent et j'en accumulerais suffisamment pour promouvoir mes Jog'O.

C'est d'ailleurs en me penchant sur cette fameuse canne du Carnaval de Québec que j'entrepris mes travaux, car plusieurs visiteurs du salon m'avaient mentionné qu'ils n'hésiteraient pas à s'en débarrasser si un contenant plus pratique apparaissait sur le marché. Mon intention était de l'examiner attentivement, suffisamment en tout cas pour en faire ressortir tous les aspects négatifs.

Mes premières observations sont venues rapidement. Tout d'abord, cette canne à 8 $ était effectivement trop chère puisque les gens ne s'en servaient que pour un événement spécifique. De plus, il fallait dévisser le bouchon, ce qui est loin d'être pratique par grand froid. Ensuite, sa dimension obligeait à l'avoir toujours dans les mains, d'où l'impossibilité de la protéger du gel. Conséquence directe, puisque ce contenant n'est utilisé qu'en hiver, il fallait absolument y mettre de l'alcool, tout autre produit risquant de geler... Et puis, cette canne était encombrante. Une fois le liquide consommé, il fallait continuer à la trimbaler dans les mains parce qu'il était impossible de la glisser dans une poche. En trouvant un contenant qui éliminait tous ces problèmes, je tenais la solution.

Pendant un mois, j'ai ruminé tous ces éléments sans trouver ce que je cherchais. Puis, un soir, alors que je venais de me coucher, une idée m'est apparue. Incapable de dormir, je me suis mis, en pensée, à voir la « chose »... Une petite gourde... Mais différente de celles que l'on connaît. Tout d'abord, j'en réduisais les dimensions et y fixais une corde, ce qui allait permettre aux utilisateurs de se l'accrocher au cou et de la dissimuler sous leur manteau. Ainsi, ils pourraient y mettre autre chose que de l'alcool. Je remplacerais également le bouchon à filets par un bouchon identique à celui des Jog'O, éliminant le besoin de toujours le dévisser. Et je ferais cette gourde avec deux faces plates afin que deux firmes puissent y apposer leur publicité et ainsi réduire leurs coûts de promotion.

Plus j'y songeais et plus je voyais cette gourde... Comme si j'avais peur de perdre cette idée pendant la nuit, je me suis levé pour me rendre à mon garage et fabriquer la gourde telle que je l'avais en tête. Après avoir sorti mes couteaux de sculpture, je me suis mis à l'ouvrage. Le temps passait rapidement, mais je n'en avais pas vraiment conscience.

Durant la nuit, mon épouse est descendue au garage pour me demander ce que j'y fabriquais, à cette heure. Sur le coup, je lui ai simplement répondu que je n'en avais pas pour longtemps... Et j'étais sincère... Je croyais bien n'en avoir que pour quelques minutes. Tout me semblait si simple. Mais à 4 heures du matin, j'étais encore en train de bricoler lorsqu'elle est revenue dans le garage.

Cette fois, elle insistait pour savoir ce que je faisais. J'ai bien été obligé de lui répondre... Il est difficile de décrire la tête qu'elle a faite quand je lui ai dit que je fabriquais une gourde. Je dois admettre que si c'était elle que j'avais trouvée dans le garage, à 4 heures du matin, pour fabriquer une gourde, je l'aurais probablement fait enfermer. N'empêche que j'ai vendu près de 4 millions de ces gourdes, ce qui démontre que cette nuit blanche en a valu la peine.

Quelques jours plus tard, mon prototype était terminé. J'avais si bien travaillé, finissant les angles de la gourde de façon quasi professionnelle et la recouvrant d'une multitude de couches de vernis, que les gens la croyaient véritablement en plastique et voulaient me l'acheter. Ce petit succès artistique fit germer une idée.

Si cette gourde était capable de confondre des personnes qui l'avaient sous les yeux, elle était donc suffisamment bien faite pour être présentée, même commercialement. Je décidai donc de jouer le tout pour le tout et d'essayer de vendre ma petite gourde avant même d'en avoir fait faire les moules. Un simple appel téléphonique devait me permettre de rencontrer le fournisseur principal des articles de promotion du Carnaval de Québec. Nous étions alors en juillet et si cette affaire fonctionnait, j'aurais tout juste le temps de produire pour le carnaval.

Ce dernier semblait très intéressé par la perspective de trouver un nouveau contenant, non pas pour remplacer la traditionnelle canne du Carnaval, mais pour être offerte en alternative aux personnes qui ne voulaient pas de la canne.

Éric, mon partenaire, avec mes prototypes en bois

Nous avons donc convenu de nous rencontrer une quinzaine de jours plus tard, lors de son prochain séjour à Montréal.

J'avais l'intention bien arrêtée de réussir cette transaction et, pour y arriver, je voulais à tout prix l'impressionner. Comme je jouissais d'un délai de quinze jours avant notre rencontre, j'ai décidé de retourner à mon atelier et de fabriquer une dizaine de gourdes de couleurs différentes semblables à mon prototype. Avec un vernis de bonne qualité, je suis parvenu une fois de plus à donner l'illusion du plastique, ce qui m'a permis de tirer d'excellentes photographies de ces petites gourdes en bois.

Mon plan était très simple : me présenter à lui avec une gourde accrochée autour du cou et lui montrer les photographies des autres contenants, comme si la fabrication était commencée. De plus, j'avais bien pris soin de placer des autocollants sur chacune des gourdes. Sur une des faces de celle que j'avais au cou, on pouvait voir le logo d'un commanditaire du Carnaval et, sur l'autre, le légendaire Bonhomme Carnaval.

M. Dion était un petit homme trapu, à la mine sévère et à l'allure relâchée. Le genre d'homme qui est occupé et qui le laisse voir. Ma petite mise en scène a parfaitement fonctionné. Après quelques minutes de discussion, il m'a demandé une soumission pour une quantité de 5 000 gourdes. Cette commande était minuscule pour un événement de l'ampleur du Carnaval de Québec, mais elle était indicatrice de l'intérêt qu'il portait à ma gourde. J'ai dû alors lui avouer que celle que je portais au cou était simplement un prototype et que la production ne pourrait débuter avant trois ou quatre mois. Comme je ne voulais absolument pas perdre la chance d'avoir un jour le Carnaval de Québec pour client, je lui ai promis de le recontacter dès le début de la production. Ce que je devais faire quelques mois plus tard. Malheureusement, la direction du Carnaval ne voulait pas d'une gourde qui entrerait en compétition avec la légendaire canne.

À la suite de cette rencontre, j'avais la certitude que je tenais un produit gagnant entre les mains. Sans hésiter, je me suis rendu chez le modéliste industriel Jacques Nicol. Un vrai chic type qui travaillait depuis le sous-sol de sa maison, de sorte que ses prix étaient moitié moins chers qu'ailleurs. Quand je suis arrivé à son domicile, un autre homme était sur place. Mon hésitation à parler des raisons de ma visite devait être visible puisque M. Nicol a demandé à cette personne de nous laisser seuls quelques minutes. Dès que je lui ai montré ma gourde, M. Nicol m'a expliqué que Denis Labelle, un ami à lui depuis de nombreuses années, était fabricant de moules pour les pièces en plastique, et qu'il pourrait éventuellement être intéressé par mon produit.

J'ai donc accepté de lui présenter ma gourde à son tour. Les deux hommes l'ont examinée en détail. Finalement, M. Labelle voulait savoir si j'avais quelqu'un en vue pour la fabrication du moule de cette gourde. Lui ayant répondu par la négative, il m'a alors fait une proposition qui ne se refusait pas. Il m'offrait de fabriquer ce moule pour 3 000 $. Personnellement, j'étais convaincu qu'il me faudrait débourser au moins 5 000 $. Mais ce n'était pas tellement le prix, même si j'en étais satisfait, qui m'emballait le plus. M. Labelle me proposait aussi de payer cette somme au fur et à mesure que les ventes s'effectueraient.

Je n'en croyais pas mes oreilles ! Autant j'avais eu de la difficulté à faire fabriquer et vendre mes Jog'O, autant ce nouveau projet semblait vouloir se réaliser tout seul. Les choses se présentaient d'autant mieux que je voulais avoir ce produit pour l'automne afin de le présenter à la Foire internationale de Montréal. En sortant de chez M. Nicol, tout était déjà réglé, une simple poignée de main servant de contrat. Et comme j'avais l'intention de protéger ma trouvaille, je me suis rendu directement à l'agence de brevets pour y déposer un dessin industriel au Canada et aux États-Unis.

Il faut comprendre qu'une gourde, même la mienne, n'est pas véritablement une invention, mais plutôt une innovation. Des gourdes, il en existe depuis longtemps et plusieurs modèles sont disponibles sur le marché, ce qui éliminait toute possibilité d'obtenir un brevet pour mon « invention ». Dans de tels cas, on enregistre plutôt un dessin industriel.

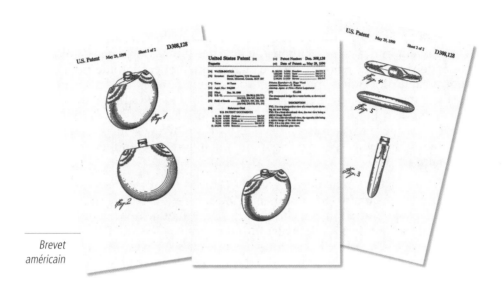

Brevet américain

Par la suite, j'ai compris que j'avais agi pour le mieux puisque, lorsque j'ai eu affaire aux Américains, ceux-ci m'ont toujours demandé le numéro d'enregistrement de mon dessin industriel. En Europe, ma gourde a été copiée intégralement, mais, en dehors du Canada et des États-Unis, je ne possédais aucune sorte de protection. J'ai également déposé la marque de commerce « Gourd'O » au Canada et aux États-Unis. Comme dans le cas des Jog'O, une goutte d'eau tient lieu d'apostrophe. Fait à noter, chaque fois que j'ai exposé mes inventions aux États-Unis, j'ai toujours été impressionné par le respect des entrepreneurs américains pour la propriété intellectuelle.

Le produit fini

J'entrepris donc la production, franchissant les étapes les unes après les autres et empruntant un chemin qui menait directement vers le succès commercial. Au départ, j'avais signé une entente de distribution avec Jean Hénault, un compagnon de travail, et son associé, Robert Décarie. Le contrat fut de courte durée car, malgré toute leur bonne volonté, ils n'ont jamais pu atteindre les objectifs fixés dans l'entente. Dès que j'ai repris les guides de la distribution, ma première commande en fut une de 50 000 unités pour la compagnie Pepsi-Cola.

Tout allait donc pour le mieux. J'avais maintenant deux inventions rentables, mes moules et mes brevets étaient payés et, en plus, je possédais un bon inventaire de Gourd'O et de Jog'O, si bien que chaque vente contribuait à réduire mes dettes de façon substantielle. La situation semblant vouloir se maintenir de cette façon, j'ai abandonné mon second emploi de poseur de fenêtres afin de m'occuper exclusivement de la mise en marché de mes deux produits.

Je recevais de plus en plus d'appels de personnes qui désiraient protéger leur idée d'invention. Ayant maintenant un peu plus de temps libre, j'ai décidé d'agir à titre de consultant. La première année, je rencontrais mes clients au restaurant McDonald situé tout près des Galeries d'Anjou. L'année suivante, avec l'approbation de mon épouse, bien sûr, nous avons vendu tous les meubles du salon pour y aménager un bureau. C'était beaucoup plus pratique, car je pouvais placer des appels entre les consultations et je n'avais que quelques marches à descendre pour accéder à mon atelier. Mais plus encore, je pouvais être beaucoup plus présent auprès de ma petite famille.

Mon bureau de consultation roulait à plein régime et me permettait de transmettre aux inventeurs en herbe les connaissances acquises avec mes deux premières inventions.

Voici justement une petite anecdote en rapport avec mon rôle de consultant. Un inventeur se présente à mon bureau avec son épouse et ses trois enfants. Je lui explique les démarches à suivre pour protéger son idée et, vers la fin de l'entrevue, il me demande s'il peut me montrer son invention. Il se lève et enfile une petite veste qu'il a taillée dans un sac-poubelle vert.

Il me regarde et me demande : « Qu'en pensez-vous ? » Devant mon air interrogateur, il se retourne pour me laisser voir un logo des Hells Angels dessiné à la main à l'endos de la veste et poursuit : « Qui, croyez-vous, oserait attaquer une vieille dame qui porterait cette veste le soir à sa descente de l'autobus ? » Ma réponse est instantanée : « Les Rock Machine. » Il ne la trouve pas drôle : « Est-ce que vous jugez mon idée farfelue ? » et je réponds… oui. Une chose que je n'avais jamais faite auparavant, que j'ai immédiatement regrettée et que je ne ferai plus jamais, car j'ai trop de respect pour les gens qui croient détenir une bonne idée et qui ont assez de cran pour vouloir la développer.

Environ cinq ans plus tard, André Pelletier m'invite à son émission à la radio de CKAC pour une ligne ouverte de trois heures pendant lesquelles les auditeurs pourront me poser des questions. À un moment donné, je prends un appel et la personne me dit : « Bonjour M. Paquette, moi je ne suis pas trop content de vous, je suis allé vous rencontrer à votre bureau et vous m'avez dit que mon invention était farfelue. » Et vlan ! Mettons que j'aurais préféré être ailleurs…

J'adorais mon travail de consultant, mais je disposais de moins en moins de temps pour vendre mes produits. D'autres idées d'inventions me trottaient dans la tête… Je préférais de beaucoup faire des consultations et inventer que de vendre. J'ai donc pris la décision de me trouver un associé qui s'occuperait de faire ce travail à ma place.

Je ne quittais jamais la maison sans mes Gourd'O et mes Jog'O et je passais mon temps à en parler à qui voulait bien m'entendre. Puis, un jour, alors que je répétais mon laïus, j'entendis quelqu'un me parler d'un dénommé Guy Cloutier. Rien à voir avec la famille Simard, même si cette homonymie rendait le nom facile à retenir. Cloutier, selon mon interlocuteur, rêvait de vendre des inventions québécoises partout dans le monde, information que j'avais retenue surtout à cause du nom de l'individu.

Mais le lendemain, une comptable me parle elle aussi de ce Cloutier en me tenant exactement le même discours quant à ses aspirations. Cette fois, j'étais véritablement intrigué; qu'on me parle de la même personne deux jours de suite, ça ne peut être un hasard. J'ai donc demandé à cette comptable de me mettre en contact avec ce fameux Guy Cloutier. Cinq minutes plus tard, j'étais en route pour son bureau.

Une fois sur place, je me suis tout d'abord demandé à qui j'avais affaire. Son bureau était entièrement décoré à la japonaise, ce qui ne manquait pas de m'étonner. Mais le décor est devenu rapidement secondaire lorsque j'ai vu une paire de Jog'O sur son bureau. Surpris, j'informai Cloutier, un type de six pieds quatre pouces extrêmement sympathique, que j'en étais l'inventeur. Cette fois, ce fut à son tour d'être surpris. Il avait reçu ces Jog'O d'un collègue et était emballé par l'objet au point de vouloir en rencontrer l'inventeur.

Nous en sommes encore à discuter de nos étonnements mutuels lorsque je lui présente une Gourd'O. Il s'en empare et, prenant aussi un Jog'O, il me dit d'un ton convaincant : «Mon cher Daniel, tes deux inventions, je vais leur faire faire le tour du monde !» À l'entendre parler par la suite, il allait en vendre partout : aux États-Unis, au Japon, en Australie, etc.

Sérieusement, je me posais des questions sur ses capacités, mais, au moins, cet homme disait exactement ce que je voulais entendre depuis des mois. Mais trop, c'est trop et j'éclatai de rire. J'étais bien prêt à admettre qu'il puisse en vendre aux États-Unis, mais, en ce qui concernait l'Australie et le Japon, j'avais des doutes. L'argument ne semblait avoir aucune prise sur lui. «Tu sais, l'Australie c'est à quelques secondes de distance si on utilise le téléphone et à quelques heures d'avion si on veut s'y rendre...» Et l'avenir allait lui donner raison. Ça me plaisait. Beaucoup. Il était exactement la personne que je recherchais et son brin de folie et de culot m'intriguait. Pour sa part, c'est mon côté créatif et imaginatif qui l'intéressait.

Nous avons continué à discuter jusqu'en début de soirée. Guy parlait anglais et japonais, avait vécu près d'un an au Japon, était expert comptable de profession et se spécialisait dans les exportations. C'était exactement le gars qu'il me fallait. Je lui ai expliqué que je désirais travailler avec lui, mais que je ne voulais pas signer de contrat à cause des expériences douloureuses que je venais tout juste de vivre. Une poignée de main a donc suffi pour faire de nous deux alliés. Ce partenariat était idéal, Guy s'occupait des ventes et moi, de la production. Je pouvais enfin consacrer plus de temps à mon bureau de consultant, à inventer de nouveaux bidules et à jouer au golf de temps en temps...

Guy Cloutier, aujourd'hui un conférencier très populaire en Europe

J'aurais dû m'en tenir à mon rôle en production, mais j'étais tellement passionné par la vente de mes produits que je ne pouvais m'empêcher de me mêler, de temps à autre, des affaires de mon associé. C'est ainsi qu'un beau matin, je lui ai annoncé en primeur que nous avions une commande de 388 000 Gourd'O.

Depuis quelques années que nous travaillions ensemble, j'avais eu l'occasion de rencontrer la directrice des projets spéciaux de la maison Lucie-Bruneau, Françoise Lavoie. Je lui avais, bien entendu, présenté mes produits et elle était emballée par mes Gourd'O. J'aimais bien cette dame. Elle avait toujours des milliers d'idées en tête, toutes plus extravagantes les unes que les autres. Lorsque nous nous voyions, nous échafaudions des projets peut-être un peu fous... mais quand même. Rien ne nous arrêtait.

Dans le cadre de ses fonctions, madame Lavoie devait organiser divers événements pour assurer le financement du téléthon de la maison Lucie-Bruneau, une institution spécialisée dans les soins aux handicapés. Plongée de façon régulière dans ce milieu, madame Lavoie voyait grand et visait haut. Comme elle débutait à la maison Lucie-Bruneau, elle avait décidé que son premier projet serait grandiose.

Elle m'a donc contacté pour m'expliquer ce qu'elle entendait faire, me révélant qu'elle allait signer une entente avec la pétrolière Ultramar. Cette entente l'autorisait à utiliser son réseau de distribution pendant deux mois au cours desquels elle vendrait des Gourd'O dont le profit reviendrait à la Fondation Lucie-Bruneau. Le tout serait appuyé par une campagne médiatique et de nombreux contrats avec des stations de radio ou de télévision étaient déjà négociés. Il ne lui restait donc plus qu'à nous convaincre de lui fabriquer les Gourd'O, précisant qu'elle en avait besoin de 388 000 pour couvrir l'ensemble du réseau d'Ultramar.

Je faillis tomber à la renverse. D'autant plus qu'elle ne faisait aucune cachette : elle ne pouvait garantir le paiement que de 30 pour cent de la production. Néanmoins, j'étais emballé. Après tout, c'était la commande dont je rêvais depuis toujours... Je lui ai demandé de préparer un contrat et, lorsque le document fut prêt, je l'ai accompagnée chez mon associé pour qu'il signifie son accord.

J'ai reçu une véritable douche froide en présentant le contrat à Guy. Il ne voulait rien entendre, même s'il connaissait très bien Françoise Lavoie et qu'il avait confiance en elle. Réagissant en comptable, il était hors de question, pour lui, de signer un contrat sans garantie complète de paiement. Ce n'était évidemment pas mon attitude et j'ai entrepris de faire pression sur lui pour le forcer à changer d'idée. Plusieurs de nos rencontres subséquentes ont été fort orageuses et Guy soutenait qu'il valait mieux laisser tomber ce projet, beaucoup trop ambitieux et risqué selon lui.

Devant ma détermination et la défense que je présentais de ce projet, il accepta de signer le contrat, à la condition expresse que je puisse convaincre les fournisseurs de fonctionner sur la base des maigres réserves que pouvait nous procurer madame Lavoie. Mon premier travail fut donc de convaincre la compagnie DuoPac, le producteur des Gourd'O, d'agir pratiquement sans garantie. Étant donné le montant global de la commande, cette demande risquait fort d'être rejetée.

De plus, même si je réussissais à persuader les dirigeants de DuoPac de fabriquer les Gourd'O avec de si petites garanties, je devais également convaincre les fabricants de cordes, de bouchons, de sacs de plastique ainsi que le sérigraphiste de fonctionner sur les mêmes bases. Je mentionne le sérigraphiste parce que le contrat proposé par Lucie-Bruneau prévoyait qu'une des faces des Gourd'O laisserait voir la marque de commerce d'Ultramar alors que l'autre face présenterait le message de la Fondation Lucie-Bruneau.

Sur le coup, quand mon associé m'a imposé cette condition, j'ai à peine réalisé le risque que je lui demandais de prendre. Cependant, il venait de m'ouvrir les yeux sur le travail que je devais maintenant effectuer. Il me fallait convaincre tous les fournisseurs de travailler sur une base extrêmement fragile et je réalisai du coup que j'aurais à déployer tous mes talents de vendeur pour y arriver... Mais puisque j'avais presque réussi à convaincre Guy, je me dis que je pourrais bien réussir avec les autres.

Je choisis donc de m'attaquer d'abord au plus gros morceau : DuoPac, le producteur des Gourd'O. Guy m'a regardé prendre rendez-vous et m'a souhaité bonne chance en me rappelant qu'il était tout à fait opposé à ce projet.

Le rendez-vous chez DuoPac avait été fixé à 10 heures du matin. Et comme j'avais déjà mentionné les raisons de ma visite au propriétaire de l'entreprise, M. Desmarais, celui-ci désirait avoir son état-major autour de lui pour la rencontre ; ce qui me permit de m'aiguiser les dents pendant une demi-heure supplémentaire. Quand la réunion a débuté, M. Desmarais m'attendait de pied ferme, bien appuyé par son principal vendeur et son directeur des ventes. Trois heures et demie plus tard, nous sortions de la salle de réunion et j'avais réussi à persuader tout le groupe d'appuyer ma démarche. Rien ne garantissait la réussite du projet, hormis ma détermination à le mener à terme, et tous en étaient bien conscients...

Triomphant, j'ai appelé Guy pour l'informer de la nouvelle. Cette première victoire l'a laissé pantois au bout du fil, mais je ne lui ai pas donné le temps de revenir de sa surprise. Immédiatement, je me suis attaqué aux autres fournisseurs, obtenant d'eux exactement les mêmes engagements que ceux qui liaient DuoPac. Le lendemain, nous étions prêts à signer le contrat. Une nouvelle analyse des documents prit quelques semaines et, finalement, nous apposions nos griffes au bas de l'entente.

Le cauchemar venait de commencer...

Nous étions alors à la fin de février et la promotion de madame Lavoie devait débuter le 6 juin, ce qui nous laissait peu de temps pour produire les 388 000 Gourd'O qu'exigeait le contrat. À ce moment, nous n'avions qu'un seul moule, ce qui signifiait que nous ne pouvions produire que 7 000 Gourd'O par jour. Et, de surcroît, les échéanciers du producteur ne nous permettaient pas de commencer la production avant quelques semaines. Nous devions donc commander un deuxième moule à deux cavités, au coût de 10 000 $, ce qui allait nous permettre de produire 20 000 Gourd'O par jour et ainsi combler le retard. En ce qui concernait la production, les choses n'étaient pas plus compliquées que cela.

Le problème, c'est que nous avions signé un contrat avec Lucie-Bruneau, mais que cette institution ne possédait encore aucune entente officielle avec la compagnie Ultramar... et nous en étions à la mi-mars. Madame Lavoie faisait pourtant des efforts considérables pour que cette entente soit ratifiée le plus tôt possible, mais chaque fois qu'elle se présentait au bureau du directeur du marketing d'Ultramar, il y avait un empêchement. Elle nous appelait pour nous dire que le rendez-vous était reporté et visiblement le découragement la gagnait petit à petit. Finalement, à la fin du mois de mars, elle obtint la signature qu'elle espérait depuis des semaines.

Pour madame Lavoie et moi, ce fut un véritable soulagement et le prétexte à un bon souper. Tout marchait bien et rien, désormais, ne pourrait empêcher cette campagne de connaître le succès que nous lui prédisions.

Le lendemain, j'allais voir M. Rodrigue Boisrond, le patron des Ateliers L'Essor avec qui nous avions un contrat de service depuis plusieurs années. Un gaillard jovial, mince et élégant, originaire d'Haïti, à qui je vouais une admiration sans borne. À l'époque, cet atelier employait environ 25 handicapés intellectuels légers et ce sont eux qui effectuaient la préparation finale de nos produits. Ils vissaient les bouchons, plaçaient les cordes sur les Gourd'O et mettaient le tout dans des sacs de plastique puis dans des boîtes.

À cause de l'ampleur et des délais de livraison de certaines commandes de Gourd'O, il m'est arrivé souvent de faire travailler ces handicapés les fins de semaine. Chaque fois, c'était un réel plaisir pour moi de visser des bouchons et poser des cordes avec eux. Robert Desrochers, également handicapé intellectuel léger, agissait à titre de contremaître dans l'entrepôt. Il avait une mémoire

Aux Fêtes, je me faisais toujours un devoir de récompenser les handicapés des Ateliers L'Essor pour leur bon travail.

phénoménale et était extrêmement efficace. Si je lui demandais combien il me restait de bouchons pour les Gourd'O, il me donnait toujours la réponse exacte. Au début, j'allais bien sûr vérifier, mais, à la fin, je me fiais entièrement à ses dires, sans faire aucune vérification.

Pour cette occasion cependant, avec la Fondation Lucie-Bruneau, nous avions une commande de niveau industriel. J'étais bien conscient que le petit atelier de M. Boisrond ne pourrait suffire à la tâche et qu'il me fallait trouver une solution. Celui-ci me proposa alors de contacter d'autres ateliers sem-blables et d'y faire effectuer le travail. Il m'affirmait qu'il pouvait convaincre huit centres comme le sien de réaliser ce boulot. Il fit donc les démarches nécessaires et me rappela quelques jours plus tard pour me dire que toutes les ententes étaient conclues.

Tout était ainsi bien en place pour entreprendre la production. Une chose, cependant, me tracassait. La date limite que nous nous étions fixée pour le début de l'impression du sceau d'Ultramar et de Lucie-Bruneau sur les Gourd'O était dépassée, et Ultramar n'avait toujours pas donné son accord sur les échantillons qui lui avaient été présentés. Madame Lavoie tentait déses-pérément d'obtenir l'aval de la compagnie, mais les résultats tardaient à venir et il était hors de question d'ordonner au sérigraphiste de commencer à im-primer avant l'obtention du consentement de notre distributeur.

C'est alors que survint le premier coup dur. Madame Lavoie me téléphone, en pleurs, pour m'apprendre que la compagnie avait rejeté les échantillons en lui disant qu'ils manquaient de couleur et d'originalité, même s'il s'agissait de dessins préalablement proposés par eux-mêmes. Personne ne semblait donc comprendre l'urgence de la situation, sauf madame Lavoie et moi !

Cette fois, je me devais de trouver rapidement une solution pour sauver le projet, car 50 000 Gourd'O étaient déjà produites et prêtes pour la sérigraphie.

Au cours de la soirée suivante, je tentai désespérément de mettre au point une idée de publicité acceptable par Ultramar. Et c'est en lisant une revue publicitaire de la pétrolière que je finis par trouver ce que je cherchais.

Installé devant ma planche à dessin, j'ai tracé un croquis représentant le lutteur Maurice «Mad Dog» Vachon – le président d'honneur de la campagne de financement – appuyé sur une pompe à essence Ultramar, disant, dans une bulle: «Merci, au nom de la Fondation Lucie-Bruneau.» Immédiatement après, je téléphonais à madame Lavoie pour lui faire part de ma petite création publicitaire et lui demander de me recevoir le lendemain matin.

À son bureau, le jour suivant, un graphiste de la fondation était présent et réalisa sur-le-champ une esquisse plus soignée. Le lendemain, le travail était prêt à être présenté et, le surlendemain, le service du marketing d'Ultramar acceptait le nouveau dessin avec enthousiasme.

Je venais de faire d'une pierre deux coups car nous n'avions plus désormais qu'à faire imprimer une seule face des Gourd'O, le dessin accepté ayant l'avantage de faire passer le message des deux groupes. Mais pour le sérigraphiste, il s'agissait d'une catastrophe puisque tout était à recommencer. Tout le travail de préparation effectué en fonction des premiers messages n'avait plus aucune valeur et il fallait repartir à zéro. Heureux hasard, la compagnie venait tout juste d'acquérir un appareil de sérigraphie capable de travailler avec quatre couleurs à la fois et les circonstances exigeaient qu'on tente d'utiliser cette machine, même si le personnel n'avait pas encore eu le temps de se familiariser avec elle. Nous n'avions aucune autre solution, et il nous fallait livrer les Gourd'O à temps.

Les plaques d'impression destinées à cet appareil devaient être fabriquées à Toronto, nous imposant du même coup un autre retard. Les choses se compliquèrent encore lorsque les tentatives d'impression exigèrent qu'on recommence les plaques à quatre ou cinq reprises. La tension se mit alors à monter.

Malgré tous les efforts des ouvriers, rien ne sortait du centre de sérigraphie et les ateliers des handicapés attendaient le matériel. Nous étions alors rendus au 1er mai et aucune Gourd'O n'était prête.

Une semaine plus tard, la sérigraphie débutait et, avec mon camion, j'attendais d'avoir suffisamment de Gourd'O pour entreprendre les premières livraisons. Vu l'ampleur de la commande, nous avons dû acheter un deuxième camion pour accélérer les livraisons et tenter de gagner un peu de temps.

Quand ces véhicules ont enfin pris la route, ils contenaient 27 000 Gourd'O que nous devions distribuer à neuf ateliers de handicapés. Le lundi matin, les ateliers étaient approvisionnés et nous avertissions les directeurs des centres que nous repasserions le mercredi soir pour reprendre toutes les boîtes de Gourd'O prêtes à être livrées à Ultramar.

Le mercredi, au volant d'un des camions, je me dirigeais vers Pointe-aux-Trembles pour prendre livraison de 3 000 Gourd'O confiées pour emballage à un des ateliers. Ayant stationné le camion à l'arrière, je fis à pied le tour de l'édifice pour demander qu'on m'ouvre la porte du garage afin de prendre livraison des boîtes. Mais la dame qui m'accueillit me répondit que ce ne serait pas nécessaire, et sans me laisser le temps de dire un mot, elle me poussa deux boîtes de Gourd'0. Pourtant, ce centre avait quinze boîtes en sa possession. Devant mes interrogations muettes, elle m'a invité à visiter son atelier. Je compris immédiatement ce qui expliquait le retard. Si, aux Ateliers L'Essor, les employés souffraient de légers handicaps, ce n'était pas le cas ici où les travailleurs semblaient affectés de troubles beaucoup plus sérieux. Pour ces gens, le simple fait de poser un bouchon constituait un exploit. Il est facile d'imaginer quels efforts ces travaux leur avaient demandés.

En quittant les lieux, je souhaitais néanmoins que cet atelier fût le seul du genre parmi ceux que M. Boisrond avait sélectionnés. En d'autres temps, je n'aurais eu aucune objection à attendre un peu que le travail soit complété mais, cette fois, le temps nous bousculait.

Malheureusement pour moi, sur neuf centres, six employaient des handicapés souffrant de problèmes mentaux sérieux. Seuls les Ateliers L'Essor et deux autres centres donnaient du rendement et je ne réussis à récolter que 32 boîtes ce jour-là. J'en étais malade, mais cette journée ne devait pas se terminer sur cette seule déception. Bien plus que les employés handicapés, le lancement de la campagne allait me causer un désenchantement de taille.

Nous devions nous rendre en soirée au Vélodrome olympique de Montréal transformé pour la circonstance en casino à l'intention des propriétaires de stations-service Ultramar de toute la province. Le lancement officiel de la campagne de vente des Gourd'O devait être annoncé lors de cette soirée et nous avions tous hâte de constater l'ampleur de l'engagement des franchisés Ultramar.

Madame Lavoie, vêtue de ses plus beaux atours, attendait nerveusement le moment de faire le discours du lancement de la campagne en discutant avec Jacques Théberge, homme d'affaires handicapé à qui on avait confié la responsabilité d'entreprendre une tournée provinciale des stations Ultramar pour faire mousser les ventes des Gourd'O en compagnie de madame Lavoie et de Maurice « Mad Dog » Vachon.

Auprès de Françoise Lavoie et de quelques bénévoles de Lucie-Bruneau figurait aussi la mascotte créée pour attirer l'attention des franchisés Ultramar. Tout était au point, l'ambiance était à la fête et nous n'avions aucune intention de révéler les ennuis qui avaient entaché le déroulement de cette campagne.

La directrice des projets spéciaux de Lucie-Bruneau fut présentée à la foule poliment, sans enthousiasme ni chaleur. Soudain, nous avons réalisé que le message ne passerait pas. Madame Lavoie s'époumonait derrière le micro, mais personne n'écoutait. À toutes les tables, on préférait le black jack et le poker aux appels à l'aide qu'elle lançait.

J'étais révolté de ce qu'on n'avait même pas demandé aux gens d'interrompre leurs jeux deux minutes pour écouter le message qu'elle avait à livrer. Madame Lavoie, sur la scène, a quand même fini son discours, les larmes aux yeux.

Pour Guy et moi, cette « cérémonie » revêtait quand même quelque chose de révélateur. Quelques minutes après le discours, nous avons quitté le Vélodrome pour tenir un conciliabule dans un restaurant. Il nous semblait dès lors évident que madame Lavoie n'avait pas le soutien des dirigeants de la pétrolière et qu'il lui serait impossible de vendre 388 000 Gourd'O. D'accord sur ce point, nous avons pris la décision d'arrêter la production à 200 000 exemplaires, sans en aviser madame Lavoie. Nous ne voulions pas lui démontrer que nous avions perdu une certaine confiance dans son projet et nous savions, en plus, que si elle ne parvenait à vendre que 200 000 Gourd'O, elle aurait de la difficulté à boucler son budget.

Mais il était trop tard. Le lendemain matin, après avoir communiqué avec DuoPac, nous apprenions que la fabrication des Gourd'O avait déjà atteint 250 000 unités. La production ayant cessé immédiatement, nous nous sommes tournés vers les autres fournisseurs pour leur demander de réduire leur production. Rien à faire : les bouchons, les cordes et les sacs de plastique étaient prêts et n'attendaient plus qu'à être livrés... et la date de livraison des produits à Ultramar nous était encore inconnue. Une situation tout simplement désastreuse.

Pour compléter le tableau, mon associé devait quitter Montréal pour un voyage d'affaires en Floride et le sérigraphiste m'apprenait qu'il ne pouvait imprimer les Gourd'O parce que sa machine ne fonctionnait pas, ayant subi un bris mécanique.

J'avais trois options : me suicider immédiatement, attendre que quelqu'un m'assassine ou foncer. Puisque j'aimais la vie, aussi bien tenter de sauver les meubles.

Ma première préoccupation a été de régler le problème de la sérigraphie. Comme cette opération était dorénavant impossible, j'ai décidé de faire imprimer des autocollants qu'on n'aurait plus qu'à apposer sur les contenants. Mais je devais faire accepter ce changement par Ultramar. La réponse fut positive et quarante-huit heures plus tard, je commandais 200 000 autocollants et j'engageais les employés de mon sérigraphiste pour les coller.

Je n'étais pas pour autant au bout de mes peines puisque la pétrolière venait de m'informer qu'elle comptait prendre livraison de 400 boîtes de Gourd'O, le mercredi suivant. Évidemment, il était inévitable que ce problème surgisse. Je savais très bien qu'un jour ou l'autre je devrais livrer le produit, Mais je n'étais pas prêt. En fait, personne ne l'était. Nous étions alors le jeudi et il n'y avait pas 100 boîtes de prêtes.

J'avais l'endroit pour travailler, mais pas les employés. Un ami, pour la durée du contrat, m'avait prêté un grand entrepôt situé dans le secteur industriel de Ville d'Anjou. Si je n'avais pas de problème à entreposer mes produits, je ne voyais absolument pas comment je pourrais en effectuer l'assemblage en si peu de temps.

J'avais besoin de main-d'œuvre et je me suis tourné vers la famille. Trois de mes neveux, les fils de mon frère Gérard, se disaient prêts à venir me donner un coup de main. J'avais aussi embauché quelques handicapés des Ateliers L'Essor disposés à travailler pendant la fin de semaine mais c'était loin d'être suffisant, car, même en travaillant vingt heures par jour, il était impossible de penser faire plus de 20 boîtes quotidiennement. Madame Lavoie communiquait avec moi de temps à autre, rayonnante à l'idée qu'on allait livrer 400 boîtes dans quatre jours. Comme elle était débordée par l'organisation de ses tournées, j'ai décidé de ne rien lui dire de la situation pour ne pas la désespérer.

Le samedi matin, j'allais chercher mes neveux avec le camion. Nous nous dirigions vers l'entrepôt quand l'un d'eux, Dominic, salua de la main un de ses amis faisant partie d'un groupe de scouts en train de laver des voitures. Il me fallut quelques minutes avant de réaliser que ces jeunes pourraient peut-être m'aider. Quand cette idée eut fait son cheminement dans mon esprit, je fis rapidement demi-tour et descendis voir le chef de la troupe scout. Lui, il avait de la main-d'œuvre et il cherchait de l'argent, et moi j'avais de l'argent et je cherchais de la main-d'œuvre. En quelques minutes, nous étions d'accord. Le soir même, l'entrepôt grouillait de jeunes en uniforme et de tous les autres que j'avais pu engager durant la journée, y compris mon père et ma mère.

Larry, mon beau-père, était sur place et se mit naturellement aux commandes, répartissant le travail, dirigeant un groupe vers de nouvelles fonctions, préparant l'horaire des repas, veillant à ce que personne ne manque de rien.

La partie était cependant loin d'être gagnée car, le lundi matin, les guides et les scouts auraient disparu et j'allais de nouveau me retrouver avec une pénurie de main-d'œuvre. Ils avaient bien promis de revenir après dix-huit heures, mais même avec cette arrivée tardive de travailleurs, il serait impossible de remplir la commande.

C'est alors que mon associé, à peine descendu d'avion, s'est présenté à l'entrepôt, pressé de savoir où j'en étais dans mon cauchemar. Aussitôt informé de l'urgence de la situation, il donna un coup de téléphone à une de ses amies, madame Mimi Ouellette, laquelle réunit illico une quarantaine de bénévoles du quartier Hochelaga-Maisonneuve qui se regroupaient au sous-sol d'une église. Ces bénévoles étaient tellement efficaces qu'on arrivait à peine à les fournir.

Le mardi soir, alors que Guy et moi allions les approvisionner, on nous informa que nous ne pourrions livrer notre marchandise au sous-sol de l'église parce que les Filles d'Isabelle y tenaient une réunion. Les bénévoles, nous disait-on, s'étaient installés dans l'église même, face à l'autel. La scène était particulière : une trentaine de dames et quelques messieurs assis sur les bancs de l'église, en train de visser des bouchons de Gourd'O. Parfois, quand j'y songe, je me demande si tout cela était bien réel… Quoi qu'il en soit, l'aide de toutes ces personnes nous a permis de respecter l'échéancier prévu et, le mercredi matin, nous avions plus de 400 boîtes de prêtes. Un tour de force que nous devons à la coopération.

Pendant ce temps, à l'entrepôt, mon beau-père notait les heures d'entrée et de sortie des travailleurs, des marchandises, des repas ; il s'occupait de l'expédition, de l'emballage, bref, il contrôlait totalement la situation.

La réussite du projet était donc maintenant assurée et les ventes reposaient sur les efforts que devait effectuer madame Lavoie. Malheureusement, malgré toute l'énergie qu'elle devait déployer au cours des deux mois de cette campagne, elle n'est parvenue à vendre que 186 000 Gourd'O à travers le Québec. Bien qu'elle ait réussi à dépasser les prédictions les plus optimistes d'Ultramar, elle était quand même assez loin de son objectif premier de 388 000. Finalement, à part un épisode de stress inimaginable, nous nous en sommes tous bien tirés, y compris nos fournisseurs.

Pour Guy et moi, l'opération se terminait avec des profits beaucoup plus minces que ceux escomptés au départ, ce qui ne nous a pas empêchés, à la fin du projet – peut-être pour effacer les douleurs engendrées par ce contrat –, de nous payer un méchant gueuleton aux fruits de mer... Et de me dire que, dorénavant, j'allais limiter mes interventions à la production, laissant à Guy le soin de discuter et de régler les questions d'affaires.

Mon association avec Guy a officiellement pris fin le 19 juillet 1999. De mon côté, je voulais intensifier mon implication auprès des inventeurs, alors que Guy voulait faire connaître sa philosophie d'entrepreneur. Nous avons tous les deux réalisé nos projets respectifs. Mais pendant toutes ces années qu'a duré notre partenariat, on a eu un plaisir fou à travailler ensemble. Guy m'a fait découvrir beaucoup de choses en rapport avec le commerce, et plus particulièrement au niveau du commerce extérieur. Nous avons beaucoup voyagé pour participer à différentes expositions. Je ne peux que le remercier d'avoir ainsi participé activement à mon évolution, non seulement au niveau des affaires, mais d'abord et avant tout sur le plan personnel.

Ensemble, nous avons vendu près de quatre millions de Gourd'O et quelques dizaines de milliers de Jog'O. À elles seules, la Fondation des maladies du cœur du Canada, de l'Angleterre et de l'Australie en ont acheté plus de un million pour leur événement annuel « Sautons en cœur ». À noter, également, les 600 000 unités vendues au gouvernement du Canada. Nous en avons également vendu d'assez grosses quantités à plusieurs clients prestigieux, dont la RIO, avec la reproduction du

À gauche, le dessin finalement accepté par Ultramar

Stade olympique, les Alouettes et les Canadiens de Montréal, les Islander de New York, la Fédération des scouts du Canada, Gaterade et plusieurs autres. Un très beau succès.

Au cours de toutes ces années, nous avons également vécu toutes sortes de situations, de très bonnes comme de très mauvaises. Parmi les meilleures, il y a ce jour où nous avons signé une très grosse commande de Gourd'O avec le gouvernement du Canada. Et parmi les très mauvaises, je ne peux oublier la vente d'un plein conteneur de Jog'O et de Gourd'O en France pour lequel nous n'avons jamais été payés, une perte de près de 15 000 $. Mais la commande qui nous a causé le plus de stress est définitivement celle de la Fondation Lucie-Bruneau.

Les années aux côtés de Guy ont été vraiment plaisantes. Tous les jours, quelque chose de nouveau survenait. Nous avons même vécu certaines situations cocasses, dont celle-ci qui mérite d'être racontée. Peu de temps après le début de notre association, nous avons présenté les Jog'O et les Gourd'O à un salon d'exposition à Anaheim, en Californie. Je me rappelle que nous avions dû gratter les fonds de tiroirs pour arriver à nous payer ce voyage et le kiosque. Nous logions au Red Carpet, un motel miteux situé juste en face de Disneyland. Je ne suis d'ailleurs pas près d'oublier cet endroit infect où les coquerelles se servaient allègrement dans notre boîte à biscuits.

Ne parlant pratiquement pas anglais à cette époque, c'est Guy qui faisait tous les contacts. Il était très efficace dans ce domaine, si bien que notre kiosque était toujours bondé de monde. De mon côté, je me contentais de sourire et de gesticuler tout en baragouinant quelques mots « franglais ». À un moment donné, un Américain qui semblait nous trouver bien sympathiques nous a invités à une petite fête qu'il donnait le lendemain soir à sa résidence située non loin du centre d'exposition.

Il y avait une trentaine de personnes à cette soirée qui se tenait dans une superbe maison au bord de l'eau. Je n'étais pas très à l'aise, ne comprenant pratiquement rien de ce qui se disait. Guy, qui, au contraire, s'y sentait comme un poisson dans l'eau, me présentait tour à tour à chaque invité comme « *the Policeman-Inventor* ».

Une jeune femme m'ayant indiqué comment me rendre aux toilettes, je me trompe de porte et je tombe sur un couple à moitié nu sur un lit, en train de renifler de la cocaïne. Je n'ai pas bien compris ce que le gars a dit, mais la fille s'est exclamée instantanément « *this is the Policeman-Inventor* », et je pense que le gars a aspiré sa paille par le nez !

La mascotte Gourd'O

Depuis ma tendre enfance, j'ai toujours été fasciné par les mascottes, et Youppi, le gros toutou vivant des Expos de Montréal, devait raviver ce penchant. Pour faire la promotion de mes Gourd'O, l'idée m'est venue d'être accompagné de ma propre mascotte.

Informé du prix d'une mascotte réalisée par des professionnels, soit 5 000 $ et plus, je décidai d'en fabriquer une. La raison qui me motivait était simple : je n'avais pas suffisamment d'argent pour consacrer une somme aussi importante à une mascotte.

Je n'avais pourtant aucune idée de la façon de confectionner ces gros bonshommes de peluche et ma seule référence était une photographie de Youppi. Le corps ne me causait aucun souci, ma belle-mère ayant réglé le problème en me proposant de le faire elle-même selon mes critères. Cependant, pas plus que moi, elle ne savait comment fabriquer la tête.

J'ai donc décidé de laisser ce problème en suspens, le temps de réaliser les dessins de mon personnage. Mais cette étape a été facile à franchir et je me suis vite retrouvé face à mon dilemme. Je passais des heures à regarder la tête de Youppi, ne parvenant pas à comprendre comment on l'avait réalisée. Hors de question de demander à un professionnel de m'expliquer sa méthode.

Je faisais toutes sortes de tentatives sans parvenir au résultat recherché. Après plusieurs insuccès, j'avais fini par obtenir une belle tête, mais elle était tellement lourde qu'il était impensable de la faire porter par quelqu'un. Il fallait recommencer à zéro.

Fatigué de toujours me heurter à des problèmes insolubles, je remis en question ma méthode de travail et j'en arrivai à la conclusion que le problème se trouvait de ce côté. Plutôt que de tenter de trouver une solution globale, je devais me mettre méthodiquement à régler les problèmes les uns après les autres. La forme de casque idéale, le plus léger, les matériaux de bourrage les plus souples, la peluche la plus résistante, comment faire les yeux pour qu'ils bougent bien, les oreilles, etc.

De retour à la maison, je m'empressais d'appliquer mes découvertes à la tête de ma mascotte, moulant et remoulant des masses de mousse polymère autour d'un casque de moto pour donner forme à mon personnage. Après quelques semaines de travail, la mascotte Gourd'O naissait.

J'avais confié le rôle de l'animer à un ami qui m'accompagnait à différents événements de promotion pour mes Gourd'O. Ce que je n'avais cependant pas prévu, c'est qu'à chaque sortie, il y avait toujours quelqu'un qui désirait réserver les services de ma mascotte pour des occasions diverses, dont des fêtes d'enfants. Comme je suis toujours prêt à répondre aux besoins des autres, j'ai évidemment donné suite à leur demande. Je me suis donc retrouvé, à l'occasion, animateur de mascotte.

Il m'arrivait d'offrir mes services gratuitement à des amis ou pour des événements à vocation caritative. Une fois, Pauline Marandola, ma couturière préférée, me demande si j'accepterais de venir amuser les résidents de l'Hôpital Henri-Charbonneau, où elle faisait beaucoup de bénévolat. J'ai bien sûr accepté avec plaisir.

Les résidents, pour la plupart atteints de sénilité ou de la maladie d'Alzheimer, étaient tous réunis dans une salle et quelques bénévoles s'affairaient à les faire manger. J'enfile donc mon costume dans une petite pièce adjacente et entre ensuite dans la salle à manger en faisant le pitre. Aucune réaction, ni des résidents, ni des bénévoles occupés à tenter de faire entrer une cuillerée de nourriture dans leurs bouches.

À noter que Gourd'O est comme Youppi, il est muet. Tous les résidents me regardent, mais j'ai beau faire toutes les pitreries de mon répertoire, rien n'y fait, et quand je dis rien, c'est rien, pas même un tout petit rictus. Au bout de dix minutes, je n'en peux plus et me sens ridicule comme c'est pas possible. J'ai donc quitté la salle à manger prestement pour finalement aller me promener sur les étages et, cette fois, être accueilli en héros.

Gourd'O dans une fête d'enfants

Gourd'O et Jacquot, le film !

Pendant le blitz de vente des Gourd'O dans les stations Ultramar, au profit de la Fondation Lucie-Bruneau, la mascotte Gourd'O fut très sollicitée. En effet, accompagnée du lutteur Maurice «Mad Dog» Vachon, président d'honneur, de Françoise Lavoie, la chargée de projet, et de Jacques Théberge, directeur de la campagne de financement, nous rendions visite aux différentes stations Ultramar du Québec pour en faire la promotion.

Normalement, Jacques Théberge – un «enfant de la thalidomide» des années 50 –, qui n'a comme membres qu'un petit bout de jambe muni de cinq doigts, se déplace en fauteuil électrique. Cependant, pour des raisons pratiques évidentes, il nous fallait l'aider à se déplacer dans un fauteuil roulant mécanique. «Mad Dog» marchant avec une canne à cause de sa jambe récemment amputée et Françoise étant occupée à expliquer notre présence, c'est toujours moi, Gourd'O, qui héritais de cette tâche.

On s'amusait follement et les gens trouvaient super sympathique de voir un gros toutou promener Jacques dans sa chaise roulante. En même temps, j'ai eu l'occasion de découvrir ce gars fantastique qui n'a jamais cessé de m'épater par tout ce qu'il réussissait à faire, même avec ses handicaps. À un certain moment, en cours de voyage, Jacques m'a raconté son histoire, dont le fait qu'il ait été abandonné dès sa naissance par ses parents biologiques, qu'il n'avait d'ailleurs jamais connus et à qui il n'avait jamais pardonné ce geste. Il avait été adopté et sa famille d'accueil a tout fait pour le laisser se débrouiller seul.

Je lui ai donc suggéré que, contrairement à sa famille d'adoption, si ses parents biologique l'avaient gardé, il y a fort à parier qu'ils auraient toujours été à ses devants pour l'aider. Ainsi, il n'aurait jamais pu se débrouiller comme il le faisait maintenant. Il a bien aimé cette façon de voir, ajoutant que maintenant qu'il fonctionnait bien tout seul, il serait peut-être temps pour eux de se manifester afin qu'il puisse enfin les connaître.

C'est cette dernière remarque qui m'a donné l'idée d'écrire un scénario de film. Je me disais que la meilleure manière de faire savoir à ses parents biologiques que Jacques était toujours bien en vie et qu'en plus, il se débrouillait aussi bien que vous et moi, c'était par un film qui sortirait sur grand écran.

Dans ce scénario, Gourd'O accompagnait Jacques partout, devenant ainsi ses bras et ses jambes, alors que Jacques devenait la voix de Gourd'O, qui comme on le sait, est muet de naissance. J'y avais inclus des scènes extrêmement drôles, mais, également, des scènes extrêmement tristes. Les plus importantes demeuraient cependant celles où Jacques apparaissait dans toute sa splendeur et sa débrouillardise. Par manque de temps, j'ai confié la tâche de trouver un cinéaste pour le réaliser à une gérante, mais, malheureusement, ça n'a jamais abouti. Cependant, j'ai appris très jeune qu'on ne sait jamais ce que la vie nous réserve.

Gourd'O saute en parachute

Ce chapitre ne serait pas complet si je passais sous silence ces deux cascades de Gourd'O qui ont failli lui coûter la vie.

Durant la fête familiale suivant le rallye de Saint-Léonard, Gourd'O devait arriver au parc Hébert par la voie des airs, c'est-à-dire en parachute. Pour ce faire, j'avais demandé à Daniel Mercile, un confrère de travail comptant plus de 400 sauts à son actif, d'exécuter cette tâche à ma place. Désirant s'assurer que tout irait bien le jour

Premier et dernier saut de Gourd'O

de l'événement, Daniel avait décidé de faire un saut de pratique, revêtu du costume de Gourd'O.

J'étais présent avec son épouse lorsqu'il a exécuté ce saut qui aurait pu lui être fatal. En effet, la tête de Gourd'O était à ce point volumineuse qu'elle le faisait tournoyer sur lui-même. De son propre aveu, s'il n'avait pas eu assez d'expérience pour ralentir suffisamment sa rotation, il ne serait plus de ce monde car son parachute se serait enroulé autour de lui. Il a eu très peur, son épouse et moi aussi. Gourd'O est donc arrivé au parc Hébert par voie terrestre, comme tout le monde.

Gourd'O fait du *car surfing*

L'histoire de sa deuxième cascade, qui faillit également lui coûter la vie, se passe à Saint-Sauveur le jour où Gourd'O doit participer à la « Mascarade sur skis » du mont Saint-Sauveur. Et cette fois, c'est moi qui l'anime. J'avais travaillé comme policier toute la nuit et suis arrivé à Saint-Sauveur vers 9 heures. Toute la famille et les amis étaient déjà partis déjeuner et il ne restait, sur les lieux, que mon oncle Yvon, un gars drôle au possible. Mais ce matin-là, je ne l'ai pas trouvé drôle, et pas du tout.

Continuellement à la recherche de trucs pour faire rire le monde, Yvon me suggère d'enfiler mon costume avant d'aller rejoindre le groupe au restaurant. Toujours d'accord pour appuyer ses idées de fou, j'accepte avec empressement et, en quelques minutes, je me transforme en Gourd'O. Mais, au moment de monter dans son auto, petit problème, ma tête est trop grosse. La seule solution « intelligente » qu'on trouve est de m'étendre sur le capot en me retenant par les mains sous le pare-brise. Il faut savoir que, peu importe les situations, Gourd'O arbore toujours un éternel sourire.

Yvon me promet d'aller très lentement et me dit de l'aviser s'il y a quelque problème que ce soit. Il part effectivement très lentement, mais, une centaine de mètres plus loin, il commence à accélérer, de plus en plus. Je suis blanc comme un drap et lui crie à tue-tête de ralentir, mais lui, tout ce qu'il voit, c'est Gourd'O très calme avec son beau sourire. Les mains de ma mascotte sont en peluche et glissent lentement, impossible de me libérer une main pour lui faire signe que je n'en peux plus. Je suis à quelques secondes de lâcher prise quand on arrive dans le stationnement du restaurant, au grand plaisir et sous les applaudissements de tous. J'ai eu beau leur raconter que j'avais cru ma dernière heure arrivée, tous se tordaient de rire.

Durant mes trente années comme policier, j'ai vécu toutes sortes de situations dangereuses. J'ai même eu deux fois des armes pointées vers mon visage, mais jamais je n'ai eu aussi peur de mourir que le jour de ce stupide épisode de *car surfing* improvisé.

Chapitre 7

Inventeur un jour, inventeur toujours

« Le génie est fait d'un pour cent d'inspiration et de
quatre-vingt-dix-neuf pour cent de transpiration. »

– Thomas Edison

Si le partenariat avec Guy m'a permis de retrouver du temps pour inventer, il m'en a aussi donné les moyens financiers. Non seulement en ai-je beaucoup profité, mais je me suis aussi bien amusé – encore ! Voici donc l'histoire de quelques-unes des inventions sur lesquelles j'ai travaillé durant cette période.

Les « Pilo-Rescent »

Un soir, comme à l'habitude, je me rendais à mon travail en joggant lorsque j'ai constaté à quel point les bordures de terrains gazonnés étaient endommagées par les petits véhicules qui déneigent les trottoirs. Les opérateurs de ces engins ne sachant pas où se terminent les terrains, ils arrachent presque immanquablement une bordure de gazon. J'ai donc eu l'idée de fabriquer des tiges de plastique fluorescent qui serviraient de piquets de délimitation. L'idée était tellement simple que je voyais déjà ces piquets sortir de l'usine.

Cependant, en y songeant un peu plus sérieusement, j'ai réalisé que la chose était loin d'être aussi facile à fabriquer que je ne l'aurais cru tout d'abord. Je connaissais très bien les méthodes du moulage par extrusion et je savais qu'il s'agissait du principe le plus économique. Mais, pour être efficace, il fallait que ma tige comporte une pointe pour pénétrer facilement dans le sol et un bouchon assez solide pour résister aux coups de marteau, ce qui nécessitait de faire fabriquer un moule d'injection très coûteux.

C'était un problème d'autant plus difficile à résoudre que je m'étais fixé un prix de détail de 1,49 $ pour une tige de quatre pieds et 2,49 $ pour une tige de six pieds. Après quelques semaines de recherche, j'ai dû me résigner à abandonner l'idée de produire cette tige en plastique puisque le prix de vente aurait été le double de ce que je visais. J'ai alors décidé de me tourner vers le bois. Une simple visite chez le quincailler a suffi pour me confirmer que j'étais sur la bonne voie. J'y ai trouvé des manches de vadrouille à 2,49 $ l'unité. J'étais donc persuadé qu'avec une production de manches à grande échelle, j'arriverais à obtenir les prix de détail que je m'étais fixés.

Après quelques recherches, une fabrique de manches de vadrouille de Scotstown en Estrie m'a fait une soumission qui rencontrait mes exigences. J'avais donc un nouveau produit à mettre sur le marché ; du moins, c'est ce que je croyais. Les choses ont commencé à se corser quand je me suis mis à parler de peinture fluorescente. Mon fournisseur de manches, la compagnie Beauchesne & fils, n'avait jamais entendu parler d'une telle peinture. De plus, cette peinture, si elle existait, devait sécher instantanément sinon les piquets ne pourraient être déposés sur les convoyeurs de l'usine. On ne parle pas ici d'en fabriquer seulement quelques-uns, mais plutôt d'une production de masse.

Dénicher cette peinture était comme chercher une aiguille dans une botte de foin. J'ai passé un été complet à chercher, mais sans succès. Finalement, alors que j'étais sur le point d'abandonner ce projet, j'ai eu une chance inouïe. J'étais en train de rédiger un rapport de vol dans le bureau du gérant d'une entreprise de peinture de Ville d'Anjou lorsqu'un client s'est approché du comptoir de service pour demander au préposé si son « lacquer fluorescent » était arrivé.

Mon instinct d'inventeur m'amena à m'informer auprès du commis en quoi consistait cette laque fluorescente. Sa réponse m'a stupéfié. Il m'expliqua le plus simplement du monde qu'il s'agissait d'une peinture fluorescente qui avait comme particularité de sécher instantanément, dès son application. Eurêka ! Je venais de trouver ! Cette peinture, importée des États-Unis, avait toutes les caractéristiques que je recherchais. Même à 125 $ le gallon américain, c'était une bonne affaire, car chaque gallon permettait de peindre environ 10 000 piquets.

Ne restait plus qu'à trouver une marque de commerce originale pour commercialiser ces fameuses tiges. En m'amusant à fouiller dans un dictionnaire, je finis par les baptiser Pilo-Rescent. Quelques mois plus tard, mes piquets se retrouvaient dans tous les Canadian Tire. Ils y sont d'ailleurs encore aujourd'hui et sont toujours fabriqués par Beauchesne & fils. Il s'agit d'un

succès commercial incontestable et, en plus, je n'ai même pas eu à dépenser un seul sou pour les brevets puisqu'un tel piquet ne peut faire l'objet d'aucune protection intellectuelle. Seule ma marque de commerce est protégée au Canada.

Impossible de terminer l'histoire de cette invention sans vous raconter cette petite anecdote. Comme pour mes inventions précédentes, j'essayais d'avoir un peu de publicité gratuite. J'avais donc contacté madame Solange Solomita Girard du *Journal de Montréal* pour tenter d'avoir un reportage. Cette dame m'aimait bien et elle accepta d'emblée. Pour la photo qui devait accompagner le reportage, j'avais demandé l'autorisation à la gérante du restaurant McDonald, situé près des Galeries d'Anjou, d'installer une dizaine de mes piquets autour du terrain ga-zonné devant le restaurant.

Le lendemain matin, madame Solo-mita Girard se présente au rendez-vous accompagnée du photographe Pierre-Yvon Pelletier à qui elle demande de prendre immédiatement la photo, afin de le libérer le plus tôt possible. Pelle-tier, un type des plus sympathiques et drôle au possible, me demande de m'ac-croupir près d'un piquet afin qu'il puisse s'exécuter. Plusieurs curieux se pressent non loin pour observer la scène.

Il s'accroupit à ma hauteur et regarde dans son objectif lorsque, tout à coup, il étend le bras et touche au piquet. Il me regarde, l'air hébété, et lance : « C'est un manche de *moppe* peinturé, ça », puis il se relève prestement et crie à pleins poumons « j'ai mon …*stie* de voyage, *chus* en train de photographier un manche de *moppe* peinturé » ! Met-tons que j'avais hâte que la séance de photos soit terminée !

Photo Pierre-Y. PELLETIER

Daniel Paquette est fier de son invention le «Pi-lo-Rescent» que plusieurs restaurants Mac Do-nald utilisent pour délimiter leur terrain.

La bande-visière

Une idée d'invention peut surgir à un moment où on s'y attend le moins, et parfois même de façon très cocasse. Un matin, alors que je revenais du palais de justice de Montréal en métro, je remarque un gros bonhomme qui lit son journal, assis près de la porte du wagon. Ce qui attire surtout mon attention chez lui, c'est qu'il est couvert de sueur et qu'à toutes les trente ou quarante secondes, il doit remonter ses lunettes qui glissent sur le bout de son nez. C'était vraiment drôle à voir. En même temps, je me fais la réflexion que j'ai le même problème avec mes lunettes de soleil quand je pratique mon jogging.

Je me pose alors une question assez bizarre. Serait-il possible de fabri-quer des lunettes qui seraient retenues autrement que par le nez et les oreilles ? Je m'amuse ensuite à laisser aller mon imagination. Mais au bout de quelques minutes, l'idée me vient de joindre une visière à un bandeau.

En fait, mon idée est de réunir en un seul deux accessoires que j'utilise quand je fais mon jogging.

Aussitôt à la maison, je me mets au boulot pour fabriquer mon prototype, ce qui ne me prend que quelques minutes. Un peu plus tard, je parcours déjà quelques kilomètres en jogging pour le tester. Ce n'est pas parfait, mais ça fonctionne, et très bien en plus. Ma décision est donc prise, je vais commercialiser ce produit !

Évidemment, le plus difficile restait à faire. Aucun problème pour trouver les bandeaux, car, durant mes nombreuses démarches pour mes autres inventions, j'avais eu l'occasion de visiter une entreprise qui en importait de Chine. Le plus compliqué était plutôt du côté des visières. J'en ai mis du temps pour trouver le produit idéal, mais ça valait le coup. Pour ce nouveau produit, je visais uniquement le marché des articles publicitaires. Une première commande de 25 000 unités est rapidement venue de la chaîne de restaurants Chalet Suisse, avec laquelle j'avais déjà fait affaire pour les Gourd'O. Plusieurs autres commandes ont suivi, de sorte qu'en quelques années, j'en ai écoulé quelques centaines de mille.

La bande-visière

Mais ce produit me demandait beaucoup de temps et, malheureusement, à cette époque, c'est exactement ce qui me manquait le plus. Pour arriver au prix de fabrication maximum que je m'étais fixé, soit moins de 2 $ l'unité, j'avais dû dénicher plusieurs couturières qui travaillaient à leur domicile et, comme vous pouvez l'imaginer, elles n'habitaient pas toutes dans le même secteur. Et comme c'est souvent le cas avec les inventeurs, j'avais plein d'autres idées en tête. Ainsi, après avoir écoulé toutes les unités déjà confectionnées, j'ai décidé d'abandonner ce produit.

La Golf'O

Une idée en entraîne souvent une autre dans la tête de l'inventeur attentif ! En effet, lorsque j'exposais mes Jog'O et mes Gourd'O dans différentes foires, plusieurs se plaignaient du peu de fontaines accessibles sur les terrains de golf et de l'odeur sulfureuse de l'eau à certains endroits. Ce qui m'a fait réaliser qu'il existait un marché pour une bouteille spécifiquement dédiée aux amateurs de golf.

Comme je le fais toujours avant de commencer à travailler sur un prototype, j'identifie les critères de base à atteindre. Il me faut créer le produit le plus simple, le plus efficace et le moins cher. Si je n'y arrive pas, quelqu'un d'autre sera plus perspicace et arrivera sur le marché avec un produit plus facile à vendre que le mien.

Mon plus gros problème pour cette invention résidait dans la façon de fixer ce contenant au sac de golf. J'avais d'abord imaginé une petite pièce métallique que j'avais présentée à un manufacturier en lui spécifiant bien que son prix à l'unité ne devait en aucun cas dépasser 0,20 $. Expérience faite, le coût avoisinait plutôt les 0,50 $, ce qui dépassait considérablement la limite que je m'étais fixée. Même en négociant des prix de quantité, je n'aurais pu atteindre mon coût maximum. Comme j'avais déjà éliminé toutes les possibilités de réduire le coût des autres composantes ainsi que de la main-d'œuvre, ne me restait plus qu'à trouver une autre façon d'accrocher le contenant au sac de golf.

Je m'installe donc devant un sac de golf et me concentre afin de visualiser la bouteille, l'endroit où elle sera attachée et la façon dont elle sera retenue. En moins d'une heure, la solution fait surface. Lorsqu'un golfeur joue, le capuchon de son sac est nécessairement enlevé pour lui permettre de prendre facilement ses bâtons. Or, les capuchons des sacs de golf sont maintenus en place grâce à des boutons-pression. Lorsque le capuchon du sac est enlevé ou rabattu, on aperçoit les boutons-pression mâles. Il suffit donc de munir ma Golf'O d'un bouton-pression femelle pour la retenir solidement au sac de golf. Cette solution m'apparaissait tellement évidente que je me demande, encore aujourd'hui, comment je n'y ai pas pensé plus tôt. La Golf'O était née et elle venait compléter ma gamme de contenants pour les sportifs.

Le prototype à gauche et le produit fini à droite

Ce bouton femelle ne coûtant que quelques sous, la Golf'O a été commercialisée au coût de détail exact que j'avais prévu, c'est-à-dire 19,95 $ chacune. Les résultats ont

Larry en train de préparer une commande de Golf'O

été à la hauteur de mes attentes et, tout comme pour les Jog'O et les Gourd'O, le marché des articles publicitaires fut rapidement conquis.

Croyez-le ou non, j'en ai même vendu une cinquantaine d'exemplaires à plus de 100 $ chacun. En effet, certains clients les voulaient en cuir véritable et agencés à leur sac. J'en ai même fait de superbes en peau d'alligator. Sincèrement, je pense que j'aurais pu connaître un grand succès en me concentrant seulement sur ce marché du haut de gamme. C'est fou ce que les amateurs de golf sont prêts à payer pour leurs accessoires...

Étui pratique pour le ski alpin

Pendant plusieurs années j'ai pratiqué le ski alpin sur une base régulière. Chaque année, je me procurais une passe de saison au mont Olympia situé dans les Laurentides, à quelques kilomètres seulement de ma résidence secondaire de Saint-Sauveur.

J'avais identifié quelques problèmes auxquels faisaient face la plupart des skieurs. Tout d'abord, au moment de prendre place sur la chaise du remonte-pente, plus souvent qu'autrement, la carte de membre accrochée à la fermeture Éclair du manteau présentait la mauvaise face, obligeant le surveillant à tourner la carte pour voir si c'était bien la bonne photo qui y apparaissait. Comme second problème d'importance, j'avais remarqué qu'en remontant, les gens laissaient souvent tomber une mitaine ou un gant en sortant un papier-mouchoir.

J'ai donc conçu un étui en nylon permettant d'avoir facilement accès aux papiers-mouchoirs sans enlever les mitaines et qui, grâce à un rabat transparent, laissait voir la passe de saison sur sa face extérieure. J'y avais également ajouté différents compartiments pour argent, cigarettes, briquet, permis de conduire, etc.

Cet étui s'installait facilement à la partie supérieure du bras droit grâce à une bande élastique. Une simple petite pièce de velcro retenait le rabat de sorte que l'accès aux papiers-mouchoirs devenait un jeu d'enfant. Cette invention a connu un beau succès pendant quelques années, mais comme elle n'était pas brevetable, plusieurs compagnies ont emboîté le pas, si bien que j'en ai abandonné la fabrication. Tout comme pour les Golf'O, plusieurs personnes m'en ont commandé en cuir véritable.

Mini sac pour sous-vêtements de hockey

Un jour, je reçois un appel téléphonique de Léo Bourgault, alors propriétaire du complexe Les 4 Glaces à Brossard, que j'avais eu le plaisir de côtoyer au cours de quelques expositions aux États-Unis. Léo m'informe qu'il désire faire appel à mes talents d'inventeur. Un gros tournoi de hockey doit avoir lieu dans son complexe et il souhaite remettre un cadeau-souvenir original à chaque joueur.

Il veut que je lui invente un nouvel accessoire pour le hockey, possédant une surface très visible et assez grande pour y imprimer son logo et celui de la brasserie Molson, son commanditaire. Il précise qu'il en veut 5 000 et qu'il est prêt à payer 5 $ l'unité, imprimée et emballée. J'accepte le mandat en exigeant un délai d'une semaine pour lui présenter le produit qui répondrait à ses exigences.

Je *trippais* littéralement et j'étais impatient de m'attaquer à cet excitant défi. Le soir même, je m'installe dans mon sous-sol, ouvre mon sac de hockey et étends toutes les pièces de mon équipement par terre. J'observe le tout en tournant et retournant un à un dans ma tête les critères que je devais satisfaire. Au bout de quelques heures à peine, la lumière fut !

Et bizarrement, la solution ne se trouvait pas dans les pièces d'équipement étalées devant moi, mais provenait plutôt des accessoires qui étaient au lavage. En effet, j'ai pensé qu'après chaque partie, les sous-vêtements sont trempés de sueur et dégagent une mauvaise odeur. En les insérant dans le sac pour les transporter à la maison, le reste de l'équipement était imprégné de cette odeur.

J'ai donc imaginé un petit sac en nylon avec les côtés en tissu à mailles, pour une bonne aération, et qui serait attaché à l'extérieur du sac d'équipement par la poignée, à l'aide d'une courroie munie de velcro. Le lendemain matin, à la première heure, j'étais déjà chez Pauline Marandola, ma couturière préférée, qui confectionnait tous mes prototypes de produits à base de tissu.

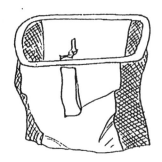 

Croquis du mini sac pour sous-vêtements de hockey

Deux jours plus tard, je présentais ma trouvaille à Léo qui l'accepta *subito presto*. Cette fois, c'est lui qui *trippait*. Les 5 000 sacs ont été fabriqués par mes couturières à domicile, avec un coût de revient de 3,40 $ chacun, imprimé, emballé. Tel que promis, la commande fut livrée trente jours plus tard, à la grande satisfaction de Léo et de ses 5 000 joueurs.

À part la vente des quelques centaines d'exemplaires que j'avais fait confectionner en surplus, je n'ai pas poussé plus loin la commercialisation de ce produit, tout simplement par manque de temps. Aujourd'hui, les sacs de hockey sont fabriqués avec un compartiment à cette fin, directement intégré au sac.

La « Nightball »

La mise au point de cette invention est attribuable à une combinaison du sens de l'observation et de la capacité d'adaptation. En Floride pour quelques semaines de vacances, j'en profite pour explorer avec mon fils Éric les magasins à grande surface. Je ne manque jamais de visiter ces endroits débordant de mille et une choses. Je suis toujours à la recherche d'un produit inconnu ou à l'affût de nouvelles tendances ou d'idées novatrices. Déformation d'inventeur, sans doute !

Alors que nous nous attardons au rayon des jouets, mon attention est attirée par de petits bâtonnets en plastique transparent qui font environ deux centimètres de long et qui ont l'étonnante propriété d'émettre une lumière vive lorsqu'on les plie. En fait, cette manœuvre a pour effet de mettre en contact deux produits chimiques jusque-là isolés à l'intérieur du bâtonnet et la réaction ainsi obtenue crée une luminosité remarquablement forte. Tout comme moi, Éric est fasciné par cette trouvaille... et nous nous empressons d'en acheter plusieurs exemplaires.

Pendant notre séance de magasinage, nous accumulons quantité d'objets hétéroclites qui ont pour dénominateur commun leur nouveauté. Parmi eux, une balle en caoutchouc translucide qui renferme un grelot et qui, s'il faut en croire la publicité, est assurément le jouet préféré des chats.

De retour à l'hôtel, nous prenons plaisir à étudier nos découvertes. Le bâtonnet lumineux connaît un franc succès et, comme des enfants, nous nous amusons à nous le lancer dans l'obscurité. À un moment donné, le bâtonnet tombe par terre et notre chat, Guimauve de son prénom, délaisse prestement sa nouvelle balle pour s'en emparer. Remettre la main sur le bâtonnet n'est pas chose facile. Guimauve ne voulait plus rien savoir de sa balle, tout ce qui l'intéressait maintenant était de faire rouler ce curieux jouet lumineux sur le sol. C'est à ce moment précis que l'idée d'insérer le bâtonnet dans la balle m'est venue.

Le soleil venait à peine de se coucher quand nous nous sommes rendus sur la plage pour y jouer avec notre balle lumineuse. Nous commencions à peine que déjà, on nous demandait à quel endroit nous avions acheté ce jouet. La Nightball était née ! De retour à Montréal, trouver les bâtons lumineux fut un jeu d'enfant car ils étaient distribués au Canada par une entreprise de Pointe-Claire. Trouver les balles s'est avéré un peu plus ardu, mais un ami avait d'excellents contacts en Chine. La mise en marché de ce produit n'a pas connu un grand succès, mais, à part le temps investi, je n'ai rien perdu. J'ai rapidement laissé tomber.

Quelques années plus tard, une entreprise chinoise inondait le marché par le biais des magasins Dollarama...

Chapitre 8

Dur, dur d'être inventeur !

« Qui ne défend pas ses droits mérite de les perdre. »
– Gérard Hass

Avoir une bonne idée d'invention et travailler fort pour la développer et la commercialiser ne m'a jamais fait peur. Mais me battre comme un diable dans l'eau bénite pour recevoir mon dû m'horripile au plus haut point. Heureusement que ce genre d'aventure ne m'est pas arrivé trop souvent. C'est d'ailleurs ce qui m'a confirmé à quel point il était urgent de mettre en place un concept de services spécifiquement dédiés aux inventeurs indépendants.

L'idée d'inventer un support à bicyclettes m'est venue à la suite d'une discussion banale avec Yvon, mon partenaire de travail. Il m'explique qu'il cherche un support à vélos qu'il pourrait installer dans la cour arrière de sa maison. Il en a assez de voir les enfants laisser leurs bicyclettes couchées sur le gazon qu'il se donne tant de mal à entretenir. Il a fait tous les magasins possibles et, selon lui, il n'existe rien de tel. Seuls ceux fabriqués en métal que l'on peut voir devant les commerces ou dans les parcs sont offerts sur le marché, mais leur prix est prohibitif et, de plus, ils ne sont pas esthétiques.

Cette information n'est pas tombée dans l'oreille d'un sourd, je dirais même qu'elle est tombée dans les deux oreilles d'un inventeur ! Si mon compagnon a raison, il y a là un marché potentiel et je me dois de saisir l'occasion. C'est cette invention qui m'a fait découvrir la puissance du subconscient. J'avais bien lu quelques livres sur le sujet sans toutefois jamais mettre en pratique les notions apprises.

Au départ, j'entreprends de vérifier par moi-même s'il existe ou non un support à bicyclettes à usage domestique. Après quelques semaines d'explorations intensives dans les magasins, les revues, j'en viens à la conclusion qu'Yvon avait raison, il n'y a rien pour combler ce marché. Avant de développer plus à fond ce projet, j'ai fait appel à une agence de brevets pour faire effectuer une recherche de brevets antérieurs. Aucun brevet digne de mention ne me fut rapporté.

J'étais tout de même intrigué. Comment se pouvait-il que personne n'y ait encore songé ? La réponse à cette question était, somme toute, peu importante.

Si personne ne s'était intéressé à ce produit, j'allais immédiatement remédier à la situation. Et c'est ce que j'ai fait. Selon moi, la mise au point de ce support à bicyclettes serait d'une facilité enfantine et je me faisais fort de finaliser le tout en quelques mois seulement.

Peu de temps après, je savais pourquoi ce produit n'existait pas...

Mes différents critères pour cette nouvelle invention étaient, à première vue, très simples à satisfaire : mon support devrait être assez léger pour être transporté facilement, assez lourd pour ne pas basculer lorsqu'on y placerait les bicyclettes, avoir belle apparence, être sans entretien et capable de recevoir un minimum de quatre bicyclettes, soit deux d'adultes et deux d'enfants. Je m'étais fixé un prix de détail maximum de 40 $.

J'ai tout d'abord établi de quel matériau mon support serait fabriqué, éliminant rapidement le fer et l'aluminium, à cause du poids et du prix. Restait le plastique, et je basai mes travaux sur le moulage par injection. Mais tous mes modèles présentaient un problème de poids. De plus, le prix de fabrication du moule de production était exorbitant.

Je n'arrivais pas à trouver la solution à ce problème quand, en fouillant machinalement dans un porte-cartes, je tombe sur la carte d'affaires d'un spécialiste rencontré chez Heinz Jacobelli, du temps où je travaillais sur mes Jog'O. Jean-Pierre Boyer est dessinateur industriel et président de la firme Dessinateur B.L. Je me rappelle que Boyer m'avait favorablement impressionné par son discours technique et je me dis qu'il pourrait peut-être m'aider dans cette affaire. Sans hésiter une seconde, je le contacte par téléphone. Il ne me faut que quelques instants pour lui rafraîchir la mémoire à mon sujet et lui exposer les raisons de mon appel. Il se montre très enthousiaste et m'invite à le rencontrer chez lui pour en discuter de façon plus approfondie.

Jean-Pierre, à cette époque, habite le troisième étage d'un vieil immeuble de Saint-Léonard. L'appartement, modeste, lui suffit pour relancer son entreprise qui vient de subir de durs coups. Notre conversation est de courte durée. Je connais par cœur tous les critères énoncés plus haut. Jean-Pierre favorise lui aussi l'utilisation du plastique et approuve mes principes de base. Ce problème de poids est majeur puisque nous sommes face à une contradiction. Le support doit être assez léger pour être transporté et suffisamment lourd pour maintenir les bicyclettes.

La solution n'est pas évidente. Cherchant une réponse chacun de notre côté, nous nous rencontrons de temps à autre pour échanger le fruit de nos cogitations. Nous travaillons à cette affaire depuis déjà plusieurs semaines quand, après avoir passé une journée entière avec Jean-Pierre et son amie à chercher la solution, je rentre chez moi, franchement découragé. Je suis résolu à fabriquer ce support à vélos, mais je ne trouve pas la clé. Je tente de faire le vide et de dormir sans songer à ce projet.

Vers 23 heures, alors que je viens tout juste de me mettre au lit, Jean-Pierre m'appelle, tout excité, pour me dire qu'il tient enfin la solution. Il me propose alors de fabriquer le support en utilisant le soufflage du plastique plutôt que l'injection. Ainsi, ajoute-t-il, le support sera léger pour le transport et il suffira de le remplir d'eau afin qu'il devienne suffisamment lourd pour maintenir des vélos. À l'automne, au moment de le ranger, il n'y aura qu'à le vider et le tour sera joué. C'est tout simplement génial, d'autant plus que je connais mieux le soufflage du plastique que l'injection. De son côté, Jean-Pierre connaît parfaitement la fabrication des moules et peut se mettre immédiatement aux esquisses du support. Je n'ai pas trouvé le sommeil encore cette nuit-là.

Un rallye que j'organise à Saint-Léonard prend tout mon temps et Jean-Pierre, de son côté, est débordé de travail, ce qui nous laisse peu de temps à consacrer au projet. Mais à tout le moins, nous avons réglé le principal problème. Malheureusement, les premiers modèles répondent à certains critères mais ne rencontrent pas tous les objectifs que je m'étais fixés au départ. Par exemple, nous ne parvenons pas à concevoir un support qui pourrait accueillir aussi bien les vélos de montagne que les 10 vitesses à cause de la largeur des pneus. Jean-Pierre a quand même conçu les plans que je remets à une entreprise de Magog, pour obtenir une évaluation du coût des moules et de chacune des pièces.

Nous savons très bien que le design n'est pas définitif et que nous allons continuer à le modifier, mais nous avons besoin de savoir si le prix de détail sera conforme à nos attentes. En septembre 1989, lorsque je réalise que quelque chose ne tourne pas rond relativement aux échantillons d'une autre invention sur laquelle je travaille depuis un certain temps, j'ai peur que la même chose ne se produise avec mon support à bicyclettes. Je consulte deux autres entreprises dans l'espoir de conclure une entente rapide et ainsi prendre de vitesse la première, si jamais celle-ci était tentée de me voler l'idée du support à bicyclettes.

La firme Plastiques Anchor, de L'Assomption, se montre la plus réceptive au projet ; des discussions tenues en octobre avec un des propriétaires nous laissent croire que nous aurons des nouvelles après les Fêtes. Malgré notre impatience, nous n'avons pas d'autre choix. Il nous faut attendre parce que ce projet demande un investissement de 75 000 $ à 100 000 $, somme dont nous ne disposons pas.

À la fin du mois de janvier, nous sommes toujours sans nouvelles de Plastiques Anchor quand un ami me téléphone pour me dire qu'il a vu mon support à vélos dans une exposition lors d'un séjour à Toronto. Devant ma surprise, il comprend rapidement que je n'étais pas au courant. Il précise que c'est la firme Plastiques Anchor qui a présenté ce produit. Je suis muet de stupeur. Je n'en crois pas mes oreilles mais, une fois le choc passé, j'appelle Jean-Pierre et lui explique clairement que je n'ai aucune intention de baisser les bras.

Sans perdre une seconde, je communique avec le directeur du marketing de Plastiques Anchor, Daniel Parent, qui ne comprend rien à la situation et me donne rendez-vous le lendemain afin de dénouer cet imbroglio. Il me certifie du même coup que le président de l'entreprise, Bernard Lafrenière, assistera à cette réunion et qu'il sera probablement facile de clarifier la situation.

Le lendemain, je rencontre MM. Parent et Lafrenière, comme convenu. Ce dernier, la cinquantaine, affiche un air sévère bien que l'atmosphère soit plutôt détendue. En quelques phrases, les deux hommes résument la situation. M. Lafrenière précise qu'il n'est président de la compagnie Plastiques Anchor que depuis quelques mois et que, par le fait même, il ignore les projets de l'ancien propriétaire. Quant à Daniel Parent, il occupe ses fonctions auprès de M. Lafrenière depuis quelques semaines seulement. Il m'explique que c'est lors d'un séjour à Chicago qu'il a vu le support à bicyclettes. L'idée lui semblant excellente, il a déposé une offre d'achat auprès de l'inventeur américain.

Les explications sont plausibles. Dans le domaine de l'invention, tout est possible. Quand même, récemment échaudé par un autre groupe industriel, je conserve un fond de scepticisme. Mais mes réticences s'estompent rapidement quand ils me montrent le support à bicyclettes qu'ils ont exposé à Toronto. Ce dernier ne répond qu'à deux de mes critères, soit le poids et le prix. Je sais dorénavant que mon produit est supérieur à celui que j'ai devant moi, même si mon modèle d'alors est encore loin d'être entièrement satisfaisant.

Il est donc temps de jouer mes cartes. Puisque le président assiste à la réunion et que la discussion est bien engagée, je présente mes plans à Daniel Parent. Après examen, il m'apprend que l'entreprise n'a pas encore signé de contrat avec l'inventeur américain et que mon projet lui plaît davantage, de sorte qu'il ne ferme pas la porte à la possibilité de conclure une entente. Quelques jours plus tard, alors que je m'apprête à faire des démarches auprès d'une autre entreprise, M. Parent me rappelle et m'informe qu'il est prêt à parler affaires. Je suis ravi et le lendemain matin, dès neuf heures, je vais déposer un brevet provisoire.

L'esprit tranquille, je peux maintenant me présenter devant M. Parent en lui donnant l'assurance que le produit jouit d'une protection. Je suis bien décidé à ne pas laisser passer ma chance et à signer un contrat avec Plastiques Anchor, surtout que je me sens très à l'aise avec MM. Parent et Lafrenière et que ceux-ci me donnent l'impression d'avoir un profond respect pour les inventeurs. J'allais vite déchanter, pas dans le cas de Daniel Parent mais dans celui de Bernard Lafrenière. Le 8 juin 1990, le contrat est signé à la grande surprise de Jean-Pierre, qui croyait qu'on devrait abandonner puisqu'un autre support à vélos existait déjà. Il ignorait qu'il nous était toujours possible d'obtenir un brevet pour un modèle beaucoup plus fonctionnel que celui de notre compétiteur.

La compagnie Plastiques Anchor en est consciente et préfère notre modèle à celui de l'inventeur américain. Jean-Pierre réalise du coup que lorsqu'on désire quelque chose à tout prix, rien ne peut empêcher qu'on l'obtienne. Tout s'est déroulé si vite que lui et moi n'avons pas eu le temps de modifier notre support pour en améliorer les chances de succès. Nous ne sommes pas convaincus que les plans présentés, s'ils sont réalisés, fourniront un produit gagnant. La seule chose sur laquelle nous sommes d'accord, c'est qu'il semble beaucoup plus fonctionnel que celui que Plastiques Anchor a envisagé d'acheter, un mois auparavant...

M. Parent commande le moule primaire en bois, après les recommandations de chacun des partenaires. Auparavant, il en modifie légèrement l'apparence et l'ingénieur apporte certaines corrections pour faciliter le moulage. Bref, tout le monde met son grain de sel en oubliant le principal, soit que cet objet doit supporter des bicyclettes. Le résultat est désastreux. En vacances à ma résidence secondaire de Saint-Sauveur, j'apprends que le moule de bois est arrivé et que rien ne fonctionne comme prévu. Déçu, je promets de me rendre le lendemain à l'usine pour voir ce qui ne va pas, me disant que nous n'aurions jamais dû accepter de présenter un prototype qui ne répondait pas à toutes nos exigences. Nous avons joué le tout pour le tout et nous avons perdu...

À mon arrivée chez Plastiques Anchor, M. Lafrenière, très calme, m'explique ce qui cloche. Le support ne parvient pas à maintenir les bicyclettes en place et, à ma grande surprise, je l'entends me demander à quel moment je pourrai lui fournir un nouveau modèle. Il me précise qu'il est urgent de régler ce problème si on veut mettre le produit sur le marché pour le printemps 1991. Je n'en crois pas mes oreilles ! Au lieu de me mettre à la porte avec mon bout de bois, il exige que je lui en apporte un autre. Comme je lui demande s'il est sérieux, il me répond simplement : «Tu es un inventeur, oui ou non ?»

Piqué au vif, je rétorque : «M. Lafrenière, donnez-moi jusqu'à dimanche minuit, et je vous apporte un nouveau support à bicyclettes, qui sera fonctionnel cette fois.» Nous sommes alors jeudi ; ça ne me laisse que quatre jours pour réussir à trouver la solution. Et cette fois, je suis seul pour régler en quatre jours les problèmes que nous n'avons pu résoudre à deux, en un an.

Au cours des dernières années, j'avais beaucoup lu sur la force du subconscient. Je me souvenais notamment d'un passage qui disait que lorsqu'on s'adresse directement à son subconscient pour trouver une solution, le résultat est parfois foudroyant. C'était le moment ou jamais de voir si cette méthode fonctionnait. Je n'avais que quatre jours et, cette fois, j'avais l'intention de concevoir un support à bicyclettes conforme à toutes les exigences établies dès le début de cette aventure. Je me souviens qu'à ce moment précis, j'étais horriblement angoissé. J'avais l'impression que toute ma carrière d'inventeur allait se jouer au cours de ces quatre jours. J'allais perdre ou gagner. Je devais gagner.

De retour à Saint-Sauveur, je place une bicyclette d'adulte et une d'enfant dans l'allée de façon à les avoir constamment sous les yeux. Pour la première fois de ma vie, je m'adresse directement à mon subconscient en lui demandant de me fournir les éléments qui m'aideront à concevoir le support à vélos. Pendant des heures, je passe et repasse sans cesse mes critères en revue, jusqu'à l'obsession. Plus rien ne compte pour moi que de résoudre cette difficulté ; mon voisin, Marcel, croit même que je suis devenu fou !

Le samedi après-midi, encore concentré sur les données du problème, je vois la bicyclette d'adulte tomber sans que personne ne l'ait touchée. Machinalement, je vais la relever et constate que la béquille a fait un trou dans l'asphalte à cause de la chaleur. Comme je ne veux pas la replacer de la même façon, je cherche un endroit pour l'appuyer. Mon camion est stationné à proximité et l'idée me vient de placer la roue avant de la bicyclette entre l'aile et la roue du camion. Ça tient très bien. Pour éviter de faire un deuxième trou dans l'asphalte, je place la petite bicyclette de la même façon. Puis, je retourne à mon poste d'observation.

En regardant comment les vélos tiennent, je constate que le point de rencontre entre l'aile et la roue du camion forme une pointe de flèche qui emprisonne le haut du pneu des vélos. Puis soudain, eurêka ! La solution me frappe de plein fouet. Voilà donc l'erreur que je faisais depuis le début : ce n'était pas par le bas de la roue qu'il fallait faire tenir les bicyclettes, mais par le haut. Un support à bicyclettes présentant une fente en forme de tête de flèche dans la partie supérieure ! Ainsi, quand on y glisserait le pneu, la pression exercée empêcherait que la bicyclette oscille et tombe.

Le sourire du vainqueur quelques instants à peine après avoir terminé mon prototype.

De cette façon, toutes mes exigences seraient respectées. Ça m'apparaissait maintenant tellement évident que je me sentais ridicule d'avoir mis une année complète à régler ce problème. Quelques minutes plus tard, j'avais déjà tracé un croquis et n'avais plus qu'une idée en tête, fabriquer un prototype de démonstration.

Mais ces travaux demandaient un certain temps et j'ai avisé M. Lafrenière que j'avais besoin de quelques jours supplémentaires.

Le mardi matin, je me suis présenté à l'usine avec mon nouveau support qui fut accepté sur-le-champ, étonné de constater que seul M. Lafrenière n'avait pas l'air surpris de me voir arriver avec ce nouveau produit. J'avais l'impression, en le regardant, qu'il savait que j'allais trouver la solution. Personne ne semblait avoir quoi que ce soit à redire sur mon nouveau modèle. En quittant les locaux de Plastiques Anchor, j'ai ressenti intensément la satisfaction du devoir accompli. Mon rêve était réalisé et les ventes du support ont confirmé par la suite que j'avais visé juste. La marque de commerce choisie cette fois était d'une simplicité désarmante et n'a pas nécessité la contribution de mon subconscient : « Le Rac ».

Mais, deux années plus tard, Jean-Pierre et moi n'avions toujours pas reçu nos redevances sur les unités vendues. Une des clauses de l'entente stipulait que Plastiques Anchor devait déposer une demande de brevet à mon nom sur le nouveau modèle, ce qui fut effectivement fait... à la seule différence que mon nom n'apparaissait pas sur la

Une poignée de main qui n'avait aucune valeur.

demande. Après l'envoi d'une lettre recommandée demeurée sans réponse, il me fallut récidiver, à contrecœur cependant, par une lettre d'avocat enjoignant la compagnie Plastiques Anchor de nous payer nos redevances dans les 30 jours suivants sans quoi une action au civil serait intentée contre elle.

Une dizaine de jours plus tard, je reçois une lettre signée par Bernard Lafrenière qui m'informe que Plastiques Anchor est prête à nous payer nos redevances en autant que la clause 18 (a) du contrat soit respectée. Cette clause stipulait que, pour recevoir nos redevances, on devait d'abord présenter un brevet sur lequel devaient apparaître nos deux noms.

Je me rends donc au bureau de l'OPIC (Office de la propriété intellectuelle du Canada) situé à Gatineau pour y obtenir une copie du brevet préalablement déposé par Plastiques Anchor, tel que le stipulait également notre entente. Je découvre alors avec stupeur que le brevet a été enregistré au nom de Jean-Pierre Boyer et de deux employés de Plastiques Anchor et que mon nom n'y apparaît pas. J'étais furieux. On le serait à moins.

Dès lors, je n'ai plus eu aucun doute sur les intentions de Bernard Lafrenière puisque le brevet avait été déposé dès le début de notre entente. Cette fameuse clause 18 (a) prenait alors tout son sens. Je m'en voulais d'avoir été négligent à ce niveau et de n'avoir pas bien suivi mon dossier. Mais, comme vous avez pu le constater par vous-même en lisant les chapitres précédents, j'étais comme une queue de veau à cette époque. Jean-Pierre était également très occupé de son côté puisqu'il travaillait d'arrache-pied pour remonter la pente.

Le soir même, je suis allé rencontrer Jean-Pierre qui habitait maintenant à Brossard, sur la rive sud de Montréal. Je l'ai avisé que j'allais dès le lendemain matin mandater mon avocat pour entreprendre des procédures judiciaires afin de faire respecter nos droits. Mais Jean-Pierre et son épouse refusèrent de s'embarquer dans une telle saga de peur d'y laisser leur chemise.

Alors j'ai offert à Jean-Pierre de me céder sa part et, ainsi, de le libérer de toutes obligations face à la poursuite que je m'apprêtais à intenter. Il a accepté illico et son épouse a immédiatement tapé un document à cet effet que nous avons signé tous les trois, son épouse agissant comme témoin. Avant même le début de la guerre, je venais de perdre mon seul soldat.

Une année et 5000 $ plus tard, alors que deux rencontres avaient déjà eu lieu avec l'avocat de Plastiques Anchor, je reçois un appel durant mon travail comme policier pour un homme schizophrène qui menaçait sa mère avec un couteau. Sur place, deux de mes confrères sont à l'intérieur de la maison pour venir en aide à la mère dont on entend les cris de détresse de l'extérieur. L'individu ayant foncé sur l'un deux, mon confrère n'a eu d'autre alternative que de faire feu, tuant l'homme sur le coup.

Pendant que nous protégions la scène de l'événement, le reporter Gaétan Girouard de TVA est arrivé sur les lieux. Je le connaissais très bien, car il m'avait déjà interviewé à plusieurs reprises à l'une ou l'autre de ses émissions, dont *24 sur 24*, qu'il animait à l'époque avec Benoît Johnson. Lorsqu'il m'a aperçu, il est venu me parler pour avoir ma version des faits. La conversation s'est ensuite tournée vers mes inventions et je lui ai raconté mon aventure avec mon support à vélos.

Gaétan animait alors la populaire émission d'enquête *JE* qui trônait au sommet des cotes d'écoute, toutes émissions confondues. Il me proposa alors d'étudier mon cas du support à bicyclettes et, à la limite, d'en faire un de ses sujets de reportages. J'ai accepté son offre et quelques semaines plus tard, nous avons eu une première rencontre exploratoire. Je devais alors lui présenter assez de preuves de ce que j'avançais pour qu'il accepte d'enquêter sur cette arnaque dont j'étais victime.

Ce n'était pas les preuves qui manquaient, j'en avais plus que nécessaire. Mais une seule d'entre elles a suffi pour le convaincre. En effet, quelques mois après avoir signé le contrat avec Plastiques Anchor, et plus précisément quelques jours après le début de la production de mon support, le journaliste Réjean Léveillé, de mémoire, avait réalisé un reportage aux nouvelles TVA au cours duquel M. Lafrenière, tout en faisant visiter son entreprise, me félicitait devant la caméra pour l'invention de mon support à bicyclettes. Fidèle à mon habitude, j'avais conservé l'enregistrement de ce reportage.

Quelques semaines plus tard, Gaétan m'avise que l'émission sera enregistrée le lendemain matin à 10 heures. Il est alors convenu que nous allons nous rendre chez Plastiques Anchor, avec toute l'équipe, dans un seul véhicule non identifié à TVA. Pour s'assurer de la présence de Bernard Lafrenière, Gaétan a au préalable pris un rendez-vous avec lui, sous un faux nom et un faux prétexte.

Dès notre arrivée dans le hall d'entrée de l'entreprise, la secrétaire reconnaît Gaétan Girouard, qui demande à rencontrer Lafrenière. Elle court l'en aviser et au bout de quelques secondes à peine, il vient à notre rencontre. Gaétan lui demande alors s'il me reconnaît et non seulement il le confirme, mais il s'approche pour me serrer la main. Je refuse en lui disant que je connais la valeur de sa poignée de main.

Pendant l'heure qui a suivi, il a eu carrément l'air idiot et ses réponses n'avaient aucun sens. À un moment donné, Gaétan a commencé à s'impatienter et lui a mis sous le nez les preuves qu'il avait en main. Il a également mentionné l'enregistrement du reportage diffusé quelques années auparavant et lui a proposé de le visionner, question de lui rafraîchir la mémoire. Devant tant de preuves, Lafrenière a finalement reconnu l'évidence devant la caméra.

La diffusion du reportage était prévue pour deux mois plus tard. Deux semaines environ après l'enregistrement de l'émission, un fait inusité se produit. Je prenais un rapport de méfait chez le concierge d'un immeuble résidentiel situé angle 1re Avenue et Beaubien lorsqu'on frappe à la porte. Surprise ! C'était mon *ami* Bernard Lafrenière qui venait collecter ses loyers à titre de propriétaire de l'édifice.

Pour éviter une confrontation qui aurait pu me mettre dans l'embarras vu mon statut de policier, je me lève en avisant le concierge que je vais revenir plus tard pour terminer le rapport. Mais juste avant de sortir, Lafrenière, avec un petit air sarcastique, me lance que l'émission *JE* ne l'impressionne pas et que, dans les deux semaines suivant sa diffusion, tout le monde va avoir oublié cela. Je lui ai répondu qu'il est fort possible que monsieur et madame Tout-le-monde oublient ça rapidement, mais pas sa famille, ses amis ou ses relations d'affaires qui vont enfin savoir quelle sorte de crapule il est.

À ce moment, Plastiques Anchor était une filiale de Trévi, entreprise bien connue engagée dans la vente de piscines et accessoires. Je connaissais Clément Hudon, le propriétaire, ayant eu l'occasion de discuter avec lui à quelques reprises au Salon de l'habitation. Peu de jours après la diffusion du reportage de *JE*, je reçois un appel de celui-ci qui m'invite à le rencontrer à son bureau de Laval pour en discuter.

Dès mon arrivée, il me présente le nouveau directeur de Plastiques Anchor, précisant qu'il vient de congédier Bernard Lafrenière. En fait, m'explique-t-il, c'est qu'à la suite de l'émission *JE*, l'entreprise Bombardier a menacé de lui retirer ses contrats de fabrication de pièces de motoneiges si Lafrenière demeurait directeur de son usine de moulage de plastique. Il n'avait donc pas eu le choix. Mieux encore, ce nouveau directeur vient de démissionner de chez Bombardier pour accepter le poste de directeur de Plastiques Anchor.

Ce dernier, un bonhomme sympathique dont j'ai malheureusement oublié le nom, me fait une offre que j'ai immédiatement acceptée. En plus d'une somme d'argent substantielle, il m'a remis tout ce qui avait un rapport avec mes supports à bicyclettes : deux moules de fabrication d'une valeur de plus de 60 000 $, inventaire, emballages, etc. En échange de cette offre que je ne pouvais refuser, je devais m'assurer que Gaétan Girouard ne mentionnerait jamais le nom de Trévi dans une émission ultérieure prévue pour informer les téléspectateurs du dénouement de cette saga.

J'en ai immédiatement informé Gaétan qui m'a confié qu'il savait que Trévi était propriétaire de Plastiques Anchor et que son enquête avait clairement démontré que M. Hudon n'était pas au courant de l'histoire de mon support à vélos avant la diffusion de son émission. D'ailleurs, j'ai toujours connu Clément Hudon comme une bonne personne et il m'a été donné de le rencontrer ultérieurement à plusieurs reprises, toujours dans le cadre du Salon de l'habitation.

Cette aventure étant désormais derrière moi, quelques semaines plus tard, je signais une entente de fabrication et de distribution de mon support à bicyclettes avec l'entreprise SDM située à Les Cèdres, en banlieue ouest de Montréal. Une entente qui tient toujours.

Après la fin de cette saga, je me suis défoulé un peu en écrivant un petit livret d'une trentaine de pages intitulé *Dur, dur d'être inventeur au Québec* à l'intention des ministres et députés de l'Assemblée nationale. Une amie, députée de Longueuil, m'a assuré qu'ils en avaient tous obtenu une copie. J'ai ensuite reçu une lettre de l'ex-député péquiste Mathias Rioux ainsi qu'un téléphone de l'ex-ministre Rita Dionne-Marsolais. Et ce fut très apprécié. C'est d'ailleurs cette dernière qui, quelques mois plus tard, allait lancer le programme Aide à l'inventeur du gouvernement du Québec.

Une petite anecdote pour terminer. En 2007, je suis invité à l'émission matinale de Jean-Pierre Coallier à TVA et, pendant l'entrevue, Danielle Ouimet m'informe qu'elle a deux de mes supports à bicyclettes chez elle et qu'elle les adore. Le lendemain matin, je reçois un courriel de mon ami Jean-Pierre Boyer, le soldat qui m'avait laissé tomber au début de la guerre contre Plastiques Anchor. Son message est court, mais assez explicite : « Salut Daniel, je t'ai vu à la télévision hier et je constate que les affaires vont bien avec le Rac ; m'aurais-tu oublié par hasard ? »

Ma réponse ne s'est pas fait attendre : « Mon cher Jean-Pierre, jusqu'à ma mort, je reconnaîtrai ta participation au développement du Rac, mais jamais je ne partagerai ma victoire avec un déserteur. » J'ai accompagné cette réponse d'une copie de son désistement signée par moi, son épouse et lui-même. Je n'ai plus jamais entendu parler de lui depuis.

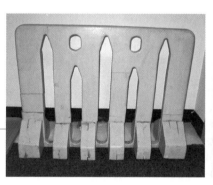

Mon prototype à gauche et le produit fini à droite

Chapitre 9

Ma créativité au service de la communauté

« Être l'homme le plus riche du cimetière ne m'intéresse pas…
Aller au lit en se disant qu'on a fait quelque chose de magnifique,
c'est ce qui m'importe. »

– Steve Jobs

Mon côté inventeur ne m'a pas seulement servi à créer de nouveaux produits, il m'a également aidé à concevoir certains projets communautaires, non pas par obligation, mais simplement parce que j'en sentais le besoin.

Système d'appels informatisés

Au milieu des années 1990, j'ai reçu un appel au sujet du décès d'une personne âgée, qui remontait à plusieurs jours. C'est la senteur nauséabonde provenant de son appartement qui avait attiré l'attention de ses voisins de palier. Ce genre d'appel dont on pourrait facilement se passer était assez fréquent à l'époque. À la suite de cet événement, l'idée m'est venue de concevoir un système d'appels informatisés qui contacterait automatiquement, tous les matins, les personnes âgées vivant seules. Mais je n'avais aucune connaissance en informatique.

Pour ce projet, j'ai donc fait appel à Dany Dubé, un ami inventeur et programmeur en informatique. Dany fut immédiatement séduit par l'idée et, ensemble, nous en avons établi les critères. Les bénéficiaires devaient pouvoir choisir l'heure exacte de l'appel ainsi que le nombre de sonneries en fonction de leur facilité à se déplacer. Dans le cas où une personne ne répondrait pas, il y avait deux rappels à 5 minutes d'intervalle. Si la personne n'avait pas répondu au troisième appel, on devait communiquer avec l'un ou l'autre de ses voisins pour qu'il en vérifie la raison.

Le système fonctionnait à merveille. Dany avait un bon contact au CLSC de Rivière-des-Prairies et celui-ci était également emballé par le projet. Loin de nous l'idée d'exploiter ce projet communautaire nous-mêmes. Notre seule motivation était de le voir en place un jour. Dany était comme moi et travaillait toujours sur plusieurs projets à la fois. À cette époque, il s'affairait à commercialiser son jeu «Business Go» et à développer un nouveau logiciel, «SOS Crash». De mon côté, j'étais tout simplement débordé avec mes mille et un projets. Impossible pour l'un ou l'autre de se lancer dans la mise en place d'un projet pilote tel que nous le demandait le directeur du CLSC. En fin de compte, nous lui avons tout simplement passé le flambeau. Je n'ai jamais suivi ce dossier et j'ignore même s'il existe aujourd'hui.

Le super rallye charivari de Saint-Léonard

Un soir de 1988, aux nouvelles de 18 heures, Guy Gosselin, le curé de la paroisse Saint-Gilbert de Saint-Léonard est interviewé à la suite de l'incendie qui a ravagé une partie de son église. Policier à Saint-Léonard depuis près d'une vingtaine d'années déjà, je me sens interpellé par sa détermination à trouver l'argent nécessaire à la reconstruction de son église.

Le lendemain matin, aussitôt dans mon auto-patrouille, je vais le rencontrer au presbytère pour lui offrir mon aide comme bénévole. Il avait déjà entendu parler de moi comme inventeur et il accepte d'emblée mon offre. Je lui propose alors d'organiser un rallye cycliste dans les rues de Saint-Léonard, qui pourrait lui rapporter une belle somme.

Quelques années auparavant, j'avais conçu un rallye pédestre qui devait se dérouler un dimanche, dans le métro de Montréal. J'avais songé à ce concept pour venir en aide à la Fondation Lucie-Bruneau, en essayant de mettre au point un événement familial qui permettrait la participation de toute la population, jeunes et vieux, athlètes et croulants, riches ou pauvres. L'objectif principal était d'encourager l'utilisation du transport en commun tout en faisant connaître les différentes stations de métro et les commerces situés près de ces stations.

Le concept était très simple, les participants recevaient un parcours qui leur donnait certains indices servant à déterminer la station à visiter. Par exemple, pour identifier la station Pie-IX, l'indice était le suivant: Giovanni Maria Mastai Ferretti est né à Senigallia en Italie le 13 mai 1792 et est mort au Vatican le 7 février 1878 à l'âge de 85 ans. Son pontificat de 31 ans est le plus long de l'histoire de la papauté.

Parvenus à la station en question, les participants devaient localiser, toujours à l'aide d'indices, un commerce quelconque situé dans les environs. Une fois le commerce repéré, ils devaient entrer à l'intérieur pour y cueillir une lettre. À la fin du parcours, ils devaient jouer à charivari avec toutes les lettres accumulées et trouver le mot mystère. Ce projet était venu à un cheveu d'être accepté, mais, à la dernière minute, le syndicat des employés de la Commission des transports de Montréal, insatisfait des négociations de leur nouveau contrat de travail, s'y était opposé. Nous avions investi beaucoup de temps dans ce projet et avons été profondément déçus de la tournure des événements.

Comme ce rallye avait été refusé par la Ville de Montréal, mon idée était de l'adapter à la Ville de Saint-Léonard en le transformant en rallye cycliste. Monsieur le curé, emballé par l'idée, m'a donné sa bénédiction pour aller de l'avant. Je ne savais pas trop dans quoi je m'embarquais, mais j'avais le goût de tenter l'aventure.

Ce rallye visait la participation de la famille complète, chaque équipe pouvant comporter autant de membres qu'elle le désirait. Au départ, on remettait aux participants une carte de Saint-Léonard ainsi qu'un livret contenant une série de dix photographies représentant chacune un commerce ou une industrie de la ville. Sur chaque photo étaient également inscrits une lettre et un chiffre correspondant à un secteur de la ville que l'on retrouvait sur la carte remise aux participants. Les participants devaient localiser chacun de ces commerces et y prendre une lettre.

Ayant recueilli les dix lettres, les équipes devaient trouver le mot mystère du rallye en jouant à charivari. Toutes les équipes qui avaient identifié ce mot mystère étaient automatiquement éligibles au tirage d'une piscine de 21 pieds et d'un voyage en Floride. La course devait se terminer au parc Hébert de Saint-Léonard par une belle fête familiale.

Le rallye eut finalement lieu, après des semaines d'efforts et de travail incessant. Cette aventure quelque peu pénible s'est toutefois terminée avec un goût d'amertume. En effet, alors que je travaillais comme un diable dans l'eau bénite, monsieur le curé, lui, a décidé de prendre des vacances en Floride. Rappelons ici que les profits de l'événement devaient servir à la reconstruction de l'église Saint-Gilbert, en partie détruite par un incendie.

L'organisation de la fête, prévue pour le 23 août, était loin d'aller rondement, plus spécifiquement au niveau du recrutement des bénévoles. Ce que je n'avais pas prévu en choisissant la date, c'est qu'il est très difficile de recruter des bénévoles l'été puisque la plupart des gens sont en vacances. J'avais donc besoin que tout mon monde mette l'épaule à la roue pour venir à bout de ce problème, et tout particulièrement le curé qui avait plus de chances que moi de rejoindre ses fidèles et de les convaincre de s'engager dans l'aventure.

À un moment donné, j'ai besoin d'un chèque de 400 $ pour donner un acompte à un fournisseur. Comme je le faisais depuis le début, je devais rédiger un document justificatif des sommes requises et le remettre à Mme Brouillard, la secrétaire. Celle-ci faisait ensuite valider la dépense par monsieur le curé avant de me remettre le chèque. Cette fois cependant, j'ai la surprise de ma vie quand Mme Brouillard m'annonce que je devrai attendre pour avoir mon chèque parce que le curé vient de partir pour deux semaines en Floride !

Pire encore, comme je travaillais toujours jusque tard dans la nuit, il lui avait demandé de me remettre la clé pour que je ferme avant de partir. Bref, il venait de me nommer curé suppléant pour ses deux semaines de vacances. Et dans les faits, à part dire la messe, il n'y a pas grand-chose que je n'ai pas fait pendant ces deux semaines. J'étais furieux, c'est le moins qu'on puisse dire. C'était son église après tout, pas la mienne.

Dans le parc où devait se terminer la randonnée cycliste, j'avais prévu toutes sortes d'activités, dont une piscine de 20 pieds remplie de poissons en plastique dotés d'une petite pièce de métal. À l'aide d'une ligne à pêche munie d'un aimant au bout du fil, les gens avaient une minute pour attraper un poisson, dont certains permettaient de gagner des prix. À la fin de la journée, la piscine, gracieuseté de Trévi, serait tirée au sort parmi tous les participants. À moins de 10 jours de l'événement, je n'avais toujours pas assez de bénévoles pour s'occuper des activités dans le parc et j'avais épuisé toutes mes ressources.

Dans le bureau de la secrétaire, il y avait une télévision toujours allumée. Par hasard, aux nouvelles de 18 heures, je tombe sur une entrevue avec la présidente de la Fondation Rêves d'enfants qui explique qu'elle cherche des sous pour réaliser le rêve de certains enfants gravement malades. Le lendemain, à la première heure, je communique avec cette dame pour lui offrir un marché gagnant-gagnant. Elle me fournit les bénévoles dont j'ai besoin et, en échange, je lui remets tous les dollars que va rapporter le concours de la piscine. Elle accepte immédiatement avec enthousiasme.

Quelques jours plus tard, monsieur le curé est de retour, bien bronzé, bien reposé et en forme comme jamais, selon ses propres dires. De mon côté, c'était tout à fait l'inverse. Il faut savoir que, parallèlement, j'avais aussi mon emploi de policier, je travaillais sur cinq projets d'invention simultanément, je suivais un cours de radio/télévision à raison de deux soirs par semaine et mon fils Éric venait d'être hospitalisé pendant une semaine et avait failli y rester.

À cela, ajoutons l'achat de 550 000 pièces de tissu-éponge de marque Porex. C'est que, au beau milieu de l'organisation du rallye, mon ami Jacques Leclair, alors directeur du marketing de l'entreprise pharmaceutique Hœchst Canada, m'appelle pour me dire que sa compagnie vient de fusionner avec une autre et qu'il a reçu le mandat de libérer au plus vite de l'espace dans l'entrepôt. Je connaissais ces éponges depuis un certain temps et j'en avais donné à plusieurs membres de ma famille qui m'en redemandaient sans cesse. Jacques m'invite donc à lui faire une proposition, en me laissant sous-entendre que toute offre raisonnable serait acceptée. Mon offre de 35 000 $, dérisoire pour une telle quantité, a été acceptée sur-le-champ.

Je n'avais aucune idée de l'espace nécessaire à l'entreposage et surtout pas le temps de me rendre sur place pour le constater. J'ai eu la bonne idée de demander au curé si je pouvais entreposer les éponges dans le sous-sol de l'église jusqu'à la fin du rallye, ce qu'il a accepté de bonne grâce. Tout comme moi, il n'avait aucune idée de l'espace requis. Nous l'avons rapidement appris lorsque deux camions-remorques de 40 pieds, pleins à craquer, se sont présentés dans le stationnement de l'église. Je vois encore son visage crispé en regardant la trentaine de bénévoles faire la chaîne pour décharger les camions et descendre les boîtes au sous-sol…

Ainsi, à ce stade précis de l'organisation du rallye, j'étais crevé, complètement épuisé et littéralement vidé de toute mon énergie. Si un jour j'ai été près de faire un burn-out, c'est sûrement à ce moment particulier de ma vie.

Le lendemain soir, le bon curé Gosselin, qui pétait le feu tellement il était reposé, convoque une réunion pour faire le point sur la situation. Une vingtaine de personnes prennent part à cette rencontre, assises de part et d'autre d'une longue table, comme pour la dernière Cène dans la Passion du Christ. Le curé – que dans mes rêves les plus fous je voyais cloué sur la croix à la place de Jésus – et moi sommes face à face à chacune des extrémités. Mon vis-à-vis se lève, demande à prendre la parole et récite une courte prière. Son signe de croix à peine terminé, il s'adresse à moi directement d'un ton que je qualifierais de légèrement arrogant : « De quel droit, Daniel, as-tu décidé de donner l'argent du concours de la piscine à la Fondation Rêves d'enfants ? » Et là, j'ai pété une coche, une **grosse** coche ! Depuis cet instant, je suis parfaitement conscient que je n'irai jamais au ciel.

Selon les textes anciens, Dieu aurait envoyé le déluge en représailles aux péchés des hommes. Eh bien, c'est à croire qu'il a désapprouvé l'escapade en Floride de mon ami Guy parce qu'il a réitéré ses représailles. Cet été-là avait été exceptionnellement beau et chaud, mais le 23 août, ce fut un calque du déluge et seules 350 personnes environ décidèrent de braver le mauvais temps et d'effectuer le parcours. Cependant, le soleil faisant acte de présence vers midi, le parc était bondé et la fête familiale fut un immense succès. Aussi incroyable que cela puisse paraître, les profits de cet événement pour l'église furent de quelques milliers de dollars seulement alors que la Fondation Rêves d'enfants est repartie avec un joli magot.

Et dire qu'il n'a presque pas plu de l'été...

Daniel Paquette, agent au district de police 54, est un gros brasseur de projets. Pas content d'être un inventeur qui a déjà pris place au Guinness (nous l'interviewerons dans un prochain numéro) il organisait à St-Léonard, le 23 août dernier, **un super rallye vélo** dont les bénéfices furent versés à la Paroisse St-Gilbert, pour la reconstruction de son église détruite par le feu.

Malheureusement, le beau temps a amèrement boudé la journée et les cyclistes roulèrent bientôt dans la boue... Environ 350 vrais sportifs ont toutefois bravé les éléments et quelques milliers de dollars purent ainsi être remis pour la reconstruction de l'église.

Quelqu'un pourrait-il proposer à M. Paquette une police d'assurance beau-temps pour ses prochaines initiatives de plein air ? Bravo quand même, M. Paquette, pour un beau geste d'entraide...

Daniel Paquette (au centre) avec Mathieu Houle, le jeune gagnant d'un voyage, sous le regard de la mascotte Gourd'O et de M. Cosmo Maciocia, député de Viger.

Cela étant dit, en tant que curé, Guy avait peut-être ses petits défauts, mais en tant qu'homme, c'était un vrai bon gars et j'ai eu énormément de plaisir à le côtoyer pendant ces quelques mois.

Remue tes méninges, Dan'O

Depuis mes débuts comme inventeur, j'ai été souvent sollicité pour m'adresser aux enfants et discuter avec eux du monde étrange des inventions. Comme je le dis souvent, les petits perçoivent les inventeurs comme de vieux personnages portant lunettes et barbe et évoluant au milieu d'un laboratoire encombré d'éprouvettes et autres fioles fumantes. C'est aussi l'image que je me faisais d'eux lorsque j'étais petit.

Cette description de l'inventeur revenait tellement souvent durant mes conférences dans les écoles que j'ai décidé de créer un personnage du nom de « Dan'O l'inventeur », correspondant à l'idée que s'en faisaient les enfants. Ce nom, ce sont les enfants eux-mêmes qui l'avaient trouvé et me l'avaient accolé à ma toute première conférence. J'ai fait imprimer mon personnage sur des autocollants, que j'appliquais ensuite sur les Gourd'O distribuées aux enfants après chaque conférence.

Dan'O l'inventeur, tel qu'imaginé par les enfants

Un jour, après une de ces rencontres, un professeur m'a suggéré d'écrire un livre pour enfants avec comme héros Dan'O l'inventeur. J'ai trouvé l'idée excellente et me suis immédiatement mis au travail. Quelques mois plus tard, j'avais terminé le livre et approché des maisons d'édition, mais ce sujet ne semblait nullement les intéresser. Humblement, je suis obligé d'admettre que je ne connaissais rien aux livres pour enfants.

Le vrai Dan'O l'inventeur, en chair et en os

Un an plus tard, Dan'O vivait ses premières heures de gloire. En effet, les membres de la troupe Théâtre des Casse-Pinottes, spécialisée dans les pièces pour enfants, étaient à la recherche d'un sujet pour leur prochaine production. Je leur ai proposé de faire cette pièce sur les inventions avec Dan'O l'inventeur comme personnage principal. L'idée a été acceptée à l'unanimité et avec enthousiasme par tous les membres de la troupe. La pièce *Remue tes méninges, Dan'O* a été présentée dans plusieurs écoles par la suite.

Je rends les armes

Le 6 décembre 1989, peu après 16 heures, une tragédie a bouleversé le cours des choses au Québec et même dans tout le pays : Marc Lépine, un tireur fou, a fait irruption à l'École Polytechnique de Montréal, abattant quatorze jeunes femmes et en blessant plusieurs autres avant de s'enlever la vie. J'en sais quelque chose, j'étais en devoir ce soir-là.

À cette époque, j'avais été prêté à la section des homicides pour travailler sur le meurtre d'une jeune fille de 16 ans de Saint-Léonard dont le corps avait été trouvé dépecé. Il m'a donc été donné de côtoyer les enquêteurs assignés au drame de Polytechnique et de rencontrer de nombreux étudiants témoins de cette scène horrible. J'ai même eu à manipuler les quelque 500 photos prises sur les lieux de l'événement.

Cette tuerie incompréhensible a marqué le début d'une prise de conscience collective relativement aux armes de toutes sortes, si faciles à se procurer. Une longue bataille politique s'est amorcée pour restreindre l'acquisition d'armes de poing et pour exercer un meilleur contrôle auprès des propriétaires d'armes d'épaule. Il aura fallu beaucoup d'énergie de la part d'un petit groupe constitué par les proches des victimes de la fusillade pour avoir raison du puissant lobby pro-armes à feu. J'ai alors décidé de faire ma part, à ma façon.

Mon travail de policier me place régulièrement dans des situations où l'on retrouve des armes et j'en vois les dangers et surtout les ravages. C'est donc avec tout cela en tête que l'idée m'est venue de créer un projet qui permettrait, le 6 décembre de chaque année, de récupérer les armes dont les citoyens voudraient se débarrasser. Mais entre l'idée et la mise en place de ce projet, de nombreuses démarches ont été nécessaires.

Il me fallut d'abord convaincre mes supérieurs du Service de police de la CUM de l'importance du projet. Ce dernier fut d'abord refusé, mais devant mon insistance, mes supérieurs se sont ravisés, posant toutefois une condition incontournable. Ils accepteraient de mettre le projet en place si j'arrivais à convaincre le ministère de la Justice du Canada de décréter la journée du 6 décembre, jour d'amnistie générale. J'acceptai immédiatement le défi, croyant que ce ne serait qu'une formalité, ce qui ne fut pas tout à fait le cas, bien sûr.

Près de trois années de lobby incessant et quelques voyages à Ottawa ont été nécessaires pour arriver à mes fins. Je dois ici souligner que sans l'aide de Carole Jacques, ex-députée du Parti conservateur de Pointe-aux-Trembles, qui a accepté d'intervenir pour moi auprès de Kim Campbell, alors ministre de la Justice, ce projet n'aurait sans doute jamais vu le jour.

C'est donc ainsi qu'est né, le 6 décembre 1993, le projet « Je rends les armes », à la mémoire des 14 victimes de Polytechnique. Dès la première année, nous avons recueilli 49 armes ainsi que des munitions. L'année suivante, plus de 353 armes ont été récupérées par les différents postes de police, non seulement à Montréal, mais également dans plusieurs municipalités du Québec qui avaient emboîté le pas.

Mieux encore, certaines de ces armes détruites ont plus tard servi au sculpteur québécois Alex Magrini à créer de magnifiques œuvres d'art dont une partie des profits de la vente était versée à la fondation Le silence des armes. Je me souviens tout particulièrement d'un magnifique piano, entièrement fabriqué à partir de ces armes, qui fut remis à Jean-Bertrand Aristide, alors nouvellement élu président d'Haïti.

Devant le succès du projet, d'autres villes à travers le pays, dont Vancouver, Winnipeg et Toronto, ont adopté la formule et, en 1996, le programme a pris une envergure nationale. Bien qu'il soit moins visible que plusieurs de mes inventions, ce projet de société vient en tête de liste des réalisations dont je tire le plus de fierté.

Histoire de me défouler un peu même si l'événement remonte à plus de 20 ans, je ne peux terminer ce chapitre sans mentionner un fait en rapport avec la conférence de presse organisée pour l'annoncer officiellement, et qui m'a laissé un goût amer.

Au tout début de mes tentatives pour faire accepter ce projet par la haute direction du Service de police de la CUM, j'avais remis mon dossier à Pierre Poisson, un confrère de travail assigné à la section des communications. Pierre adorait ce projet et c'est à lui que je transmettais toutes les informations sur le déroulement de mes démarches auprès du gouvernement fédéral. C'est donc lui qui a piloté mon dossier auprès de la direction.

Une journée de l'automne 1993, durant l'heure du dîner, je reçois un appel de Pierre qui s'inquiète de savoir pourquoi mon nom n'apparaît pas sur la liste des invités à la conférence de presse qui doit avoir lieu à 13 heures pour annoncer officiellement la journée Je rends les armes le 6 décembre. Je suis stupéfait ! Après trois années de travail acharné dans ce dossier, il y a une conférence de presse et je n'y suis même pas invité ! J'en avise immédiatement mon officier supérieur, le lieutenant Verreault, qui n'en revient pas lui non plus et qui m'accorde la permission, ou me donne l'ordre devrais-je plutôt dire, de m'y rendre immédiatement.

Je me présente donc à la salle du quartier général où a lieu l'événement. À l'entrée, j'y croise Pierre Poisson qui me donne une franche poignée de main avant de m'inviter à me glisser discrètement à l'arrière de la salle, étant donné que la conférence est déjà commencée. À l'avant, quatre personnes assises à une table font face à une quinzaine de journalistes. Il s'agit de trois officiers de la haute direction et une jeune femme du nom de Heidi Rathjen qui représente les étudiants de Polytechnique.

J'ai mentionné auparavant combien j'avais été stupéfait d'apprendre la tenue d'une conférence de presse sur mon projet sans que j'en sois informé. Maintenant, j'ai beau fouiller dans le répertoire du Capitaine Bonhomme, je ne trouve pas de mot assez puissant pour exprimer comment je me suis senti lorsqu'un des officiers a pris la parole pour expliquer comment lui était venue l'idée de ce projet trois ans auparavant. Je n'en croyais tout simplement pas mes oreilles. Évidemment, je n'allais tout de même pas me lever en plein milieu de la conférence pour protester, ça aurait suffi à me retrouver sans emploi.

En sortant de la salle, je suis immédiatement allé voir Pierre Poisson pour lui demander ce que signifiait cette mascarade. Il était aussi furieux que moi et m'a avoué qu'il était complètement dépassé. Je n'ai aucun doute à ce sujet, car il ne m'aurait certainement pas informé de la tenue de cette conférence.

Avant de partir, Pierre m'a conseillé de ne jamais me débarrasser de mes documents relatifs à ce projet, que ça pourrait me servir un jour. À mon arrivée à la maison le soir même, j'ai sorti ce dossier de ma filière pour y inscrire en grosses lettres « MISSION ACCOMPLIE » avant de le remettre à sa place pour de bon.

Voilà, ça m'a fait du bien d'en parler !

Projets refusés

Tout au long de ma carrière, je ne sais pas au juste combien de projets j'ai pu présenter à la direction du Service de police de la CUM, mais, à part le projet « Je rends les armes », dont un officier a trouvé le moyen de s'approprier le mérite, ils ont tous été refusés. Pourtant, je n'envoyais jamais un projet à la direction ou à la Commission de la sécurité publique sans au préalable l'avoir fait valider par mes confrères. En voici d'ailleurs deux qui faisaient pourtant l'unanimité.

Durant un quart de nuit, il y a eu un incident sur le boulevard Saint-Laurent au cours duquel des coups de feu avaient été tirés. Les premiers policiers arrivés sur place ont rencontré un témoin de l'événement qui leur a donné la description de l'auto dans laquelle les suspects s'étaient enfuis. On entendait sur les ondes le policier qui lui demandait de donner la marque ou le modèle du véhicule en question mais il n'y arrivait pas. Il décrivait plutôt les phares arrière du véhicule et disait que s'il avait devant lui un véhicule avec les mêmes phares, il pourrait identifier la marque. Même chose pour la couleur de l'auto, il disait qu'elle était bleue mais n'arrivait pas à donner un exemple du bleu en question. Finalement, même si le témoin avait bien vu le véhicule des suspects, personne ne savait de quoi il avait l'air.

J'ai alors pensé qu'avec un répertoire de véhicules et de couleurs, le témoin aurait pu en identifier exactement la marque, le modèle et la couleur. Au lieu d'informations vagues, le policier aurait pu nous donner un simple code comme 323-U, le 323 représentant le véhicule et le U la couleur exacte. En nous référant à notre répertoire laissé en permanence dans notre coffre à gants, nous aurions pu voir le véhicule en question de même que sa couleur exacte. À noter qu'il n'est pas donné à tous les patrouilleurs de connaître toutes les marques et modèles de véhicules.

Lorsque j'ai suggéré cette idée à mes confrères, quelques-uns m'ont mentionné que ça prendrait un méchant gros cartable pour répertorier toutes les marques et modèles sortis depuis 1980. Pour leur prouver le contraire, j'ai préparé un prototype à ma façon contenant une trentaine d'autos, vues de face, de côté et d'arrière. Ils ont compris que c'était parfaitement réalisable dans un très petit cahier. Aujourd'hui, avec les ordinateurs et les modèles qui changent très peu d'une année à l'autre, concevoir un tel répertoire serait un jeu d'enfant. Pourtant, les policiers font toujours face au même problème.

Daniel Paquette songe déjà à sa prochaine initiative. Il aimerait produire un instrument de travail qui serait bien utile à ses collègues patrouilleurs lorsqu'ils arrivent sur les lieux d'un crime. Il s'agit d'un répertoire photographique des automobiles de 1980 à ce jour. Lorsqu'une auto est impliquée dans un crime, il y a souvent des témoins qui l'ont vue mais qui ne sont pas des connaisseurs d'auto. Si on leur montrait sur le champ le répertoire des photos, on aurait beaucoup plus de chance qu'ils identifient l'auto recherchée que si on leur demande une description verbale». Comme on le voit, la tête de Daniel ne cesse de tourbillonner.

Article de la revue du Service de police de la CUM

Urgence P.A.P.

Un jour, lors du décès d'une dame âgée qui remontait à plusieurs jours, j'ai dû passer près de quatre à cinq heures à côté du cadavre avant de réussir à trouver un neveu pour prendre soin du corps. Le neveu en question, qui habitait Saint-Eustache, ne connaissait même pas la dame et refusait de venir s'en occuper. Heureusement, il a accepté quand je lui ai mentionné que j'avais en main plusieurs livrets de banque, dont un indiquait 31 000 $, et que mes recherches pour arriver jusqu'à lui semblaient démontrer qu'il était le seul héritier... Pendant que j'attendais ce monsieur, j'ai continué mes recherches pour voir si je n'aurais pas un lien de parenté avec cette dame... Hélas, le type est arrivé trop vite et j'ai dû arrêter mes recherches !

Dans des situations comme celle que je viens de vous décrire, ou encore dans le cas d'introductions par infraction ou de dégâts dus à une inondation, incendie ou autre, il arrive fréquemment que les policiers soient dans l'impossibilité de joindre les résidents ou une personne responsable pour s'occuper de la maison ou du logement. Dans ces cas précis, les policiers doivent passer la maison au peigne fin pour trouver un nom et un numéro de téléphone qui les mettront sur la bonne piste.

Ces recherches sont très souvent infructueuses. Il en résulte une perte de temps substantielle, car l'agent qui doit demeurer sur les lieux ne peut être assigné à d'autres tâches ou retourner à sa patrouille régulière tant qu'un responsable ne s'est pas présenté. Dans certains cas même, s'il nous a été impossible de trouver quelqu'un pour prendre soin de la maison ou du logement, il faut installer une barrure et poser un cadenas sur la porte. On colle ensuite un avis à l'intention du propriétaire ou du locataire pour qu'il communique avec nous dès son arrivée.

Dans le cas des ambulanciers qui répondent à un appel pour une personne malade, inconsciente ou décédée, ils doivent eux aussi procéder à une fouille systématique des lieux afin de trouver les coordonnées d'un proche parent ou ami. Cette personne est très importante, car elle peut fournir des informations indispensables sur la victime ou prendre en charge la dépouille lorsqu'il y a décès. La pertinence des renseignements sur l'état de santé de la victime n'a évidemment d'égale que la possibilité d'établir, dans les plus brefs délais, le meilleur diagnostic de traitement. Tout comme pour le service de police, les ambulanciers se retrouvent souvent face à une perte de temps et d'effectifs au service de la population.

Finalement, dans le cas d'incendie majeur, l'impossibilité de localiser rapidement les résidents absents prend parfois des proportions importantes. Lorsqu'un incendie a lieu dans un immeuble à logements, il est normal que les pompiers aient à défoncer plusieurs portes pour vérifier si aucun résident n'est en danger. Il est également important pour eux de savoir combien de personnes vivent dans la maison ou le logement qui est la proie des flammes. Par la suite, ils doivent assurer une surveillance des biens jusqu'à ce que le dernier locataire soit de retour. Ces périodes de surveillance dépassent parfois les 24 heures.

C'est donc pour régler cet important problème qu'en 1999, j'ai créé le projet « Urgence P.A.P. », qui consiste à distribuer au grand public des autocollants à remplir indiquant leurs coordonnées et celles de personnes à joindre en cas d'urgence. Apposé dans le réfrigérateur, cet autocollant permettra d'avoir rapidement accès aux coordonnées des résidents ou des personnes responsables lors de situations d'urgence. Vous l'aurez deviné, les lettres P.A.P. pour policiers, ambulanciers et pompiers.

Pourquoi dans le réfrigérateur ? Parce que c'est le dernier meuble à rester debout en cas d'incendie et qu'à l'évidence on en retrouve un dans tous les foyers. C'est un véritable coffre-fort et s'il s'avère qu'il soit détruit dans un incendie, il y a fort à parier qu'il n'y aura pas d'autres meubles à protéger contre d'éventuels pilleurs avant l'arrivée des résidents.

Mon idée était d'intéresser un commanditaire à ce projet afin qu'il s'occupe de la distribution. J'ai envoyé plusieurs lettres pour le présenter à des compagnies d'assurances et des grandes entreprises, comme McDonald et Provigo. Dans mon plan de présentation, je leur suggérais trois façons de distribuer ces autocollants aux citoyens : en utilisant les effectifs des policiers, ambulanciers et pompiers de toutes les villes et villages du Québec, en utilisant leur réseaux de magasins ou encore tout simplement par la poste régulière. À retenir que je ne demandais rien en retour, ma seule motivation était de voir un jour ces étiquettes dans les frigos.

Toutes les entreprises contactées trouvaient l'idée intéressante mais aucune ne voulait y donner suite. En fin de compte, non seulement fallait-il que j'aie l'idée de ces autocollants, mais en plus, je pense qu'il aurait fallu que je les paie de ma poche et que je les distribue moi-même pour que ça fonctionne. J'aime bien le bénévolat, mais quand même pas à ce point-là.

Je n'ai jamais vraiment compris pourquoi aucune entreprise n'a voulu prendre part au projet car toute personne, en ouvrant son frigo, aurait vu chaque fois le nom du commanditaire. Une visibilité maximum pour un investissement minimum. De plus, l'association d'une entreprise à un tel projet sociocommunautaire contribue à lui assurer une excellente image de bon citoyen corporatif.

Par la suite, je me suis tourné vers la seule autre solution qu'il me restait, la bonne madame Claire St-Arnaud, alors présidente de la Commission de la sécurité publique de la Ville de Montréal. Malheureusement, pour une raison que j'ignore encore aujourd'hui, cette dernière semblait allergique à toutes mes idées et, chaque fois que je lui présentais un nouveau projet, elle refusait systématiquement de me rencontrer. Cette fois-là également, elle n'a pas fait exception à la règle. Résultat, encore en 2012, les policiers doivent fouiller un peu partout dans la maison pour trouver le nom de personnes à contacter.

Fait important également à noter, le commandant Paul Quidoz du poste de quartier 44, où je travaillais à l'époque, était emballé par mon idée et m'avait assuré que si mon projet était accepté par la gentille madame St-Arnaud, il assignerait deux stagiaires durant l'été pour rencontrer les résidents du secteur et les inciter à installer les autocollants.

Je ne comprends toujours pas ! Et vous ?

URGENCE P.A.P.

(Nom du commanditaire)

Nombre de résidents : adulte(s) _____ enfant(s)

Nom : _____

Tél. au travail : _____

Nom : _____

Tél. au travail : _____

Autres numéros (précisez : chalet, pagette, cellulaire, etc)

Autres personnes à contacter en cas d'urgence

Nom : _____

Lien (famille, ami, etc.) : _____

Tél. : _____

Autres numéros (précisez : travail, pagette, cellulaire,

Nom : _____

Lien (famille, ami, etc.) : _____

Tél. : _____

Autres numéros (précisez : travail, pagette, cellulaire,

Étiquette autocollante d'Urgence P.A.P.

Petites anecdotes en rapport avec des autocollants

À deux autres reprises, j'ai fait appel à des autocollants, mais, cette fois, pour arrondir mes fins de mois.

J'avais remarqué que nous n'avions jamais d'appels pour des introductions par effraction dans les maisons où il y avait un système d'alarme. La raison en est très simple, c'est que les compagnies qui les installaient apposaient des étiquettes dans les fenêtres pour en aviser les voleurs. La logique voulait alors que les voleurs aillent plutôt se servir chez le voisin qui n'en avait pas.

L'idée était simple, j'ai fait imprimer une assez grosse quantité d'autocollants au nom de « Système d'alarme DA-PA », pour Daniel Paquette bien sûr. À 5 $ l'autocollant, c'était le système antivol le moins cher sur le marché ! Et du même coup, c'était mon produit le plus payant car chaque étiquette m'avait à peine coûté 0,25 $. J'en ai vendu ou donné un *sapré* paquet au fil des années. Incroyable à quel point c'était facile à vendre sur les lieux d'une introduction par effraction.

> Systèmes d'alarme
> **DA-PA**
> Alarm systems
> Service 24h sur 24h - 255-5516

À peu près à la même époque, j'ai refait le coup avec un autre problème criant. En temps normal, je n'ai absolument rien contre les Témoins de Jého-vah, mais quand ils sonnent à ma porte à 10 heures du matin, alors que je viens à peine de m'endormir après mon quart de nuit, je ne les apprécie pas particu-lièrement. Et ce n'est pas juste moi que ça dérange, c'est la même chose pour tous ceux et celles qui travaillent de nuit, policiers, pompiers, ambulanciers, infirmières, etc., sauf bien sûr ceux d'entre eux qui sont Témoins de Jéhovah.

Ma solution : des autocollants à apposer près de votre sonnette indiquant clairement que vous voulez dormir en paix. Et mes ven-tes ont encore une fois été très bonnes et très payantes. Il n'était pas rare de me faire interpeller par un ambulan-cier, à trois heures du matin, qui me disait : « Hé, c'est toi qui vends les autocollants des Témoins de Jéhovah ? »

Ça aussi, j'en ai vendu un joli paquet pendant des années, jusqu'à épuisement des stocks !

Chapitre 10

Le policier invente

« L'homme et sa sécurité doivent constituer
la première préoccupation de toute aventure technologique. »
– Albert Einstein

Pendant 30 ans, j'ai exercé mon métier de policier avec le même enthousiasme et un plaisir sans cesse renouvelé. Au fil des ans, j'ai combiné, inconsciemment sans doute, mes deux véritables passions : mon travail de policier et mon intérêt pour les inventions. Le premier nourrissant le second, je me suis inspiré de mon expérience pour mettre au point des inventions qui ont pour dénominateur commun la prévention des accidents et la sécurité du public.

Cette tendance s'est manifestée dès 1988, alors que j'ai imaginé un mécanisme qui assurerait une plus grande protection aux enfants qui utilisent les autobus scolaires pour se rendre à l'école. C'est d'ailleurs la conception de cette invention qui m'a valu une forme de reconnaissance dans mon milieu de travail. Au lieu de me voir comme un inventeur de gadgets, la direction du Service de police de la CUM a commencé à me voir comme un être préoccupé par la sécurité de ses concitoyens.

Un matin, en feuilletant le journal, mon attention a été attirée par un article rapportant la mort d'un enfant. Une bambine de six ans avait été écrasée par l'autobus scolaire qui la ramenait à la maison. Elle venait tout juste de descendre de l'autobus quand l'accident s'est produit. Le chauffeur a déclaré que, malgré la présence d'un miroir convexe sur le devant du véhicule, il lui avait été impossible de la voir passer devant l'autobus. J'étais bouleversé, m'imaginant qu'un tel accident pourrait arriver à mon fils de neuf ans.

J'ai donc décidé de me rendre dans une entreprise de transport scolaire sur le boulevard Henri-Bourassa. Comme c'est toujours le cas lorsque je travaille à résoudre un problème, je me suis installé en avant d'un autobus pour regarder le problème de face. Quelques minutes plus tard, j'avais déjà une solution en tête, me disant qu'une barrière de sécurité installée sur le pare-choc avant des autobus forcerait les enfants à effectuer un détour assez grand pour permettre aux chauffeurs de les voir.

En revenant vers mon auto-patrouille, le propriétaire du lave-auto où je l'avais stationnée est venu à ma rencontre pour me demander s'il y avait un problème quelconque avec l'autobus que je regardais. Après lui avoir expliqué le pourquoi de ma présence, il me dit : «Tant qu'à regarder un autobus, aussi bien regarder le bon, je suis justement en train de nettoyer l'autobus qui a tué la petite fille pour effacer les traces de l'accident.» J'étais abasourdi ! C'était comme si on me passait le message que c'est moi qui devais régler ce problème !

Je me suis mis immédiatement au travail en réalisant un croquis sommaire de cette idée dont le principe est très simple : si on fixe une barrière de sécurité qu'on peut ouvrir à 90 degrés sur le pare-choc avant, les enfants n'ont d'autre choix que de contourner cette barrière pour traverser la rue. Ainsi, ils sont toujours dans le champ de vision du chauffeur qui, une fois assuré qu'aucune automobile ne vient de l'arrière, pourra faire signe aux enfants de traverser...

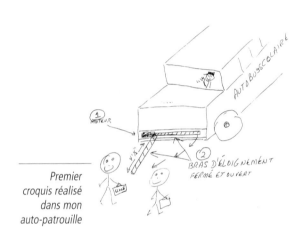

Premier croquis réalisé dans mon auto-patrouille

J'ai ensuite fait part de cette idée à quelques confrères. Leur réaction ayant été très favorable, j'ai entrepris la construction de mon prototype et suis allé voir mon frère Denis qui excellait dans ce domaine. Après lui avoir exposé mon projet, il s'est immédiatement attaqué à la question du moteur électrique qui permettrait de déployer la barrière.

Dans l'intervalle, j'ai pris le temps d'aller discuter avec des chauffeurs d'autobus scolaires pour connaître leur position face à un tel système. Chez eux aussi la réaction a été très positive. Tellement d'ailleurs que l'un d'entre eux a mentionné qu'il refuserait de conduire un véhicule qui n'en serait pas muni une fois cette barrière prête à l'utilisation.

Quelques jours après avoir lancé mon projet, j'ai été invité à l'émission *Magazine Montréal* où l'animatrice Nicole Simard voulait parler de mes inventions. Contrairement à mes habitudes, j'ai décidé de présenter mon projet à cette émission, même si je n'avais pas les protections nécessaires.

Évidemment, je prenais des risques, mais je me disais que cet accessoire de sécurité ne se retrouverait jamais sur les tablettes d'un grand magasin. Pour le vendre, je serais obligé de faire un long et pénible lobbying auprès du ministère des Transports, des propriétaires de parcs d'autobus scolaires, des commissions scolaires et des comités de parents... Autrement dit, un travail pratiquement impossible à réaliser, à moins d'utiliser les médias.

Quelques mois plus tard, un garçon de sept ans de Laval, Martin Couture, est lui aussi écrasé par son autobus scolaire. Par miracle, il survit. Selon un témoin de l'accident, l'enfant s'est penché pour attacher son soulier, a perdu l'équilibre et glissé entre les roues avant et arrière au moment où l'autobus démarrait. Cette nouvelle m'ébranle. Elle agit comme un catalyseur

UN ENFANT DE 7 ANS ÉCRASÉ PAR UN AUTOBUS D'ÉCOLIERS

et je m'applique à chercher une solution à ce nouvel aspect du problème.

Ce qui m'amène à penser qu'il suffirait, pour régler cette question, de placer des coffres de rangement sur les nouveaux modèles d'autobus scolaires. En plus d'être très utiles lors de longs voyages, ces coffres permettraient de bloquer l'espace libre entre la roue avant et arrière du côté droit de l'autobus et pourraient éviter ce genre d'accident. Mais en attendant que les constructeurs acceptent cette suggestion, d'autres enfants risquaient de subir le même sort que le petit Couture. D'autant plus que des milliers d'autobus jaunes sillonnaient déjà les routes, sans de tels coffres à bagages.

Il me fallait trouver une autre solution plus facile à appliquer à court terme. L'idée m'est venue d'une jupe de protection fabriquée de pneus recyclés. Cette jupe descendrait jusqu'à six pouces du sol et serait suffisamment rigide pour empêcher un enfant de glisser sous les roues de l'autobus. Ce concept, pourtant ridiculement simple, pourrait probablement sauver des vies. J'ai rapidement déniché l'entreprise Animat

Jupe de protection

Croquis de mes accessoires pour autobus scolaires

de Sherbrooke qui faisait des tapis pour les vaches avec des pneus recyclés. Un ami ingénieur a conçu l'armature et, en quelques semaines à peine, j'avais déjà un prototype fonctionnel en main.

Entre-temps, j'avais réussi à convaincre Alain Peterson, propriétaire de l'entreprise de transport scolaire DT, d'équiper un de ses autobus avec mes prototypes. Ensemble, nous avons fait plusieurs présentations de ces équipements de sécurité à des institutions scolaires. Alain ne me refusait jamais une demande de sortie. Grâce à lui, mes accessoires de sécurité ont fait l'objet de plusieurs reportages dans les médias et, sans lui, je crois bien que je n'aurais jamais pu convaincre les autorités de leur nécessité.

La direction du Service de police de la CUM a même organisé une conférence de presse au poste 55 à Pointe-aux-Trembles en utilisant notre autobus prototype pour démontrer l'efficacité de mes accessoires de sécurité. Cette conférence a été extrêmement bénéfique et a grandement contribué à augmenter ma crédibilité auprès des instances gouvernementales. À noter que je n'étais pas ingénieur, mais policier.

Autobus prototype équipé de mes accessoires de sécurité

Lorsque j'ai fait la présentation de ces projets, plusieurs personnes m'ont demandé si je ne craignais pas de me faire voler ces idées. Bien sûr, je n'apprécierais pas du tout que quelqu'un me prenne de vitesse et s'accorde le crédit de ces trouvailles, mais je me disais que ce serait au moins pour une bonne cause. Plus vite les véhicules scolaires seraient munis de ces équipements, mieux ce serait...

Le récit de ces deux inventions regorge de faits qui rivalisent d'invraisemblances. En 1989, je sillonne la province à bord d'un autobus sur lequel on a installé le bras d'éloignement et la jupe de protection. Pendant près d'un an, je fréquente les expositions, j'assiste à des colloques, je rencontre des chauffeurs d'autobus et des propriétaires de parcs d'autobus pour connaître leur position face à l'utilisation éventuelle de tels systèmes. Leur réaction est fort différente.

De la part des conducteurs, j'obtiens un accueil extrêmement favorable. Les propriétaires de parcs d'autobus, pour leur part, me reçoivent froidement et parfois même avec beaucoup d'agressivité. Ces entrepreneurs craignent de devoir débourser eux-mêmes des dizaines de milliers de dollars afin d'équiper leurs véhicules de ces nouveaux dispositifs.

Voici une petite histoire à ce sujet. Un propriétaire d'une entreprise de transport scolaire, accompagné de sa fille d'une dizaine d'années, s'avance vers moi et me lance sur un ton agressif: «Qui va les payer ces ...*sties* de gadgets-là, on a déjà de la misère à joindre les deux bouts *tabar...*» Les deux tournent les talons prestement, s'éloignent et, tout à coup, la gentille demoiselle se retourne, me regarde en sortant sa langue jusque sous le menton et me fait un superbe doigt d'honneur!

À la fin de l'année 1992, lorsque le coroner Marc-André Bouliane a conclu son enquête sur les circonstances de la mort de deux enfants tués par des autobus scolaires, il a émis une série de recommandations visant à rendre le transport scolaire plus sécuritaire. Le coroner était en faveur de la présence permanente de brigadiers à bord des autobus ainsi que du remplacement des autobus à nez allongé par des autobus à nez plat. Le ministre des Transports de l'époque, Sam Elkas, a étudié les recommandations du coroner et adopté une solution de compromis indiquant que l'ajout d'un bras d'éloignement serait rendu obligatoire sur tous les véhicules. J'avais gagné.

Le gouvernement annonçait du même coup qu'il assumerait les dépenses liées à cette nouvelle mesure, lesquelles étaient évaluées à deux millions de dollars. Cette initiative du ministère des Transports est finalement restée lettre morte. Certaines compagnies ont cependant décidé, à leurs frais, de munir leurs autobus du bras d'éloignement.

L'implantation s'est faite lentement mais sûrement, à un point tel que dans plusieurs provinces, dont l'Ontario et le Nouveau-Brunswick, le bras

Photo prise en Ontario où le bras d'éloignement est maintenant obligatoire

d'éloignement est maintenant obligatoire. Bizarrement, ce n'est pas le cas au Québec bien que des centaines d'autobus en soient équipés, principalement dans la région de Gatineau où la population est devenue très sensibilisée au problème après que deux enfants de la ville d'Aylmer y aient été écrasés mortellement à deux jours d'intervalle. Il en est de même dans plusieurs États américains, dont Washington et la Virginie. En fait, en faisant quelques recherches sur Google, on réalise que mon bras d'éloignement se retrouve maintenant un peu partout dans le monde.

Quant au projet de la jupe de protection en caoutchouc, après avoir soulevé l'enthousiasme des différents responsables, son approbation s'est butée à la susceptibilité de certains fonctionnaires et j'ai finalement abandonné après des mois d'efforts, écœuré de cette bureaucratie aveugle. Mais l'histoire vaut la peine d'être racontée.

En 1992, lors d'une émission de télé, je présente cette invention toute simple. Après avoir visionné l'émission, une personne proche du Parti libéral me contacte pour me proposer une rencontre avec le ministre de l'Éducation Michel Pagé. Celui-ci trouve mon idée intéressante et, avant de me quitter, il me dit : « Le ministère des Transports aura votre dossier en main avant la fin de la journée. »

À ma grande surprise, à peine deux heures après cette rencontre, je reçois un appel de la secrétaire du ministre des Transports, Sam Elkas. Elle m'informe que le ministre est très intéressé par mon invention et souhaite que des tests soient réalisés par son ministère le plus rapidement possible afin d'en approuver l'installation. Le tout semble maintenant bien engagé cette fois. Ce qui me surprend cependant, ce n'est pas tellement l'intérêt qu'on porte à ma jupe de protection, mais plutôt la vitesse de réaction des ministres Pagé et Elkas.

À partir de ce moment, j'ai la certitude que mon bras d'éloignement et ma jupe de protection vont bientôt jouer le rôle pour lequel ils ont été créés. Du même coup, je suis parfaitement conscient que, même en obtenant les certifications du ministère des Transports, la partie ne sera pas gagnée pour autant, car j'aurai à me confronter aux propriétaires de parcs d'autobus, lesquels refuseront d'injecter de l'argent pour l'achat de ces dispositifs de sécurité supplémentaires.

Pour éliminer cette dernière contrainte, j'imagine une nouvelle loterie, « Lotobus scolaire », dont les profits seront spécifiquement dédiés à la fabrication et à l'installation de ces deux accessoires de sécurité. La firme de communications BDDS de Montréal accepte avec empressement de s'impliquer et convainc rapidement la chaîne d'alimentation Provigo d'y participer en tant que principal commanditaire. Provigo consent à y investir cent mille dollars et à agir en tant que distributeur des billets par l'entremise de son réseau de magasins.

Quelques semaines plus tard, toujours sans nouvelles du ministère des Transports, je décide de relancer la secrétaire du ministre Elkas qui m'affirme que mon dossier et mes plans ont été envoyés la même journée-même à

M. André Boileau, un fonctionnaire de son ministère, avec comme mandat de procéder aux différents tests d'approbation. Elle me donne les coordonnées de M. Boileau, dont le bureau est situé rue Port-Royal à Montréal, et m'invite à communiquer directement avec lui.

À mon étonnement, M. Boileau dit n'avoir jamais reçu mon dossier. Je lui offre donc d'aller lui en porter une copie en mains propres à son bureau. Ce que je fais dans l'heure qui suit, mais comme il a dû s'absenter pour quelques heures, je laisse mon dossier et les plans d'ingénierie à la réception. À remarquer que nous n'avions convenu d'aucun rendez-vous formel.

Deux semaines plus tard, toujours pas de nouvelles. Je communique à nouveau avec M. Boileau qui, encore à ma stupéfaction, dit n'avoir pas reçu mon dossier. Devant mon scepticisme évident, il me transfère à la réceptionniste qui m'affirme les avoir mis dans son pigeonnier lors de ma visite. M. Boileau me promet donc de vérifier lui-même ce qu'il est advenu du dossier. La semaine suivante, toujours rien, je le relance à nouveau. Il m'apprend tout bonnement que ses recherches n'ont rien donné. Pourtant, les plans d'ingénierie qui accompagnent mon dossier sont immenses et ne peuvent se perdre aussi facilement. Devant tant de désorganisation, je suis partagé entre la colère et l'ahurissement.

Je prends donc rendez-vous avec lui, bien décidé cette fois à lui remettre mes documents en mains propres et à personne d'autre. Je lui propose de le rencontrer le lendemain à 13 heures. Mon plan est de me présenter au rendez-vous durant mon heure de dîner, en uniforme et avec mon auto-patrouille, afin d'attirer l'attention de ses collègues sur la raison de ma présence. Et mon plan fonctionne à merveille, si bien que certains d'entre eux se mêlent même à notre conversation. Dès lors, je sais qu'il ne pourra plus prétendre ne pas avoir reçu mes documents.

En remettant mon dossier au ministre Michel Pagé, je lui avais également confié une lettre expliquant que j'en étais à la limite de ce que je pouvais faire par moi-même pour le développement de cette jupe de protection. J'y spécifiais que j'avais en main un prototype final disponible pour faire des tests en situation réelle, mais que je n'avais pas l'expertise ni les moyens financiers pour procéder à ces tests. La secrétaire du ministre Elkas s'était montrée par la suite très claire à ce sujet : le ministre avait mentionné que c'est le ministère qui les ferait. J'ai donc transmis cette information à M. Boileau tout en lui remettant une copie de cette lettre.

J'en profite aussi pour lui faire part du projet Lotobus scolaire en spécifiant que l'implication de Provigo est conditionnelle à l'approbation du ministère des Transports avant le 31 octobre. Il faut reconnaître qu'avec cette bizarre histoire de dossiers qui avaient disparu à deux reprises sans laisser de traces, nous avions perdu un temps précieux, de sorte qu'on était déjà à la mi-août. Avant qu'on se laisse, M. Boileau me promet d'agir avec célérité.

Au début d'octobre, pas de nouvelles. Je communique de nouveau avec lui, mais on m'avise qu'il est en vacances et sera de retour dans trois semaines. J'en viens alors à la conclusion que ce n'est pas lui, mais son équipe qui procède aux tests. J'avise donc Yves St-Amand, président de BDDS, que nous n'aurons peut-être pas l'approbation du ministère des Transports avant le 31 octobre. Ce dernier obtient rapidement un sursis de trente jours pour la date d'échéance.

Mais tout s'effondre le 1er novembre lorsque je reçois une lettre de M. Boileau. Un véritable questionnaire par lequel il désirait une copie du résultat des essais sur le prototype, les modifications éventuelles à apporter suite aux résultats des tests, l'échéancier de développement visé par mon entreprise, l'estimation exacte du coût du dispositif et de son installation, le scénario de financement et, finalement, la nature exacte de ma demande auprès du ministère des Transports ainsi que mes attentes à cet égard. J'étais estomaqué !

Quelques jours après avoir pris connaissance de la lettre de M. Boileau, Provigo annonçait son retrait définitif du projet. Pour une des rares fois dans ma vie, j'ai décidé de baisser les bras.

Il arrive parfois que, même guidé par les meilleures intentions du monde, l'inventeur se heurte à un mur d'incompréhension ou d'incompétence. Quoique, dans ce cas-ci, il s'agissait plutôt d'un problème de gros ego. En effet, quelques années plus tard, lors d'une exposition d'inventions au Stade olympique, j'ai appris que la mort de ce projet était davantage attribuable au sabotage qu'à l'insouciance de certaines personnes. Un collègue de M. Boileau m'a subtilement fait comprendre que j'aurais mieux fait de passer par la base au lieu d'être pistonné par le ministre. Dois-je rappeler ici que le but visé par l'invention de ma jupe de protection était de sauver la vie des enfants…

Au moment d'écrire ces lignes, je constate toutefois que mes efforts n'ont pas été vains. Bien que les autobus scolaires ne soient pas tous équipés de mes inventions, la situation s'est grandement améliorée. Dans plusieurs provinces du Canada et États américains, le bras d'éloignement est devenu un accessoire de sécurité obligatoire. Évidemment, le cordonnier étant toujours mal chaussé, ce n'est pas encore le cas au Québec.

Voici un nouveau modèle « Thomas » avec le bras d'éloignement intégré au pare-choc et un châssis abaissé du côté droit. L'autobus scolaire le plus sécuritaire sur le marché selon moi.

Voici d'ailleurs une savoureuse anecdote à ce sujet. Il y a quelques années, alors que je donne une conférence au congrès des CLD à Shawinigan, une dame me demande pourquoi les autobus scolaires ne sont pas équipés de mon bras d'éloignement à Shawinigan. Et moi de répondre : « Tout simplement parce qu'il n'y a pas encore eu de morts ici. » Je vous laisse imaginer son visage et celui du reste de l'auditoire.

Vous pouvez visionner un reportage sur mes accessoires de sécurité pour les autobus scolaires en vous rendant sur notre site www.InventionEnAction.com et en inscrivant « autobus scolaires » à Recherche de vidéo.

Une aberration !

Le 6 décembre 2004, alors installé devant mon téléviseur, je suis sidéré par un bulletin spécial indiquant qu'un autre enfant vient d'être écrasé par son autobus scolaire à Rock Forest, petite municipalité située près de Sherbrooke. Selon la journaliste qui rapporte l'événement, l'enfant aurait été écrasé par la roue arrière droite du véhicule, quelques secondes à peine après en être descendu.

Je regarde les images de la scène de l'accident et je suis complètement dévasté, profondément persuadé que ma jupe de protection aurait pu lui sauver la vie. Plus j'y pense, plus je me rappelle la saga avec M. Boileau, l'énergumène du ministère des Transports, et plus la colère monte en moi. Incapable de rester en place, je grimpe l'escalier qui mène à mon bureau et m'installe à l'ordinateur pour décrire mes états d'âme. Ce texte, écrit avec la rage au cœur, relatait la série d'événements vécus avec ce fonctionnaire du ministère des Transports. Je m'en voulais d'avoir baissé les bras.

Après m'être défoulé, je décide d'envoyer ce texte aux inventeurs inscrits à l'infolettre de l'Inventarium. En moins de temps qu'il n'en faut pour le dire, les messages d'inventeurs indignés commencent à arriver. J'en ai même reçu d'aussi loin que l'Europe, de personnes que je ne connaissais même pas. En fait, ce que je n'avais pas prévu, c'est qu'un grand nombre d'abonnés de notre infolettre avaient transféré mon message à leur carnet d'adresses.

Les messages n'arrêtaient pas d'entrer et, dans la plupart, je sentais une réelle colère devant la situation décrite dans mon courriel. Tôt le lendemain matin, une journaliste du service des nouvelles de Radio-Canada me propose une entrevue et elle insiste pour que j'y présente mon prototype.

À la suite du reportage, je reçois un important courriel du Dr Jean Brochu, le coroner à qui on a confié l'enquête sur l'accident en question. Celui-ci m'informe qu'il a obtenu une copie de mon courriel par l'entremise d'une employée du Bureau du coroner en chef et qu'il désire me rencontrer pour en savoir plus sur ma jupe de protection.

La rencontre a lieu la semaine suivante dans un hôtel du centre-ville de Montréal. Pendant deux heures environ, je trace un bilan de toutes mes démarches depuis le jour où j'ai eu cette idée. Le Dr Brochu se montre extrêmement intéressé et demande à conserver toute la documentation que j'avais apportée. Avant de partir, je lui réitère que j'ai un prototype qui a été fabriqué par un ingénieur et qu'il est disponible en tout temps pour quiconque voudrait s'en servir pour faire des tests.

Comme c'est toujours le cas dans ce genre d'enquête, on trouve les délais beaucoup trop longs, et tout spécialement quand la vie d'autres enfants est en jeu. Une année plus tard, toujours sans nouvelle du coroner Brochu, je communique avec son bureau pour apprendre qu'il a été nommé assistant du coroner en chef et que l'enquête a été transférée au coroner Luc Malouin. Je communique donc avec celui-ci, qui m'informe qu'il n'a pas encore pris connaissance des éléments de l'enquête et qu'il me contactera dès que ce sera fait.

Un an plus tard, dans un article du *Journal de Montréal*, j'apprends que l'enquête sur le décès du jeune Louis-Charles Lavallée Latour réalisée par la coroner Catherine Rudel-Tessier est terminée et que celle-ci s'apprête à rendre son rapport public. Je n'en reviens pas !

J'entre immédiatement en contact avec cette dernière pour me faire dire qu'elle n'a jamais entendu parler de ma jupe de protection et n'a même jamais reçu de documents à cet égard. Devant tant d'incompétence et d'insouciance, je passe rapidement du stade de stupéfait à celui de furieux. Je lui offre donc de lui envoyer de nouveaux documents, ce qu'elle accepte, non sans spécifier cependant que son enquête est terminée et qu'elle ne peut être rouverte que si de nouveaux éléments importants directement reliés à cet accident sont portés à sa connaissance. Quelques semaines plus tard, elle rend son rapport public et ne fait aucune allusion ou recommandation en lien avec ma jupe de protection.

Entre-temps, je réussis à joindre Sylvain Geoffroy, le policier chargé de l'enquête sur cet accident. Celui-ci croit que ma jupe de protection mérite qu'on s'y attarde, car elle pourrait certainement sauver des vies. Cependant, il m'informe qu'une reconstitution de l'accident par ses confrères de la Sûreté du Québec a démontré que le petit Louis-Charles a été frappé à l'intérieur de la roue avant droite pour ensuite tomber sous le véhicule et être écrasé par la roue arrière droite. Il en vient donc à la conclusion que ma jupe de protection n'aurait pu lui sauver la vie.

Je suis d'accord avec lui, mais en partie seulement. En effet, comment aurait réagi l'enfant si ma jupe avait été en place ? Aurait-il pu s'y agripper et s'en servir comme point d'appui pour rouler dans le fossé ? Aurait-il été poussé vers l'extérieur par celle-ci ? Quoi qu'il en soit, nous n'aurons jamais les réponses à ces questions. Mais en terminant, le policier Geoffroy ajoute que si l'enfant avait été frappé un pied plus à gauche, ma jupe de protection lui aurait certainement sauvé la vie.

Je rédige donc une autre lettre à l'intention de la coroner Rudel-Tessier en lui mentionnant le commentaire du policier Geoffroy. Je lui demande alors de revoir sa position, étant donné qu'elle n'avait pas eu accès à mes documents

Nous bâtissons des rêves - le vôtre!

Montréal, le 18 septembre 2006

Bureau du Coroner en chef
Me Catherine Rudel-Tessier
Dossier A-157563
Décès de Louis-Charles Lavallée Latour

Madame Rudel-Tessier,

J'ai bien reçu une copie de votre rapport d'investigation et je vous en remercie. J'en ai pris connaissance avec grand intérêt et j'en arrive aux mêmes conclusions que vous quand aux causes multiples de l'accident.

Je vais donc simplement m'attarder au texte de votre rapport ayant trait à la jupe de protection, que je reproduis ici intégralement pour en faciliter l'analyse: *"Il en est de même pour la jupe qui, installée sur le côté droit de l'autobus, empêcherait les enfants de glisser sous les roues, bien que dans le cas qui nous occupe, compte tenu de la reconstitution de l'accident, rien n'indique qu'un tel dispositif aurait sauvé la vie de l'enfant."*.

Comme me l'a mentionné M. Sylvain Geoffroy, le policier chargé de l'enquête, n'ayant aucun témoin direct de l'accident, plein de facteurs font en sorte qu'on ne saura jamais vraiment si la jupe de protection aurait pu sauver l'enfant. La dernière phrase de ce texte aurait donc put se lire: *"compte tenu de la reconstitution de l'accident, il est possible qu'un tel dispositif ait pu sauvé la vie de l'enfant"*. L'objectif ultime de votre enquête étant de recommander des solutions pour empêcher les enfants de glisser sous les roues de l'autobus, comment expliquer que cette jupe de protection, n'ait pas retenu plus votre attention?

La réponse est simple, parce que personne ne vous a sensibilisé à l'importance de celle-ci. Comme vous me l'avez mentionné lors de notre récente conversation téléphonique, les informations verbales et documents écrits et visuels, que j'avais transmis au coroner Brochu, ne vous ont été remis qu'en partie seulement.

Pour votre information, j'ai inventé le bras d'éloignement et la jupe de protection en 1990 et un propriétaire d'une flotte d'autobus scolaires a accepté d'en équiper un de ses véhicules pendant une année complète. Nous avons rencontré de nombreux intervenants du transport scolaire, de la politique et du milieu de l'éducation. Plusieurs reportages écrits et visuels ont été réalisés sur ces équipements, y compris une conférence de presse organisée par la direction du Service de Police de la CUM.

4050 BOUL. ROSEMONT, SUITE 1607 • MONTRÉAL QUÉBEC, CANADA H1X 1M4
TÉL.: (514) 376-1273 • TÉLÉC.: (514) 376-8611 • WWW.INVENTARIUM.COM • INFOS@INVENTARIUM.COM

Suite à la page 138.

Les commentaires ont toujours été favorables. Comment expliquer alors qu'aucune étude n'ait été réalisée sur la jupe de protection? Pour comprendre un peu mieux cet état de fait, il faut remonter à l'époque de l'enquête réalisée par le coroner Marc-André Bouliane. Celui-ci n'en avait alors que pour le remplacement des autobus à nez allongé par des autobus à nez plat.

Il a toujours refusé de m'entendre à son enquête, allant même jusqu'à me téléphoner pour me dire de ne pas insisté. Bizarrement, cet appel fut suivie le lendemain soir par celui du père d'une des victimes, (celle-là même qui fut à l'origine de l'invention du bras d'éloignement), qui m'a répété sensiblement la même chose.

J'ai donc dû me tourner vers les médias pour promouvoir ces accessoires. Le bras d'éloignement a été adopté, mais pas la jupe de protection. Ce qu'il faut savoir, c'est qu'avant l'enquête, parmi les 3 ou 4 derniers enfants décédés, aucun n'avait été écrasé du côté droit du véhicule. Il y avait bien un petit garçon de Laval à qui s'était arrivé mais il avait miraculeusement survécu. Le bras d'éloignement était donc beaucoup plus d'actualité, que la jupe de protection.

J'ai tout de même continuer mes démarches pour la jupe jusqu'à ce que les ministres Michel Pagé (éducation) et Sam Elkas (transport) s'y intéresse de plus près. Mes plans furent donc acheminés au ministère des transports, plus précisément à M. Louis Rousseau qui, victime d'un *"power trip"*, s'est amusé à les perdre à trois reprises (des plans de 36'' de long). On peut tout faire dans la vie mais quelquefois on ne peut rien contre la bêtise humaine.

Aussi, dans son rapport, Me Bouliane avait fait d'excellentes recommandations dont entres autres, celle de changer les routes pour limiter au minimum le nombre d'enfants qui doivent traverser la rue devant leur autobus scolaire. Tout cela a fait en sorte que les décès d'enfants reliés au transport scolaire ont diminués. J'ai donc décidé de mettre ce projet de côté en espérant ne plus jamais avoir à en reparler.

Mais le décès de Louis-Charles, entre la roue avant et la roue arrière, a ramené la jupe de protection à l'avant-scène. Suite à un reportage de Radio-Canada, le coroner Brochu a demandé à me rencontrer. Cette fois-ci, j'étais vraiment convaincu qu'une étude sérieuse sur cet accessoire allait enfin être réalisée. Je n'ai donc pas senti le besoin de faire appel aux médias. Vous connaissez maintenant la suite.

Mme Rudel-Tessier, prenez quelques secondes pour regarder les 2 photos joins à cette lettre. Selon vous, cette jupe de protection peut-elle empêcher un enfant de tomber entre la roue avant et la roue arrière d'un autobus scolaire? Si vous répondez **oui** ou même **peut-être** à cette question, vous êtes pleinement justifié, d'exiger que cet accessoire de sécurité d'une simplicité désarmante, fasse l'objet d'une étude sérieuse.

En terminant, je vous réitère que j'ai renoncé à mes brevets pour ces inventions et que le seul et unique but de ma démarche est d'améliorer la sécurité des enfants, utilisateurs ou non, du transport scolaire.
Cordialement,

Daniel Paquette

Ps : J'ai joins à cette lettre la cassette de l'émission ''Défaillances techniques''. Je n'en ai qu'une seule copie et j'aimerais la récupérer s.v.p.

**Bureau
du coroner**

Québec ✚✚

Le 26 octobre 2006   126098

Monsieur Daniel Paquette
Inventarium
4050, boul. Rosemont, bureau 1607
Montréal (Québec)
H1X 1M4

Objet : *Dossier Louis-Charles Lavallée-Latour (A-157563)*

Monsieur,

M. Jason Allard, reconstitutionniste de la Sûreté du Québec a effectué des tests de visibilité sur trois types d'autobus scolaires dans le cadre du mandat que je lui ai confié, soit l'analyse des causes et des circonstances du décès de Louis-Charles Lavallée-Latour. Mon investigation a porté sur ce décès. Ce n'était pas une enquête publique sur la sécurité du transport scolaire, en général.

Vous comprendrez, à la lecture de mon rapport que l'enfant, à l'endroit où il se trouvait avant d'être heurté par l'autobus, n'aurait pas été sauvé par la jupe de protection que vous avez mis au point. Je ne peux me prononcer sur l'utilité de cette jupe protectrice pour un autre accident et je ne peux non plus, comme vous me le demandez, rouvrir mon investigation pour faire procéder à d'autres tests.

À partir du moment où un rapport d'investigation est terminé, le coroner le transmet au coroner en chef et en est, par le fait même, dessaisi. Il m'est impossible à ce stade d'ordonner un complément d'enquête.

Je vous prie d'agréer, Monsieur, l'expression de mes meilleurs sentiments.

CRT/ms

Me Catherine Rudel-Tessier
Coroner

c. c. Jason Allard

Édifice Wilfrid-Derome
1701, rue Parthenais, 11e étage
Montréal (Québec)
H2K 3S7

139

durant son enquête. Mon objectif est qu'elle recommande au ministère des Transports de procéder à des tests d'efficacité sur ma jupe de protection.

Dans une réponse reçue quelques semaines plus tard, la coroner m'informe que la reconstitution de l'accident par la Sûreté du Québec démontre que l'enfant a été frappé à l'intérieur de la roue avant du véhicule et que ma jupe de protection, ne couvrant pas cette partie du véhicule, ne constitue pas un nouvel élément d'enquête relié à l'accident en question. Par conséquent, elle ne peut prendre cet élément en considération pour rouvrir son enquête.

En d'autres mots, il va falloir attendre qu'un enfant se fasse écraser un pied plus à gauche pour qu'elle puisse demander à faire des tests avec ma jupe de protection. Tout simplement aberrant !

L'autobus qui aurait pu sauver Louis-Charles

page 5

Le coroner Marc-André Bouliane dans l'eau chaude !

En 1989 à Aylmer, dans l'Outaouais, quelques mois seulement après avoir inventé mon bras d'éloignement, deux enfants meurent écrasés par leur autobus scolaire, et ce, à seulement deux jours d'intervalle. La journée du deuxième décès, l'animateur de radio Alain Dexter de CJRC Gatineau organise une entrevue téléphonique entre lui, moi et le coroner Marc-André Bouliane. Au cours de cette entrevue, j'ai suggéré au coroner Bouliane de tenir son enquête à Montréal au lieu d'Aylmer, ce qui risquait de faire beaucoup plus de bruit auprès des instances gouvernementales. Il m'a promis d'y réfléchir sérieusement et a fini par donner suite à ma suggestion.

Au cours de cette même conversation, il s'est montré extrêmement intéressé à mes deux inventions, le bras d'éloignement et la jupe de protection. Nous avions alors convenu de nous reparler à ce sujet au cours de son enquête. Par la suite, celui qui avait promis de m'aider dans mes démarches est devenu mon pire obstacle.

Durant son enquête tenue en 1992, le coroner Bouliane n'a cessé d'exiger le remplacement des autobus scolaires à nez allongé par des autobus à nez plat. Devant le refus du ministre des Transports Sam Elkas de répondre favorablement à sa demande, il avait provoqué tout un branle-bas médiatique en le citant à comparaître à son enquête en compagnie des ministres de l'Éducation et de la Sécurité publique de l'époque, Michel Pagé et Claude Ryan.

Le nœud du problème se situait au niveau de la durée maximum d'utilisation d'un autobus scolaire, qui est de douze ans. Le coût d'un autobus à nez plat étant 30 % plus élevé, les propriétaires de parcs d'autobus désiraient que le gouvernement porte la durée d'utilisation à dix-huit ans pour rentabiliser cette dépense supplémentaire. Le ministère des Transports ne pouvait donner suite à leur demande, car il redoutait les impacts d'un accident causé par un bris mécanique qui se produirait entre la douzième et la dix-huitième année. En d'autres mots, pas question de permettre, pour des raisons purement financières, de transporter des enfants pendant six ans dans des véhicules considérés dangereux.

J'ai demandé à plusieurs reprises au coroner Bouliane de m'inviter à témoigner à son enquête publique pour présenter mes accessoires de sécurité, mais à chaque occasion je me heurtais à une fin de non-recevoir. Un soir, j'ai même reçu un appel téléphonique de sa part me demandant de lui foutre la paix avec mes «gadgets». Pire encore, le lendemain soir, c'est le père de la fillette décédée de sept ans, celle-là même qui était à l'origine de l'invention du bras d'éloignement, qui me téléphone pour m'engueuler comme du poisson pourri en me répétant mot à mot la même chose que le coroner Bouliane. J'étais interloqué! Ça ne pouvait pas être un simple hasard. Il était clair pour moi que ce père éploré était manipulé par Bouliane.

Mais trois ans plus tard, coup de théâtre, Bouliane est suspendu de ses fonctions par le coroner en chef qui l'accuse d'être impliqué dans la vente d'autobus scolaires usagés à Cuba. Il fut plus tard déclaré coupable et dut remettre sa démission. Du même coup, je venais de comprendre pourquoi il tenait tant à remplacer le parc d'autobus à nez allongé.

Par **LCN**

La longue saga judiciaire entourant la suspension du coroner Marc-André Boulianne est officiellement terminée. L'ancien coroner a accepté de démissionner le 31 mai dernier à la suite d'une entente survenue avec le gouvernement.

Marc-André Boulianne contestait depuis 1995 sa suspension pour s'être placé en conflit d'intérêts en participant à la la vente d'autobus scolaires à Cuba. Le hic: il avait lui-même qualifié ces autobus de non sécuritaires dans un rapport.

Reportage diffusé par LCN,
tel qu'on le retrouve sur Internet.

Lors du congrès du ministère des Transports du Canada tenu au Nouveau-Brunswick en 2000, mon bras d'éloignement fut identifié comme le dispositif de sécurité pour autobus scolaires le plus efficace des 25 dernières années. À noter que, n'ayant jamais déposé de brevet officiel sur ces deux inventions, elles ne m'ont donc rien rapporté du côté financier. Mon seul et unique objectif a toujours été de protéger la vie des enfants, en ce sens, je peux dire mission accomplie.

Au moment où j'ai commencé à m'intéresser au fait que des enfants se faisaient écraser par leur autobus scolaire, on n'entendait jamais parler de ce problème, à part les deux ou trois jours suivant l'accident. J'ai donc été renversé d'apprendre que 22 enfants avaient péri dans des cas semblables entre 1986 et 1989. J'ai été le premier à tirer la sonnette d'alarme et à publiciser ces statistiques alarmantes.

Plusieurs personnes ont par la suite emboîté le pas, dont le coroner Bouliane à qui je désire tout de même rendre hommage, malgré nos différends. Il a remis en question la façon de faire dans le transport scolaire et a obligé les entreprises de ce domaine à repenser les trajets de façon à minimiser les risques. Aujourd'hui, je suis extrêmement satisfait de constater que, depuis 1992, un seul enfant est décédé de cette façon. Le risque zéro n'existe pas, mais rien ne nous empêche d'essayer de l'atteindre quand même.

Je suis toujours très fier quand j'aperçois un autobus scolaire muni de mon bras d'éloignement. Par exemple, en 1993, je me suis rendu dans l'État de Washington avec mon ami Gilles Latulippe. Nous étions arrêtés à un feu rouge quand Gilles me fait signe de regarder vers l'autre intersection. Quelle ne fut pas ma surprise de voir des enfants qui passaient devant un autobus scolaire muni de mon bras d'éloignement. Je savais que plusieurs autobus de cet État en étaient équipés, mais j'avais oublié ce détail. Je suis allé voir le conducteur qui a gentiment accepté que je me fasse photographier devant son autobus.

De retour dans l'auto, Gilles m'a fait remarquer que j'étais sans aucun doute le seul au monde à «jouir» devant un bras d'éloignement d'autobus scolaire…

Les pesées de rétention

Un dimanche ensoleillé du mois d'août 1989, je roule sur l'autoroute en direction de Saint-Sauveur-des-Monts. La température est idéale, la route dégagée. Soudain, un ralentissement important force les automobilistes à s'immobiliser. Quelques centaines de mètres devant nous, un carambolage monstre vient de se produire, impliquant plusieurs véhicules. C'est d'autant plus inexplicable que les conditions routières semblent parfaites.

Pour en avoir le cœur net, je m'informe auprès des policiers de la Sûreté du Québec qui sont sur les lieux. L'un d'entre eux m'explique que les sacs de sable utilisés pour retenir les panneaux de signalisation sont en cause. En effet, des travaux de réfection sont en cours sur l'autoroute et des panneaux balisent les abords du chantier. Les sacs de sable percent facilement et laissent échapper leur contenu, ce qui rend la chaussée extrêmement glissante et cause régulière- ment des accidents.

Voilà donc un autre problème à résoudre. Après quelques minutes à faire travailler mes méninges, une solution me vient à l'esprit. De simples pesées de plastique soufflé remplies de ciment seraient nettement plus efficaces, plus pratiques et plus agréables à l'œil que ces sacs de sable éventrés qui ne retien- nent plus rien. Plus j'y pense, plus je suis convaincu que le ministère de la Voirie sera forcement intéressé par un tel produit.

Le lundi suivant, je rencontre Georges Leblanc, un responsable de la voirie provinciale. Il trouve l'idée d'une pesée en plastique extrêmement intéressante et me prodigue ses conseils. Ma pesée doit être facilement transportable par un seul homme, s'ancrer efficacement à la base du panneau de signalisation et être empilable lors du transport. En quelques minutes seulement, cet homme établit les critères sur lesquels je devrais me baser pour envisager une éven- tuelle production... et il est si précis que je vois déjà le modèle apparaître devant mes yeux.

Je ne connaissais qu'une seule entreprise capable de produire une pièce de plastique remplie de ciment, car elle fabriquait déjà des haltères de cette fa- çon. Mais, avant de lui présenter mon invention, j'aurais dû déposer un brevet provisoire, ce que je n'ai malheureusement pas fait. Ce fut une terrible er- reur, car l'entreprise en question a tout simplement commencé à produire et commercialiser ces pesées de rétention à son compte. Pour vous donner une bonne idée de l'ampleur du potentiel de ce produit, elle en a vendu trente mille à un premier client, qui les louait ensuite au ministère des Transports.

Ce qu'il faut savoir, c'est qu'à cette époque, je travaillais déjà au développe- ment de mes deux inventions pour les autobus scolaires, mon support à bicyclettes et ma Golf'O. Mes finances étant à la baisse, j'ai donc décidé d'attendre d'avoir présenté mon proto- type final au ministère des Transports avant de déposer mon brevet provisoire. En fait, je voulais tout simple- ment être certain que le principal client éventuel se- rait vraiment intéressé avant d'investir dans la propriété intellectuelle.

Aujourd'hui, mes pesées se retrouvent un peu partout au Canada et possiblement

Ci-dessous, le problème et, à gauche, ma solution

même dans d'autres pays et tout ce que j'en ai retiré, c'est une bonne leçon que je ne suis pas près d'oublier. En même temps, c'est peut-être la plus belle chose qui me soit arrivée dans la vie. En effet, cette mésaventure a été à l'origine de l'écriture de mon premier livre, *Une bonne idée vaut une fortune*. Il n'y a aucun doute dans mon esprit que, si je n'avais pas vécu ce cauchemar, l'Inventarium n'existerait pas.

En passant, le titre original que j'avais proposé à l'éditeur était *Une bonne idée vaut une fortune, il ne faut surtout pas se la faire voler*, mais il trouvait ce titre trop long et l'a amputé de moitié.

Clignotants d'urgence pour feux de circulation en cas de panne de courant

La prévention s'avère bien souvent la meilleure façon d'éviter des situations dramatiques. Mon rôle de policier m'amène régulièrement à le constater. En voici un autre exemple.

À la suite d'un accident de la route qui avait fait une victime, un de mes confrères, expert en accident de circulation, me fait part de certains éléments du dossier. Une coupure de courant électrique avait rendu inopérants les feux de signalisation et provoqué la catastrophe. La victime, une dame âgée au volant d'un des deux véhicules impliqués dans la collision, était décédée peu après son arrivée à l'hôpital. Connaissant ma vocation d'inventeur, Jacques Lamarre (nom prédestiné pour ce travail!) me met au défi de trouver une solution permanente à ce problème. Cette bravade sans malice allait me coûter de nombreuses nuits sans sommeil au cours des années suivantes!

Je comprends parfaitement le problème dont il fait état puisque, lorsque survient une coupure de courant, nous devons prestement tout mettre en œuvre pour assurer la sécurité des citoyens. Les employés de la voirie doivent être rapidement informés qu'une panne sévit dans le secteur et ils sont responsables d'installer des panneaux d'arrêt obligatoire à chacune des intersections touchées par la panne. Malheureusement, le délai d'intervention est parfois tellement long que l'absence totale de signalisation a déjà causé plusieurs accidents, dont certains parfois très graves, voire même mortels. Ce qui est encore plus vrai lorsque la panne survient la nuit alors que la vision est presque nulle et qu'il y a peu ou pas de personnel de faction à la voirie.

Je me mets donc illico à la recherche d'une solution simple, efficace et la moins dispendieuse possible. L'orientation de mes premières réflexions m'amène à concevoir un panneau d'arrêt obligatoire installé en permanence à chaque intersection, mais dont la face antérieure serait dissimulée. Ce panneau se déploierait automatiquement lors d'une panne, grâce à un mécanisme électromagnétique, puis se rétracterait de lui-même, une fois le courant rétabli.

J'expose mon idée à Gérard Labranche, un designer industriel spécialisé en mécanique et électrotechnique. Ayant convenu de réaliser d'abord un prototype fonctionnel, nous avons passé des semaines à concevoir le modèle qui n'existait jusque-là que sur papier. Un aspect du problème me tracassait plus particulièrement. Devant la panoplie de panneaux routiers, signaux lumineux et feux de circulation déjà installés aux intersections, je me demandais bien à quel endroit nous pourrions installer nos panneaux électromagnétiques.

Tout cela me trotte dans la tête lorsqu'un beau matin, en allant chercher des pièces pour compléter une commande de Golf'O, j'arrive à un carrefour où clignote un feu rouge. Je fais un arrêt obligatoire, comme c'est toujours le cas en présence d'un clignotant rouge, puis je traverse l'intersection. À peine ai-je franchi 200 mètres que, Eurêka !, je suis frappé de plein fouet par ce qu'on appelle communément « l'éclair de génie ». Une vraie révélation !

Je descends de mon auto et regarde béatement, pendant de longues minutes, le feu rouge qui s'allume et s'éteint. Une image de plus en plus précise se forme dans mon esprit : je venais de trouver la solution idéale. J'estime que si je peux mettre au point un feu clignotant rouge, muni d'une batterie rechargeable, qui se déclencherait automatiquement et instantanément au tout début de la panne de courant, le problème serait définitivement résolu. Grâce à ces clignotants d'urgence, les automobilistes effectueraient un arrêt obligatoire aux intersections, éliminant du coup les risques de collision avec d'autres véhicules.

Dans les minutes suivantes, je livre le résultat de mes réflexions à Gérard et l'incite à abandonner les travaux relatifs au panneau électromagnétique pour s'orienter plutôt vers le prototype du clignotant d'urgence. Gérard reste interloqué au bout du fil. Facile à comprendre, il mettait la touche finale au prototype sur lequel il s'escrime depuis des mois. Je décide de lui laisser quelques jours pour revenir de sa surprise, le temps qu'il réalise par lui-même que nous faisions fausse route. Cette attitude donne les résultats escomptés puisqu'il me rappelle peu de temps après. « Ta solution est sûrement la meilleure », concède-t-il, et il m'invite à le rejoindre chez lui pour en discuter plus avant.

Installation du premier système à Saint-Léonard

Nous avons ensuite mis quelques semaines à parfaire le premier prototype. Avec des associés et investisseurs, l'entreprise XENYTRON fut créée pour le développement et la commercialisation du produit. Ce système auxiliaire d'urgence pour feux de circulation en cas de panne de courant est maintenant connu sous la marque de commerce URGENSTOP.

En 1995, il fut identifié comme le produit de sécurité le plus innovateur

Mon kiosque au congrès des municipalités du Québec

au congrès des municipalités du Québec. Les élus municipaux ont rapidement été convaincus que ce dispositif d'urgence pourrait contribuer à éviter des tragédies. Ils ont également reconnu qu'il pourrait leur permettre de réaliser d'importantes économies puisqu'ils n'auront plus à payer des employés en temps supplémentaire pour installer ou enlever des panneaux d'arrêt obligatoire lors de coupures de courant. Mon système auxiliaire d'urgence a fait l'unanimité à ce congrès; aucun commentaire négatif n'est parvenu à mes oreilles pendant toute la durée de l'événement.

Brevetée au Canada, aux États-Unis et en Europe, cette invention m'a valu d'être finaliste, en 1994, pour le Grand Prix québécois de l'invention et en 1995, de finir au quatrième rang pour le prix Ernest C. Manning (le Grand Prix canadien de l'Invention).

Parlant de feux de circulation, durant mes premières années dans la police, les accidents de circulation étaient monnaie courante et faisaient souvent des victimes. Le problème était que, lorsque le feu vert passait au jaune, au lieu de ralentir, la plupart des automobilistes accéléraient, comme c'est encore le cas aujourd'hui d'ailleurs. Dans le sens inverse, les automobilistes qui voyaient, de côté, le feu tomber au jaune partaient souvent avant même que le feu devant eux soit vert. S'ensuivaient alors de violentes collisions, dont la plupart avec des blessés graves ou des morts.

Un jour, un ingénieur civil de la Ville de Montréal a eu une idée de… génie(!) qui a pratiquement éliminé ces accidents. Il a tout simplement suggéré

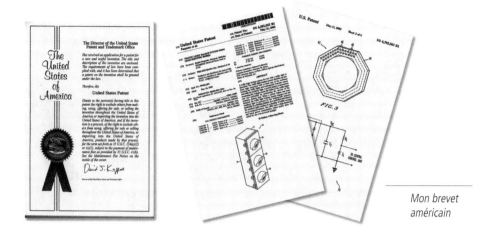

Mon brevet américain

de programmer les feux de façon à ce qu'ils restent simultanément au rouge sur les quatre coins pendant quelques secondes. Une idée géniale qui ne pouvait faire l'objet d'un brevet, mais qui a sauvé combien de vies.

L'alcotest « Gros Nez Rouge »

Cette invention est née d'une autre constatation faite dans le cadre de mes interventions à titre de policier. Depuis plusieurs années au Québec, comme partout ailleurs dans le monde, on se préoccupe beaucoup des risques liés à la conduite en état d'ébriété. Le gouvernement a lancé des campagnes de sensibilisation très audacieuses, on a resserré l'application de la loi et utilisé tous les moyens nécessaires pour alerter une population trop longtemps habituée à tolérer la consommation d'alcool combinée à la conduite automobile.

Les mentalités mettent du temps à changer, mais on peut affirmer sans se tromper que la société a accompli beaucoup de progrès en peu de temps. J'ai moi-même été témoin de changements dans l'attitude des gens au cours des dernières années. Mais, en 1995, il y avait encore beaucoup à faire à ce niveau.

C'est donc à l'époque des Fêtes, dans le cadre d'un appel de routine pour une chicane de famille, que l'idée m'est venue de m'attaquer à ce grand problème de société.

Comme c'est souvent le cas durant cette période de festivités, un membre de la famille avait consommé un peu trop d'alcool et certaines personnes présentes, soucieuses de sa sécurité et de celle des autres, ne voulaient pas qu'il conduise son auto. En fait, l'individu était le seul sur place à être convaincu, dur comme fer, qu'il était en état de prendre le volant. Et pour nous le prouver, il marchait dans le passage comme un funambule sur son fil, jetait une pièce de monnaie par terre et la ramassait, éloignait son bras droit, se fermait les yeux et ramenait son index sur le nez, etc.

À vrai dire, il connaissait tous les tests que nous avions l'habitude de faire passer à un automobiliste qu'on soupçonne être en état d'ébriété. De toute évidence, il n'en était pas à ses premières armes en matière d'alcool au volant. Il alléguait que la plupart des autres invités étaient plus en boisson que lui et les invitait tous à faire les mêmes tests pour comparer. On aurait dit une pièce de théâtre, un spectacle à la fois tordant et pathétique.

Après plusieurs minutes d'intenses négociations et à la grande satisfaction de tous, nous avons réussi à le convaincre de prendre un taxi. Mais le mal était fait, car il s'était engueulé à peu près avec tout le monde présent, y compris son épouse et sa petite fille. Même qu'à un certain moment, nous étions venus très près de le mettre en état d'arrestation pour avoir troublé la paix. Faut dire que, durant les Fêtes, nous sommes beaucoup plus patients qu'en temps normal.

Mais cette scène avait frappé mon imagination. Je me disais qu'un test amusant, s'il existait, pourrait faire prendre conscience aux fêtards eux-mêmes qu'ils ne sont peut-être pas en état de conduire. Mon partenaire du moment trouvait l'idée excellente.

Ma première idée fut donc de concevoir une trousse expliquant les différents tests d'aptitude que nous utilisions et que notre énergumène venait d'échouer devant nous. Mais j'ai vite changé d'idée. En fait, je trouvais que ça faisait un peu trop sérieux, ce qui m'éloignait de mon objectif. Pas question non plus de mettre en marché un outil qui aurait pu servir de défense en cour à un individu qui aurait échoué le test d'ivressomètre.

C'est finalement en me remémorant un test de réflexes que nous faisions entre amis à l'adolescence que l'idée de mon alcotest jouet est née. Ce test consistait à tenir à la verticale un billet d'un dollar entre le pouce et l'index, et de le laisser tomber en essayant de l'attraper avant qu'il ne tombe par terre. Pour une raison que j'ignorais, avec les facultés affaiblies par l'alcool, on ne réussissait jamais à attraper ce foutu billet. Je me rappelais qu'à l'époque on s'amusait ferme à ce petit jeu.

C'est donc en retournant sans cesse ce souvenir dans ma tête que l'idée d'une règle graduée m'est venue. Mon premier prototype était en fait un morceau de papier d'un format égal à celui d'un billet de banque. Une chose m'agaçait cependant, c'était de ramasser ce bout de papier par terre chaque fois que la personne qui passait le test ne réussissait pas à l'attraper. D'où l'idée de l'allonger et d'y ajouter différentes graduations de temps de réaction : tricheur, ultra rapide, très rapide, normal et lent.

Pour que cette règle graduée soit bel et bien perçue par le public comme un jouet et non comme un outil de mesure précise, j'eus l'idée d'insérer, dans la section « lent », plusieurs têtes de clown dont le nez en forme de thermomètre devenait de plus en plus rouge. Ainsi, aucun risque que mon alcotest se retrouve un jour devant un juge.

Le plus drôle dans tout ça, c'est que ça marche vraiment, et encore mieux que je croyais, car ma règle fonctionne également avec les individus qui ont consommé de la drogue ou des médicaments. En fait, ça fonctionne avec tout ce qui peut altérer le temps de réaction, y compris l'âge ou la fatigue.

Évidemment, cette règle ne se base sur aucun principe scientifique et elle n'a pas pour but de démontrer si le participant a, ou non, franchi la limite permise de 80 mg d'alcool par 100 ml de sang. Pour l'avoir maintes fois expérimenté lors de réunions entre amis, le test de la règle s'avère plutôt une joyeuse façon de faire prendre conscience à ceux et celles qui surestiment leur tolérance à l'alcool que leurs capacités sont souvent beaucoup plus affectées qu'ils ne le croient. Je considère que, de cette façon, on peut dédramatiser une situation qui comporte un potentiel de dangers sur la route et de conflits entre amis ou membres d'une famille.

J'ai convenu, avec la règle «Gros Nez Rouge», d'adopter l'humour comme forme de communication, puisque l'humour s'avère certainement le moyen le plus efficace et le plus habile de faire passer un message dissuasif sans utiliser un ton moralisateur. C'est pour cette raison que j'ai privilégié des dessins rigolos. Lorsque des invités sont soumis au test à leur arrivée, en début de soirée, puis au moment du départ en fin de soirée, il se révèle souvent le meilleur des arguments pour venir à bout des récalcitrants... qui seront bien embarrassés devant les amis d'avoir échoué le test ! Et je parle ici par expérience personnelle !

Mon alcotest Gros Nez Rouge a connu un grand succès et ça se poursuit encore aujourd'hui. Je ne compte plus les fois où j'ai été invité dans des émissions de télévision pour en parler. Je me souviens, entre autres, d'une émission de Claire Lamarche, quelques semaines avant Noël, où les artistes Vincent Gratton et Marie Plourde ainsi que deux autres personnes avaient consommé de l'alcool pendant deux heures. Toutes les 30 minutes, je devais leur faire passer plusieurs tests d'aptitude, incluant celui de l'alcotest Gros Nez Rouge. Une soirée inoubliable où on s'est bien bidonné !

Au fil des années, j'ai également reçu de nombreux témoignages qui confirment que j'avais vu juste. Il n'y a rien de plus gratifiant pour moi que de lire qu'un individu a décidé de ne pas prendre son véhicule parce qu'il a échoué le test du Gros Nez Rouge.

Mais ce qui m'étonne encore plus, c'est quand me parviennent des commandes de psychologues qui l'utilisent pour vérifier les réflexes de

L'alcotest jouet Gros Nez Rouge. Ça marche !

leurs patients. Ça, ce n'était vraiment pas prévu ! Aussi simple que puisse paraître cette invention, son développement aura tout de même occupé une année complète de ma carrière d'inventeur. Mais franchement, ça valait le coup !

Les vignettes *Squeegees*

Une belle journée ensoleillée de 1997, je revenais du palais de justice de Montréal lorsque je me suis arrêté au feu rouge à l'angle des rues Papineau et Notre-Dame. Comme toujours à cette intersection achalandée, un jeune squeegee attendait sa proie. J'étais dans la ligne du centre et à ma gauche se trouvait une superbe Mercedes blanche.

Le jeune s'approche et je mets ma main dans ma poche pour vérifier si j'ai un peu de monnaie. Surprise ! Il passe tout droit, se rend à la Mercedes, arrose le pare-brise et commence à le laver avec son squeegee. Mais le conducteur est en beau fusil, il ouvre sa fenêtre et engueule le jeune homme comme du poisson pourri. De toute évidence, monsieur Net avait choisi la mauvaise cible. Remarquez qu'entre une Ford Tempo et une Mercedes, j'aurais fait exactement le même choix.

Si cette situation cocasse m'a bien fait rire, elle m'a aussi fait réfléchir. Je me disais que si le jeune avait su d'avance qu'il allait se faire engueuler, il aurait changé de cible et, en plus, il aurait été récompensé pour son geste puisque j'étais prêt à lui donner un peu de monnaie. Je songeais également que j'aurais pu ne pas avoir de monnaie en poche de sorte qu'il aurait perdu son temps.

C'est alors que l'idée m'est venue de fabriquer des vignettes réversibles, qui disent « Oui » sur un côté et « Non merci » sur l'autre. L'idée est simple au possible, mais elle fonctionne à merveille. Vous voulez que le jeune lave votre pare-brise, vous placez la vignette, bien en vue à l'intérieur de votre pare-brise, du côté Oui ; vous ne voulez pas où vous n'avez pas de monnaie disponible, vous la placez du côté Non merci.

Peu de temps après que j'aie entrepris de publiciser ce nouveau produit, j'ai été invité à l'émission de Claire Lamarche qui réunissait policiers, squeegees

D'une simplicité désarmante pour un problème complexe

et travailleurs sociaux. Les squeegees exprimaient leur mécontentement face aux policiers et vice-versa. Après avoir expliqué l'utilité de ma vignette, plus personne ne parlait. Tout à coup, Claire Lamarche se lève, se dirige vers moi et, me prenant par le bras, demande : « Coudonc, de quel côté êtes-vous, Daniel ? » Et elle m'invite à m'asseoir au centre, entre les squeegees et les policiers. Elle se retourne et s'adresse aux téléspectateurs. « Ne cherchez plus la solution, elle est là, dans mes mains. Je n'ai jamais vu une solution aussi simple pour un problème si complexe. »

Inutile de vous dire que, pendant des semaines, ma boutique a été très populaire. Nous avons écoulé des centaines de vignettes et la plupart des visiteurs en voulaient pour eux-mêmes, mais aussi pour leurs collègues de travail.

La vignette Squeegees en situation réelle

Ma patrouille et mes inventions !

La plupart de mes inventions ayant été conçues pour être utilisées à l'extérieur, à l'époque où j'étais encore policier, il arrivait assez souvent que durant mon quart de travail, j'aperçoive l'une ou l'autre. Mes pesées de rétention étaient sans aucun doute celles que je remarquais le plus souvent. Au deuxième rang vient mon support à bicyclettes Le Rac qu'on retrouve devant les restaurants, les dépanneurs et les entrées de maison. Puis les Jog'O, fort utilisés dès le retour de la belle saison, accrochaient souvent mon regard lorsque je passais près d'un parc.

C'était souvent mes confrères de travail qui me signalaient fièrement qu'ils venaient de croiser un autobus scolaire équipé de mon bras d'éloignement ou qui me confiaient apprécier au plus haut point mes clignotants d'urgence qui contribuent à réduire le nombre d'accidents de circulation. Chaque fois, cela provoquait immanquablement un agréable petit chatouillement qui me donnait l'énergie pour continuer à assumer mes fonctions de policier tout en consacrant beaucoup d'efforts à ma seconde nature, celle d'inventeur.

Chapitre 11

Réussir à travers l'échec

« Je n'ai pas échoué, j'ai simplement trouvé 10 000 solutions qui ne fonctionnent pas. »

– Thomas Edison

S'il est toujours vrai que le succès est le résultat de plusieurs échecs, j'en suis une preuve incontestable ! Pour moi, un échec, c'est une invention sur laquelle j'ai investi du temps et de l'argent et qui n'a finalement jamais abouti à un produit fini. Plusieurs des inventions sur lesquelles j'ai travaillé correspondent à cette description. Mais chacun de ces revers m'a apporté des connaissances qui m'ont été indispensables à la réussite d'inventions subséquentes. C'est le propre de l'homme d'apprendre par ses erreurs, mais c'est aussi le propre de l'homme de sortir grandi de ses épreuves.

L'analyse minutieuse et détaillée d'un échec sert d'apprentissage à travers lequel on acquiert des outils pour éviter la répétition d'une situation semblable. Dans mon cas, tous les revers que j'ai essuyés sont attribuables à ma méconnaissance du domaine auquel était reliée l'invention que je tentais de mettre au point.

Mais je suis la seule personne à blâmer pour avoir perdu temps et argent dans ces projets. Si j'avais fait mon travail adéquatement, en suivant les étapes une à une, j'aurais peut-être perdu un peu de temps, mais je ne me serais probablement jamais engagé dans ces aventures ou, dans certains cas, j'aurais réuni les éléments nécessaires à réaliser ces produits avec succès.

Quand une personne décide de se lancer dans l'invention, elle développe un tel sens de la créativité qu'avant même d'avoir mis au point le premier produit, elle se retrouve avec des dizaines d'idées en tête, lesquelles proviennent souvent de suggestions d'amis ou de connaissances, de lectures ou de conversations anodines. C'est à ce moment que les risques d'un échec sont les plus grands...

Lorsqu'on travaille à une invention, il faut repartir à zéro chaque fois. Si votre produit est lié à un domaine inconnu pour vous, vous devrez l'étudier jusqu'à en connaître par cœur les moindres détails et jusqu'à ce que le problème soumis en devienne un pour vous aussi. Par la suite, quand vous croirez avoir trouvé la solution, quand vous aurez fait des esquisses et des maquettes, il faudra vous pencher sur les méthodes de production, même si ces démarches semblent longues et laborieuses.

Dans le domaine de l'invention, seuls les devins ont le droit de sauter des étapes. Or, je n'en connais aucun. Il faut se méfier des recommandations de parents ou d'amis. Bien souvent, leurs idées d'invention ne possèdent aucun potentiel de marché... Il ne s'agit pas cependant de rejeter ces suggestions du revers de la main, mais de plutôt prendre le temps de bien analyser ce qu'on vous propose. Si vous constatez que le produit ne mérite pas les efforts nécessaires, expliquez les raisons pour lesquelles vous n'avez pas l'intention de vous y attarder. Si vous croyez par contre que la suggestion est intéressante, mais que vous n'avez pas de temps à y consacrer, proposez-leur de tenter leur chance. Qui sait ? Peut-être joindront-ils un jour les rangs des inventeurs...

Cependant, si la suggestion vous plaît et que vous décidez d'y donner suite, ne manquez pas de signifier votre reconnaissance à la personne qui vous a soumis l'idée, surtout si vous obtenez un certain succès... Ne serait-ce que parce qu'elle a cru un jour en vos talents d'inventeur. Tenez-la aussi au courant de l'évolution du dossier. Elle sera probablement aussi excitée que vous à la pensée de voir un jour sur le marché l'objet qui résout le problème auquel elle était confrontée. Si les gens savent que vous respectez ceux qui vous proposent des idées, vous ne manquerez jamais de suggestions et il se peut qu'un jour l'une d'elles se révèle pleine de possibilités.

Depuis le début de ce livre, je vous ai parlé de mes expériences, de mes soucis, de ma situation financière parfois précaire, parfois plus enviable. Toutes ces confidences n'avaient qu'un but : vous présenter l'homme que je suis, ordinaire, semblable à la plupart de mes concitoyens. Je ne me distingue ni par des qualités exceptionnelles, ni par mon éducation, ni par mon degré d'instruction, mais je jouis d'un excellent sens de l'observation et d'une détermination à toute épreuve.

J'ai voulu démystifier l'idée que l'on se fait d'un inventeur et montrer que tout le monde peut se lancer dans le domaine de l'invention, à condition bien sûr d'avoir une bonne idée et d'y croire suffisamment pour y consacrer une partie de sa vie. Mais, comme vous avez pu le constater, entre avoir l'idée et la concrétiser, nombreux sont les obstacles que l'on ne parvient à surmonter que si l'on y croit de toutes ses forces. Si, d'aventure, vous voulez joindre les rangs des inventeurs et êtes tenté parfois de vous laisser aller au découragement, relisez les chapitres précédents, ils devraient vous donner la motivation nécessaire pour poursuivre votre entreprise.

Il faut dire également que j'avais l'intention jusqu'ici de démontrer que le simple fait de mettre au point une invention et de la voir produite par un groupe industriel ne signifie pas que vous allez automatiquement devenir riche. Il se peut même que l'ensemble de ces démarches vous conduise directement à une catastrophe financière. J'ai parlé dans cet ouvrage d'un homme d'affaires sans scrupules qui m'a volé une de mes inventions. Vous pourriez aussi être victime d'une semblable escroquerie à tout moment et dans un tel cas, malgré tous les efforts que vous aurez déployés, vous ne toucherez pas un sou…

Alors, il faut travailler dans un autre but que de devenir millionnaire, garder en tête la détermination d'aller jusqu'au bout de l'objectif fixé pour réaliser son rêve et goûter à la satisfaction d'avoir accompli quelque chose de valorisant. Ce sentiment m'habite de façon constante et se manifeste fréquemment, par exemple lorsque je vois un joggeur passer devant moi avec des Jog'O aux poings ou encore, un autobus scolaire qui déploie un bras d'éloignement. Je m'estime alors récompensé pour tous les efforts que j'ai mis dans la fabrication de ces produits. Tant mieux si en plus on accède à la fortune, c'est la juste récompense financière pour des mois, voire des années d'efforts soutenus.

Je crois sincèrement que si Graham Bell pouvait voir comment son invention a évolué, il aurait le même sentiment de fierté en songeant aux innombrables services qu'elle rend aujourd'hui. Joseph-Armand Bombardier serait, quant à lui, sûrement très étonné de constater que son entreprise fabrique dorénavant des avions. Et il n'en éprouverait pas moins de fierté en voyant tous ceux à qui son entreprise procure maintenant du travail…

Plus vous progresserez dans la réalisation d'une invention, plus vous ferez preuve d'imagination et d'astuce. Sans vous en rendre compte, vous développerez une facilité à trouver des solutions, facilité qui grandira sans relâche, simplement parce que vous aurez mis en branle tout un mécanisme. Le cerveau, régulièrement sollicité, ne cesse de démontrer ses capacités. En fait, on peut l'entraîner à réagir à des situations précises, comme ce fut le cas pour mon support à bicyclettes, ma Golf'O, mon bras d'éloignement, etc. Il faut continuellement l'alimenter, le stimuler, en le confrontant à de nouvelles difficultés qui requièrent des solutions.

Personnellement, j'aime lire les journaux pour y trouver des problèmes que je m'efforce de résoudre. La plupart du temps, ce petit jeu ne m'apporte pas grand-chose, sinon que je tiens mon cerveau en éveil et lui demande de demeurer attentif à toute complication susceptible de se présenter. En fin de compte, l'important, c'est de l'avoir fait travailler pendant quelques minutes ou quelques heures. Pratiqué régulièrement, cet exercice vous aidera grandement à résoudre les difficultés soulevées par vos inventions.

Inventer un produit, ce n'est pas trouver une seule solution, mais c'est faire un ensemble de petites découvertes qui aboutiront finalement à un résultat qui satisfait aux normes établies. Et pour arriver à lier ensemble toutes ces petites solutions, vous devrez solliciter votre subconscient, cet outil sublime qui travaille 24 heures par jour, sans arrêt… Pour obtenir des résultats, vous devrez le programmer en lui répétant continuellement les données qui vous sont connues et l'objectif que vous désirez atteindre. Il se chargera alors de vous donner la réponse, et ce, de façon parfois tout à fait inattendue, comme ce fut le cas avec mes clignotants d'urgence pour les feux de circulation.

Apprendre de ses échecs

Les échecs ne m'ont jamais arrêté, bien au contraire ; en plus de m'enseigner plein de choses, ils m'ont stimulé et fait grandir. Voici donc quelques inventions sur lesquelles j'ai investi beaucoup de temps, parfois aussi beaucoup d'argent et qui, finalement, n'ont pas connu le dénouement anticipé.

Le Bingo Bag

Un jour, alors que je rédigeais un rapport de vol dans une maison, la dame, qui m'avait reconnu, me demande si je ne pourrais pas concocter un sac spécialement destiné aux joueuses de bingo. Comme plusieurs joueuses de bingo, à cette époque, elle transportait ses jetons, son argent et ses cigarettes. Ses cartes de jeu couvrant entièrement son espace sur la table, elle devait mettre son sac à main par terre et craignait toujours de se le faire voler.

J'ai accepté son défi avec empressement et conçu un sac qui répondait à tous ses critères. J'ai même investi près de 5 000 $ dans un moule à injection de plastique pour fabriquer un fer à cheval qui servait à suspendre le sac à la table. Malheureusement, mon sac rejoignait tous ses critères à elle, mais pas ceux des autres joueuses.

En effet, un soir, je me présente à la salle de bingo située rue Masson pour présenter mon modèle de sac au propriétaire qui désirait en vendre. Quelle ne fut pas ma surprise de constater que les dames ne marquaient plus les cases de leurs cartes avec des jetons, mais avec un tampon. Pire encore, les tables étaient tellement épaisses que mon fer à cheval ne pouvait s'y accrocher. Dans ce dernier cas, au lieu d'un fer à cheval, j'aurais mieux fait de fabriquer un 7 chanceux qui aurait pu s'accrocher à toute épaisseur de table. Je m'en voulais terriblement.

Mon erreur, c'est que j'étais tellement certain du succès que connaîtrait ce sac que je n'ai jamais pris le temps d'aller dans une salle de bingo pour voir comment le jeu se déroulait. Je me suis plutôt contenté des renseignements fournis par cette bonne dame qui m'avait proposé l'idée et qui jouait de temps à autre seulement. En plus, à l'époque, je ne connaissais pratiquement rien à la couture ni aux coûts de la main-d'œuvre de cette industrie. Résultat, une belle perte de temps. Heureusement, certaines joueuses utilisaient encore l'ancienne méthode et aimaient bien mon fer à cheval, croyant sans doute qu'il allait leur porter chance. J'ai donc pu liquider les quelques centaines d'exemplaires que j'avais fait fabriquer.

Le Bingo Bag et son fer à cheval

Par contre, l'année suivante, en apportant une simple modification à mon moule de plastique, j'ai pu créer un petit jeu de fers d'intérieur que j'ai vendu en assez bonne quantité pour finalement sortir gagnant de cette aventure des sacs à bingo.

Bracelet sonore pour personnes souffrant d'Alzheimer

Vers le milieu des années 1980, un homme de 84 ans atteint de la maladie d'Alzheimer est disparu du centre d'hébergement où il habitait à Saint-Léonard. Il était tout bonnement sorti par la porte principale sans que quiconque ne s'en aperçoive. Pourtant, ce centre était équipé de caméras reliées au bureau du gardien de sécurité. C'était la deuxième fois qu'il réussissait à sortir ainsi en moins d'un mois. À la première occasion, il avait été repéré assez rapidement par les policiers à quelques rues seulement de sa résidence.

Cette fois cependant, ce fut différent. Malgré d'intenses recherches, nous ne l'avons localisé que le lendemain matin vers 6 heures. Le pauvre homme était mort d'hypothermie dans les marches de l'escalier arrière d'une maison située à une dizaine de rues seulement de son centre d'hébergement.

Ce genre d'événement impliquant des personnes atteintes de cette maladie était chose courante pour nous policiers. De plus, les statistiques démontraient clairement qu'en vertu du vieillissement de la population, ce problème ne cesserait de s'amplifier. Une fois de plus, je décidai de relever le défi de trouver un remède simple et efficace à ce problème récurant.

Me tournant vers un collègue qui avait troqué la profession d'électronicien pour celle de policier, je lui ai demandé de me fabriquer un bracelet sonore qui fonctionnerait sur le même principe que les systèmes installés dans les grands magasins pour contrer le vol à l'étalage. Il mit plusieurs semaines à réaliser le premier prototype, qui fonctionnait plus ou moins bien.

Au même moment, je travaillais sur cinq projets d'inventions simultanément et je trouvais que ça faisait beaucoup trop. Mais une autre chose me dérangeait encore plus. J'avais fait effectuer une recherche de brevets pour cette idée et le résultat s'avérait plutôt négatif au point de vue brevetabilité. En fait, c'était comme si je créais un marché secondaire pour le système antivol à l'étalage. Bref, je n'inventais plus, je copiais en quelque sorte un brevet existant. J'ai préféré abandonner cette idée.

Aujourd'hui, un bracelet semblable existe, mais, contrairement au mien qui sonnait dès que la personne passait la porte, celui-ci est relié à un GPS. Toutefois, il arrive parfois qu'il s'écoule un délai assez long avant que les préposés ne s'aperçoivent qu'un patient est disparu. Je demeure donc profondément convaincu qu'il vaut mieux empêcher carrément la personne de sortir de l'édifice que de la retrouver plus rapidement grâce au système GPS.

L'homme-sandwich électronique

Ce titre peut paraître loufoque, mais c'est celui qui décrit le mieux cette invention que je n'ai finalement jamais réussi à concrétiser. J'aime à penser que j'étais trop en avant de mon temps…

Cette idée m'est venue en 1987 alors que je regardais un film muet mettant en vedette Charlie Chaplin. Dans une des scènes, un homme-sandwich marchait dans une rue commerciale achalandée. Situons le personnage : il s'agit d'un individu portant deux panneaux-réclames en bois, l'un devant et l'autre derrière, retenus sur les épaules grâce à deux courroies. Chacun des panneaux affiche une publicité. Cette formule publicitaire, annonçant la plupart du temps un événement prochain ou les rabais d'un commerce du secteur, était très populaire jusque dans les années 1950, mais a complètement disparu depuis.

J'eus donc l'idée de faire revivre ce concept publicitaire, avec des panneaux d'affichage électronique portatifs au lieu des panneaux de bois. J'avais remarqué qu'on voyait de plus en plus de panneaux publicitaires électroniques le long des routes. C'était un phénomène assez nouveau à l'époque et je comptais bien en profiter pour innover à ma manière.

J'imaginais mes hommes-sandwichs vêtus d'un costume bleu et coiffés d'un chapeau melon semblable à celui des célèbres policiers Dupont et Dupond. Comme je visais le marché de la location d'espace publicitaire, il fallait que je puisse y programmer différents messages en fonction des besoins du client. Mon frère Denis, électronicien de profession, m'avait assuré qu'il n'entrevoyait pas de difficultés à ce niveau. Mais il était sceptique quant à la possibilité de trouver les piles rechargeables indispensables au fonctionnement des panneaux d'affichage.

Et Denis avait raison, je n'ai jamais pu trouver de piles assez puissantes pour permettre à une personne de circuler dans la rue pendant un minimum de deux heures. Il y avait bien les piles pour les caméramans, mais celles-ci étaient très lourdes et encombrantes. Sans compter que la personne aurait dû en transporter plusieurs autour de la taille pour atteindre l'objectif d'autonomie minimale de deux heures que je m'étais fixé.

Il y avait également le poids des deux panneaux électroniques qui posait problème. Il faut savoir qu'à cette époque, la technologie était nouvelle et les matériaux utilisés étaient loin d'être aussi légers qu'aujourd'hui. Bref, je faisais face à deux importants problèmes auxquels je n'ai jamais pu trouver de solutions. J'avais déposé un brevet sur cette invention, mais, devant l'impossibilité de la concrétiser, j'ai abandonné.

Croquis de l'homme-sandwich électronique

Je me souviens qu'à l'époque, j'avais fait part de cette idée à M. Gérard Brunet, alors propriétaire de la populaire station radiophonique CKLM. En vrai maniaque de la publicité, M. Brunet me passait régulièrement de bonnes commandes de Gourd'O avec le logo de CKLM. Celui-ci était tellement emballé par mon idée d'homme-sandwich électronique qu'il m'avait fait promettre d'être le premier à en louer. Il a dû me téléphoner cinq ou six fois par la suite pour savoir où j'en étais dans le développement de ce produit.

À la fois encouragé et découragé, après une année de vaines recherches, j'ai finalement renoncé à cette idée, avec comme objectif d'y revenir un jour lorsque la technologie le permettrait. Je ne l'ai pas fait, bien qu'aujourd'hui elle serait sans doute facilement réalisable.

Le Jogal'O

En 1992, un beau dimanche après-midi d'été, je pratiquais mon jogging autour d'un lac dans la région de Chertsey sous une chaleur torride. J'enviais les plaisanciers qui se baladaient sur le lac avec leur pédalo. L'idée de concevoir un tapis roulant qui me permettrait de pratiquer mon jogging sur l'eau a germé dans ma tête...

De retour à Montréal, j'ai dessiné un modèle pour ensuite confectionner un prototype miniature en bois. Mon idée était assez simple, c'est-à-dire que le tapis roulant ferait tourner une roue avec des pales, exactement comme dans le cas d'un pédalo. Mon mécanicien proposait plutôt d'utiliser une hélice. Comme c'était lui le spécialiste, nous avons

Croquis du Jogal'O

commencé à travailler sur son système de propulsion. Mais plus ça allait et plus ça devenait compliqué. À ce moment-là, j'étais tellement occupé que finalement, j'ai décidé de laisser tomber encore une fois. D'autant plus que je ne voyais pas un très gros marché pour cette machine, qui n'a plus fait l'objet d'aucune recherche.

Support à journal

Un matin de 1997, selon mon habitude d'alors, je suis allé déjeuner au restaurant Planète Œuf rue Masson à Montréal. Et comme bien souvent, le restaurant était bondé. Pendant que j'attendais avec deux de mes amis qu'une table se libère, j'ai remarqué que plusieurs personnes seules prenaient une table de quatre pour lire leur journal. J'en ai parlé à la patronne et elle m'a confirmé que c'était effectivement un problème.

Image en 3D de mon support à journal. L'idée était d'insérer de la publicité ou le menu entre les deux épaisseurs d'acrylique.

L'idée m'est venue de fabriquer un support publicitaire en acrylique pour lire le

Journal de Montréal. J'en ai fait fabriquer 50 à titre d'essai à un prix assez élevé. Mon objectif était d'intéresser Québecor afin qu'il en distribue dans les restaurants à des fins publicitaires. Mais les bonzes de Québecor n'ont démontré aucun intérêt pour la chose.

J'en ai donc vendu la majeure partie au prix coûtant dans différents restaurants de Saint-Léonard et Ville d'Anjou et le reste à été écoulé à ma boutique d'inventions. J'ai laissé tomber ce produit même si je suis toujours persuadé qu'il a sa place dans les restaurants, car le problème subsiste. Qui sait, peut-être même que les nouveaux dirigeants de Québecor trouveraient l'idée intéressante aujourd'hui!

Les jumelles pliables

Durant un spectacle de l'Orchestre symphonique de Montréal à la Place des Arts, j'avais remarqué que plusieurs personnes utilisaient des jumelles pour admirer de plus près Charles Dutoît et ses nombreux et talentueux musiciens. J'aurais bien aimé en avoir moi aussi, mais trop tard : il aurait fallu que j'y pense avant.

Moins attentif à la musique qu'à chercher de nouvelles idées d'inventions, j'ai commencé à imaginer des jumelles pliables et peu coûteuses qui se glisseraient facilement dans une poche de chemise. D'une simple pression de la main à leurs deux extrémités, elles se déplieraient pour prendre la forme de jumelles ordinaires. L'idée paraissait simple au départ, mais, comme c'est toujours le cas lorsqu'on invente, l'opération s'est avérée beaucoup plus compliquée que prévu.

Pour la partie carton de mon prototype, je me suis servi d'un paquet de cigarettes. Pour la partie lentilles, j'ai tout simplement acheté une petite paire de jumelles spécialement conçues pour les spectacles. Un genre de petit étui en métal qui, une fois ouvert à une extrémité, est prêt à être utilisé. En fait, en position ouverte, ces jumelles avaient une apparence pratiquement identique à celles que j'avais en tête. Après quelques essais et modifications indispensables, j'avais en main un prototype convenable qui fonctionnait à merveille.

Le problème est qu'on ne retrouve jamais de prototypes sur les tablettes des magasins. Il me fallait donc passer à l'étape de recherche et développement pour en arriver au produit fini.

Aucun souci au niveau du carton pliable, le fournisseur fut rapidement trouvé. J'avais déjà fait affaire avec l'imprimerie Ecco de Boucherville pour les cartons d'emballage de mes Jog'O. L'avantage avec cette entreprise est qu'elle peut insérer différents designs de carton sur une même plaque de découpage, pour accommoder ceux qui désirent de petites quantités pour débuter. C'est beaucoup moins dispendieux, car le coût de préparation de la plaque est partagé par plusieurs. Cette façon de faire me permettait d'avoir quelques centaines d'unités qui pouvaient me servir à effectuer les premières ventes et tester le marché.

Encore une fois, je ciblais le marché de la publicité par l'objet, comme pour plusieurs de mes inventions. Ce qu'il y a d'intéressant avec ce marché, c'est que vous négociez directement avec les entreprises et que les commandes sont souvent énormes. L'idée est d'arriver avec un nouveau produit attrayant, offrant une surface d'imprimerie assez grande et à un prix unitaire très bas. L'important est de ne pas viser le gros profit sur chaque item, comme c'est le cas pour le marché du détail, mais plutôt miser sur un petit profit à l'unité, sur une grande quantité cependant. J'adore ce marché, j'en ai même fait ma spécialité au fil des années. C'est d'ailleurs par l'entremise de ce marché que j'ai pu vendre près de quatre millions de Gourd'O à travers le monde.

Avant de me lancer dans les ventes de cette nouvelle invention, je devais toutefois disposer d'un produit fini. Et quand je dis fini, je sous-entends bien sûr que mes jumelles devaient, d'abord et avant tout, jouer le rôle pour lequel elles étaient conçues, c'est-à-dire rapprocher les objets qu'on regarde à travers ses lentilles. Il me fallait donc trouver des lentilles adaptables à mon design de carton, fonctionnelles et à un coût minimum. Impossibles à trouver sur le marché, je n'avais donc pas le choix de les fabriquer moi-même.

Ma solution, le moulage par injection de plastique. Le problème avec cette méthode est le coût du moule de fabrication qui est très élevé. En contrepartie, le coût de la pièce est minime. Je fis donc appel à Denis Labelle, mon mouleur préféré. L'entente fut rapidement conclue et scellée, comme d'habitude, par une chaleureuse et sincère poignée de main. Denis fournissait le moule et, pour ma part, je lui garantissais la fabrication des lentilles *ad vitam æternam*.

Tout allait donc pour le mieux et j'étais très excité à la seule pensée de recevoir bientôt mes premières lentilles. Évidemment, Denis n'ayant pas que ça à faire, j'ai dû attendre quelques mois pour recevoir mes premiers échantillons. Elles étaient belles, ces lentilles, un vrai travail de pro. Mais des jumelles, ça sert à rapprocher les objets, ce qui n'était pas du tout le cas. En fait, je ne voyais même pas la différence entre regarder avec les jumelles et sans les jumelles.

Ce fut alors le début d'un long calvaire de plusieurs mois, presque une année complète. Modifications, tests, erreurs, modifications, tests, erreurs, modifications… bref, un vrai travail de moine. La difficulté est que la fabrication de lentilles demande des connaissances très particulières que, finalement, nous n'avions pas. Résultat : abandon du projet après beaucoup de temps et d'argent investis. J'imagine qu'aujourd'hui, en quelques clics seulement, nous pourrions facilement trouver la bonne formule !

Le liquide avertisseur pour lave-glace

En 1987, frustré d'avoir à quelques reprises manqué de lave-glace en plein milieu de l'autoroute, j'ai décidé de remédier à cette situation. Ma solution fut de créer un liquide jaune moins dense que l'eau afin qu'il demeure à la surface du lave-glace. Lorsque celui-ci commence à sortir jaune, c'est le signe qu'il est temps d'en ajouter.

J'ai donc mandaté un chimiste pour me concocter un tel fluide. Et ça fonctionnait au point que ce liquide enlevait en même temps toutes taches de graisse sur le pare-brise! Très commode sur l'autoroute quand les insectes s'évertuent à s'y suicider. Le seul petit hic est qu'il subsistait une légère odeur d'huile après utilisation, ce qui est tout de même mieux que de manquer de lave-glace au milieu de l'autoroute.

Mais avant de me lancer dans la commercialisation, j'ai décidé d'aller présenter le produit à quelques garagistes pour connaître leur opinion. Et c'était une excellente initiative car tous ceux que j'ai rencontrés ont tenu à m'informer que la plupart des nouveaux véhicules étaient munis d'un système avertisseur qui éliminait ce problème. Tous étaient cependant favorables à l'idée de mon liquide, mais manifestaient en même temps une certaine crainte quant à ses effets sur les petits conduits en caoutchouc reliés aux éjecteurs du lave-glace. J'ai longuement hésité à me lancer dans cette aventure et j'ai finalement pris la décision de ne pas le faire.

Élément chauffant pour lave-glace

À peu près à la même époque, j'avais imaginé un élément chauffant pour éviter que le lave-glace gèle. Daniel Almeida, un bon *patenteux* comme je les aime, avait conçu mon prototype de démonstration qui fonctionnait également à merveille. Mais, comme dans le cas de mon liquide avertisseur jaune, les garagistes m'ont avisé que les nouveaux véhicules étaient également munis d'un tel système. J'ai décidé là aussi d'abandonner ce projet, qui s'est plus soldé par une perte de temps que d'argent.

Ma version du karaoké

En 1988, on m'avait désigné pour trouver des cahiers de paroles de chansons populaires que nous pourrions chanter en groupe lors de notre réception familiale de Noël. Mes recherches ne m'ont pas permis de dénicher ce que je cherchais. Puis, l'idée m'est venue de mettre des paroles sur une cassette de façon à ce que tous puissent lire les paroles en même temps sur un écran de télévision.

Presque au même moment, j'ai été invité dans une émission de télévision dont l'animatrice était Claire Pimparé, notre Passe-Carreau nationale. Je lui ai glissé un mot sur cette idée qu'elle a trouvée assez intéressante pour m'inviter à rencontrer son mari, Me Claude Bergeron, avec qui je me suis associé pour ce projet. Ma tâche était de produire un premier prototype fonctionnel et Claude s'occupait de la paperasse et de la commercialisation du produit.

Je connaissais un technicien de Radio-Canada et, ensemble, nous avons travaillé sur le premier prototype qui était assez satisfaisant mais avait besoin d'être amélioré. Claude et moi étions tellement occupés chacun de notre côté que nous avions beaucoup de difficulté à nous rencontrer. À cela il faut ajouter les complications et les coûts reliés à l'obtention des droits d'auteur sur les chansons. Finalement, devant la longueur des procédures et le manque de temps de part et d'autre, nous avons perdu l'intérêt pour la chose et avons abandonné. Résultat, minime perte monétaire, mais énorme perte de temps.

Aujourd'hui, quand je regarde les moniteurs de karaoké, je ne peux m'empêcher de penser à mes cassettes de paroles de chansons.

Jeux de société

Au cours de ma carrière, j'ai également besogné sur trois jeux de société. Le premier, développé avec un partenaire, Gilles Deshaies, s'intitulait «Le jeu mondial des inventions». Il s'agissait d'un jeu questionnaire relié directement au *Livre mondial des inventions* et qui permettait également de découvrir le cheminement pour protéger, développer et commercialiser une invention.

J'ai présenté le jeu à Valérie-Anne Giscard D'Estaing, éditrice du livre. Elle s'est montrée très enthousiaste à l'idée de le vendre en même temps que son livre. L'entente était cependant que je devais d'abord tenter l'expérience au Québec avant qu'elle fasse la même chose en Europe, advenant que le jeu connaisse le succès. Malheureusement, le manque de temps ne m'aura jamais permis d'aller plus loin avec ce projet.

J'ai également développé deux autres jeux, «Super Dragster», un jeu de course d'accélération, et «Dragsino», aussi un jeu de course mais comme un jeu de table de casino. J'ai fabriqué les prototypes, mais après quelques tests auprès de mes proches, j'ai laissé tomber. L'intérêt n'y était tout simplement pas. Une énorme perte de temps, beaucoup plus qu'une perte d'argent.

Une leçon à retenir pour la vie

Un jour, j'ai eu le projet de reproduire les personnages de Disney sur mes Gourd'O. L'idée était d'imprimer le corps du personnage sur la gourde et de recouvrir le bouchon d'un chapeau en plastique représentant la tête du personnage en question. Une façon pratique de protéger le bouchon des saletés. Un collet inséré autour du goulot retenait la tête à la gourde pour éviter de la perdre. J'ai donc fait réaliser des infographies couleur de chacun des personnages, Mickey, Minnie, Goofy, etc. Le résultat était hallucinant !

Je gardais soigneusement secrètes ces infographies depuis plusieurs années pour éviter que l'idée ne me glisse entre les doigts. Mais la réaction des quelques personnes de confiance à qui je les avais montrées ne me laissait aucun doute quant au potentiel de cette idée. Je les avais toujours dans ma valise, au cas où…

Un jour, une relation me met en contact avec deux hommes d'affaires juifs de Toronto qui détiennent les droits d'utilisation des logos de toutes les équipes de la LNH. L'idée de départ est de mettre sur le marché une collection complète de Gourd'O présentant tous les logos des équipes. Cette fois, c'est du sérieux, on parle de quantité astronomique. De plus, je suis seul dans l'opération, de sorte que je n'ai à partager mes revenus avec personne, sauf un pourcentage de 10 % à la personne qui m'a présenté aux hommes d'affaires en question.

La rencontre a lieu dans le restaurant de l'hôtel Sheraton de Dorval, à quelques pas de l'aéroport. Les deux hommes d'affaires sont sympathiques au possible et m'inspirent confiance dès le début. Tout se déroule à merveille, au point qu'on discute déjà des clauses du futur contrat à être signé. À ce moment, je suis sur un nuage et je n'ose même pas imaginer les quantités de Gourd'O que ça implique. Gigantesque !

Vers la fin de la rencontre, alors qu'on s'est entendus sur les points principaux du contrat, il me vient l'envie de leur présenter mes fameuses infographies des personnages de Disney au cas où il y aurait également de l'intérêt de leur côté. Je complète les informations sur le document de confidentialité dont j'ai toujours des copies dans ma valise, et je le leur fais signer. À la vue de mes infographies, ils *trippent* littéralement. Et, à partir de ce moment, il n'est plus question de la LNH, ils ont devant eux un produit qui peut faire le tour du monde.

Je leur remets une copie de mes infographies et on s'entend sur une prochaine rencontre, soit après qu'ils aient soumis l'idée à Disney. Je ne sais pas trop pourquoi, mais en quittant le restaurant, j'avais un mauvais pressentiment. C'était trop gros. J'ai par la suite eu quelques contacts avec ces deux hommes par l'entremise de l'intermédiaire qui me les avait présentés. Faut dire qu'à cette époque, mon anglais était presque nul. C'était le pire de mes handicaps, celui qui me faisait regretter mon manque d'intérêt pour l'école.

À un moment donné, ils m'ont demandé des échantillons du produit fini. Le problème est que pour fabriquer ces échantillons, il me fallait des moules. Et ces moules étaient très dispendieux. Il fallait aussi peindre la tête des personnages. Les choses commençaient donc à se compliquer. Je n'arrivais pas à trouver la façon de faire ces échantillons pour répondre à leur demande. J'ai finalement pris contact avec un intermédiaire chinois de Laval dans le but d'obtenir des échantillons à bon marché. J'étais encore à négocier des prix avec lui lorsque j'ai reçu un appel de mon intermédiaire pour m'annoncer une mauvaise nouvelle. Il venait d'apprendre que le département de marketing de Disney refusait systématiquement tout produit qui implique une décapitation de leurs personnages. Et c'est exactement ce que nous faisions en retirant la tête du personnage pour boire. Celle-là, on ne l'avait pas prévue.

Le projet fut donc abandonné sur-le-champ. J'ai alors voulu relancer le projet des logos de la LNH, mais l'intérêt n'y était plus. Que voulez-vous, après les avoir fait rêver à un marché mondial, je voulais les ramener à un marché nord-américain...

J'ai donc retenu cette leçon pour la vie : si tu offres un gâteau avec du crémage à une personne, elle ne voudra plus jamais de ton gâteau sans le crémage...

Chapitre 12

À la défense des inventeurs

« Un pessimiste voit la difficulté dans chaque opportunité,
un optimiste voit l'opportunité dans chaque difficulté. »
– Winston Churchill

À la suite de la perte de mon invention aux mains d'une entreprise en 1989, j'ai décidé d'écrire le livre *Une bonne idée vaut une fortune* dans le but de me défouler. Et j'ai réussi, au-delà de mes espérances. J'en ai écrit une partie avec la rage au cœur pour finalement m'adoucir et en faire un livre-guide pour dire aux inventeurs ce qu'il faut faire et, parfois, ce qu'il ne faut pas faire.

À la fin de mon livre, j'ai eu l'idée d'inclure un petit sondage. Je voulais surtout savoir si les inventeurs étaient prêts à se regrouper pour former une association dont la mission serait de protéger leurs droits et défendre leurs intérêts. J'ai reçu près de cinq cents réponses à mon sondage, dont 75 % d'inventeurs favorables au regroupement que je proposais. Certains d'entre eux allaient plus loin que de simplement dire oui à une association, ils proposaient des idées intéressantes. Au total, j'en ai identifié onze qui m'apparaissaient aptes à s'impliquer plus activement.

J'ai donc contacté ces inventeurs et les ai invités à une rencontre dans un restaurant de Laval. La décision de créer une association fut rapidement prise et la plupart des douze apôtres présents étaient d'accord pour s'engager, certains plus que d'autres. Parmi eux, on retrouvait Gilles Latulippe et Paul Boisvert, hélas décédé il y a quelques années déjà. J'étais très conscient que la personne qui allait prendre la présidence de ce mouvement devrait s'y consacrer corps et âme. Vers la fin de la soirée, j'ai donc demandé à tous d'identifier une personne qu'ils aimeraient nommer comme président. À l'unanimité, ils m'ont désigné pour jouer ce rôle, et j'ai accepté. Quant à Gilles et Paul, ils ont respectivement accepté les postes de vice-président et secrétaire-trésorier.

Dès lors, je savais que ma vie ne serait plus jamais la même.

Au départ, nous avions choisi comme nom le Fonds de solidarité des inventeurs du Québec (FSIQ) que nous avons incorporé comme OSBL (organisme sans but lucratif). Le FSIQ commença alors ses activités grâce aux bons soins de bénévoles comme Michel Winner, Gérard Labranche, Louise Caron, Gilles Latulippe, Paul Boisvert, Me Jacques Brunet et plusieurs autres qui travaillaient dans l'ombre, mais avec une efficacité exemplaire. À cette époque, mon temps était partagé entre ma famille, mon emploi de policier, le FSIQ et mes différentes inventions.

Nos premiers membres ont été recrutés parmi ceux et celles qui avaient répondu à mon sondage. La première réunion officielle du FSIQ a eu lieu le 12 février 1992 au restaurant Corvette à Saint-Léonard. Pour cette première rencontre, nous avions de la place pour 45 personnes, mais n'en attendions réellement qu'une vingtaine, incluant celles qui étaient présentes à la réunion de fondation à Laval. À notre grande surprise, 49 personnes se sont présentées de sorte qu'il a fallu emprunter quatre chaises à un commerce voisin ! C'était un heureux problème… et un excellent début.

Pour l'occasion, j'avais invité Jacques Tremblay et Jean-Louis Simard, alors président et vice-président d'Invention Québec, à venir nous parler de leurs services et de ce qu'ils entendaient faire, à court terme, pour les améliorer. Je dois préciser ici que les commentaires inscrits sur la plupart des réponses à mon sondage n'étaient pas très élogieux envers cet organisme.

Jean-Louis Simard (assis) et Jacques Tremblay

Et ce soir-là, plusieurs de leurs clients étaient présents dans la salle, y compris moi-même puisque j'y avais déjà ouvert une vingtaine de dossiers pour des inventions différentes. À la fin du souper, j'ai invité M. Tremblay à prendre la parole. Notez que j'aimais beaucoup cet homme, un passionné des inventions qui vouait un profond respect aux inventeurs. J'adorais m'entretenir avec lui et nos discussions passionnées duraient souvent de longs moments. Je pense qu'il m'aimait bien également. D'ailleurs, en 1989, il m'avait approché pour prendre le poste de président d'Invention Québec. J'étais honoré de sa demande, mais comme il me restait encore une dizaine d'années à ma carrière de policier, j'ai dû refuser. N'eût été de cette contrainte, me connaissant, j'aurais certainement accepté ce défi.

Quelques minutes après que Jacques Tremblay eut pris la parole, certains inventeurs se sont mis à lever la main pour exprimer leur opinion. Les choses ont alors commencé à se gâter et j'ai dû m'interposer, expliquant à tous que nous n'étions pas là pour critiquer les services d'Invention Québec, mais bien pour apporter des suggestions constructives pour les améliorer. Le calme est revenu et le reste de la soirée s'est déroulé dans la bonne humeur et le respect.

Malheureusement, mes deux invités n'ont rien noté, de sorte que les services n'ont pas connu d'améliorations par la suite.

Nous organisions une réunion par mois et le nombre de membres allait sans cesse augmentant. Mais, à chaque rencontre, les mêmes récriminations contre les services d'Invention Québec revenaient à la surface.

Au début de 1992, à titre de président du FSIQ, j'ai demandé à rencontrer Jean-Louis Simard pour lui faire part, encore une fois, de l'insa-

Une des premières réunions du FSIQ

tisfaction des inventeurs quant aux services de son organisme. J'avais alors en main une liste d'une vingtaine de suggestions d'améliorations à lui proposer. Je n'ai pas en tête les différentes suggestions, mais il y en a une que je n'oublierai jamais, car elle a donné lieu à une boutade de Jean-Louis qui allait devenir ma source de motivation pour les années à venir.

On s'était donné rendez-vous pour déjeuner dans un petit restaurant de la rue Jarry, tout près de son bureau. J'en étais à énumérer un à un les problèmes dont les inventeurs m'avaient fait part lorsque je suis arrivé à celui qui allait susciter un commentaire tout à fait inattendu de mon interlocuteur.

Au cours de la soirée rencontre du FSIQ, un de nos membres avait apporté une enveloppe contenant son rapport de recherche de brevets reçu d'Invention Québec. Cette enveloppe, arrivée par la poste régulière et non par courrier recommandé, était déchirée à sa base et laissait clairement apparaître une pile de feuilles de papier d'environ un pouce d'épaisseur. L'inventeur en question affirmait l'avoir reçue dans cet état et était furieux puisqu'il s'agissait d'un document ultra-confidentiel. On peut comprendre son désarroi quand on sait que la plus grande hantise d'un inventeur est de se faire voler son idée.

J'exposai donc ce fait à Jean-Louis, spécifiant que les rapports devraient tous être envoyés par poste recommandée et dans une enveloppe à bulles. J'ai à peine prononcé le mot bulles qu'il m'interrompt brusquement : « Des enveloppes à bulles, sais-tu combien ça coûte, ça ? Range ta liste, les inventeurs sont juste une bande de *chialeux*. » Il avait sans doute oublié que j'étais moi-même un inventeur ! Du tac au tac, je lui réponds que, s'il n'est pas prêt à remédier à un problème aussi simple que celui-là, il ne nous restera plus qu'à lancer notre propre gamme de services. Un petit sourire narquois est alors apparu sur ses lèvres : « Si tu penses nous concurrencer, t'as besoin de manger des croûtes en *tabarouette*. » C'est donc sur cette fausse note que prit fin notre petit déjeuner-causerie.

Pour tout dire, l'idée de me lancer dans une telle aventure ne m'avait même jamais effleuré l'esprit. Mais je voyais maintenant cette étape de mon cheminement comme un grand défi à relever, un défi comme je les aime. Avec le recul cependant, je sais que Jean-Louis n'avait pas dit ça de façon malicieuse.

Je ne serais d'ailleurs pas surpris qu'il ait complètement oublié ce court épisode de sa vie. Mais pas moi !

Invention Québec était alors en position de monopole, car aucun autre organisme n'offrait les mêmes services aux inventeurs indépendants, ni au Québec, ni ailleurs au Canada. En informant les membres du FSIQ que je m'étais ainsi fait rabrouer, je n'avais aucune autre alternative que de leur annoncer que nous allions mettre en place notre propre gamme de services.

Mais une autre chose me dérangeait chez Invention Québec. Après l'étape du brevet provisoire, nous devions nous trouver une agence de brevets pour passer à l'étape du brevet officiel. Cela coûtait une fortune. De 1984 à 1987, seulement pour mes brevets, j'ai dû verser une somme de 21 000 $ à l'agence Robic & Robic. J'en avais souvent parlé avec Jacques Tremblay et Jean-Louis Simard, mais aucun ne voulait s'aventurer plus loin que l'étape du brevet provisoire. Les circonstances feraient en sorte que c'est moi qui allais remédier à cette situation, comme vous pourrez le constater un peu plus loin.

Ça nous prenait maintenant des bureaux permanents et le nombre de membres le permettait. Toutefois, j'étais beaucoup trop occupé pour continuer à agir comme président et directeur général. Daniel Trépanier, membre depuis quelques mois, nous a offert ses services et il avait les compétences requises pour occuper le poste de DG. Un ami de longue date et agent immobilier, Rémi Roy, nous a proposé, à bon prix, un local rue de Jumonville à Montréal.

Au départ, nous avons décidé de nous limiter à offrir les services de recherche de brevets antérieurs et de dépôt de brevets provisoires. Un agent de brevets nous a alors recommandé Jean-François Poirier, un agent de recherche qu'il avait lui-même entraîné. En retour, Jean-François faisait rédiger les brevets provisoires par l'agent en question. À titre bénévole, Gilles Latulippe s'occupait de la section Québec du FSIQ et il faisait un excellent travail. Tout était donc en place pour faire grandir ce regroupement auquel j'attachais une grande importance.

Moi, Daniel Trépanier et Gilles Latulippe lors d'une réunion du FSIQ

Le Pavillon des inventeurs

En 1992, par l'entremise d'un bon ami, Gilles Ouellette, j'ai rencontré le président et directeur général du Salon national de l'habitation, Pierre Parent, pour lui présenter un projet de kiosque réunissant plusieurs inventeurs, tout comme je l'avais fait au début de ma carrière d'inventeur. Nous avons négocié durant quelques semaines pour finalement en venir à une entente. L'organisation du Salon de l'habitation fournissait la structure des kiosques gratuitement et le FSIQ payait la location de la surface. Je garantissais la présence de 20 inventeurs.

Après calculs, le FSIQ devait débourser 34 000 $ pour la location de la surface. La plupart des inventeurs ayant déjà investi beaucoup dans la protection et le développement de leur invention, il avait été convenu que chaque inventeur ne paierait pas plus de 500 $ pour son espace individuel. Ce qui assurait un total de 10 000 $ seulement. Il manquait donc 24 000 $. Pour combler cette différence, j'ai eu la permission de tenir une collecte de fonds dans notre kiosque. À noter que plus de 200 000 personnes visitaient ce salon pendant sa durée de dix jours. Je devais maintenant imaginer une collecte de fonds qui cadrerait bien avec cet événement et notre kiosque d'exposition.

J'étais littéralement emballé par cet ambitieux projet. Mais le plus difficile restait à faire, comme de convaincre les membres du conseil d'administration du FSIQ d'y adhérer. J'ai décidé de convoquer une réunion du conseil à laquelle quelques autres personnes se sont greffées. Tous étaient emballés par le projet, mais tous étaient également réticents à y souscrire, et c'était parfaitement compréhensible. Ce que je leur demandais était de jouer à pile ou face avec notre regroupement qui leur tenait tous à cœur.

En fin de compte, seul Paul Boisvert était prêt à signer l'entente avec le Salon de l'habitation. Paul, le meilleur inventeur que j'ai côtoyé dans ma vie, avait une telle confiance en moi qu'il aurait embarqué dans n'importe quel projet pour me faire plaisir. En toute honnêteté, je ne pouvais pas accepter sa signature. J'étais bien prêt à risquer mes sous, mais pas les siens, et il n'en avait pas beaucoup. Je me retrouvais donc seul à prendre le risque, mais j'y croyais. Je me disais aussi que notre organisme ne grandirait jamais s'il se contentait de ne faire que des soupers spaghetti une fois par mois.

J'ai donc décidé de signer seul. Ce faisant, je m'engageais à titre personnel pour une somme de 34 000 $. C'était gros, mais je savais qu'avec l'appui de nos dévoués et passionnés bénévoles, on pouvait faire un succès de cet événement. Il fallait maintenant trouver une idée pour la collecte de fonds, qui s'avérait la clé de la réussite, et amasser au minimum 24 000 $ pour couvrir les dépenses, le surplus devant être versé dans les coffres de notre regroupement.

En 1988, peu après l'arrivée des grosses pièces de 1 $, j'avais vu le reportage d'une journaliste qui demandait l'opinion du public concernant cette nouvelle pièce de monnaie. La plupart des hommes répondaient qu'elle était grosse et lourde, et qu'ils craignaient qu'elle perce leurs poches de pantalon. Bref, ils n'en voulaient pas. Si vous n'en voulez pas, donnez-les-moi, je sais quoi faire avec! m'étais-je dit. J'avais alors imaginé réaliser la plus longue chaîne de pièces de 1 $ au monde. L'idée était de mettre un ruban gommé par terre et d'inviter les gens à y déposer des pièces de 1 $ les unes à la suite des autres, jusqu'à ce qu'on ait fait le tour du Stade olympique.

J'en avais glissé un mot à Françoise Lavoie, de la Fondation Lucie-Bruneau. Elle avait adoré l'idée et tenu l'événement dans le Vieux-Port de Montréal. Cette expérience a été un échec sur toute la ligne, car elle ne lui a rapporté que quelques milliers de dollars. Mais ça pouvait s'expliquer. Au lieu de faire la publicité en annonçant la tentative d'établir un nouveau record Guinness, elle avait nommé sa campagne de financement « Le ruban d'or de la Fondation Lucie-Bruneau ». Ça enlevait tout le punch, car ce que les gens aiment, c'est de participer à l'établissement d'un record. De plus, elle était très mal position-née dans le fond du stationnement, si bien que les seuls à s'y rendre étaient les passagers d'un petit train pendant la balade.

J'avais donc une belle occasion de refaire cette collecte de fonds, mais, dans le cadre du Salon de l'habitation, ça ne m'apparaissait pas l'idéal. Il convenait donc de trouver une façon de la faire sur place et dans un espace restreint, c'est-à-dire dans le kiosque des inven-teurs. J'avais décidé d'aborder ce problème exactement comme je le fais pour toutes mes inven-tions, en établissant d'abord la liste des critères à respecter. Et bizarrement, c'est justement ce qui en a résulté: une nouvelle invention. Une espèce de table-brouette supportant une grande roue à l'intérieur de laquelle s'enroulait le ruban gommé où seraient collées les pièces de 1 $. Avec Gérard Labranche et d'autres inventeurs, nous avons mis quelques semaines à conce-voir cette drôle de machine.

Un autre record Guinness

Photo Albert VINCEN

Les inventeurs québécois tenteront de réaliser un nouveau record Guinness, en créant la plus lon gue chaîne de pièces d'un dollar du monde lors du Salon national de l'habitation qui a lieu du 2 février au 7 mars au Stade olympique. «Nous avons l'intention de recueillir des fonds au moye d'une technique spectaculaire», a déclaré le policier inventeur de la machine, M. Daniel Paquett

Il nous a fallu également plusieurs mois pour préparer le salon. Nous devions tout d'abord trouver les 20 inventeurs qui accepteraient de payer 500 $ pour louer un petit kiosque de 6 pieds sur 6 pieds, ce qui selon moi n'était qu'une simple formalité. Ce ne fut pas vraiment le cas. Toute personne en af-faires vous dira que 500 $ pour une présence au Salon national de l'habitation est un cadeau du ciel. Mais la plupart des inventeurs n'étant justement pas des gens d'affaires, certains trouvaient ce prix exorbitant ou exagéré alors que d'autres disaient ne pas disposer d'une telle somme.

Il y avait d'autres contraintes importantes. Certains inventeurs habitaient dans des régions éloignées et se voyaient obligés de payer une chambre d'hôtel pendant douze jours. Pour remédier à ce problème, des membres de la région de Montréal ont accepté de les héberger gratuitement pendant toute la durée du salon. D'autres inventeurs ne pouvaient s'absenter de leur travail pour une aussi longue période. Qu'à cela ne tienne, plusieurs de nos membres ont offert leurs services pour les remplacer dans leur kiosque durant leur absence. Finalement, au lieu de prendre 15 jours pour trouver nos 20 exposants, il nous en a fallu 30.

Pour motiver les visiteurs à mettre 1 $ sur la chaîne, j'ai demandé aux inventeurs exposants de donner un de leurs produits pour un tirage. La plupart des inventeurs membres du FSIQ, non-exposants, ont également accepté de donner quelques exemplaires de leurs produits, dont Paul Gallant, inventeur des casse-tête 3D. J'ai également contacté les dirigeants des entreprises manufacturières que je connaissais et qui fabriquaient des inventions québécoises, dont Bojeux, Dero, Rawdon Plastic, etc. Aucun n'a refusé de participer. Nous avons mis toutes ces inventions bien en évidence à l'entrée de notre

Tirage du panier d'inventions québécoises

kiosque, dans un immense panier d'épicerie prêté par la compagnie Cari-All.

Finalement, le kiosque des inventeurs québécois a connu un très grand succès, à un point tel que nous avons remporté le trophée Habitas pour le kiosque le plus populaire du salon. Il y avait tellement de monde dans notre emplacement qu'à un moment donné, Pierre Parent, le président du Salon de l'habitation, vient à ma rencontre et me demande de l'accompagner dans son bureau logé au dernier étage du stade. Il m'offre un verre de

Sans aucun doute, la plus grande attraction du salon

vin et m'informe qu'il a reçu des plaintes des exposants situés en face de nous. Il y a trop de monde et ça empêche les visiteurs d'entrer dans leur kiosque. Pire encore, l'attention de ces derniers est tellement attirée par notre kiosque qu'ils ne regardent même pas ceux d'en face. Ces exposants menacent donc de plier bagages et d'exiger un remboursement.

Pierre m'invite ensuite à le suivre jusqu'à la fenêtre qui donne directement sur l'aire d'exposition. C'était tout simplement hallucinant ! Il y avait des visiteurs ici et là un peu partout sur le site, mais, à notre kiosque, on voyait une énorme tache noire. Devant ce succès évident, nous avons immédiatement convenu de répéter l'expérience l'année suivante, mais, cette fois, en installant notre kiosque à un endroit qui éliminerait ce problème. À mon retour au kiosque des inventeurs, j'ai fait en sorte que l'allée soit moins encombrée et nos voisins ont apprécié le geste. Finalement, aucun d'entre eux n'est parti et le reste de l'événement s'est déroulé dans une ambiance des plus cordiales.

Paul Gallant, l'inventeur du casse-tête 3D, malheureuse-ment décédé le 13 septembre 2011

Moi, Micheline Desbiens, inventrice de la pâte à modeler Tutti-Frutti, et Daniel Trépanier

Une photo vaut mille mots !

Près de 12 000 $ enroulés sur notre roue magique. Et il restait encore beaucoup de place !

Pendant le salon, nous en avons profité pour rendre hommage à deux inventeurs qui ont connu un succès mondial avec leur produit, Paul Gallant avec son casse-tête en 3D, et Micheline Desbiens avec sa pâte à modeler Tutti-Frutti, commercialisée par Bojeux dans plus de 54 pays.

Il fallait nous voir partir le soir avec la roue magique, entourés d'agents de sécurité du salon, pour la placer dans un endroit sécuritaire. On aurait dit des convoyeurs d'argent de la Wells Fargo !

Certains inventeurs ont fait des affaires d'or, mais pas moi. Le flot de passants était tellement dense que les personnes derrière ne pouvaient pénétrer dans notre kiosque, avec comme conséquence qu'une infime partie seulement des 200 000 visiteurs ont pu accéder à la roue magique pour y déposer leur pièce de 1 $.

La seule ombre au tableau pour ces dix jours, c'est qu'un bénévole a trouvé le moyen de nous voler 1 000 dollars dans la caisse. On savait tous qui avait fait le coup, mais on ne pouvait le prouver ; j'ai donc dû me contenter de l'expulser du kiosque. Ce gars-là était venu de nulle part pour nous offrir ses services comme bénévole. Il a travaillé avec nous pendant sept ou huit jours et faisait un excellent boulot. Trois ans plus tard, je l'ai revu par hasard… dans une cellule de mon poste de police. Il avait été arrêté la veille pour un vol d'auto. Je l'ai confronté et il m'a avoué que c'était bel et bien lui qui avait volé l'argent, car, ce jour-là, son auto avait eu un bris mécanique et il avait besoin de 950 $ pour la faire réparer. Ma seule consolation est que ce n'était pas un inventeur.

Nous avions organisé un petit concours à la fin de la dernière journée, qui consistait à deviner combien il y avait de dollars sur la roue. Nous y avons tous été au hasard, mais Gérard Labranche, celui que je surnomme Einstein n° 2, a sorti un ruban à mesurer et s'est mis à faire des calculs à n'en plus finir. On se moquait bien de lui, mais, en fin de compte, c'est lui qui s'est bidonné à nos dépens en arrivant à seulement 4 $ du montant exact !

Mais 12 000 $, ce n'était pas suffisant pour couvrir le coût de l'événement de sorte que, tout compte fait, je suis resté avec un déficit d'un peu plus de 12 000 $. D'un côté, c'était tragique et, de l'autre, non, car nous venions de démontrer à Pierre Parent que nous étions une attraction incontournable pour son salon. J'avais alors une carte maîtresse dans mon jeu pour les négociations de l'année suivante. Je n'ai donc pas eu à régler cette dette… du moins pas cette année-là.

Le dernier jour, lorsque le salon a fermé ses portes, j'ai vu arriver trois agents de sécurité à toute vitesse dans notre kiosque. Ils venaient de recevoir l'ordre de Pierre Parent de saisir la roue pour s'assurer que cet argent lui reviendrait. Nous avions prévu une belle fête à la fin de la journée. Un de nos exposants, Léonard Couture, l'inventeur du Combo 2000, un magnifique appareil « 3 dans 1 » – cuisson, fondue chinoise et raclette –, était celui qui avait connu le plus grand succès dans notre kiosque, pour ne pas dire dans le salon au complet. Il nous a donc offert à tous un succulent repas de viande et fruits de mer, accompagné de fromage et de vin. Épuisés après plus de dix jours de travail ardu, on en rêvait tous depuis le matin.

Malheureusement, les agents de sécurité ne pouvaient attendre, donc pas question pour moi de rester avec le groupe. J'avais tout prévu, sauf comment retirer les pièces de 1 $ du ruban gommé, et il y en avait près de 12 000… L'opération a duré quelques heures, de sorte que, quand je suis redescendu au kiosque, après des mois d'un labeur acharné, je n'ai trouvé que des miettes et des bouteilles vides. Dur, dur d'être président !

Ce salon a été un immense succès à tous points de vue et particulièrement au niveau de la publicité dans les médias. Comme conséquence, quelques semaines plus tard, nous avons reçu une mise en demeure du Fonds de solidarité des travailleurs du Québec qui prétendait que le nom de notre organisme créait de la confusion avec le leur. Premièrement, ils étaient plus puissants que nous et, en plus, ils avaient parfaitement raison. La preuve en est que je passais mon temps à expliquer aux gens que nous n'étions aucunement liés à cet organisme. Le 16 avril 1993, le FSIQ devenait donc l'Association des inventeurs du Québec (AIQ).

Le « Pavillon des inventeurs » a été présenté chaque année par la suite jusqu'en 2001, sauf en 1997. Cette année-là, Pierre Parent avait décidé de confier l'organisation du kiosque des inventeurs à une autre personne. J'avoue ne pas avoir tellement apprécié. Selon une information, non confirmée cependant, dont j'ai eu vent plus tard, cette personne avait de très bons contacts et aurait reçu une somme substantielle du gouvernement du Québec pour organiser ce kiosque des inventeurs. Que voulez-vous, il paraît qu'en affaires il n'y a pas d'amis.

Le plus drôle c'est que quelques semaines après que j'eus appris cette nouvelle, l'individu en question a demandé à me rencontrer afin que je le mette en contact avec les inventeurs. Je vous laisse deviner ma réponse. Mais un mois environ avant le début du salon, Pierre Parent désire me voir : il souhaite mon aide pour trouver une vingtaine d'inventeurs, car à cette date, à peine une dizaine avaient officiellement confirmé leur présence.

Ma réponse ne s'est pas fait attendre, sauf que, cette fois, c'est lui qui avait une carte dans son jeu, qui valait 12 000 $. Et il s'en est servi : « Tu amènes 20 inventeurs au salon et j'élimine ta dette ou tu me payes immédiatement. » Un mois plus tard, j'étais donc présent au Salon national de l'habitation avec mes 20 inventeurs et les dix autres de mon collègue. Les cinq années suivantes, j'étais de retour au Salon de l'habitation avec toute mon équipe, Michel Winner, mon fidèle compagnon, en tête comme d'habitude.

La fin des opérations de l'AIQ

En 1992, avec deux bons amis, Gilles Latulippe et Jean-Paul Goulet, j'avais ouvert un petit kiosque pour promouvoir et vendre des inventions québécoises dans un centre commercial de l'est de Montréal. Mais nous manquions de place et avions alors une importante décision à prendre, fermer nos portes ou louer un local pour y aménager une vraie boutique. J'avais décidé d'aller de l'avant avec ce projet alors que mes deux associés, pour des raisons financières, préféraient ne pas suivre.

Daniel Trépanier aurait bien voulu que ce soit l'AIQ qui ouvre cette boutique ou du moins qu'elle soit partenaire dans ce projet. Mais ce n'était pas réaliste. Elle n'en avait pas les moyens financiers et, de plus, c'était un organisme à but non lucratif alors que ma boutique était une entreprise privée. Il me fallait également éviter tout conflit d'intérêt entre les deux entités. À cette époque, j'ai jonglé un certain temps avec l'idée de céder mon poste de président, mais personne n'en voulait. De plus, la plupart des bénévoles à qui j'en parlais m'avaient clairement indiqué que si je partais, ils feraient de même. J'avais donc décidé de rester en poste.

Malgré son travail acharné, Daniel n'arrivait pas à joindre les deux bouts. Les réunions, les services de propriété intellectuelle et les cotisations des membres ne

généraient pas assez de revenus pour lui payer un plein
salaire et, la plupart du temps,
c'est moi qui devais payer le
loyer de ma poche. Quelques
mois après l'ouverture de ma
boutique, il m'annonce qu'il
ne peut plus continuer et se
voit dans l'obligation de me
remettre sa démission afin de

Atelier de travail lors de la toute dernière réunion chapeautée par l'AIQ

se trouver un autre emploi. Comment aurais-je pu l'en blâmer, lui qui six mois
auparavant avait accepté de réduire son salaire de moitié tout en continuant de
travailler sans relâche pour atteindre la rentabilité.

Me voilà donc avec un sérieux problème sur les bras. J'ai toujours une
famille, une maison à Montréal et une résidence secondaire à Saint-Sauveur,
je viens d'ouvrir une boutique qui exige toute mon attention et qui n'est pas
encore rentable, je suis toujours policier à plein temps et je dois m'occuper de
plusieurs inventions. En plus, je me retrouve avec un organisme dont les coffres sont vides et pour lequel il y a encore un loyer à payer, et avec une dette
de 12 000 $ dont je suis responsable. En fait de merdier, j'ai rarement vu pire.
Je pense que c'est ce que Jean-Louis Simard voulait dire par « t'as besoin de
manger des croûtes ».

Pour couronner le tout, durant un souper à la maison, mon fils Éric m'annonce qu'il a un grand rêve à réaliser. Il voudrait pouvoir un jour jouer au
hockey avec les huit frères Paquette. Le problème est qu'à cause de la malformation à son pied gauche, il n'a jamais mis une paire de patins de sa vie. Mais
chez nous, un rêve est un rêve et, si on est prêt à y mettre les efforts nécessaires,
on va le réaliser. Et il m'a assuré qu'il était prêt à faire face à la musique. Peu
importe mes nombreuses occupations, Éric a toujours pris la première place
dans ma vie. D'ailleurs, j'ai scrupuleusement occupé soin de fixer mes rendez-
vous d'affaires assez tard le soir de façon à être toujours présent pour lui. Et ce
n'était pas une punition, croyez-moi.

Pendant près d'une année, tous les jours où je ne travaillais pas comme
policier, j'allais le chercher à la sortie des classes pour l'emmener à l'aréna.
La première fois, c'était pathétique, il n'arrivait même pas à se tenir debout.
Pendant au moins un mois, il a dû se servir d'une chaise comme appui. Au
début, il était la risée des autres patineurs, mais, après quelques semaines, les
gens ont commencé à l'encourager. Prenez ma parole qu'il en a bavé un coup.
Quelques années plus tard, il jouait sa première partie avec la famille et, le
15 mars 1999, il a compté cinq buts au cours d'une même partie ! La semaine
suivante, avant le début du jeu, je lui ai remis un magnifique trophée pour
commémorer cette grande réussite dans sa vie. Il a apprécié le geste et, depuis,
ce trophée trône bien en vue dans sa bibliothèque.

Inscription sur la plaque :
Félicitations à Éric « Rocket » Paquette.
L'exploit de l'année. Cinq buts le 15 mars 1999.

Je m'en voudrais ici de ne pas rendre hommage à Larry (Laurent Vigeant), mon beau-père, décédé il y a quelques mois seulement, qui depuis mes tout débuts comme inventeur a toujours été derrière moi pour m'épauler. Pendant que je travaillais sur mes mille et un projets, c'est lui qui entretenait mes deux maisons et qui s'occupait de préparer les commandes de mes clients et d'en assurer la livraison. Un travailleur infatigable que j'ai toujours comparé à un cheval de trait. Debout à 6 heures, boulot jusqu'à la brunante, souper à 18 heures et dodo à 20 heures, et le lendemain on recommence : lever à 6 heures… Mais plus encore, quand je ne pouvais être présent moi-même auprès de mon fils Éric, il a toujours été là pour me remplacer.

Si j'étais présent pour les sports d'Éric, je ne peux pas en dire autant pour ses études. En effet, comment aurais-je pu enseigner ce que je détestais par-dessus tout ? À ce niveau, je ne peux que dire bravo à Ginette qui faisait un travail remarquable. Une maman en or pour Éric, et ce, à tous points de vue.

Les meilleurs
amis du monde

Pour en revenir à la situation désastreuse de l'AIQ, ma première décision est de fermer le bureau. Je trouve donc un arrangement avec mon ami Rémi Roy, le propriétaire de l'édifice, et m'en sors à très bon compte puisque je connaissais une entreprise qui désirait notre local. Je réunis ensuite d'urgence le conseil d'administration ainsi que les bénévoles les plus impliqués pour leur annoncer ma décision de mettre fin aux activités de l'AIQ. Tous sont déçus mais comprennent parfaitement qu'il n'y a pas d'autre issue possible.

Pas question cependant de cesser les réunions qu'on avait réussi à mettre sur pied après de nombreux efforts et qui fonctionnaient très bien.

Avant de terminer ce chapitre, impossible pour moi de passer sous silence trois faits qui ont marqué mon mandat de président de L'AIQ.

L'invention qui a mené à mon divorce

Un samedi soir, pour une des rares fois que j'avais une soirée de libre, je venais à peine d'allumer la télévision pour regarder une partie de hockey lorsque la sonnette de la porte s'est fait entendre. Je n'attendais pourtant personne ce soir-là. En ouvrant la porte, je suis très surpris de me trouver face à un de mes membres, en larmes. Il m'annonce que sa femme vient de le laisser à cause de son invention. Nous avons pris quelques bières et discuté jusqu'à deux heures du matin environ. Lorsqu'il est reparti, il semblait en bien meilleure condition qu'à son arrivée. Je me souviens qu'immédiatement après son départ, Ginette m'a fait ce commentaire : « C'est pas une association que tu diriges, c'est une mission. »

Quelques mois plus tard, pour lui donner un coup de pouce, j'avais obtenu d'une journaliste qu'elle fasse un reportage sur lui et son invention. Quand j'ai vu le titre du reportage, je savais exactement de quoi il était question : « L'invention qui a mené à mon divorce ». Ce fut sans doute une bonne chose pour lui car la dernière fois que je l'ai rencontré, il était de nouveau en couple et heureux papa de deux beaux enfants. Il a également connu un bon succès avec son invention et fut même lauréat du concours de l'invention de l'année au Salon national de l'habitation quelque temps après.

Une cassette compromettante

Quelques semaines après l'arrivée impromptue de cet inventeur, je reçois un appel d'un type qui m'informe que son frère s'est fait voler son invention et qu'il est en train de faire une grave dépression. Il veut absolument venir me rencontrer avec lui pour que je l'aide, ce que j'accepte sans hésiter.

Moins d'une heure plus tard, ils sont tous les deux chez moi. L'homme à qui je venais de parler n'avait pas exagéré : son frère était vraiment dans un piteux état, au point qu'il n'arrivait pas à m'expliquer lui-même ce qui s'était passé. Je n'exagère pas en disant qu'il écumait de rage. Mais il avait sur lui la cassette d'une conversation enregistrée à l'insu de l'homme d'affaires qui l'avait arnaqué – et le mot est faible. Le pire est que, dans cet enregistrement, l'individu se vantait effectivement de l'avoir escroqué. Je n'en croyais pas mes oreilles, si bien que moi aussi je commençais à écumer de rage…

Hélas, l'inventeur était sans emploi et n'avait pas les moyens d'entreprendre une poursuite contre ce chevalier d'industrie. J'ai immédiatement communiqué avec Gilles Latulippe à qui j'ai fait écouter la cassette au téléphone. Gilles était également en beau fusil et, d'un commun accord, nous avons décidé de lui payer, de notre propre argent, une consultation chez un avocat.

À cette époque, j'étais assez bon copain avec le journaliste Gaétan Girouard qui dirigeait de main de maître l'émission *JE* à TVA. J'ai donc communiqué avec lui pour lui faire écouter cette fameuse cassette, que j'ai d'ailleurs encore aujourd'hui en ma possession. Sans hésiter une seconde, Gaétan demande à rencontrer l'inventeur qui, je dois le préciser, allait de mieux en mieux. Il suffit parfois d'un peu d'espoir pour replacer les choses.

Un peu plus tard, l'homme d'affaires fut confronté par Gaétan et, face à l'évidence, a reconnu les faits devant la caméra. Après la diffusion de l'émission, l'ordure a décidé de régler, à la grande satisfaction de l'inventeur.

Le président des illuminés !

Je ne pourrais clore ce chapitre sans vous raconter une de mes interventions à titre de défenseur des inventeurs québécois. Au cours des années où j'ai été président de l'Association des inventeurs du Québec, il m'est arrivé quelquefois de rencontrer certaines personnalités politiques, dont à plusieurs reprises Mme Rita Dionne-Marsolais, alors ministre de l'Industrie et du Commerce. Elle était vraiment sensible aux besoins des inventeurs. Il m'est même arrivé à quelques reprises de la rencontrer à son bureau pour en discuter. J'adorais cette dame et personnellement, je trouve qu'elle manque énormément à l'équipe du Parti québécois.

En 1998, madame la ministre m'invite à un cocktail du Parti québécois dans un hôtel du centre-ville de Montréal. Plusieurs ministres sont présents, dont Guy Chevrette, alors ministre des Ressources naturelles. À un moment donné, le ministre Chevrette vient à ma rencontre et entreprend de me conter différentes histoires en relation avec des inventeurs qu'il a croisés depuis son entrée en politique. Pendant au moins 30 minutes, il ne cesse de me vanter les mérites des inventeurs québécois, si bien que je le soupçonne de vouloir un jour me voler mon poste de président de l'AIQ. « Nos *patenteux* québécois ont de la jarnigoine, il faut les prendre au sérieux », qu'il disait.

Quelques mois plus tard, arrive la fameuse crise du verglas. Comme c'était devenu une routine chaque soir vers 17 heures, monsieur col roulé, André Cayer, président d'Hydro-Québec, faisait le bilan de la journée. Normalement, il était accompagné du premier ministre Lucien Bouchard. Ce soir-là cependant, le ministre Guy Chevrette avait dû remplacer le premier ministre au pied levé. Le point de presse se déroulait toujours de la même façon, M. Cayer expliquait les derniers développements de la journée, suivaient ensuite les questions des journalistes.

Michel Morin, populaire journaliste de Radio-Canada, posa alors une question à André Cayer : «Est-il exact qu'un inventeur québécois vous a contacté en 1995 pour vous faire part d'un système de dégivrage de fils électriques qui aurait permis d'éviter la situation actuelle?» Cayer sembla totalement déstabilisé par cette question. Voyant cela, le ministre Chevrette demanda la parole et fit ce commentaire qui faillit me faire tomber à la renverse : «Depuis le début de cette crise, il n'y a pas une seule journée qui ne se passe sans qu'on reçoive d'appels d'illuminés qui croient avoir trouvé une solution au problème du verglas sur les installations électriques. Et le même phénomène se produit depuis plusieurs années avec le toit du Stade olympique.» Lui qui, quelques mois auparavant, n'avait cessé de me vanter les mérites de nos bons «*patenteux* québécois» qu'il fallait prendre au sérieux, venait de les traiter d'illuminés.

Je réalisais du coup que toutes ces belles paroles étaient du vent. J'étais furieux et me sentais trahi. Quelques minutes plus tard, je couchais mes états d'âme sur papier : une lettre que j'ai ensuite fait parvenir à *La Presse* et au *Journal de Montréal*. Ma lettre fut publiée quelques jours après dans ces deux quotidiens.

VOUS L'AVEZ ÉCRIT !

TRIBUNE LIBRE

MESSAGE D'UN «ILLUMINÉ» AU MINISTRE CHEVRETTE

Le 25 janvier dernier, j'étais confortablement installé devant mon téléviseur en regardant la xième conférence de presse du premier ministre Lucien Bouchard sur la crise du verglas lorsque j'ai failli m'étouffer en entendant le ministre des ressources naturelles Guy Chevrette déclarer que, depuis le début de cette crise, il n'y a pas une seule journée qui ne se soit passée sans qu'Hydro-Québec ne reçoivent d'appels «d'illuminé(e)s» qui croient avoir trouvé une solution au problème du verglas sur les installations électriques. Il en a même rajouté en disant que le même phénomène se produit depuis plusieurs années avec le toit du stade olympique.

Ces illuminé (e)s monsieur Chevrette ce sont des québécois et des québécois inventifs qui tentent d'apporter des solutions à des problèmes qui nous touchent tous à différents degrés. Au prix que le toit du stade nous a coûté jusqu'à maintenant, on aurait peut-être dû prendre le temps de les écouter, ces soi-disant illuminé(e)s ! Une solution simple, efficace et économique aurait peut-être déjà été trouvée depuis fort longtemps. Bien que je n'ai aucune solution valable à apporter concernant la crise du verglas ou encore le toit du stade, je suis tout de même très fier de faire par des ces «illuminé(e)s» dont vous parlez monsieur Chevrette, j'en suis même le président.

Il y a quelques années déjà, lorsque des enfants sont morts, écrasés sous le poids de leur propre autobus scolaire, «l'illuminé» qui vous parle a inventé un bras d'éloignement qu'on retrouve maintenant sur la plupart de ces véhicules. Aussi, suite à une collision ayant causé la mort à une intersection où les feux de circulation étaient inopérants, ce même «illuminé» a inventé un système auxilliaire d'urgence qui permet au feu rouge de clignoter en cas de panne électrique... et je vous fais grâce monsieur le ministre, de plusieurs autres «illuminations» dont j'ai été victime.

Depuis plusieurs années déjà, je consacre la plupart de mon temps à valoriser le rôle des inventeurs autonomes québécois auprès des instances gouvernementales et je crois sincèrement avoir fait un bon bout de chemin. Mais d'un seul coup, vous m'avez convaincu que j'ai encore énormément de travail à faire. (À moins bien sûr que vos collègues ministres n'aient la même opinion que vous face à ces québécoises et québécois ingénieux).

Quoi qu'il en soit, monsieur le ministre, si tous les «illuminé(e)s» du Québec, que vous avez insultés du haut de vos illustres fonctions, décidaient de ne pas voter pour le parti Québécois aux prochaines élections, vous subiriez sans aucun doute la pire défaite de votre existence. Car ils sont nombreux, très nombreux. Au cas où vous ne l'auriez pas encore remarqué, monsieur le ministre, au Québec la créativité et l'ingéniosité, c'est une richesse naturelle. Mais avec vous à la tête de ce ministère, cette richesse naturelle risque de rester encore très longtemps inexploitée.

Daniel Paquette (Président)

Le Monde des Inventions Québécoises

Le lendemain même de la parution de cet article dans le *Journal de Montréal*, j'ai reçu un appel de Paul Carbonneau, un Montréalais, qui s'est présenté à moi comme étant l'illuminé dont parlait le ministre Chevrette. Il est venu me rencontrer le jour même à mon bureau pour me montrer les plans détaillés de son système de dégivrage de fils électriques. Il avait également avec lui un plan complet des installations électriques d'Hydro-Québec. De toute évidence, cet inventeur connaissait le réseau électrique québécois sur le bout des doigts.

Il avait également avec lui une lettre reçue d'Hydro-Québec dans laquelle on lui offrait une somme de 75 000 $ pour acheter son brevet. Somme dérisoire qu'il avait refusée net, considérant celle-ci comme une insulte.

Posons-nous donc cette question : offre-t-on 75 000 $ à une personne que l'on considère être un illuminé ?

Dans ma lettre ouverte, je mentionne : « Au prix que le toit du Stade nous a coûté jusqu'à maintenant, on aurait peut-être dû prendre le temps de les écouter ces soi-disant illuminés, une solution simple, efficace et économique aurait peut-être déjà été trouvée depuis fort longtemps. »

Eh bien, savez-vous que le nouveau toit du Stade olympique pourrait fort bien être l'affaire d'un inventeur indépendant ? En effet, c'est la technologie du toit rétractable de François Delaney qui a incité les administrateurs de la RIO à lancer un nouvel appel d'offres. François Delaney est un autodidacte, un ingénieux qui a déposé des centaines de brevets dans plus de 45 pays. www.delaneytechnologies.com

Un prototype fonctionnel qui inclut 5 ordinateurs. Un petit bijou de 300 000 $.

Les cartables insérés dans les casiers contiennent les centaines de brevets déposés à travers le monde.

Pour voir un reportage de l'émission *Découverte* de Radio-Canada sur François et son toit rétractable, rendez-vous sur Google et inscrivez les mots clés suivants : Stade olympique: le toit Delaney. Découverte. Radio-Canada.ca

Chapitre 13

Le Monde des inventions québécoises

« Tous pour un, un pour tous ! »

– Alexandre Dumas

L'AIQ étant maintenant chose du passé, je pouvais enfin me consacrer corps et âme à la mise en place de ma boutique d'inventions. J'étais confiant de réussir ce projet, car notre petit kiosque créé une année auparavant avait assez bien fonctionné. En tout cas, il ne nous avait pas occasionné de pertes financières.

L'idée de ce kiosque me trottait dans la tête depuis plusieurs années, mais je n'avais jamais vraiment eu le temps de la concrétiser. J'en avais glissé un mot à Gilles Latulippe, mon grand complice et responsable de la division Québec de l'AIQ, et à Jean-Paul Goulet, homme d'affaires et travailleur infatigable que j'aimais beaucoup. Ils étaient tous les deux très intéressés, mais avant d'accepter mon offre de partenariat, ils voulaient que je trouve un minimum de 50 inventions québécoises à offrir dans la boutique. Trente jours plus tard, le défi était relevé.

Pour débuter, nous avons loué un espace de 200 pieds carrés dans l'allée centrale du centre commercial le Carrefour de la Pointe à Pointe-aux-Trembles et y avons aménagé un kiosque avec une télévision grand écran pour expliquer les inventions. Nous avons eu beaucoup de publicité gratuite dans les médias, toutefois les ventes n'étaient toujours pas au rendez-vous. Mais plus il y avait de publicité et plus les inventeurs nous apportaient de nouveaux produits.

Si les gens venaient en grand nombre pour découvrir les nouvelles inventions, peu d'entre eux achetaient. En fait, nous étions plus une attraction qu'un magasin de détail. Nous avons donc subi des pertes importantes, mais la période des Fêtes a été salutaire. Du 15 novembre au

Kiosque d'inventions dans le mail central du centre commercial Carrefour de la Pointe

25 décembre, les ventes ont explosé, de sorte que nous avons comblé le manque à gagner des mois précédents.

Quelques mois avant la fin du bail, nous commencions à manquer de place et devions alors prendre une décision : continuer et louer un local plus grand ou mettre fin aux activités. De mon côté, j'avais rapidement exclu la deuxième option. Gilles a décidé d'abandonner parce qu'il ne pouvait pas vraiment s'impliquer : il habitait à Québec et avait un emploi à plein temps. Quant à Jean-Paul, il relevait à peine d'une période difficile, côté finances, et n'avait pas les fonds nécessaires pour embarquer dans une aventure de plus grande envergure.

J'ai donc décidé de plonger seul dans ce projet, un peu fou je l'admets, mais un super beau projet. J'étais alors parfaitement conscient qu'il me serait très difficile de rentabiliser les opérations, les frais fixes étant beaucoup plus élevés que ceux de notre petit kiosque. Mais pour une raison que je ne saurais expliquer, je me devais de le faire. Ma première tâche fut de repérer le local idéal, en tenant compte bien sûr de mon lieu de travail. C'est finalement à l'angle des rues Masson et 2e Avenue, dans le quartier Rosemont, que j'ai trouvé en plein ce que je cherchais. À moins de 100 mètres de la porte avant de mon poste de police… et moins de 5 mètres si je sortais par la porte arrière !

Le monde des inventions québécoises, une boutique très populaire

Trois mois plus tard, la boutique Le Monde des inventions québécoises (MIQ) ouvrait ses portes. J'avais engagé Michel Winner pour s'occuper de la boutique et de la comptabilité. Michel était toujours ponctuel et faisait un excellent travail. Je peux dire qu'avec lui dans la boutique, j'avais toujours la tête tranquille.

Je garde en mémoire une petite anecdote pour vous démontrer à quel point cette boutique a suscité de l'intérêt, même avant son ouverture. J'étais en train de faire la peinture et j'avais ouvert la porte d'entrée pour aérer la place. Un type qui attendait l'autobus s'est approché pour me demander quel genre de commerce allait ouvrir. Lorsque je lui ai expliqué que c'était une boutique d'inventions québécoises, il « *trippait* » littéralement. Il m'a annoncé qu'il travaillait à Radio-Canada et qu'il désirait faire une entrevue le plus tôt possible, question d'exclusivité de la nouvelle. Le lendemain après-midi, une équipe de Radio-Canada était devant la porte avec tout son attirail ! L'entrevue a été présentée au bulletin de nouvelles le soir même alors qu'il n'y avait même pas une seule invention dans le local.

Pour assurer la rentabilité de mon entreprise, je me devais de proposer les services de propriété intellectuelle, au minimum les mêmes qu'offrait Invention Québec, mais en tenant évidemment compte de la liste des améliorations à leur apporter. J'ai commencé par embaucher Jean-François Poirier qui jusque-là offrait ses services aux membres de l'AIQ. Il s'occupait des recherches de brevets antérieurs et des brevets provisoires.

Par la suite, j'ai engagé un ingénieur, Normand Godbout, qui avait la tâche d'évaluer les dossiers d'inventions. Normand habitait Sherbrooke, mais m'avait assuré qu'en moins d'un mois ou deux, il serait déménagé à Montréal. Il faisait un excellent travail comme évaluateur, mais tardait à tenir sa promesse. Il faisait l'aller-retour entre Sherbrooke et Montréal matin et soir et semblait de plus en plus épuisé. Un bon matin, il arrive une heure en retard et m'annonce immédiatement que c'est terminé, qu'il n'en peut plus et qu'il est au bord du burn-out. J'insiste pour qu'il traite au moins les quatre dossiers qui attendent, mais il refuse tellement il se sent mal. C'en était fait de mon évaluateur.

À mon retour de dîner, encore sous le choc, coup de théâtre, un jeune ingénieur du nom d'Alain Bélanger m'attend dans la boutique pour m'offrir ses services. À ma connaissance, jamais un gars n'a été engagé aussi rapidement. À peine avait-il signé mes ententes de confidentialité qu'il se voyait confier quatre beaux dossiers à évaluer. Vingt ans plus tard, Alain est toujours notre évaluateur.

Peu après, le MIQ atteignait la rentabilité pour la première fois de son existence. Nous étions alors en 1994 et la période des Fêtes approchait à grands pas. Il ne se passait pas une semaine sans qu'un journaliste ne vienne faire un reportage sur ma boutique, ce qui générait beaucoup d'achalandage.

À noter également qu'à cette époque, j'avais ma propre série d'émissions au canal communautaire de Vidéotron, *Inventeurs québécois d'aujourd'hui*. J'y recevais deux inventeurs par émission, qui venaient raconter leur histoire. En tout, j'ai conçu et animé 84 émissions. Les cotes d'écoute n'étaient pas très élevées, mais les téléspectateurs étaient, pour la grande majorité, des inventeurs. De plus, cette émission était diffusée à tour de rôle dans toutes les régions du Québec. Elle a continué à l'être pendant plusieurs années par la suite. Encore aujourd'hui, chaque semaine, invariablement quelqu'un m'en parle.

Même qu'un jour, à la suite de la diffusion d'une de mes émissions, j'ai eu la surprise de ma vie. J'étais à la maison lorsque le téléphone sonne ; en décrochant, j'entends une voix faible et tremblante dire : « Bonjour Daniel, je suis Germain, le fils de Joseph-Armand Bombardier. » J'étais sans voix. Notre conversation a été de très courte durée, mais elle restera gravée dans ma mémoire pour toujours. Il m'a félicité pour mon implication auprès des inventeurs et a ajouté que si son père était encore vivant, il me soutiendrait dans ma démarche. Je lui ai demandé si je pouvais le rencontrer, mais il m'a répondu qu'il était trop malade. Avant de raccrocher, il s'est excusé de ne pouvoir me parler plus longtemps. Quelques semaines plus tard, un article du *Journal de Montréal* annonçait son décès, à la suite d'une longue maladie.

Ma boutique était ouverte sept jours sur sept, ce qui m'obligeait à avoir quelques employés, à part Michel. Les ventes de la boutique ne suffisaient pas, à elles seules, à rentabiliser les activités sur une base régulière. Toutefois, la division des services fonctionnait à merveille et suppléait amplement au problème. Mais, durant la période des Fêtes, c'était la manne.

Je n'oublierai jamais la journée du 6 décembre 1995, par exemple. Quelques jours auparavant, la recherchiste d'une émission animée par Benoit Johnson à TVA m'avait invité pour une entrevue de 30 minutes en direct. J'étais à l'intérieur de la boutique et Benoit se trouvait en studio. L'entrevue avait lieu de 13 heures à 13 h 30 et se divisait en trois segments entrecoupés d'annonces publicitaires. J'avais installé une table devant moi avec plusieurs inventions que j'avais jugé être d'excellentes idées de cadeaux pour Noël. Un petit moniteur installé sur ma table me permettait de voir Benoit en studio.

L'entrevue débute et je me dépêche afin de présenter le plus grand nombre d'inventions possibles. Durant la pause publicitaire à la fin du premier segment, quelques personnes se pointent à la boutique en disant qu'elles venaient de voir le reportage à la télé. À la fin du deuxième segment, la boutique est pleine à craquer et les gens parlent fort au point que j'ai peine à entendre la voix de Benoit. De toute évidence, les gens ignoraient que l'entrevue n'était pas encore terminée. On a fait le troisième segment en criant et surtout, en riant. J'ai fait de bonnes affaires, cette année-là.

Au cours des mois qui suivirent cette entrevue, j'ai reçu 32 demandes de personnes désireuses d'ouvrir des franchises un peu partout au Québec. Bien que cette idée m'ait effleuré l'esprit pendant un certain temps, j'ai décidé de ne pas y donner suite, car j'étais loin d'être certain que ces boutiques seraient rentables.

Pendant la période où j'ai tenu boutique, j'ai également été sollicité à quelques reprises pour collaborer à l'organisation de salons d'inventions ou y agir à titre de président d'honneur, comme ce fut le cas à Black Lake, Val-d'Or et Gaspé. J'ai également dû refuser certaines demandes par manque de temps, comme au Saguenay, par exemple. Mon plus beau souvenir est le Salon des inventions de Black Lake où mon fils Éric m'accompagnait. Je mentionne ici que, lorsque c'était possible, Éric a toujours été à mes côtés pour les événements reliés aux inventions. Durant les salons, il avait un plaisir fou à remplacer les inventeurs dans leur kiosque quand ils voulaient souffler un peu. Les inventeurs l'avaient carrément adopté.

Avec mon équipe de la boutique, Michel Winner en tête, j'ai continué à organiser les réunions d'inventeurs à raison d'une par mois, sauf durant les vacances d'été où on faisait relâche. Michel était excellent pour rédiger des textes et s'occupait de notre bulletin d'information mensuel, *Le Prototype*. En tout et pour tout, nous avons organisé une centaine de réunions tout aussi intéressantes et motivantes les unes que les autres. Mais au début des années 2000, Internet a rendu la diffusion d'information tellement plus simple, plus efficace et moins dispendieuse que nous avons décidé de mettre fin à ces rencontres.

Le projet Canadian Tire

Au début de 1996, je décide de contacter le bureau des communications de Canadian Tire à Montréal pour leur présenter un projet que je caressais depuis un certain temps déjà. L'idée, qui était d'implanter des kiosques d'inventions québécoises dans tous les Canadian Tire au Québec, est reçue avec enthousiasme par Réjean Poitras, directeur du marketing, et les négociations débutent rapidement. Avant de nous lancer dans une telle aventure, nous étions tous d'accord pour commencer par un projet pilote. Le magasin choisi, dont la construction était à peine achevée, était situé à Saint-Hyacinthe. Il s'agissait d'un magasin à grande surface dont le propriétaire était Gilles Guimond, un gentleman dans toute la force du mot.

Si tout va pour le mieux, nous prévoyons être prêts à l'automne de façon à profiter de la prochaine saison des Fêtes. Tout se déroule comme prévu et nous sommes fin prêts pour l'ouverture officielle qui a lieu le 29 octobre. Le kiosque est de toute beauté et, pour y accéder, il faut traverser la planète Terre au milieu de laquelle la forme du Québec a été découpée. La soirée d'ouverture est grandiose et je me sens comme si c'était le début de quelque chose de très grand. En tout et pour tout, j'avais investi environ 20 000 $ dans ce projet.

Le Canadian Tire à l'heure de la grande surface

■ MARTIN ARCHAMBAULT

Ouvert depuis mercredi dernier, c'est toutefois demain (30 octobre) que le magasin à grande surface Canadian Tire soulignera officiellement son ouverture. En plus d'être cinq fois plus grand que l'ancien Canadian Tire et de compter le double d'employés avec 110, ce mégacommerce, qui a nécessité un débours de 14, 5 millions $, se démarque de ses petits frères: c'est le seul Canadian Tire où on retrouve le kiosque Le Monde des inventions québécoises, un kiosque où on ne vend que des inventions québécoises.

Bien que le nouveau Canadian Tire entre dans l'ère des grandes surfaces, et qu'il compte plus de 30 000 produits supplémentaires, il ne change pas de vocation pour autant. Le Canadian Tire reste le Canadian Tire. Des produits pour l'auto, de la quincaillerie, des articles ménagers et une gamme de produits pour les sports.

«Il n'était pas question de tomber dans l'alimentation ou les vêtements. Nous offrons des nouveautés, mais nous avons surtout augmenté le nom-

Le propriétaire du Canadian Tire, Gilles Guimond, s'est entretenu avec France Couture, de l'Association du Monde des inventions québécoises, au kiosque du Monde des inventions québécoises installé en permanence au Canadian Tire.

bre de produits de nos différentes gammes. Le consommateur peut donc compter sur une plus grande sélection de produits. Un des grands avantages de la grande surface, c'est qu'on peut maintenant acheter à longueur d'année des bâtons de golf ou des pièces d'équipement pour le hockey par exemple», a expliqué le propriétaire de la franchise, Gilles Guimond.

Parmi les nouveautés, le Canadian Tire offre désormais des logiciels, des cassettes, des disques compacts, une section de plomberie et une immense serre. Son centre de services à l'auto est aussi passé de huit postes de travail à seize.

Des produits et des inventions

Une des belles initiatives de ce nouveau magasin demeure sans aucun doute le kiosque Le Monde des inventions québécoises.

«Le Monde des inventions québécoises est une association qui regroupe des inventeurs québécois. Canadian Tire a signé une entente avec l'association pour devenir un réseau de distribution pour des inventions qui ont du potentiel. Près de 80 produits sont actuellement en magasin», a raconté Gilles Guimond.

Pour le lancement du 30 octobre, un nouveau jeu de société, Conducteur, sera d'ailleurs lancé en grande pompe.

Le kiosque est superbe, mais est situé à la sortie du magasin, immédiatement à la sortie des caisses. Ce n'est pas le meilleur emplacement, car les gens qui viennent de payer ne sont pas intéressés à retourner se mettre en ligne pour attendre de nouveau. Après quelques semaines, le problème est réglé en installant une caisse à l'intérieur du kiosque. Tout est prêt pour les Fêtes qui approchent à grands pas. Pour m'assurer que tout sera parfait, je fais la navette entre Montréal et Saint-Hyacinthe deux fois par jour. Je ne veux surtout pas manquer mon coup.

Finalement, tout se passe très bien et les ventes du kiosque atteignent un peu plus de 31 000 $ au 31 décembre. M. Guimond est satisfait et me dit qu'il n'a jamais eu autant de publicité gratuite depuis qu'il est concessionnaire de Canadian Tire. Vers la fin du mois de mai, les 91 propriétaires des magasins au Québec se réunissent en congrès à Drummondville. Certains d'entre eux ont entendu parler de ce projet pilote et sont intéressés à en savoir davantage. Je suis donc invité à prendre la parole pour leur en expliquer les tenants et les aboutissants.

Un mois plus tard, je reçois un appel de Nathalie Roy, responsable de ce projet pour Canadian Tire, qui m'annonce que 26 magasins désirent avoir un kiosque d'inventions et que tous tiennent à ce qu'il soit en place au mois d'octobre pour profiter de l'achalandage des Fêtes. Une dizaine d'autres concessionnaires ont mentionné être très intéressés, mais préfèrent attendre le résultat de l'année en cours avant de prendre une décision définitive. Je suis abasourdi, c'est le moins qu'on puisse dire. Une rencontre exploratoire est donc fixée pour la semaine suivante.

La principale difficulté est que les magasins de cette chaîne n'ont pas tous la même taille. En tout, il y a trois catégories différentes : petites, moyennes et grandes surfaces. Il est donc hors de question d'installer des kiosques identiques à celui de Saint-Hyacinthe dans les petites et même les moyennes surfaces. Il est alors décidé qu'au lieu des kiosques, les concessionnaires vont plutôt installer un îlot. Mais certains magasins ne peuvent installer un gros îlot et d'autres, oui. Le choix des produits qui se retrouveront dans chaque magasin pose aussi problème puisque nos produits sont nouveaux, donc inconnus. Une autre contrainte importante est qu'il n'y a que 26 magasins participants sur 91. Comment inviter les gens à se rendre dans ces magasins sans les identifier dans la publicité !

Qu'à cela ne tienne, nous allons de l'avant avec le projet. Évidemment, je dois négocier un emprunt important pour payer les frais d'installation, les  employés, les produits, etc. Comme je suis toujours policier, il est exclu que je parte faire une tournée des magasins pour expliquer les produits et voir à la bonne marche du projet. J'engage donc France Couture pour m'épauler, une femme d'affaires efficace et déterminée. Elle adore le projet et y met tout son cœur.

France Couture

Il nous faut un endroit pour entreposer les produits et préparer les commandes. Il y a aussi ma boutique qui est de plus en plus connue. Je m'attends donc à une période des Fêtes encore plus occupée que l'année précédente. De biais avec ma boutique, il y a un ancien magasin Distribution aux consommateurs inoccupé depuis plusieurs années et appartenant à Provigo qui s'en sert comme entrepôt. Je décide donc de tenter ma chance afin de louer l'emplacement à bon prix pour une période de cinq mois à compter du 1er septembre.

La responsable du département de l'immobilier de Provigo prend connaissance de ma demande, mais la refuse rapidement. Mais j'insiste et mets toute la gomme pour la convaincre de revenir sur sa décision. Elle promet alors d'étudier mon projet et de me donner une réponse définitive avant trois jours. À mon grand étonnement, elle m'appelle le lendemain matin pour m'annoncer qu'elle accepte. C'est un très gros pas de franchi pour la réussite de ce projet. Mais ce qui est encore plus intéressant, c'est que l'emplacement est parfait pour y aménager une boutique temporaire pour le temps des Fêtes.

C'est à ce moment que l'idée m'est venue d'y rassembler plusieurs inventeurs pour leur permettre de vendre leurs produits durant cette période. C'était parfait : les produits entreposés dans le vaste entrepôt situé derrière et La foire des inventions québécoises dans la partie avant. Nous avons donc pris possession des lieux vers la fin août et mis quelques semaines à aménager l'endroit pour y

La place idéale pour présenter notre foire des inventions

préparer les commandes des magasins Canadian Tire qui commençaient à arriver. Comme d'habitude, Michel Winner s'occupait de commander les produits aux inventeurs et également de la comptabilité. France s'occupait des magasins participants et Larry, de la réception des produits des inventeurs ainsi que de la préparation et de l'expédition des commandes aux magasins participants.

De mon côté, je devais toujours m'occuper de la division des services du MIQ, de mes inventions et de mon travail de policier. J'essayais de gérer tout ça du mieux possible dans les circonstances. Je me concentrais surtout sur la mise en place de la foire. Du côté des magasins Canadian Tire participants, les commandes de produits tardaient à arriver malgré nos appels répétés. Le problème majeur était que les directeurs de magasin ne connaissaient pas les produits et hésitaient à faire leur choix. France devait donc se déplacer pour les rencontrer afin de les aider à préparer leur commande. Mais tout s'est finalement placé et nous étions prêts à faire face à la musique.

Du côté de la foire, ce fut un succès monstre. Il n'y a pas une seule journée qui soit passée sans qu'on parle de nous dans les médias. Le premier samedi suivant l'ouverture, on avait même engagé l'animateur de radio André Pelletier de CKAC qui, chaque demi-heure, invitait les gens à venir nous visiter. Si j'ai réussi un événement dans ma vie, c'est bien celui-là. Les nombreux inventeurs sur les lieux ont fait des affaires d'or. C'était magique.

Quelques-uns des inventeurs exposants

La foire des inventions québécoises

Du côté de Canadian Tire cependant, ça n'allait pas aussi bien. Dans les magasins où les directeurs avaient vraiment à cœur la réussite du projet, les ventes ont été très bonnes, voire excellentes. Mais dans certains autres magasins, l'emplacement des îlots était mal choisi. Le projet, dans son ensemble, n'a donc pas connu le succès escompté.

La raison principale du succès mitigé est que, à la suite d'un événement totalement imprévu, la direction de Canadian Tire m'avait interdit d'en parler lors de mes entrevues avec les médias. En effet, un inventeur avait créé le « Quick Tye », un produit pour attacher facilement et rapidement la toile d'un abri d'auto temporaire dit « abri Tempo ». Son produit était tout nouveau et il m'avait demandé si je pouvais lui obtenir un reportage dans le *Journal de Montréal*. Un ami, Robert Leblond, avait accepté de faire une page sur son produit, mais n'avait pas spécifié la date de parution. Je ne savais pas non plus ce que l'inventeur avait dit à Robert.

Puisque c'était un produit relié aux abris d'auto, Robert a décidé de publier l'article début octobre, soit juste avant leur installation. Comme l'inventeur savait que son produit allait se retrouver dans les magasins Canadian Tire participants, il l'avait mentionné à Robert. Pour lui donner un bon coup de pouce, celui-ci avait très clairement spécifié dans son article que le produit était disponible dans les Canadian Tire.

Le matin de la publication, je travaillais comme policier. Dès mon arrivée au poste, mes collègues de travail m'ont approché pour en savoir plus sur ce produit. Vers 10 heures, Michel m'appelle de la boutique pour m'aviser qu'on a un sérieux problème. En effet, dans toutes les régions du Québec, les gens se précipitaient chez Canadian Tire pour se procurer des Quick Tye. Michel avait déjà reçu quelques appels de directeurs de magasins qui ne la trouvaient pas drôle du tout. Imaginez, aucun des 26 magasins participants n'avait encore reçu sa commande de produits puisque les livraisons étaient prévues pour le 15 octobre et les 65 autres magasins n'avaient même jamais entendu parler de la chose.

À mesure que l'heure avançait, les plaintes des directeurs s'additionnaient. Vers midi, je n'ai eu d'autre choix que de demander l'après-midi de congé pour tenter de minimiser la catastrophe. Ma première action fut de demander aux directeurs mécontents de prendre les commandes de leurs clients avec l'assurance qu'ils recevraient leurs Quick Tye dans les jours suivants. Ils ont apprécié ma suggestion et la tension a diminué d'un cran. En passant, excellente façon d'entrer un nouveau produit chez Canadian Tire, mais très peu recommandé pour se faire des amis.

Il faut savoir que le reportage de Robert Leblond a été diffusé un vendredi alors que plusieurs personnes avaient prévu installer leur abri d'auto durant la fin de semaine. Ceux qui habitaient dans la région de Montréal pouvaient toujours venir chercher leur Quick Tye à la boutique, mais, pour les autres, impossible de les avoir pour le lendemain. Ce fut l'enfer pendant des semaines, car bon nombre de personnes avaient retenu ou découpé l'article et continuaient d'affluer dans les magasins.

Le lundi suivant la publication de l'article, les responsables du projet des kiosques et quelques membres de la direction de Canadian Tire ont demandé une réunion d'urgence pour faire le point sur la situation. Ils ont bien compris que les causes de cette crise étaient hors de mon contrôle. En même temps, nous avons tous pris conscience du problème causé par le fait que seulement 26 magasins sur 91 participaient au projet des kiosques. On m'a alors demandé formellement de ne pas mentionner ce projet durant mes prochaines entrevues dans les médias. Selon moi, c'est ce qui a tué le projet.

D'un autre côté, je dois reconnaître qu'ils avaient parfaitement raison. En regard à la mauvaise expérience que nous venions de vivre avec les Quick Tye, comment aurais-je pu faire la promotion du projet sans créer une crise aussi grave dans les magasins qui ne participaient pas ? Je ne pouvais tout de même pas énumérer la liste des magasins participants durant les entrevues.

Le 8 avril 1998, j'ai reçu le rapport officiel des ventes accompagné d'un sondage sur l'appréciation du projet réalisé auprès des magasins participants. Les résultats, autant du côté des ventes que du sondage, étaient décevants. Bien entendu, en tête de liste des erreurs de parcours, cette fameuse histoire des Quick Tye. Après avoir pris connaissance de ces documents, j'en suis venu à la conclusion que la condition incontournable pour faire un succès de cette entreprise était que tous les magasins participent, sans exception. Cinq jours plus tard, j'ai avisé par écrit la direction de Canadian Tire qu'il fallait maintenant que les 91 magasins participent, sans quoi je me retirais de l'affaire. Étant donné que la direction ne pouvait obliger les propriétaires à participer, c'est exactement ce que j'ai fait.

Ce projet était le plus important et le plus ambitieux de ma carrière d'inventeur. Son succès aurait permis à des centaines, voire des milliers d'inventeurs québécois de faire connaître leurs inventions et de sonder le marché avant de décider d'une commercialisation à grande échelle. Il leur aurait également permis de récolter les fruits de leur travail et, dans la plupart des cas, de récupérer en partie ou en totalité les sommes investies dans leur projet. Je suis profondément déçu du résultat et de la façon dont ça s'est terminé. Mais comment aurais-je pu prévoir les problèmes occasionnés par le fait que seulement 26 magasins sur 91 adhéraient au projet alors que les experts de Canadian Tire ne les avaient pas prévus eux-mêmes.

Avec le recul, je pense que la meilleure solution, après le grand succès obtenu à Saint-Hyacinthe, aurait été d'ouvrir seulement un deuxième kiosque identique au premier, la deuxième année. De toute façon, il n'aurait pas été possible d'élargir le projet aux 91 magasins avec si peu de temps devant nous. Après quelques années de succès avec deux, quatre ou six magasins à grande surface, il aurait été plus facile de trouver le financement nécessaire pour étendre le projet de façon identique à tous les magasins.

Pour vous donner une bonne idée de ce qu'aurait pu générer ce projet, prenons l'exemple de Rhonda Genest, inventrice du désherbeur Dee Weeder que vous pourrez découvrir plus en détail à la section «Hommage à 50 inventeurs». Rhonda a présenté son produit au propriétaire du magasin Canadian Tire situé près de chez elle, qui a accepté de faire un test de marché. Pendant cinq mois, plus de 400 unités ont été vendues. À la suite de ce succès, 30 autres magasins ont emboîté le pas et, aujourd'hui, son produit est vendu dans tous les Canadian Tire au Canada et dans plusieurs autres magasins.

Peut-être qu'un jour, cette expérience sera tentée de nouveau, que ce soit par Canadian Tire ou une autre chaîne de magasins. Dans ce cas, notre travail n'aura pas été vain et servira à éviter les mêmes erreurs.

Le début de l'année 1998 fut fertile en émotions sur le plan personnel, car c'est à cette époque que Ginette m'a annoncé qu'elle en avait marre et désirait refaire sa vie. Difficile de la blâmer, après avoir été mariée pendant 24 ans avec un courant d'air... Voici d'ailleurs une anecdote douloureuse qui va confirmer cette dernière constatation.

Un soir, et plus précisément un 23 juin d'une année que j'ai oubliée, Ginette et moi sommes invités à souper avec plusieurs autres membres de la famille chez une vieille tante. À la fin du repas, les lumières s'éteignent subitement et je vois arriver notre hôte avec un gâteau plein de chandelles. Je me tourne prestement vers Ginette et lui demande « c'est la fête à qui ? » et elle me répond illico « c'est la mienne ». Personne ne mérite de vivre cela.

Mais redevenir célibataire n'a pas que des mauvais côtés, j'avais maintenant beaucoup plus de temps pour vaquer à mes nombreuses occupations… et en trouver d'autres.

Le succès incontestable de la foire m'a incité à répéter cet événement les cinq années suivantes. Et chaque fois, ce fut un grand succès. Voici d'ailleurs une petite histoire à ce sujet. Durant la foire des inventions de 2001, comme c'était devenu la tradition depuis plusieurs années, je suis invité à l'émission *Salut bonjour* de TVA pour y présenter nos nouvelles inventions. Cette année-là, un de nos exposants, beauceron de son état, présentait ses tout nouveaux patins à roues alignées munis d'un ingénieux système de freins. Ce matin-là, j'étais particulièrement en verve et ma présentation des différentes inventions fut de loin la meilleure de ma carrière. Tout spécialement la présentation de ces fameux patins.

Guy Mongrain était emballé par cette invention de même que toute l'équipe en studio. À mon retour à la foire, des dizaines de personnes attendaient en ligne pour acheter ces fameux patins. L'inventeur était complètement dépassé par la situation et dut se rendre à son entreprise de Saint-Georges-de-Beauce pour procéder à l'assemblage de dizaines de paires de patins. Il dut refaire ce voyage à trois reprises durant la tenue de l'événement. À quelques jours de la fin, complètement épuisé physiquement, il devait se contenter de prendre les commandes. Aussi loin que je puisse me souvenir, je n'ai jamais vu un seul inventeur sortir perdant d'une de nos foires d'inventions.

Le super rallye charivari de Rosemont

En 1998, pas assez occupé à mon goût… j'ai décidé de récidiver en présentant à nouveau un rallye charivari dans le quartier Rosemont. Fort de mon expérience avec le curé Gosselin en 1989, pas question cette fois de me lancer dans cette aventure à titre bénévole. J'ai donc consacré quelques semaines à préparer le document de présentation que j'ai ensuite remis à Doris Laflamme, présidente de la SIDAC Masson (Association des marchands de la Promenade Masson).

Le projet fut accepté tel quel à la première réunion du conseil d'administration. En échange d'une intéressante somme d'argent, je m'engageais à présenter cet événement qui mettrait en lumière les commerçants du quartier Rosemont. Pour attirer plus de participants, j'y avais ajouté un volet pédestre. Le parcours de ceux qui participaient au volet cycliste couvrait tout le quartier Rosemont, alors que le volet pédestre se déroulait sur la Promenade Masson. Les équipes pouvaient choisir de faire les deux, ce que la plupart ont fait. Comme pour mon premier rallye de Saint-Léonard, l'événement visait la participation de la famille complète, chaque équipe pouvant comporter autant de membres qu'elle le désirait.

Photo prise lors de la conférence de presse annonçant la tenue du rallye. À l'extrême gauche, Michel Winner, mon fidèle compagnon, et au centre, Ménick, le barbier des sportifs, entouré de quelques inventeurs membres du MIQ.

Au départ, on remettait aux participants une carte du quartier Rosemont, pour ceux qui avaient choisi le volet cycliste, et une carte de la Promenade Masson pour ceux qui préféraient le volet pédestre. Chaque équipe recevait également un livret qui contenait une série de 15 photographies représentant chacune un commerce. Sur chaque photo étaient inscrits une lettre et un chiffre correspondant à un secteur du quartier que l'on retrouvait sur la carte remise aux participants, avec évidemment une variante pour les équipes du volet pédestre. Les équipes devaient localiser chacun de ces commerces et y cueillir une lettre à l'intérieur.

Après avoir collectionné les quinze lettres, les équipes devaient trouver le mot mystère du rallye en jouant à charivari. Toutes les équipes qui avaient identifié ce mot étaient automatiquement éligibles au tirage de différents bons d'achats offerts par les commerces participants et, évidemment, de plusieurs produits de nos inventeurs québécois. Tous les parcours se terminaient au parc Pélican situé à l'angle de la rue Masson et de la 1re Avenue, où une grande fête familiale attendait les participants.

Super rallye charivari de Rosemont

L'événement a eu lieu le 30 août sous la présidence d'honneur de Ménick, le barbier des sportifs. Cette fois, dame nature a offert sa collaboration. Les bénévoles étaient en majeure partie composés d'amis inventeurs et de gens du quartier. Dans l'ensemble, ce fut un très beau succès et tous se sont bien amusés. La fête familiale suivant la fin du rallye lui-même fut particulièrement appréciée par les familles du quartier, peu fortunées pour la plupart. Nous leur avons servi des milliers de hot-dogs et de boissons gazeuses. André Pélissier, l'inventeur du «Tire-pousse», a même réalisé un record Guinness

Plus de 14 vélos liés ensemble par les « Tire-pousse » d'André Pélissier

en joignant entre eux 14 vélos qui ont parcouru ainsi attachés plus de trois kilomètres. Plusieurs inventeurs et *patenteux* québécois étaient sur place pour exposer leurs inventions.

Quelques mois après ce rallye, j'ai été invité à une magnifique réception, à Sherbrooke, par le Regroupement des associations de marchands du Québec. On m'a alors décerné une plaque honorifique pour la personnalité de l'année ayant le plus fait preuve de créativité dans le but de promouvoir les commerçants de son quartier. Le succès de cet événement m'a alors convaincu qu'un jour ou l'autre, mon projet initial d'un rallye pédestre dans le métro de Montréal allait se concrétiser. Ce que je sais cependant, c'est que ce n'est pas moi qui vais l'organiser. Quiconque aimerait faire l'acquisition de mes droits pour cet événement est le bienvenu.

Courtier en inventions

Depuis mes débuts comme consultant auprès des inventeurs, il m'était arrivé à plusieurs reprises d'être approché par des individus ou groupes d'individus qui désiraient agir à titre de courtier en inventions. J'ai toujours collaboré avec eux, mais aucun n'a survécu plus de quelques mois dans ce rôle. Je connaissais la plupart des raisons qui avaient incité ces personnes à abandonner, mais je voulais vivre cette expérience par moi-même et, surtout, satisfaire mon désir de toucher personnellement à toutes les facettes du domaine de l'invention.

Peu après mon retour d'un voyage à Paris, j'ai décidé de tenter l'expérience, mais je n'étais pas prêt à le faire seul. J'ai donc demandé à France Couture de m'accompagner dans cette nouvelle aventure. Mais pour mener à bien ce projet, je devais me libérer de la boutique et de la section des services en propriété intellectuelle. Jean-François Poirier et Alain Bélanger ont pris en charge ces services et j'ai cédé la boutique à Jocelyne Vaillancourt, qui travaillait pour moi depuis un certain temps. Je n'oublierai jamais ce jour, car

Jocelyne ne voyait plus l'utilité de garder Michel Winner comme employé, et moi j'avais France Couture comme associée. J'ai donc eu la pénible tâche d'annoncer à Michel que je devais me séparer de lui. Ce fut un des moments les plus difficiles de ma carrière d'entrepreneur.

France et moi avons ensuite loué un bureau à Ville d'Anjou et mis en place la structure nécessaire aux opérations. Les démarches pour approcher les compagnies étaient longues et fastidieuses et menaient rarement à une conclusion positive. L'expérience fut donc peu concluante et de courte durée. Après une année d'activité, nous avons mis un terme à cette affaire. J'ai immédiatement repris les rênes de la section des services et quelques mois plus tard, épuisée, Jocelyne Vaillancourt m'a offert de reprendre la boutique, ce que j'ai accepté illico. Dans les heures suivantes, Michel était de retour à la boutique.

À partir de ce moment, j'ai eu vraiment l'impression d'avoir touché à toutes les facettes du domaine de l'invention. J'étais maintenant persuadé d'avoir en main tous les outils nécessaires à la préparation et à la réalisation du projet de ma vie, l'Inventarium. Cette fois cependant, j'étais bien déterminé à ne pas me lancer dans l'aventure avant d'avoir pris ma retraite de la police.

Le jeu « Évasion »

Mais on n'arrête pas un cerveau de fonctionner aussi facilement. Depuis le tout début de mon engament auprès des inventeurs, il m'est arrivé à de nombreuses reprises de recevoir des appels de détenus qui croyaient avoir une bonne idée d'invention. Vers la fin de 1999, j'en ai reçu trois ou quatre en moins d'une semaine. J'étais agréablement surpris, mais, en même temps, je me disais que ces prisonniers avaient probablement beaucoup plus de temps pour penser à de nouvelles inventions que quiconque.

Cela m'a donné l'idée d'un coup de marketing que je compte bien utiliser un jour pour aider à faire connaître l'Inventarium. Ce projet consiste à lancer un concours où seront invités les pensionnaires d'institutions carcérales du Québec à inventer un nouveau jeu de société. Les critères et règlements du concours seront distribués dans toutes les prisons du Québec et les participants devront travailler seuls à la création du jeu.

Pourquoi un jeu de société au lieu d'un quelconque produit, me direz-vous ? C'est parce que dans le cas d'un produit, il y a obligation de faire effectuer une recherche de brevets antérieurs avant d'envisager son développement. On n'a qu'à penser à un détenu qui travaillerait pendant un an sur un produit déjà commercialisé ou qui fait l'objet d'un brevet antérieur. Il ne pourrait gagner le concours et son rêve s'arrêterait net. Avec un jeu de société, c'est différent ; tout ce que ça prend, c'est un sujet, de l'imagination, du papier et quelques menus objets qu'on trouve partout en magasin, dés, jetons, figurines, etc.

Le concours durera 12 mois et un jury sera formé pour déterminer quel jeu représente le plus gros potentiel commercial. Inventarium s'engagera à le commercialiser sous le nom Évasion, et Escape pour le marché anglophone. Des redevances de 7 % sur la commercialisation du jeu, ce qui est la norme, seront remises au concepteur gagnant.

Pour faire le lien avec les détenus, j'ai l'intention d'approcher Michel Dunn, ex-avocat qui a été emprisonné pendant 17 ans et qui, pendant sa détention, a agi comme président du Comité des détenus. Depuis sa libération, il est en quelque sorte devenu leur porte-parole. Imaginez le punch publicitaire : un policier qui incite les prisonniers à inventer le jeu Évasion par l'entremise d'un avocat ! Les gardiens seront aux aguets !

Le slogan du concours : « Faites travailler vos cellules ! »

Les médias

Pendant la période où j'ai tenu ma boutique, j'ai reçu beaucoup d'attention de la part des médias, et ce fut très apprécié. La très grande majorité des journalistes, animateurs ou animatrices que j'ai eu la chance de rencontrer ont été adorables, mais celui que j'ai le plus apprécié est définitivement Jean-Pierre Coallier. Il était une coche au-dessus des autres. J'ai été invité à plusieurs de ses émissions, seul ou avec d'autres inventeurs. Je n'ai jamais vu un animateur aussi aimable, intéressé et attentif aux explications de ces derniers.

Je me souviens tout particulièrement d'une soirée où nous étions six inventeurs en studio, dont Paul Boisvert, 85 ans, inventeur d'une toilette écologique qui ne consomme que 2,3 litres d'eau. Jean-Pierre était agenouillé devant la toilette et écoutait religieusement Paul lui en expliquer le fonctionnement. À un moment donné, le régisseur vient l'aviser qu'il ne reste qu'une minute avant d'entrer en ondes, mais il ne bouge pas, comme s'il n'avait pas entendu. Le régisseur revient tout énervé et l'avise qu'il ne reste que 20 secondes. D'un geste brusque, Jean-Pierre lui fait signe de s'éloigner tout en lui disant que M. Boisvert n'avait pas fini ses explications et qu'il méritait toute son attention. Jamais je n'oublierai cette compassion pour l'homme âgé que je lisais distinctement dans ses yeux.

Une cinquantaine d'inventeurs étaient présents en studio lors de cette émission.

Parmi les autres animateurs et animatrices que j'ai également beaucoup appréciés, il y a Benoit Johnson, Guy Mongrain, Réjean Léveillé, Marie-France Bazzo, Gaétan Girouard, André Arthur, et j'en passe. Mais celle qui m'a le plus souvent invité à son émission est Claire Lamarche. Une bonne dizaine de fois, dont une où j'ai activement participé à l'organisation même de l'émission. Cette fois-là, de mémoire, j'avais rassemblé une cinquantaine d'inventeurs en studio, dont Jean St-Germain, le fameux inventeur du biberon Playtex et de l'Aérodium.

Mais ma préférée était Marguerite Blais, actuellement ministre responsable des Aînés. Chaque fois qu'elle me recevait, je sentais qu'elle appréciait sincèrement ce que je faisais pour les inventeurs. Même qu'un jour, au cours d'une de ses émissions, elle m'avait fait une agréable surprise en invitant une trentaine d'inventeurs en studio. Lors de cette même émission, elle m'avait remis plusieurs cadeaux, dont un chandail numéro 33 utilisé et signé par mon idole, Patrick Roy. Je précise qu'à cette époque j'étais également gardien de but, un peu moins bon que Patrick cependant.

La plus belle émission de télévision à laquelle j'ai eu l'honneur de participer est *50 ans d'inventions* animée par Jici Lauzon, que vous pouvez d'ailleurs encore visionner de temps à autre au canal Historia. Cette émission présente, comme son nom l'indique, les plus belles inventions québécoises des 50 dernières années. J'y agis comme référence tout au long de l'émission.

Et la plus amusante est *Flash* avec Alain Dumas, un gars adorable et plaisant comme ce n'est pas possible. Pour la circonstance, Alain me présentait son invention «La pipelette», un petit tube en caoutchouc dont il plaçait une extrémité dans sa bouche et l'autre dans son œil, après quoi il n'avait qu'à souffler pour se débarrasser d'une poussière. De mon côté, je devais lui expliquer, le plus sérieusement du monde, le processus à suivre pour protéger son invention. On a ri comme des fous pendant l'enregistrement de cette émission. Vous pouvez la visionner en vous rendant sur notre site de vidéos d'inventions www.InventionEnAction.com et en inscrivant *Flash* dans le moteur de recherche.

Parmi toutes les émissions ou entrevues auxquelles j'ai participé au fil des années, certaines ont donné lieu à des situations cocasses. Je vous en cite quelques-unes.

Salut Martin, oups!

Un jour, je reçois une invitation d'une recherchiste d'une émission pour enfants intitulée *Salut Martin* dont je n'avais jamais entendu parler auparavant. Je me présente donc à l'émission avec mes Jog'O et mes Gourd'O. Tel qu'entendu avec le réalisateur, j'attends que Martin annonce l'arrivée du «Policier-inventeur» avant d'entrer en studio. Le signal reçu, je me précipite en studio en criant «Salut Martin» et me retrouve face à face avec une grosse marionnette en peluche. C'était lui, Martin! Un gars se tenait dans une boîte en bois sous le plancher et actionnait cette grosse marionnette. J'ai donc passé 30 minutes à discuter inventions avec un beau gros toutou !

Tout le monde tout nu !

Un recherchiste du service des nouvelles de TVA m'invite pour une entrevue dans un terrain de camping situé dans la région d'Hemmingford. Une surprise de taille m'attend à l'arrivée. Le terrain de camping en question est, en fait, un camp de nudistes. La journaliste de TVA m'explique qu'elle présente également un reportage sur ce camp de nudistes aux nouvelles de 18 heures, et qu'un délai très court pour le montage de la vidéo l'oblige à faire d'une pierre deux coups. L'entrevue a donc lieu comme prévu alors que nous sommes entourés d'une trentaine de personnes dans leur plus simple appareil !

André Arthur, gentilhomme !

André Arthur est reconnu pour ne pas ménager ses interlocuteurs, mais dans mon cas ce fut tout à fait le contraire. L'entrevue en question était tôt le matin et devait durer un maximum de trois minutes. Les trois minutes écoulées, André Arthur trouve que c'est tellement intéressant qu'il demande à son assistante d'annuler l'entrevue qui suit. Au total, notre entrevue s'est étirée sur près de 20 minutes et son assistante a dû en annuler deux autres prévues à son horaire. À la fin, il me demande de rester en ligne afin que son assistante puisse me transmettre ses coordonnées personnelles. Il ajoute que je peux le joindre en tout temps si j'ai quoi que ce soit de nouveau. Je venais de me faire un sérieux allié.

Chapitre 14

Le complexe Inventarium

« *L'imagination est **plus** importante que le savoir.* » – Albert Einstein

« *L'imagination est **aussi** importante que le savoir.* » – Daniel Paquette

Au début des années 1990, à la demande de Mme Pauline Normand des éditions Robert Laffont, j'ai accepté d'agir comme porte-parole du *Livre mondial des inventions* au Québec. Je devais donc en faire la promotion chaque année dans les différents médias et salons du livre. Même que pour les éditions 1999 à 2002, j'avais pris une entente avec Valérie-Anne Giscard D'Estaing, l'éditrice, pour y présenter une trentaine d'inventeurs dans une section réservée au Québec. C'était un travail très accaparant, mais également très valorisant pour nos inventeurs.

Valérie-Anne Giscard D'Estaing dans le rôle de l'astronaute

En 1996, Madame Giscard D'Estaing a manifesté le désir de publier mon livre *Une bonne idée vaut une fortune* en Europe. J'en ai été vraiment honoré et pendant quelques semaines je me suis occupé de le mettre à jour. Pour les besoins du marché européen et pour distinguer ce second livre du premier, il a été rebaptisé *Daniel Paquette, Policier et inventeur*. Le lancement a été prévu pour la journée d'ouverture du Salon des inventions de Paris, soit le 30 avril 1997.

À l'assaut de l'Europe

J'ai été traité comme un roi par Valérie-Anne, fille de l'ex-président de la France, Valéry Giscard D'Estaing. Dès mon arrivée à l'aéroport Charles de

Gaulle, le 29 avril en matinée, un chauffeur avec limousine m'attendait pour me conduire à mon hôtel, question de me rafraîchir et de relaxer un peu. Et quelques heures plus tard, il m'a conduit au bureau de Valérie-Anne où j'ai eu l'immense plaisir de rencontrer toute son équipe.

Le Salon des inventions de Paris

Le Salon des inventions de Paris est présenté chaque année depuis 1904 dans le cadre de la Foire de Paris. Cette foire annuelle, d'une durée de 10 jours, a toujours lieu la dernière semaine d'avril et elle regroupe une vingtaine de salons différents. C'est en quelque sorte le même principe que j'ai utilisé au Québec avec mes inventeurs, sauf que là, il s'agit de salons d'expositions regroupés dans un même espace. En fait, c'est comme si on regroupait les salons de l'auto, de l'habitation, de la maternité, etc., dans l'enceinte et le mât du Stade olympique.

La Foire de Paris attire plus de 600 000 visiteurs chaque année. Vous pouvez payer pour visiter tous les salons ou un seul. Votre passeport est valide pour

toute la durée de la foire, de sorte que vous pouvez prendre plusieurs jours pour visiter tous les salons. C'est assez impressionnant comme événement.

Le Salon des inventions de Paris est organisé par l'Association des inventeurs de Paris et mené de main de maître par Gérard Dorey, le président. À noter que, depuis 1903, cette association est considérée comme une utilité publique au même titre que le service d'aqueduc ou de transport en commun. En d'autres mots, il y aura toujours une association d'inventeurs à Paris. Pour les Français, les inventeurs sont importants et on a le devoir d'en prendre soin, car ils sont générateurs de nouveaux produits, donc d'emplois.

Les 200 exposants présents au Salon des inventions de Paris sont sélectionnés parmi plus de 500 candidatures. Dans le cadre de cet événement, on présente également le Concours Lépine, qui vise à récompenser les efforts des inventeurs exposants. Coïncidence, ce concours a été créé en 1901 par Louis Lépine, policier tout comme moi, mais à Paris. Ce concours est extrêmement populaire et très médiatisé chaque année à travers le monde. Il n'y a pas un seul Français qui ne connaisse le Concours Lépine.

Le salon se termine par la remise des médailles d'or, d'argent et de bronze pour les meilleures inventions. On y remet également une trentaine de prix pour les inventions qui se sont distinguées dans différentes catégories. Le prix le plus prestigieux et évidemment le plus convoité est le prix du Président de la République remis au grand vainqueur toutes catégories. En résumé, c'est comme si, au Québec, on avait le grand prix du premier ministre pour la meilleure invention toutes catégories, le prix Hydro-Québec pour la meilleure invention reliée à l'énergie, le prix Bombardier pour la meilleure reliée au transport, etc. Chaque lauréat reçoit également un prix en argent avec son trophée ou sa plaque honorifique.

Le gala de remise des prix a lieu à la toute fin du salon, dans l'auditorium d'un édifice situé à quelques pas seulement du site de l'exposition. Une trentaine de dignitaires des domaines politique et économique sont assis à une grande table face à l'auditoire. Ce sont eux qui vont remettre les prix aux lauréats de la catégorie qu'ils représentent. Les 200 inventeurs exposants sont assis dans la salle et on sent chez eux une nervosité à couper au couteau. Ceux qui me connaissent savent que j'aime bien faire des petites plaisanteries de temps à autre. J'en ai fait une à un voisin au sujet du silence de mort qui régnait dans la salle et, croyez-moi, je n'ai pas eu envie d'en refaire une deuxième !

Il faut comprendre que chaque inventeur sur place espère que son invention sera sélectionnée, car, ce faisant, il a de grandes chances de trouver preneur pour son nouveau produit. D'autant plus qu'un nombre assez impressionnant de journalistes assiste à la cérémonie. Après la remise des prix, dans tous les coins de la salle, journalistes et photographes rencontrent les différents lauréats. Il faut voir le visage rayonnant de ces inventeurs pour qui, après des mois et parfois des années de labeur, c'est l'heure de gloire. Leur idée est la meilleure, ce n'est pas rien. C'est un peu comme si dans un concours de beauté, votre enfant était déclaré le plus beau.

Tel que prévu, le lancement de mon livre a eu lieu dès l'ouverture du salon. J'étais passablement nerveux avant de donner ma première conférence devant les inventeurs et les visiteurs présents. En fait, j'ignorais totalement quelle serait l'attitude des inventeurs français envers moi. Je tenais à ce qu'ils sachent que je n'étais surtout pas là pour leur donner des conseils. D'ailleurs, la qualité des inventions présentées ne laissait aucun doute sur la compétence des inventeurs exposants. Mais en fin de compte, tout a fonctionné comme sur des roulettes. Et vous savez quoi, pendant mes dix jours parmi eux, ils n'ont pas cessé de me demander des conseils.

À ma droite, Gérard Dorey, président de l'Association des inventeurs de Paris, Sandrine Duvallon, hôtesse, et Valérie-Anne Giscard D'Estaing, mon hôte

On m'avait assigné un emplacement stratégique à l'entrée du salon pour les séances de signature. Je me sentais comme un poisson dans l'eau et je me suis fait plusieurs amis parmi les inventeurs français.

J'ai d'ailleurs une histoire drôle à ce sujet. À un certain moment, on m'invite à me joindre à une vingtaine d'inventeurs exposants qui forment un grand cercle au beau milieu du salon bondé de visiteurs. On se retrouve tous avec un grand verre de champagne à la main. À tour de rôle, il faut vider son verre d'un seul trait et, pendant que chacun s'exécute, le groupe chante « il boit, il boit, il boit » et lorsque le verre est vide, il poursuit avec « on l'essuie, on l'essuie, on l'essuie ». En même temps, le voisin essuie le bec de celui qui vient de boire. Bref, tout ça pour dire que, lorsque le dernier eut fini de boire son verre, on est tous retournés dans nos kiosques. Avant de m'en rendre compte, j'avais signé au moins cinq dédicaces avec le visage à moitié noirci par le bouchon de la bouteille de champagne que mes amis avaient pris soin de brûler avant leur petite démonstration. J'étais la cible.

Un lancement de livre réussi, entouré d'inventeurs

Dois-je rappeler ici qu'on est en plein milieu d'un salon d'inventions… Aurait pas fallu faire ça ici au Salon de l'habitation, on se serait vite retrouvés dehors avec nos produits !

De toute évidence, quelqu'un avait préparé ma venue à ce salon, car j'ai reçu plusieurs cadeaux au cours de cette première journée, dont une cravate, une épinglette et une casquette à l'effigie de l'armée de l'air. Je me demandais bien ce que l'armée de l'air française faisait dans un salon d'exposition d'inventions, mais j'ai vite compris quand ses représentants m'ont expliqué les nouvelles inventions et technologies créées par leurs membres. Un volet extrêmement intéressant du domaine de l'invention auquel je n'avais jamais pensé.

Il y avait des inventeurs d'une dizaine de pays qui exposaient. On sentait une camaraderie entre tous ces gens créatifs qui ont un rêve commun, celui de réussir. Dès que l'occasion se présentait, je prenais un plaisir fou à remplacer les exposants lorsqu'ils devaient s'absenter quelques instants de leur kiosque.

Les Français ont une mentalité différente de la nôtre durant une exposition ; ils s'amusent alors qu'au Québec, nous sommes extrêmement sérieux. Par exemple, la majorité des exposants ont un petit frigo dans leur kiosque dans lequel ils conservent leur repas, ce qu'on ne voit pas au Québec. Mais ces petits réfrigérateurs ont également une autre utilité, car on y retrouve du vin, du champagne, des saucissons et du pain. C'est de cette façon qu'ils vous attirent dans leur kiosque et, en quelque sorte, vous forcent à y rester pour les écouter expliquer leur invention. Et ça marche ! J'en sais quelque chose, car je me suis fait prendre souvent. Heureusement que je me déplaçais en métro !

Un soir, Jacques Lépine, membre du conseil d'administration de l'Association des inventeurs de Paris et petit-fils du policier fondateur Louis Lépine, m'invite à l'accompagner pour aller rencontrer un « vrai » inventeur. Il me dit que c'est une surprise et ne veut pas m'en dire plus. J'étais vraiment intrigué. Quelques heures plus tard, on se retrouve au café-théâtre Double Fond, fréquenté exclusivement par des magiciens. Une vingtaine d'apprentis magiciens sont entassés dans une petite salle du sous-sol pour voir le Grand Pavel présenter les tours qu'il a lui-même inventés.

J'avais déjà assisté à des spectacles de magie auparavant, mais ce qui était particulier cette fois, c'est qu'après avoir exécuté chacun de ses tours, ce magicien chevronné les expliquait en détail. Il a fait au moins une dizaine de tours de magie tout aussi impressionnants les uns que les autres. À la fin de la soirée, les apprentis magiciens présents achetaient des trousses contenant les accessoires et les instructions de chacun de ses trucs. Je venais également de découvrir un nouveau volet du monde des inventions que je ne connaissais pas. J'ai passé une soirée tout simplement fantastique.

Mes douze jours passés à Paris figurent parmi les plus beaux moments de ma vie. La veille de mon départ, Valérie-Anne a organisé une petite fête en mon honneur dans un chic restaurant de Paris. Toute son équipe y était et, au cours de la soirée, elle m'a remis un cadeau d'une valeur inestimable, le tout premier exemplaire du livre *Einstein – le génie, l'homme* qui venait à peine de sortir des presses des Éditions Robert Laffont, propriété de Bernard Fixot, son époux.

J'ai commencé à lire cette œuvre magistrale de l'auteur Denis Brian dès mon arrivée dans ma chambre d'hôtel. J'étais tellement absorbé dans ma lecture que je n'ai pas fermé l'œil de la nuit, ni de tout le voyage de retour. En descendant de l'avion à Montréal, j'avais déjà passé à travers cette brique de près de 500 pages.

J'ai eu le coup de foudre pour ce grand personnage de l'histoire, même si je ne comprends absolument rien à ses découvertes. D'ailleurs, je ne suis pas le seul, car après avoir été qualifié de l'homme le plus populaire au monde par une revue américaine, il a eu ce commentaire savoureux : « On me dit l'homme le plus populaire au monde et il n'y a pas dix personnes sur cette planète qui comprennent ce que j'ai découvert. » J'admire cet homme pour sa simplicité exemplaire malgré l'ampleur du personnage.

Il y a cependant une chose avec laquelle je ne suis pas d'accord avec lui, c'est quand il dit que l'imagination est plus importante que le savoir. Remarquez que je n'ai pas fait de recherche pour savoir dans quelle circonstance il a fait cette déclaration, ni s'il a été cité hors contexte. Toutefois, après avoir lu le livre sur sa vie à quelques reprises, je peux affirmer que c'était vrai dans son cas, car, à n'en pas douter, Einstein était un être exceptionnel, doté d'une imagination qui défie l'entendement.

Mais cette affirmation n'est pas vraie dans mon cas, et pas non plus dans le cas de la plupart des humains qui partagent cette planète. Tout au long des chapitres précédents, je vous ai démontré que j'avais une imagination fertile, mais je vous ai également démontré que sans les connaissances des ingénieurs, techniciens, designers industriels et même des couturières à domicile, aucun des produits auxquels j'ai pensé n'aurait vu le jour. Et il en est ainsi pour la très grande majorité des inventeurs, non seulement au Québec, mais également partout à travers le monde, comme j'ai été à même de le constater durant mon séjour à Paris.

En fait, cette affirmation d'Einstein me dérangeait, car elle était contradictoire avec le projet de société que j'avais en tête depuis plusieurs années. Un centre d'exposition et de développement technologique permanent qui réunirait sous un même toit tous les acteurs québécois des domaines de l'invention, du génie et de la créativité en général.

Ce grand rêve de voir un jour se concrétiser ce centre à vocation touristique, culturelle et économique était régulièrement le sujet de longues soirées de discussion entre Jeanne et moi. Un soir, Jeanne a suggéré que la bâtisse qui abritera ce centre devra être à la hauteur de ce grand projet. Pour être honnête, si j'avais une très bonne idée du contenu, je n'avais jamais pensé au contenant. Puis, tout à coup, elle a eu une idée géniale qui m'a enthousiasmé au plus haut point: «Pourquoi ne pas reproduire la forme d'un atome pour rendre hommage à Albert Einstein, ton idole?»

Je n'oublierai jamais cette soirée, ou cette nuit, devrais-je dire, car à 3 heures du matin, nous étions encore assis à la table en train de coucher sur papier notre vision de cette structure. Le lendemain matin, je communiquais avec Maxime Liboiron, un jeune et talentueux graphiste avec qui je travaillais régulièrement depuis quelques années, pour lui décrire le bâtiment que Jeanne et moi avions imaginé. Maxime a mis quelques semaines avant de reproduire parfaitement la structure que nous avions en tête.

Évidemment, avant de se lancer dans la promotion d'un projet d'une telle envergure, il nous fallait en vérifier l'intérêt auprès de personnes crédibles des domaines politique et économique. Notre premier objectif était de vérifier l'intérêt du secteur du développement économique institutionnel. La cible, Claude Blanchet, alors président de la SGF (Société générale de financement). Rencontrer ce genre d'individu n'est pas aisé et demande de la patience et de la persévérance. Impossible de viser la cible directement, il faut plutôt y aller par échelons.

Comme première étape, il nous fallait donc identifier une personne crédible qui pouvait nous mener à Claude Blanchet. Cette personne était une avocate du nom de Danièle Deschênes que moi et Jeanne avions eu l'occasion de rencontrer à quelques reprises en rapport avec le projet Inventarium. Avec un bon plan de présentation en main, il ne nous fallut pas beaucoup de temps pour convaincre Me Deschênes du sérieux de notre nouveau projet qui, selon elle, était à la hauteur de Claude Blanchet.

Un rendez-vous a donc été organisé avec Pierre Laflamme, alors directeur de projet à la SGF. Même réaction de son côté, si bien qu'un rendez-vous fut rapidement fixé avec Claude Blanchet. Ce dernier a démontré un intérêt évident, non seulement pour ce complexe, mais également pour le domaine de l'invention en général. Il semblait clair pour lui que les inventeurs indépendants pouvaient jouer un rôle important dans la croissance économique du Québec. Ce fut une très belle rencontre et j'ai été agréablement surpris par la simplicité du personnage.

À la suite de cette rencontre, M. Henri Walsh, directeur de la division culturelle à la SGF, fut attitré à l'étude de notre dossier. Nous étions parfaitement conscients que ce projet n'était pas pour demain, mais ce qui nous intéressait surtout, c'était d'avoir les conseils d'experts de la trempe d'un Henri Walsh pour la mise en place d'un projet d'une telle ampleur. Nous avons eu six ou sept rencontres avec lui et chacune d'entre elles nous a apporté son lot d'informations importantes.

Nous avons ensuite vérifié l'intérêt du côté politique et visé le maire de Montréal d'alors, Pierre Bourque. Je n'ai jamais pu obtenir de rencontre formelle avec le maire Bourque, mais il m'arrivait régulièrement de le rencontrer de façon fortuite et, à chaque fois, je ne manquais pas de le sensibiliser à l'importance de bien entourer les inventeurs indépendants. C'est plutôt à Denise Larouche, alors mairesse de Rosemont-Petite-Patrie et membre du comité exécutif de la Ville de Montréal, que mon dossier a été remis et avec qui j'ai eu plusieurs rencontres à l'Hôtel de ville de Montréal. Son enthousiasme face à notre projet était palpable.

Nous avons également fait une approche avec le maire Luis Miranda de Ville d'Anjou, en place depuis plusieurs années et qui, de ce fait, jouissait d'une excellente crédibilité. Sa réaction a été positive sur toute la ligne. Même chose du côté de Ville Saint-Laurent où la réaction de Réjean Laliberté, directeur du développement économique, fut également très positive. Dans sa lettre suivant la présentation de notre projet, il mentionnait même qu'il verrait très bien le complexe Inventarium érigé rue Albert-Einstein, au cœur même du secteur industriel de sa ville. C'était suffisant pour Jeanne et moi. Nous étions maintenant convaincus de l'intérêt futur des acteurs des domaines économique et politique pour ce projet.

Il nous fallait maintenant procéder à un test, un genre de prototype de démonstration, exactement comme on fait pour intéresser des industriels à un nouveau produit. Nous devions vérifier en situation réelle si les différents acteurs reliés au domaine de l'invention, du génie et de la créativité seraient intéressés à se réunir sous un même toit et, surtout, à travailler main dans la main. Il fallait également vérifier l'intérêt du grand public pour ce genre d'exposition, ce dont je ne doutais nullement. Nous avons donc décidé d'organiser un événement à cette fin, le Salon Invention-Génie-Créativité.

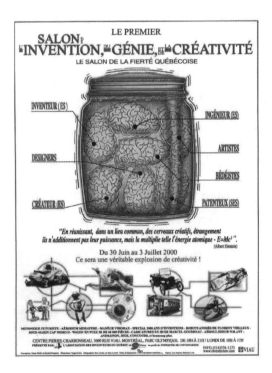

Intéresser les différents acteurs des domaines de l'invention, du génie et de la créativité à participer à cet événement fut beaucoup moins ardu que je l'escomptais au départ. En fait, c'était tout à fait le contraire, les gens étaient extrêmement

Salon Invention – Génie – Créativité

enthousiastes à la seule pensée de se retrouver tous sous un même toit. Les réunions étaient extrêmement motivantes. Il n'y a rien de plus excitant que de travailler avec des gens créatifs. Imaginez alors le niveau d'énergie qui se dégage quand vous asseyez tous ces gens-là à la même table !

L'événement, entièrement basé sur la coopération, le bénévolat et la commandite d'entreprises privées eut finalement lieu comme prévu du 30 juin au 3 juillet 2000, au Centre Pierre-Charbonneau situé à quelques pas du Stade olympique. Le hasard fait parfois drôlement les choses puisque c'est également dans cette même salle que j'avais reçu mon diplôme de policier en 1971. Notre salon regroupait plus d'une centaine d'exposants de différents domaines reliés à la créativité : inventeurs, créateurs de jeux de société, étudiants en génie de Polytechnique et de l'ETS, bédéistes, auteurs, artistes-peintres, sculpteurs, etc. La synergie qui s'est développée entre les exposants des différentes disciplines et l'énergie positive qui se dégageait de ce salon est indescriptible.

L'événement fut un beau succès, mais n'a pas connu de suite, même si c'était le souhait de tous, autant du côté des exposants que des visiteurs. Jeanne et moi avions convenu dès le départ qu'il n'y aurait qu'une seule édition.

Ouverture officielle du Salon Invention-Génie-Créativité. De gauche à droite, moi-même, Jeanne, Tina Poitras, athlète olympique, Mme Monique Comtois-Blanchet, directrice de cabinet de Mme Louise Harel, ministre des Affaires municipales et de la Métropole, Michel Winner, Denise Larouche, mairesse de l'arrondissement Rosemont-Petite-Patrie et membre du comité exécutif de la Ville de Montréal, et Jean E. Fortier, président du comité exécutif de la Ville de Montréal.

Nos démarches pour ce projet d'envergure se sont donc arrêtées après cet événement, car nous avions maintenant la certitude qu'il était parfaitement réalisable et qu'il susciterait l'intérêt escompté au moment opportun. Il nous fallait maintenant consacrer toutes nos énergies à la mise en place de l'Inventarium, notre concept de services aux inventeurs.

Sur le formulaire d'adhésion de l'Association des inventeurs du Québec, les membres devaient mentionner leur emploi, leurs aptitudes et leurs passe-temps. Inutile de vous dire que nous avions parmi nos membres des gens de tous les métiers et professions. Il m'est donc arrivé assez souvent de me servir de cette base de données pour trouver de l'aide pour un inventeur. Si celui-ci avait besoin d'un soudeur, par exemple, je consultais ma liste de membres et je lui en trouvais un. Jamais un membre n'a refusé d'en aider un autre. Dans le même ordre d'idées, je ne compte plus les fois où des personnes, qui n'étaient même pas membres de l'AIQ, m'ont offert d'aider un inventeur à fabriquer son prototype.

En 1997, le directeur du poste 55 où je travaillais, avait mis sur pied un projet qui consistait à visiter régulièrement les résidences de personnes âgées. Deux résidences situées sur le boulevard Gouin à Rivière-des-Prairies m'avaient été assignées. Je les visitais chaque jour de travail, sans exception. La grande majorité des résidents étaient autonomes. Lors de mes visites, si les petites dames me parlaient surtout de sécurité, c'en était tout autrement pour les messieurs, qui préféraient discuter de patentes et d'inventions. De mémoire, à deux reprises, j'ai demandé à des résidents d'aider mes membres à titre bénévole. La première fois, c'est un comptable agréé qui a accepté de conseiller un inventeur pour la préparation de son plan d'affaires et la seconde, un électricien qui a aidé un de nos membres à fabriquer son prototype d'un nouvel appareil électroménager.

Cela m'a donné l'idée du concept «Groupe Retraités Conseils (GRC)». Une base de données regroupant des retraités de tous les domaines et de toutes les régions du Québec désireux d'offrir leurs services à titre de conseillers. Avec l'arrivée des *baby-boomers* à la retraite, on peut compter sur un bassin de connaissances extraordinaires, dans tous les domaines, partout au Québec.

Par exemple, si vous désirez refaire la toiture de votre maison par vous-même, vous communiquez avec GRC et pour 30 $ ou 40 $ de l'heure, dont une partie est conservée pour l'administration, un retraité de ce domaine passera chez vous pour vous conseiller sur la façon de vous y prendre, comment préparer la toiture, quels matériaux acheter, quels outils louer, etc. Il repassera sur demande tout au long des travaux. Dans la plupart des cas, le rôle du retraité sera limité à celui de conseiller. Il ne faut pas oublier que ces personnes ont amplement travaillé durant leur vie et que c'est de leur matière grise dont on a besoin, pas de leurs bras.

Imaginons maintenant qu'un inventeur ait besoin d'aide pour son prototype, son plan d'affaires, un conseil juridique, etc. Vous me suivez ?

À un moment, j'ai donné une conférence aux résidents sur la sécurité des aînés. À la fin de la conférence, rendant l'utile à l'agréable, je leur ai glissé un mot sur l'idée du «Groupe Retraités Conseils». J'ai immédiatement senti l'enthousiasme des gens et la réponse a été bien au-delà de ce que j'espérais. Même que certains m'ont donné leur nom pour y participer le jour où le projet se mettrait en branle. Le mot s'est passé par la suite et, moins de 30 jours après ma conférence, j'avais une quinzaine de noms de personnes sur ma liste. Ce petit exercice m'avait convaincu que ce projet était viable et qu'il pourrait être très profitable, non seulement pour les inventeurs, mais également pour les retraités eux-mêmes ainsi que le grand public.

Voici d'ailleurs un exemple frappant du potentiel de ce projet pour les inventeurs. Benoit Lalande, un de nos membres, a eu l'idée d'une brouette multifonctionnelle qui peut servir à la fois de poussette pour enfants, de traîneau l'hiver et même de chaise pliante ou de plage. Très habile manuellement, Benoit a lui-même développé la structure mécanique de son invention, mais c'est au niveau des accessoires en toile qu'il n'avait aucune habileté. Par chance, il connaissait un retraité, Raymond Meloche, un expert dans le domaine de la restauration de sièges d'autos antiques.

Bénévolement et avec beaucoup d'enthousiasme, Monsieur Meloche a accepté de partager ses connaissances avec Benoit pour l'aider à finaliser son prototype qui ressemble en tous points au produit tel qu'il devrait éventuellement être commercialisé.

Avec un prototype de cette qualité, Benoit peut procéder à une très bonne étude de marché et ses chances d'intéresser une entreprise ou des investisseurs

Benoit Lalande et Raymond Meloche

à son invention sont augmentées considérablement. Mais pour y arriver, il lui faut pouvoir en faire la démonstration. Et l'endroit idéal pour ça, c'est dans un salon d'exposition. Mais voilà, si le prochain salon a lieu dans huit mois, ce n'est pas pratique. Il est toujours possible, à cause de son emploi, maladie ou autre, que Benoit ne soit pas disponible à cette période ou encore, que ses finances ne lui permettent pas d'y participer. La solution : une salle de prototypes ouverte à l'année au grand public et aux gens d'affaires.

Voici d'ailleurs un fait qui saura vous convaincre de la nécessité d'une telle salle d'exposition permanente. En janvier 2001, alors que nous sommes en pleine préparation de notre kiosque du Salon de l'habitation, Marcel Bergevin se présente à nos bureaux dans le but de déposer un brevet provisoire pour un nouveau composé de fabrication de briques décoratives. Étant donné qu'il s'agit d'un produit directement relié à l'habitation, tout est mis en œuvre pour lui faire une place dans notre kiosque.

Cette année-là, la SGF a accepté de commanditer en partie notre Pavillon des inventeurs, ce qui nous a permis d'augmenter le nombre d'exposants et de réduire le coût de location des kiosques. Une chance en or pour Marcel dont les finances ne lui auraient pas permis autrement de participer à ce prestigieux salon. Résultat, un succès instantané et le début d'une belle aventure pour cet inventeur dont le produit est aujourd'hui distribué chez RONA et Réno-Dépôt sous la marque SIMAX.

Ci-dessus : Marcel Bergevin à l'intérieur de son kiosque. À gauche : Présentoir de SIMAX chez Réno-Dépôt

Voici un autre exemple de possibilité de coopération pour la fabrication d'un prototype, avec la participation cette fois d'une institution pédagogique. Un jour, un inventeur peu fortuné, qui a déjà été machiniste, me demande si je ne connaîtrais pas un atelier d'usinage qui lui permettrait de fabriquer lui-même une pièce en métal nécessaire à la confection de son prototype. J'approche donc le propriétaire d'un entreprise que je connais bien et qui a déjà réalisé une pièce pour mes Golf'O. Celui-ci ne peut donner suite à ma demande à cause des règles de la CSST, mais m'offre de fabriquer lui-même cette pièce à peu de frais pour aider mon inventeur.

Après réflexion, je décide de communiquer avec un professeur d'usinage de métal à la Polyvalente Anjou. C'est avec un grand plaisir qu'il a fait confectionner la pièce de mon inventeur par un de ses étudiants, et ce, sans frais. Avec une bonne planification et un protocole d'entente, il y a d'énormes possibilités comme celle-ci à développer avec les institutions pédagogiques.

Le Québec regorge d'inventeurs et d'innovateurs de tout calibre et dans tous les domaines, des inventeurs entrepreneurs aux *patenteux*, ingénieux et débrouillards. La réussite de certains d'entre eux contribue à créer des emplois. Pourtant, au lieu d'entourer jalousement les inventeurs, comme c'est le cas à Paris, nous avons généralement tendance à les marginaliser. Ce triste constat historique indispose du seul fait que nos inventeurs québécois couronnés de succès ont dû compter davantage sur leur seule initiative et leurs ressources propres que sur quelque forme de soutien.

En cela réside pour nous une responsabilité sociale. Il m'apparaît urgent de concerter nos efforts afin de mettre en place une structure destinée à guider le plus d'inventeurs et d'innovateurs possibles sur la route de la réussite. Posons-nous la question : la petite entreprise de Joseph-Armand Bombardier aurait-elle connu un tel essor si pendant la guerre l'armée n'avait pas délégué ses ingénieurs et techniciens pour développer son système de traction ?

Mais en même temps, pas question de réinventer la roue, car 80 % du contenu que nous escomptions présenter dans le complexe Inventarium l'est déjà dans le Centre des sciences de Montréal situé sur les Quais du Vieux-Port de Montréal. Ne suffirait à cette institution qu'à ajouter un volet voué spécifiquement aux inventeurs et innovateurs québécois. Ce qui pourrait n'être qu'une question de temps puisqu'un tout nouveau salon d'exposition y sera présenté à compter de février 2013. J'ai d'ailleurs été approché pour agir à titre de conseiller pour cet événement qui devrait permettre aux inventeurs indépendants d'y présenter leurs inventions et y rencontrer des gens d'affaires. Vous pouvez en savoir plus sur le Salon des innovations technologiques Innov-Techno en visitant son site internet www.saloninnovationstechnologiques.com.

Chapitre 15

L'Inventarium et son escouade

« Toutes mes inventions ont été créées en fonction de ces trois critères :
trouver le plus simple, le plus efficace et le moins dispendieux.
Inventarium ne fait pas exception à la règle. »

– Daniel Paquette

Vers la fin des années 1980, j'ai fait la connaissance d'un ingénieur qui n'était pas agent de brevets, mais qui rédigeait tout de même des brevets pour une agence. Jusqu'alors, je croyais que seul un agent de brevets agréé pouvait rédiger et déposer un brevet. Ce fut une révélation qui allait changer le cours de ma vie. Pour m'accommoder et surtout pour arrondir ses fins de mois, il avait accepté d'en rédiger quelques-uns pour des amis inventeurs. Quelques mois plus tard, devenu agent de brevets, il ne pouvait plus offrir ce service. Mais j'avais appris, et sans le savoir à ce moment-là, ce qui allait un jour me permettre d'élaborer un nouveau concept de services en propriété intellectuelle.

Depuis l'ouverture de ma boutique, j'étais persuadé de pouvoir aller beaucoup plus loin que de simplement offrir les trois étapes de base menant à l'obtention d'un brevet provisoire. Cette idée ne m'avait jamais quitté depuis et pendant la période où je suis redevenu célibataire, j'ai consacré tous mes temps libres à l'élaboration de ce projet. Pas question cependant de me lancer dans cette aventure avant d'avoir pris ma retraite comme policier. C'était le projet de ma vie et je savais que son envergure exigerait que je m'y consacre entièrement.

Ma première action en ce sens fut de lui trouver un nom. Mes objectifs étaient : un mot court, facile à retenir et parfaitement descriptif du projet. J'ai cherché ce nom pendant des mois jusqu'à ce que le déclic se fasse en visionnant un reportage télévisé sur l'Insectarium de Montréal. À un certain moment, l'animateur mentionne qu'à l'Insectarium, on ne retrouve pas que des insectes, mais tout ce qui touche le domaine des insectes. En plein comme dans mon projet, sauf qu'au lieu des insectes ce sera des inventions, me dis-je. Et c'est à cet instant précis que le nom Inventarium m'est venu spontanément. J'en avais la chair de poule ! Le lendemain matin, quand je suis arrivé à la boutique, j'ai mentionné ce nom à mes employés et la réaction fut enthousiaste et unanime. La journée même, je procédais à la demande d'enregistrement de ma marque de commerce.

Le plus drôle est que, quelques années auparavant, j'avais eu l'occasion de rencontrer Georges Brossard, le fondateur de l'Insectarium, à qui j'avais expliqué mon projet. Il avait bien aimé l'idée d'un centre spécifiquement dédié au domaine de la créativité et m'avait fortement encouragé à aller au bout de mon rêve.

Comme étape suivante, j'ai décidé de passer en revue tous les documents que j'avais accumulés depuis le premier jour de ma carrière d'inventeur. Et j'en avais un nombre assez impressionnant. Tous les documents jugés pertinents à mon entreprise ont été classés dans 13 cartables différents, identifiés en fonction de leur secteur d'activité : vente et promotion d'inventions, services de propriété intellectuelle, réunions d'inventeurs, salons d'inventions, commentaires et suggestions des membres, etc. Dans chacun de ces cartables, j'ajoutais mes commentaires sur le travail à accomplir aux fins du projet Inventarium. Certains cahiers comportaient des dizaines de pages de notes, comme si j'avais peur d'oublier.

Au milieu des années 1990, mon frère Denis qui venait d'assister à une des réunions de l'AIQ m'a fait des éloges sur le déroulement de la soirée en terminant avec une question bizarre : « Tout ça est très bien, mais tu t'en vas où avec ça ? » Ma réponse a été instantanée : « Je n'en ai aucune espèce d'idée, tout ce que je sais, c'est que je dois le faire. » Après le montage de mes 13 cartables, j'avais maintenant une vision très claire de ce vers quoi je me dirigeais. Après cet exercice qui s'est échelonné sur une durée de trois à quatre mois, je réalisais, plus que jamais, que toutes mes expériences passées, les bonnes autant que les mauvaises, avaient été vécues pour m'amener à réaliser le projet Inventarium. Je n'avais rien à inventer, tout était déjà dans ma tête.

À cette époque, j'y pensais jour et nuit et plus rien d'autre ne comptait pour moi, pas même l'idée de rencontrer une autre femme… et encore moins de me remarier un jour.

À la fin de décembre 1998, à l'expiration du bail de ma boutique, j'ai décidé de ne pas le renouveler. Je voulais plutôt me donner tout le temps nécessaire pour bien préparer mon nouveau projet. Je cherchais un petit bureau à louer et, par chance, j'en ai trouvé un au 15e étage de l'endroit où j'habitais, angle Rosemont et Pie IX. C'était vraiment pratique, car je n'avais pas à sortir de l'édifice pour me rendre au bureau. J'aurais même pu faire d'une pierre deux coups en y installant un lit, car je passais pas mal plus de temps au bureau que dans mon logement.

Dans ce temps-là d'ailleurs, je dormais à peine cinq à six heures par nuit. Et bizarrement, je ne m'en portais pas plus mal. Si je me fie au nombre de fois où les gens de mon entourage m'ont fait remarquer que je brûlais la chandelle par les deux bouts, je ne devrais définitivement pas être en train d'écrire ce livre en ce moment. Espérons toutefois que j'aurai le temps de le finir !

Le 1er janvier 1999 fut un jour très triste dans ma vie et dans celle de toute ma famille, car c'est ce jour-là que notre mère, Madeleine, nous a quittés pour un monde meilleur. Elle était âgée de 76 ans et traînait une maladie de cœur depuis plusieurs années. Son décès était en quelque sorte, pour elle, une véritable délivrance. Elle est partie en douceur, comme un petit oiseau, comme elle le méritait. Une femme adorable sur toute la ligne.

Dans les semaines suivant son décès, quand j'en avais l'occasion, j'arrêtais dîner avec mon père. Lui et moi n'étions pas souvent sur la même longueur d'ondes et nos conversations débouchaient rarement sur quelque chose de concret. Cependant, je le respectais parce qu'il avait été attentionné à son épouse jusqu'à ce qu'elle rende son dernier souffle. En tous les cas, en le visitant de temps à autre, j'avais au moins l'impression de l'aider un peu à vivre son deuil.

À l'occasion d'une de mes visites, Henri m'a demandé comment je me débrouillais depuis ma séparation. Je lui ai répondu que je me portais à merveille et que je pouvais enfin travailler à temps plein sur mes différents projets. Il m'a alors fait cette réflexion qui allait me hanter pour le reste de la journée : « Tu fais le fanfaron mais si un jour tu tombes malade, tu vas voir à quel point c'est important d'avoir une femme dans ta vie. » Je n'arrivais pas à dormir ce soir-là, car j'avais toujours ce commentaire en tête.

Une autre pensée me rendait également inconfortable à ce moment-là. À titre de policier, il m'arrivait assez souvent d'être appelé sur les lieux d'un décès remontant à quelques jours et la senteur nauséabonde engendrée par la décomposition du corps m'obligeait à me pincer le nez pour entrer dans la maison afin de constater le décès. Je me disais toujours que je n'aimerais pas qu'un jour, un policier doive se pincer le nez ainsi pour moi. J'étais conscient que je me retrouvais maintenant dans une position où ça pouvait effectivement m'arriver.

Sur le mur, en face de mon lit, trônait un cadre avec le portrait de ma mère. Perdu dans mes pensées et remuant tout ça dans ma tête, j'eus soudain une réaction parfaitement inattendue. Je me suis carrément adressé à elle en lui demandant de me trouver une femme. Elle n'a pas perdu de temps car sa réponse a été assez rapide merci ! Le lendemain soir, alors que je me trouvais dans le sauna de l'immeuble où j'habitais, une très jolie dame pleine d'enthousiasme du nom de Jeanne Morin est entrée. Ce fut le coup de foudre. Je l'avais déjà vue à quelques reprises dans l'édifice, mais c'était avant que je lance le défi à ma mère de me trouver l'âme sœur ; je ne lui avais donc pas vraiment porté attention.

Nous avons parlé pendant des heures au cours desquelles j'ai appris que Jeanne était québécoise de souche, mais qu'elle avait vécu sa jeunesse à Drummond au Nouveau-Brunswick. J'ai également découvert qu'elle avait évolué dans les domaines des services financiers, du marketing et de la gestion d'entreprise, un peu partout au Canada. Et j'ai su également, à ma grande joie, qu'elle aussi était redevenue célibataire plusieurs années auparavant. Au moment de notre rencontre, elle était en convalescence pour quelques mois chez sa fille Tina qui habitait mon immeuble.

À partir de cette fameuse soirée du 4 mars 1999, nous nous sommes vus pratiquement tous les jours et à peine trois semaines après notre rencontre, nous faisions déjà vie commune. Quelques jours plus tard, nous étions en route pour Grand-Sault au Nouveau-Brunswick afin d'y cueillir ses effets personnels. Elle en a également profité pour démissionner de son poste chez Primerica. Un changement de vie radical s'amorçait pour elle.

Elle venait régulièrement faire son tour à mon bureau et se disait fort intriguée par mon projet, posant des questions pour en savoir davantage. À un moment donné, je lui dis que si elle voulait vraiment connaître mon projet dans ses moindres détails, elle n'avait qu'à lire mes 13 cartables. Cette suggestion n'est pas tombée dans l'oreille d'une sourde et je ne crois pas me tromper en disant qu'elle a lu tous les documents au complet, du premier au dernier. Elle semblait vraiment intéressée et m'interrogeait pour éclaircir certains points nébuleux. À noter qu'elle ne connaissait strictement rien au domaine de l'invention et de la propriété intellectuelle. Mais je pense qu'après cet exercice, elle en savait *presque* autant que moi !

À peu près au même moment, dans un article du *Journal de Montréal*, la ministre Rita Dionne-Marsolais annonçait officiellement le lancement, au début de l'année 2000, d'un programme d'aide aux inventeurs, doté d'un budget de 4 millions de dollars. J'étais fou de joie. Ce n'était cependant pas tout à fait une surprise, car durant les années précédentes, chaque fois que j'en avais l'occasion, je tentais de la sensibiliser aux problèmes propres aux inventeurs indépendants. D'ailleurs, l'année précédente, elle m'avait invité à son bureau pour en discuter.

Un peu plus tard, j'ai reçu un appel d'un dénommé Albert Bouchard du ministère de l'Industrie, de la Science, du Commerce et de la Technologie du Québec (MISCTQ), qui désirait me rencontrer. Monsieur Bouchard était un ingénieur à l'emploi du MISCTQ depuis plusieurs années et c'est lui qui avait hérité du poste de directeur du projet d'aide aux inventeurs.

Monsieur Bouchard est venu à ma boutique le mardi suivant et notre rencontre s'est déroulée de façon très cordiale, je dirais même avec beaucoup d'enthousiasme de part et d'autre. Il m'a laissé entendre que je pourrais possiblement jouer un rôle très important dans le cadre de son projet, mais ne m'a fait aucune promesse. Avant de me quitter, il m'a dit que j'étais le premier qu'il rencontrait et qu'il allait communiquer avec moi de nouveau aussitôt qu'il aurait fait le tour de tous les acteurs du domaine de l'invention.

Quelques semaines plus tard, n'ayant pas de nouvelles de monsieur Bouchard, j'ai pris l'initiative de communiquer avec lui pour savoir où il en était dans ses démarches. Il m'a dit qu'il avait terminé ses rencontres et qu'il en était à évaluer tout ça. J'ai alors senti beaucoup moins d'enthousiasme dans son attitude envers moi, et lui ai demandé une deuxième rencontre, mais cette fois à son bureau de Québec. Il a refusé en alléguant qu'il était débordé de travail et qu'on avait pas mal fait le tour de la question lors de notre première rencontre.

Je n'étais pas du tout de cet avis, car on avait à peine parlé de mon projet de services aux inventeurs sur lequel je travaillais déjà à ce moment-là. Il m'apparaissait indispensable qu'il en prenne connaissance. J'ai donc décidé de préparer un dossier de présentation de ce projet et de le lui faire parvenir avant qu'il élabore son programme. Mais au lieu de lui envoyer ce document directement, je lui ai fait remettre par Denis Gravel, un de ses collègues de travail avec qui j'avais d'excellentes relations depuis plusieurs années. Denis s'occupait de la section Sports et Jouets au MICSTQ et on s'était rencontrés dans le cadre de la mise en marché de mes Jog'O. On s'était liés d'amitié à Anaheim en Californie alors que j'y exposais mes produits. Je lui ai passé un coup de fil et lui ai demandé de lire mes documents et de me rappeler pour me livrer ses commentaires. Je voulais ainsi m'assurer que Denis ne perde pas de crédibilité auprès de ses supérieurs en présentant un projet qui ne serait pas à la hauteur.

Denis était non seulement emballé par mon projet, mais il savait que je pouvais et que j'allais le réaliser. Il m'a suggéré de lui en envoyer une deuxième copie scellée à l'intention de Mme Brigitte Van Coillie-Tremblay, sa patronne et, par le fait même, la patronne d'Albert Bouchard. Quelques jours plus tard, Denis m'a confirmé leur avoir remis mes documents en mains propres. J'ai attendu une semaine avant de contacter Bouchard qui n'avait plus vraiment le choix de me rencontrer à nouveau. Cette fois cependant, j'ai demandé à Jeanne de m'accompagner à titre de témoin. Et ce fut une très bonne chose.

Il était clair que M. Bouchard ne me recevait pas de son plein gré. Denis avait fait un excellent travail et sa patronne, Madame Van Coillie-Tremblay, y était sûrement pour quelque chose. Durant la rencontre, il m'a remis un document préparatoire du programme d'aide aux inventeurs tout en m'assurant que le contenu n'était pas définitif.

J'ai rapidement pris connaissance d'une partie de son document et j'étais déçu de constater qu'il visait, d'abord et avant tout, les inventeurs professionnels, ingénieurs, techniciens, designers industriels, etc. Remarquez que je n'ai rien contre ces derniers, bien au contraire, toute personne qui développe un produit, peu importe son titre, mérite d'être appuyée dans ses démarches. À noter ici qu'Albert Bouchard est ingénieur de profession.

À un moment donné, j'ai voulu connaître son opinion sur mon projet Inventarium et il m'a répondu que son programme ne prévoyait malheureusement aucune aide pour un salon d'inventions. J'ai sursauté parce que, sauf à la première page où je faisais état de notre kiosque au Salon de l'habitation, rien dans mon document ne faisait référence à un quelconque salon d'inventions. Il devenait donc évident qu'il n'avait même pas pris connaissance de mon dossier qui comportait à peine une quinzaine de pages. Et lorsque je le lui ai fait remarquer, il m'a tout simplement répondu qu'il avait été trop occupé.

On s'était tout même déplacé de Montréal à Québec pour le rencontrer, la moindre des choses aurait été qu'il lise mon document de présentation. Le lancement du programme intitulé Programme de soutien à la valorisation de l'invention a officiellement eu lieu en mai 2000 et a été suspendu moins de deux années plus tard. Selon Denis Gravel, il a cessé parce qu'il n'avait pas atteint ses objectifs. Je lui ai demandé ce qu'il était advenu des 4 millions et il semble qu'il n'en restait presque plus, la moitié ayant servi à la mise en place du programme et de ses infrastructures. À cette époque, je connaissais des dizaines, pour ne pas dire des centaines d'inventeurs, qui avaient appliqué pour obtenir une aide financière de ce programme et jamais un seul inventeur ne m'a confié l'avoir reçue. Ce programme a été abandonné depuis.

Au début de 2001, sentant la manne de ce programme de 4 millions de dollars, l'entreprise américaine ISC (Invention Submission Corporation) a ouvert une succursale à Laval. Aux États-Unis, on appelle ce genre d'entreprises « compagnies de promotion d'inventions ». Ces entreprises ont très mauvaise réputation et font régulièrement l'objet de poursuites judiciaires. Même qu'au USPTO (United States Patent and Trademark Office), il existe un formulaire spécifique pour porter plainte contre ces entreprises qui vous siphonnent rapidement des dizaines de milliers de dollars en vous faisant miroiter des gains mirobolants avec votre invention.

Comme c'est toujours le cas avec les compagnies américaines, elles sont arrivées ici avec des moyens financiers qui leur permettaient de faire de la publicité dans les différents médias. D'autres entreprises étrangères semblables, comme ITE (International Technologies Exchange), située à Dublin en Irlande, se sont mises à faire de la publicité ici, sans toutefois ouvrir de succursale. Les appels n'ont pas tardé à entrer à Inventarium. Certains s'étaient fait avoir pour des sommes assez élevées, dont, entre autres, un jeune homme de 21 ans qui avait emprunté 17 000 $ à son père. Nous passions notre temps à expliquer à ces personnes pourquoi elles ne devaient plus envoyer d'argent à ces compagnies. Je tiens à préciser ici que ce n'était pas notre rôle de renseigner ces personnes et que nous n'étions pas rémunérés pour le faire.

Il y avait urgence de réagir à cet exode de nos idées. J'ai alors préparé un projet qui impliquait les différents CLD (Centre locaux de développement). Ceux-ci seraient appelés à agir à titre d'intervenants de première ligne pour renseigner les individus qui ont une idée d'invention et qui désirent connaître le processus pour la protéger. Dans mon projet, Inventarium agissait en partenariat avec les CLD pour leur fournir de la documentation, ou, si vous préférez, un guide pratique de l'inventeur. En retour, nos trousses d'ouverture de dossier seraient disponibles dans tous les CLD.

Mon projet incluait également la création d'un fonds de soutien pour les Québécoises et les Québécois qui croient avoir une bonne idée d'invention, mais qui n'ont pas les moyens financiers nécessaires pour entreprendre les démarches pour la protéger. En échange d'une aide financière, ces personnes s'engageaient en retour à céder un pourcentage de leurs redevances.

Suivant la préparation de ce projet de coopération, j'en ai envoyé une copie à la ministre des Finances d'alors, madame Pauline Marois. La réponse ne s'est pas fait attendre et, en moins d'une semaine, je recevais un appel d'Harold LeBel, son attaché politique, qui demandait à me rencontrer. La première rencontre eut lieu quelques semaines plus tard, en décembre, et l'intérêt de M. LeBel pour mon projet était évident. Une deuxième rencontre eut lieu en février et là, son enthousiasme était palpable. Cette fois était la bonne, je le sentais. D'autant plus que plusieurs CLD référaient déjà des inventeurs à Inventarium, ce qui est devenu chose courante aujourd'hui d'ailleurs.

Mais c'était sans compter sur notre merveilleux système démocratique faisant en sorte qu'il faut un jour déclencher des élections. Bernard Landry décrète donc que les élections auront lieu le 14 avril 2003. Harold LeBel m'informe qu'il doit mettre mon dossier sur la glace pour s'occuper de la prochaine campagne électorale. Il me promet d'y revenir immédiatement après les élections si…

Et ce qui devait arriver arriva, au beau milieu de nos vacances à Cuba, on apprend que le Parti libéral vient d'être porté au pouvoir. Pour la première fois de ma vie, je regrettais d'être venu au monde dans un pays démocratique et non sous un régime de dictature. Le reste des vacances fut affreusement long car nous avions hâte de savoir ce qui se passerait avec notre dossier. Croyez-le ou non, mais, non seulement mon projet était mort, mais je n'ai même jamais été capable de retracer mes documents car ils avaient été déchiquetés !

Un camion d'un service de déchiquetage était stationné devant le bureau du premier ministre hier matin, signe indéniable d'un changement de gouvernement.

Montréal, le 4 novembre 2002

Madame Pauline Marois
Ministre des finances du Québec
12, rue Saint-Louis, 1er étage
Québec, Qc. G1R 5L3

Sujet: **Exode de nos idées d'inventions**

Madame la ministre,

Si j'ai pris la liberté de m'adresser à vous directement, c'est pour vous sensibiliser à un phénomène inquiétant nouvellement apparu au Québec. Je fais ici référence à des entreprises étrangères qui orchestrent de larges campagnes publicitaires incitant les inventeurs autonomes à inscrirent leurs idées d'inventions dans des banques informatiques diffusées à travers le monde.

Ci-joint, un exemple de contrat de l'une d'entre elles nouvellement installée à Laval. Les coûts d'inscriptions sont exorbitants et n'inclut aucune forme de protection intellectuelle, il dépasse généralement les 10,000$, donc très peu accessible aux inventeurs autonomes. Ne bénéficiant d'aucune protection elles s'exposent évidemment à être rapidement copiées ailleurs dans le monde.

Malgré cela, les espoirs de gains mirobolants rapides en incitent plusieurs à s'endetter et à s'y inscrire. Il est aberrant de constater le nombre de personnes qui nous contactent après s'y être inscrites ou du moins, avoir l'idée de le faire. Situation à mon avis déplorable et inacceptable à laquelle il est de notre devoir à tous de réagir en concertant nos efforts pour exploiter ici même ces bonnes idées. Il faut de toute urgence, mettre un frein à cet exode de nos idées.

Ce que je propose, madame la Ministre, c'est une structure permanente, simple et efficace basée sur la rentabilité et non sur les subsides gouvernementaux. Un réseau d'interventions qui tient compte des particularités propres aux inventeurs autonomes et des exigences techniques et financières des intervenants et professionnels de ce secteur d'activités. L'**Inventarium** résulte de mes vingt années d'expérience dans ce domaine, tout d'abord en tant qu'inventeur et ensuite, comme président fondateur de l'Association des Inventeurs du Québec. L'**Inventarium**, c'est la suite logique de mes nombreuses observations, de l'analyse des problèmes rencontrés et de l'ensemble des solutions trouvées pour les régler. Pour avoir une idée de cette structure, je vous invite à parcourir le cheminement d'une invention dans le **Réseau Inventarium,** ci-joint.

Bien que la phase 1 de la mise en place de ce projet n'ait débuté officiellement qu'en mai 2001, notre premier objectif est déjà atteint, en effet notre méthode de services simplifiée et uniformisée permet déjà de protéger une idée au coût le plus bas au Canada. J'ai pris soin de joindre aux présents documents un exemplaire de notre trousse d'ouverture de dossier qui est l'élément de base de cette méthode tout à fait unique. Jumelée à l'organisation d'événements reliés au domaine de l'invention (soupers-causeries, conférences, séminaires, etc…) et à la vente au détail des produits de nos membres, cette méthode nous permet presque déjà d'atteindre la rentabilité

Aussi, avec monsieur Normand Brault du Groupement québécois d'entreprises, regroupant plus de 800 entreprises manufacturières et de maître François Légaré, de la firme Légaré & Fortier, spécialisée dans le droit commercial, nous en sommes présentement à mettre en place la toute première banque d'inventions québécoises dont la mission sera de créer des maillages inventeurs/entrepreneurs. L'élément principal de cette banque sera un contrat type de cession de droits d'exploitation prénégocié de façon équitable, autant pour les entreprises que pour les inventeurs. À l'image d'un bail résidentiel, lorsque les deux parties s'entendront, il n'y aura plus qu'à y inscrire les chiffres.

Cependant, pour atteindre la rentabilité tout en maintenant les coûts de nos services à un niveau aussi bas, il faut limiter les dépenses et exclure l'idée d'une campagne publicitaire de grande envergure comme celle des entreprises précitées. Nous croyons donc que le réseau de CLD qui est présent sur tout le territoire du Québec pourrait faciliter l'accès à l'information de base auprès des inventeurs de leurs régions respectives.

Si j'anticipe que vous porterez une oreille attentive à mes propos, madame la ministre, c'est que depuis quelques années, votre gouvernement démontre beaucoup d'intérêt pour les inventeurs autonomes. C'est tout d'abord Madame Rita Dionne-Marsolais, alors ministre du MICRST, qui s'y est intéressée en commandant une étude qui devait mener, en mai 2000, au lancement, du **"Programme de soutien à la valorisation de l'invention"**, présentement sous la gouverne du MRST.

En terminant, vous pouvez en savoir plus sur l'implication de l'**Inventarium** auprès des inventeurs autonomes en parcourant notre site internet **www.inventarium.com**. De même, si à la lecture des présents documents vous croyez qu'il y va de l'intérêt des Québécoises et Québécois de collaborer au succès du projet **Inventarium**, je compte sur vous madame la ministre, pour déléguer ce dossier à la personne ressource responsable du réseau de CLD, afin d'étudier ensemble une possible implication de leur part.

Cordialement,

Daniel Paquette, président.

Cc: Madame Rita Dionne-Marsolais, ministre déléguée au ministère de l'Énergie et députée de Rosemont.

Dans tout ça cependant, la meilleure chose peut-être qui soit survenue, c'est qu'il était tellement difficile, pour ne pas dire impossible, pour les inventeurs autonomes d'être acceptés au programme d'aide aux inventeurs d'Albert Bouchard, que ISC a fermé ses portes moins d'une année plus tard et nous n'avons plus jamais entendu parler de ITE et des autres entreprises du genre.

Au moment d'écrire ces lignes, une rumeur persiste que Jean Charest déclencherait les élections à l'automne prochain ou au printemps 2013. Avec la CAQ de François Legault qui semble avoir le vent dans les voiles, bien malin celui qui pourrait prédire quel parti va l'emporter. Mais peu importe le choix des citoyens, je veux dire ici à quel point j'ai de l'admiration pour Pauline Marois. Dernièrement, certains ont commencé à la surnommer la femme de béton, moi je dis qu'elle est en acier.

Au cours des dernières années, cette femme a affronté toutes les tempêtes et on a demandé sa démission des dizaines de fois. Mais elle est restée debout, envers et contre tous, et ce, même après la démission de plusieurs têtes d'affiche du PQ. Chapeau, Madame Marois, et j'espère de tout cœur que le jour où ce livre sera publié, vous serez déjà, ou sur le point d'être, la première femme premier ministre du Québec.

Il nous fallait maintenant préparer la foire des inventions pour la prochaine saison des Fêtes. Je n'oublierai jamais le soir où, en finissant de travailler à minuit, je me suis rendu au local des Halles d'Anjou que nous avions réservé pour la tenue de l'événement. On venait tout juste d'en prendre possession et tout était à faire pour le rendre propice à y recevoir les inventeurs et le grand public.

Arrivé dans le stationnement, j'ai aperçu Jeanne à travers la vitrine, à genoux en train d'enlever les chiques de gommes collées au plancher. Je suis resté un bon moment à l'observer, j'en avais les larmes aux yeux. Je n'arrivais pas à croire que j'avais maintenant une telle partenaire pour soutenir mes nombreux projets. Je pensais à tout ce que j'avais fait seul avant et me disais « mais qu'est-ce que ça va être à deux ! » Ce premier événement passé ensemble fut mémorable à tous les niveaux. J'ai découvert en elle une travailleuse acharnée qui, en plus, vouait un respect sans borne aux inventeurs, qui le lui rendaient bien.

Cet événement fut suivi du Salon de l'habitation en mars. Jeanne n'en revenait pas de son ampleur et de la popularité de notre kiosque. Pendant les dix jours qu'il aura duré, Jeanne, Michel Winner et moi arrivions le matin vers 7 heures et partions les derniers vers 23 heures. En plus de recevoir les dignitaires et les gens d'affaires, Jeanne s'occupait de la collecte de fonds avec la roue magique. Elle était débordante d'énergie et tout simplement infatigable, ayant passé les dix jours debout du matin au soir. Je n'oublierai jamais l'état de ses pieds à la fin du salon. Elle en porte d'ailleurs encore les séquelles. De son côté, Michel voyait à ce que les exposants ne manquent de rien et, comme toujours, il faisait un travail remarquable.

En juillet 2000, devant un café chez Tim Hortons, j'ai demandé à Jeanne si elle voulait m'épouser, ce qu'elle a accepté, à ma plus grande joie. Étant donné que toute ma famille proche habitait Montréal ou la région, et que nous avions souvent l'occasion de les voir, je lui ai proposé de faire la cérémonie à Leamington en Ontario, où se trouve la grande majorité de sa famille.

Dès que l'occasion s'est présentée, nous nous sommes rendus à Leamington pour préparer le terrain. On voulait un mariage romantique. Notre premier geste fut donc de chercher une belle petite église située quelque part à la campagne. La seule que nous ayons trouvée était de confession baptiste et n'acceptait pas de mariages autres que ceux de sa communauté.

Notre temps de recherche étant très limité, nous étions résignés à nous marier à la grande église de Leamington. Mais avant de signer les documents à cette fin, nous sommes allés rencontrer Céline et Danielle, deux sœurs de Jeanne, qui nous avaient gentiment offert de s'occuper de l'organisation de la cérémonie. Elles nous avaient donné rendez-vous sur la terrasse du restaurant The Galleries situé à quelques pas de l'église. Cet emplacement n'était pas un hasard, elles l'avaient ciblé pour la réception et voulaient notre accord avant de réserver.

En visitant l'intérieur du restaurant en question, nous fumes vite conquis par la beauté de l'endroit. J'avais remarqué le plafond très haut et de magnifiques vitraux dans les fenêtres situées près du plafond. C'était à la fois bizarre et extrêmement joli. Ayant demandé à la propriétaire la raison de ces vitraux, elle m'a répondu que c'était tout simplement parce que ce bâtiment était une ancienne chapelle catholique. Quel hasard incroyable ! À partir de cet instant, au lieu de chercher une église, nous avons plutôt cherché un pasteur prêt à se déplacer. Chose qui fut des plus faciles. Un type super sympathique qui nous a proposé de s'habiller en fonction de notre religion catholique. C'était parfait et au-delà de nos espérances.

Danielle et Céline ont fait un travail extraordinaire, de sorte que la cérémonie du mariage et la réception ont été une réussite totale. Nous leur en sommes extrêmement reconnaissants. La cérémonie a eu lieu le 11 novembre 2000 devant plus de 80 personnes. Tous les proches de Jeanne, une famille tissée serré, étaient présents sauf deux, son frère Rosaire et Rita qui avaient malheureusement été victimes d'un accident de la route quelques jours avant leur départ du Nouveau-Brunswick. Faire 17 heures de route avec une auto endommagée n'était certes pas recommandé. Tina, la fille de Jeanne, et son conjoint de l'époque, Pierre-Paul Poulin, photographe professionnel, nous ont offert notre album photo en guise de cadeau de noces. Un geste extrêmement apprécié.

Ce fut un véritable mariage d'amour et, en ce qui me concerne, un des plus beaux moments de ma vie, que je place sans hésiter à égalité avec la naissance de mon fils Éric. Et quand je dis beau, je ne fais surtout pas allusion

Une photo vaut mille mots. Le bonheur total !

à la température qui n'était pas nécessairement à la hauteur, mais plutôt à l'amour qui inondait nos cœurs ce jour-là.

Hélas, dans la vie, on ne connaît pas que des événements heureux. Quelques mois plus tard, soit le 12 avril 2001, mon frère Bernard décédait à l'âge de 54 ans à la suite d'une longue lutte contre le cancer. Bernard ne se plaignait jamais, du moins pas devant moi. Bien que j'étais parfaitement au courant de la maladie qui le rongeait, c'est comme si je ne pouvais imaginer qu'il en mourrait. Ça m'a donc frappé en plein visage. J'avais peine à y croire quand on m'a annoncé qu'il n'en avait plus pour longtemps. Quand je suis arrivé à l'hôpital Notre-Dame, il était déjà inconscient. La réalité m'a rattrapé et c'est seulement à ce moment précis que j'ai vraiment compris que j'allais perdre un premier frère.

Depuis un certain temps, je travaillais à la préparation du projet Inventarium, dont, entre autres, à la mise en page des formulaires reliés aux différents services qui seraient offerts aux inventeurs. Un travail de moine qui demandait beaucoup de concentration. Je travaillais également à la réalisation de mon plan d'affaires et je continuais à offrir les trois services de base en propriété intellectuelle par le biais de ma division des services du MIQ.

Notre trousse d'ouverture de dossier

Après la présentation de notre salon de l'invention, du génie et de la créativité qui avait eu lieu en juin, il avait été convenu que Jeanne retourne travailler pour Primerica, mais à Montréal cette fois. Il lui fallait cependant obtenir sa licence au

Québec de sorte qu'elle devait suivre des cours de mise à jour avant de passer son examen.

Il faut savoir que l'examen de l'Autorité des marchés financiers est reconnu pour être le plus difficile de toutes les provinces du Canada; elle avait donc toujours le nez dans ses livres. Ayant déjà fait ses preuves pour la même entreprise au Nouveau-Brunswick, elle avait facilement trouvé une succursale de Primerica située à Ville d'Anjou, prête à la recevoir à bras ouverts dès qu'elle aurait obtenu sa licence.

Jeanne partageait ma vie, mais nous étions en plus devenus les meilleurs amis du monde. Évidemment, je ne voulais pas la perdre et je savais que le projet Inventarium allait être une très grande aventure. Je me connaissais et je savais très bien, par expérience, que j'allais y consacrer toutes mes journées et toutes mes soirées, et ce, sept jours sur sept. Plus le jour de ma retraite approchait, plus ça m'inquiétait. Vers la fin de l'été, Jacques Leclair, un ami qui savait que ma retraite était imminente, m'a offert un emploi bien rémunéré dans le domaine de la sécurité.

L'idée de faire autre chose que de m'impliquer dans le domaine de l'invention après ma retraite ne m'ayant jamais même effleuré l'esprit, j'ai refusé son offre sur-le-champ. Mais peu après, j'ai commencé sérieusement à y songer. Je savais que le projet Inventarium était très risqué et que je me jetais dans cette aventure sans filet. S'engager dans le domaine de la propriété intellectuelle à grande échelle quand on n'est pas agent de brevets est à peu près comme conduire une auto les yeux bandés. La seule différence est que je connaissais parfaitement le parcours et que j'avais une assez bonne idée des obstacles que j'allais y rencontrer.

Mais ce n'était pas tout. Le projet Inventarium demandait également des investissements importants qui risquaient de mettre notre sécurité financière en péril. Après avoir tourné et retourné tout cela dans ma tête pendant des semaines, j'en suis venu à la conclusion que Jeanne était beaucoup plus importante à mes yeux que le projet Inventarium et j'ai décidé d'accepter l'offre d'emploi de mon ami Jacques.

Le soir même, assis sur le balcon, je lui ai fait part de ma décision, à sa plus grande surprise. Mais sa réaction fut loin de celle que j'attendais. Elle m'a d'abord demandé si j'étais vraiment sérieux. Elle est ensuite rentrée précipitamment dans l'appartement pour en ressortir, quelques instants plus tard, avec un verre de bière dans une main et un jus d'orange dans l'autre. Elle m'a regardé directement dans les yeux en frappant son verre contre le mien, comme pour porter un toast, et m'a dit: «Tu n'as pas le droit d'abandonner ton rêve qui est aussi devenu le mien. L'Inventarium, mon Dan, on va le bâtir ensemble, pouce par pouce, et prends ma parole, on va réussir.» C'en était fait de mon emploi en sécurité.

À partir de ce moment précis, il n'a plus jamais été question que ni elle, ni moi, ne fassions quoi que ce soit d'autre. Toutes nos énergies – et nous en avons beaucoup ! – ont été consacrées à la préparation du concept Inventarium. Mais avant de prendre définitivement la décision de joindre les rangs du projet Inventarium, Jeanne a insisté pour que je lui fasse la promesse de me concentrer sur ce seul projet, et rien d'autre. Je le lui ai promis et jusqu'à présent, j'ai toujours tenu ma promesse, même si parfois, quand j'ai une nouvelle idée d'invention qui me trotte dans la tête, je trouve cela difficile.

Avant de créer Inventarium toutefois, il nous fallait préparer nos deux grands événements qui approchaient à grands pas, la Foire des inventions québécoises, en décembre, et le Pavillon des inventeurs québécois, en mars. Deux événements qui connurent de très grands succès à tous points de vue. À noter que, pour le Pavillon des inventeurs, nous avions reçu l'appui de la SGF (Société générale de financement) à titre de commanditaire principal de notre kiosque. Ce coup de pouce nous a permis d'éliminer la collecte de fonds.

L'entrée du Pavillon des inventeurs

Lors de ce dernier salon, notre kiosque couvrait une superficie de 5 000 pieds carrés et regroupait une quarantaine d'inventeurs. Comme nous n'avions pas à nous occuper de collecte de fonds, Jeanne et moi pouvions nous concentrer sur le bon déroulement de l'événement.

Et comme pour toutes les années précédentes, ce fut un succès retentissant. Même qu'à un moment donné, une des organisatrices du salon est venue m'aviser que plusieurs visiteurs demandaient à se rendre directement à notre kiosque, sans avoir à parcourir tout le chemin défini par l'allée centrale. On avait averti les agents de sécurité de ne pas acquiescer à leur demande, mais après trois jours à argumenter avec les visiteurs, ils ont reçu la consigne de les laisser passer.

Le Salon de l'habitation terminé, toutes nos énergies étaient maintenant concentrées au lancement du projet Inventarium. C'est à peu près à ce moment-là que Michel Winner a décidé de nous quitter pour se consacrer à plein temps à son rêve, son jeu de société « La fièvre du football ». Pendant, 30 jours, j'ai dû suivre un cours accéléré en informatique. Jusque-là, c'est lui qui s'occupait de notre site Internet qu'il avait lui-même monté. Mais pour les besoins spécifiques du projet Inventarium, il nous fallait maintenant mettre en place un site Internet transactionnel.

Une année auparavant, presque jour pour jour, j'avais reçu un appel pour un vol dans un édifice résidentiel. Le plaignant était un ingénieur en téléphonie et notre conversation avait plus tourné autour du domaine de l'invention que sur le vol dont il avait été victime. Je l'avais trouvé super sympathique et je pense bien que c'était réciproque.

L'année suivante donc, au moment où je cherchais une personne pour aménager notre site Internet, voilà que je reçois un appel de la même personne pour un vol de pneus dans son espace de rangement. On saura plus tard que le concierge de son édifice n'était pas des plus honnêtes. Cette fois, notre conversation a vite bifurqué vers ses connaissances dans le domaine de la programmation de sites Internet. Nous avons donc convenu de nous rencontrer à mon bureau le lendemain même et une entente, scellée par une simple poignée de main, a fait de François Sackhouse notre webmestre, ce qu'il est toujours aujourd'hui d'ailleurs.

Le 10 mai 2001, après trente années de loyaux services, je rendais les armes. Une journée mémorable où on m'avait assigné un chauffeur. Mon premier geste significatif fut de me rendre à la section Armurerie pour y remettre mon arme de service. En second lieu, j'ai été conduit au quartier général pour signer le document mettant officiellement fin à ma carrière. J'avais demandé de signer ce document à 10 heures pile, soit à la minute près où j'avais signé le document qui confirmait mon embauche 30 années auparavant. Inutile de vous mentionner à quel point ce moment fut émotif pour moi.

La fin d'une longue et belle carrière. Un moment à la fois heureux et émotif.

Jeanne et moi attendions ce jour avec impatience et dès le lendemain matin, à 10 heures précises, nous étions dans le bureau de Me Danielle Deschênes pour apposer nos signatures au bas du document qui donnait officiellement naissance à l'Inventarium. Tout était fin prêt pour le début de cette grande aventure. Nous formions l'équipe idéale, Jeanne à l'administration et moi aux services. Nous avions loué le 16e étage au complet de l'édifice que nous habitions pour y aménager nos nouveaux bureaux, une salle d'exposition et une salle de conférence.

Au niveau de notre personnel d'intervenants, nous avions déjà deux gros joueurs d'expérience, de solides piliers sur lesquels nous désirions bâtir notre équipe. Jean-François Poirier, notre agent de recherches depuis 1992, et Alain Bélanger, notre évaluateur d'inventions depuis 1994.

Jean-François est titulaire d'une maîtrise ès sciences en commerce électronique, d'une maîtrise ès sciences en physiologie cardiovasculaire et d'un certificat en informatique appliquée. Il est minutieux, méthodique, professionnel et discipliné. Toutes des qualités indispensables à son travail, car la moindre erreur peut avoir de graves conséquences lors de l'étude du brevet officiel par l'examinateur du bureau des brevets.

Ces quatre qualités se retrouvent également chez Alain, ingénieur de formation. C'est un perfectionniste à tous points de vue et ce trait de caractère se reflète dans la qualité de son travail. Ses rapports sont impeccables et il n'est jamais avare de commentaires, suggestions et recommandations.

Mais en dehors des heures consacrées à l'évaluation d'inventions, Alain est également un artiste dans l'âme et un manuel par plaisir. Il conçoit et fabrique des meubles pratiques qui se distinguent par leur originalité et leur qualité. Certaines des pièces qu'il réalise sont destinées à des collectionneurs. Alain a été lauréat d'un nombre impressionnant de prix de niveau international.

Nous devions maintenant trouver un rédacteur de brevets. Un de nos exposants du Salon de l'habitation, Luc Goulet, inventeur et homme d'affaires aguerri, nous a présenté Gilles Boulanger, un rédacteur de brevets qui correspondait exactement au profil de la personne que nous recherchions. Gilles est passé à nos bureaux et nous a remis une lettre explicative sur sa philosophie de vie et sa vision des services face aux inventeurs indépendants. Après en avoir pris connaissance, il n'y avait plus aucun doute dans mon esprit que Gilles était l'homme de la situation, comme il l'est d'ailleurs toujours aujourd'hui.

Le concept Inventarium est tout à fait unique en son genre. Il est basé sur la partie de la loi de la petite entité (*Small Entity Law*) qui permet à tout individu de rédiger, déposer et faire la gestion de son brevet par lui-même. Personne n'est obligé de passer par un agent ou une agence de brevets pour rédiger et déposer son brevet officiel. Avant l'arrivée de l'Inventarium, à peu près personne n'était au courant de cette disposition de la loi sur les brevets, mais moi oui.

Déposer un brevet officiel au Canada et aux États-Unis par l'entremise d'une agence de brevets conventionnelle coûte généralement 15 000 $ et plus selon la notoriété de l'agence responsable de votre dossier. Et ce n'est pas tout. Le dépôt d'un brevet officiel est toujours suivi d'un long et fastidieux processus de négociations entre l'agent et les différents bureaux de brevets. À chaque intervention de l'agent, des frais, quelquefois exorbitants, doivent être déboursés par l'inventeur. Mais plus encore, chaque fois que l'inventeur communique avec son agent, il doit payer des frais d'appel calculés à la minute.

Par exemple, en 1985, j'ai reçu une facture de 1 800 $ de mon agent afin qu'il puisse donner suite à une communication du bureau des brevets américain. À ce moment, j'ignorais qu'il me faudrait payer des frais supplémentaires après le dépôt de mon brevet officiel. Personne n'avait cru bon de m'en aviser. Stupéfait devant cette nouvelle tuile qui me tombait sur la tête, j'ai immédiatement communiqué avec l'agent en question pour avoir des explications à ce sujet. Notre conversation a duré une dizaine de minutes tout au plus. Quelques semaines plus tard, quelle ne fut pas ma surprise de recevoir une facture de 85 $ pour couvrir les frais de cette conversation téléphonique. J'étais assommé ! Et si j'avais communiqué à nouveau avec mon agent pour avoir des explications sur cette dernière facture…

C'est souvent à cause de ces frais que les inventeurs hésitent à appeler leur agent de brevets pour obtenir certaines informations importantes ou pour des précisions sur une partie du processus qu'ils ne comprennent pas bien. Je refuse que cela se produise avec l'Inventarium et c'est coulé dans le béton qu'il n'y aura jamais de frais pour un appel téléphonique.

Dans la très grande majorité des cas, les inventeurs indépendants n'ont pas prévu avoir un jour une bonne idée d'invention et, de ce fait, ne sont pas prêts à assumer ces dépenses inattendues. Facile alors de comprendre que certains d'entre eux se retrouvent dans une telle situation financière qu'ils doivent abandonner en cours de route. Souvenez-vous que pour mes Jog'O en 1985, j'ai parfois dû occuper simultanément trois emplois pour payer mes brevets dont le coût total a dépassé les 21 000 $. On peut imaginer le coût des mêmes démarches aujourd'hui. C'est insensé !

Je ne critique pas le travail des agents de brevets canadiens, bien au contraire, la grande majorité d'entre eux sont très compétents et leurs actions sont sans reproches. C'est strictement leurs coûts faramineux qui posent problème aux inventeurs indépendants et aux petites entreprises. Quel pourcentage du prix d'un brevet officiel est directement attribuable au travail de l'agent ? Ou si vous préférez, quel pourcentage de ce coût est attribuable aux immobilisations et aux salaires des employés de soutien ?

En affaire, le principe est simple, on additionne les coûts fixes avec les coûts variables estimés, on ajoute un pourcentage de marge d'erreur et un pourcentage pour les profits nets, et ça donne le coût total à répartir par le nombre de clients potentiels. Ce principe est général et s'applique également aux agences de brevets, et ce, sans égard au profil du client, qu'il s'agisse d'Hydro-Québec ou d'un inventeur indépendant.

Les services des agences de brevets conventionnelles sont adaptés aux besoins des moyennes et grandes entreprises qui peuvent se permettre de telles dépenses. D'autant plus que ces déboursés sont éligibles aux déductions fiscales et que, souvent, elles ont préalablement eu droit à des subventions gouvernementales. Mais dans le cas des inventeurs indépendants et des petites entreprises, il en va tout autrement. Ils n'ont pas les moyens de payer ces sommes astronomiques.

Voici un exemple de ce que j'avance en rapport avec les coûts exorbitants des agents de brevets. Il y a quelques mois, je reçois un courriel d'un agent de brevets habitant la banlieue sud de Montréal, qui dit avoir œuvré pendant une vingtaine d'années dans une grande agence de brevets située au centre-ville de Montréal. Il entend de plus en plus parler de l'Inventarium et se déclare assez impressionné par notre concept de services. Il désire donc nous offrir ses services tout en réduisant le coût de ses honoraires professionnels pour être en accord avec notre culture d'entreprise. Il offre de s'occuper de la rédaction de nos brevets à un taux horaire réduit de 200 $ l'heure... Son offre fut appréciée même si je ne l'ai pas retenue. Mais essayez d'imaginer quel était le taux horaire de cet agent lorsqu'il travaillait pour l'agence de brevets !

De plus, les inventeurs ont également besoin d'être accompagnés dans les phases de développement et de commercialisation de leur invention, ce que ne peuvent faire les agents ou agences de brevets, étant soumis aux règles de l'IPIC (Institut de la propriété intellectuelle du Canada), leur ordre professionnel. Dans un tel contexte, il y avait urgence d'instaurer une structure spécifiquement adaptée aux besoins et caractéristiques propres aux inventeurs indépendants et aux petites entreprises.

Je ne prétends pas avoir inventé comme tel le concept Inventarium ; il s'est imposé à moi, au fil de mes nombreuses expériences passées. Mon défi était plutôt de le structurer de façon à répondre aux trois critères que je m'étais fixés : le plus simple et le plus efficace tout en étant le moins dispendieux possible. Et c'est réussi.

À la période des Fêtes 2001, nous avons de nouveau organisé notre foire annuelle, mais cette fois, le résultat a été moins bon, car, de plus en plus, les gens commandaient leurs produits par le biais de notre site Internet. Ce fut donc notre dernier événement du genre. Encore une fois, Internet a joué un rôle majeur dans notre décision d'effectuer des changements. En effet, à compter de 2002, les produits de nos inventeurs étaient accessibles directement sur le site et, en outre, les inventeurs n'avaient plus à se déplacer.

Entre-temps, le Salon national de l'habitation était passé aux mains de DMG Word Media, une entreprise ontarienne. Nos négociations avec cette entreprise n'ont rien donné de bon quant au prix de location de l'espace et à son emplacement à l'intérieur du salon. Nous avons donc décidé de mettre fin à notre association avec cet événement. De toute façon, notre site Internet était maintenant encore plus efficace, étant à la portée des inventeurs et visiteurs de toutes les régions, 24 heures sur 24, sept jours sur sept. Jeanne et moi pouvions maintenant nous concentrer totalement à la réussite du projet Inventarium.

Avec un peu plus de temps libre, je pouvais dorénavant me consacrer à la préparation d'un nouveau concept de télévision que je mijotais depuis plusieurs années déjà. Raymonde Crête, l'inventrice d'un ingénieux concept de plats réfrigérés pour le camping, est venue ouvrir un dossier à notre bureau. Raymonde était alors à l'emploi de Radio-Canada en tant que réalisatrice. L'occasion était trop belle pour ne pas lui en glisser un mot.

Ensemble, pendant des mois, nous avons élaboré et peaufiné un superbe concept d'une première série de 20 émissions de télévision qui permettra aux téléspectateurs de découvrir le monde fascinant de l'invention. La série *Eurêka !* prend la forme d'un magazine des inventions, petites et grandes, et vise un public désireux de tout savoir. Comment ça marche ? D'où ça vient ? Qui a inventé ça ? Comment devenir inventeur ?…

Afin de répondre à toutes les questions que peuvent se poser les téléspectateurs, l'émission se compose de plusieurs segments qui sont tous reliés par la présence d'un animateur-vedette en studio. Une personne qui a beaucoup d'intérêt personnel pour les inventions et qui joue tantôt un rôle de présentateur, tantôt d'animateur ou de journaliste. Il doit tout à la fois informer, divertir, étonner, surprendre. À l'époque, notre choix s'était arrêté sur Marc-André Coallier qui répond à l'ensemble de ces critères. En plus d'être très intéressé par le monde de l'invention, il a la grande qualité de pouvoir rallier tous les groupes d'âge. De plus, il a animé pendant des années *Le Club des 100 watts* directement relié au domaine de la créativité.

Nous avons présenté ce projet à différents producteurs pour finalement nous entendre avec les Productions Lise Payette. Mais après des mois de labeur avec cette équipe, le projet a été abandonné. Ce n'est pas tout d'élaborer un nouveau concept d'émission, encore faut-il qu'il y ait de l'intérêt de la part des diffuseurs et de la disponibilité d'antenne. Ce projet est loin d'être mort cependant, il est encore dans nos cartons et on compte bien le représenter au moment opportun.

À noter également que le canal Z nous avait devancés avec la présentation de la série *La Patente* avec Gildor Roy. J'ai été approché pour agir à titre de recherchiste et de chroniqueur pour cette série de 20 émissions. J'ai eu beaucoup de plaisir avec l'équipe de tournage, qui devait travailler avec un très petit budget. Ils ont tout de même fait des miracles avec ce qu'ils avaient sous la main.

Mais la vie continuait et, pendant mes temps libres, je lisais et relisais les différentes lois sur les brevets, canadienne, américaine, et celle du PCT international. Aujourd'hui, je suis également familier avec les lois européenne et chinoise, et j'ai acquis des connaissances générales sur plusieurs autres.

Quelques mois à peine après le début des activités de l'Inventarium, le 6 août plus précisément, nous aidions Mme Luce Belle, une gentille dame qui avait atteint l'âge vénérable de 75 ans, à déposer ses brevets officiels au Canada et aux États-Unis pour son support pour entreposer les pneus. Brevets qui lui furent octroyés par le biais de la chaîne de magasins Walmart.

La plupart des demandes de brevets doivent être accompagnées de dessins techniques parfaitement conformes aux exigences des bureaux de brevets. Nous avions donc besoin d'un dessinateur à cette fin et, encore une fois, la chance nous a souri assez rapidement. Au début de l'année 2002, j'ai reçu un appel du directeur de l'École des métiers de l'ouest de Montréal qui désirait que je fasse une conférence devant ses étudiants en dessins industriels et techniques. Nous nous étions mis d'accord sur mes honoraires professionnels et avions fixé la date et l'heure de ma conférence. Mais le lendemain, j'ai communiqué avec le directeur en question pour lui signifier que j'étais prêt à laisser tomber mes honoraires en échange de sa permission de remettre à tous les étudiants un document les informant que j'avais besoin de dessinateurs pour réaliser nos dessins de brevets.

À la suite de ma conférence, j'ai reçu une vingtaine d'offres de service de la part des étudiants présents. J'en ai appelé quelques-uns pour les rencontrer, mais un des étudiants, Carl Michaud, à peine âgé de 17 ans, s'est présenté à nos bureaux sans rendez-vous. Comme son nom n'était pas sur ma liste, il m'a expliqué que c'était parce qu'il voulait plutôt me remettre son document en mains propres. Il avait apporté avec lui un portefolio de ses dessins. J'étais renversé devant son talent évident et il fut engagé aussitôt. Il est toujours notre dessinateur et est également devenu professeur de dessins industriels à cette même école.

Tout baignait maintenant dans l'huile à l'Inventarium, sauf au niveau du prix des services que notre comptable a dû ajuster à la hausse à quelques reprises pour assurer la rentabilité de l'entreprise. Nous avons également élargi notre gamme de services en propriété intellectuelle en y ajoutant les enregistrements de dessins industriels, marques de commerce et droits d'auteur. Nous avons aussi développé un éventail de services spécifiquement reliés aux jeux de société.

Pendant cette même période, je tenais une chronique au canal Vox à l'émission *Le grand Montréal* animée par Guy Bolduc, un vrai pro. J'ai adoré cette expérience et je compte bien récidiver un jour. J'y présentais une nouvelle invention chaque semaine et, la plupart du temps, l'inventeur m'accompagnait en studio pour en faire la démonstration. J'ai participé à vingt émissions et j'ai eu énormément de plaisir avec les autres membres de l'équipe, dont le lutteur Jacques Rougeau qui y avait également une chronique. Un véritable gentleman. Le canal Vox n'est pas très populaire, mais j'ai tout de même été surpris par le nombre de personnes qui m'ont dit écouter ma chronique chaque semaine.

Le 24 février 2003 est un autre jour triste dans ma vie et dans celle de ma famille. Mon petit frère Gaétan, 47 ans, perdait lui aussi son long combat contre le cancer, à peine deux années après Bernard. Deux coups terriblement difficiles à encaisser pour une famille qui n'avait jamais vraiment connu la maladie auparavant. La famille Paquette est très unie ; d'ailleurs, encore aujourd'hui, mes cinq frères restants, ma sœur et moi nous rencontrons tous les lundis soir chez Tim Hortons.

En octobre 2003, nous avons reçu un important appel de madame Carole Choinière, directrice des communications de l'OPIC (Office de la propriété intellectuelle du Canada). Celle-ci se posait de sérieuses questions sur notre présence dans le domaine de la propriété intellectuelle alors que l'Inventarium n'était pas une agence de brevets conventionnelle. Elle disait ne pas connaître d'autres entreprises comme la nôtre et désirait en savoir plus sur notre implication auprès des inventeurs indépendants et des petites entreprises.

La rencontre eut lieu la semaine suivante au bureau de l'OPIC à Gatineau. C'était notre premier grand test pour valider notre projet, et ce n'est pas peu dire. Il y avait cinq personnes autres que Jeanne et moi à cette réunion qui a duré environ deux heures et pendant laquelle nous avons subi un véritable barrage de questions. Nous connaissions l'importance de cette rencontre pour l'avenir de l'Inventarium et nous étions très bien préparés. Nous leur avons expliqué en long et en large notre façon d'opérer.

De plus, j'avais apporté de nombreux documents reçus d'inventeurs qui démontraient à quel point les relations sont difficiles entre les examinateurs de brevets et les inventeurs qui s'aventurent à déposer eux-mêmes leur brevet. Toutes les personnes présentes étaient unanimes sur ce point et sur le fait que la plupart du temps, le processus se termine par le rejet du brevet par l'examinateur. Ou encore, par l'abandon pur et simple des démarches par l'inventeur, faute de connaissances techniques et juridiques ou de moyens financiers pour faire appel à un agent de brevets agréé.

Notre plus belle récompense est arrivée à la toute fin de la réunion lorsque madame Choinière a fait ce commentaire qui confirmait que nous avions passé le test avec succès: «J'espère qu'on retrouvera un jour un Inventarium dans chaque province du Canada.» C'était flatteur, même si nous n'avons jamais envisagé ce scénario puisque nos services sont facilement accessibles à travers le Canada grâce à l'informatisation de notre système. À noter que les inventeurs n'ont jamais besoin de se déplacer à nos bureaux puisque tout se fait maintenant par Internet, téléphone, télécopieur ou par la poste. À quelques reprises par la suite, nous avons été invités par l'OPIC à participer à des réunions ayant pour but d'améliorer leur service à la clientèle.

Nous avions maintenant le vent dans les voiles et cherchions à augmenter notre offre de services lorsqu'un article du *Journal de Montréal* sur Me Vincent Allard, avocat québécois président de Corpomax aux États-Unis, a piqué ma curiosité. J'ai immédiatement communiqué avec ce dernier pour en apprendre davantage sur ses services et c'est ainsi qu'il est devenu notre agent de marque de commerce pour les États-Unis. Plus efficace que Vincent, tu meurs! Un véritable gentleman toujours prêt à donner des conseils et un passionné de son travail qui ne ne compte pas ses heures. Il n'est donc pas rare que nos conversations d'affaires aient lieu un samedi ou un dimanche soir ou n'importe quelle journée de la semaine à 6 heures du matin.

Presque au même moment, Mme Luce Belle, cette gentille dame titulaire du premier brevet officiel déposé par l'Inventarium, communiquait avec nous pour nous référer Gary Nolan, un spécialiste en marketing de près de 40 années d'expérience dans la commercialisation de nouveaux produits. C'est Gary qui a introduit le support à pneus de madame Belle chez Walmart.

Sa vaste expérience nous a permis d'ajouter une gamme élargie de services reliés au développement et à la commercialisation de nouveaux produits. Sa spécialité est la réalisation de plans de commercialisation personnalisés à l'invention.

Nous avons également accueilli dans nos rangs trois agents de brevets étrangers qui ont déjà travaillé dans des agences de brevets conventionnelles. Et, comme c'est le cas pour tous nos intervenants, tous ont leur bureau à domicile, condition incontournable pour faire partie de notre équipe. Ainsi nous payons le juste prix pour la compétence seulement et non le prix fort pour les immobilisations.

Pour des raisons pratiques et économiques, Bruce Lev, notre principal agent de brevets agréé, réside aux États-Unis. Il est ingénieur mécanique, diplômé de l'Université du Maryland en 1988. C'est un agent extrêmement compétent qui a été examinateur en chef au USPTO (United States Patent and Trademark Office) pendant une dizaine d'années. Nous faisons appel à ses services sur une base régulière pour superviser la rédaction de nos brevets officiels et en rédiger les revendications. C'est également lui qui prépare les arguments en réponse aux examinateurs qui s'opposent à l'octroi d'un brevet.

Avec la mondialisation des marchés, les inventeurs lorgnent de plus en plus vers le marché européen. Conséquemment, nous avons beaucoup de demandes de dépôt de PCT international et, par le fait même, de passage en phase européenne. Depuis quelques années déjà, c'est Peter Mahler qui est notre agent pour l'Europe. Parfaitement trilingue, français, anglais et allemand, Peter s'occupe également des traductions lors des passages en phase régionale de nos brevets sur le continent européen.

De plus en plus d'inventeurs désirent breveter leur invention en Chine pour éviter d'être copiés. Ce qu'il faut savoir, c'est qu'on ne peut empêcher qui que ce soit de fabriquer et vendre notre invention dans un pays où nous ne possédons pas de brevet. Comme on le sait tous, les entreprises de Chine ont la mauvaise réputation de copier tous les produits à succès, d'où l'avantage de posséder un brevet dans ce pays. À l'occasion, nous travaillons donc également avec des agents de brevets en Chine, en Inde, au Mexique, au Japon, en Australie, etc.

Et comme pour toute entreprise qui se respecte, Inventarium a également son avocat en la personne de Me François Légaré, mon conseiller depuis l'époque de l'AIQ. Pour tout litige commercial, François agit à titre de conseiller juridique auprès de nos inventeurs. Avocat en droit commercial, il se spécialise dans les contrats de cession de licence d'exploitation de brevet.

Le 15 janvier 2007, après une vie bien remplie, c'était au tour de mon père de nous quitter en douceur à l'âge de 87 ans. Il est décédé dans son sommeil, sans aucune souffrance et fort probablement sans même s'en rendre compte. C'est vraisemblablement de lui que j'ai hérité cette propension à vouloir défendre les droits et les intérêts des inventeurs, car Henri a été président du syndicat des employés de chemin de fer du Canadien Pacifique pendant la majeure partie de sa carrière.

J'étais dorénavant orphelin !

Jusqu'en 2008, tous nos documents étaient remis aux inventeurs sous format papier et envoyés par la poste. Mais peu à peu, ces derniers ont commencé à manifester le désir d'envoyer leurs documents et de recevoir leurs rapports par Internet. Évidemment, nous n'étions pas prêts à ce changement puisque nos formulaires n'étaient pas informatisés. Ce fut alors le début d'un long processus d'informatisation qui s'est étendu sur quelques années. C'est qu'au fil des années, nous avions conçu des centaines de formulaires ou documents d'information en français et en anglais. Tous devaient être adaptés ou transformés en formulaires pouvant être remplis par ordinateur. Un travail de moine qui a demandé énormément de patience.

L'escouade

Alain Bélanger, B. ing.
Évaluateur d'inventions

Vikram
Swaminadhan
Rédacteur de brevets

Diane Richard
Secrétaire

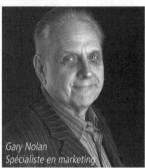

Gary Nolan
Spécialiste en marketing

Bruce Lev, ing.
Agent de brevets – USA

Carl Michaud
Dessinateur industriel

Gilles Boulanger
Rédacteur de brevets

Jean-François Poirier, B.E.S., M.Sc.
Agent de recherche en
propriété intellectuelle

Peter Mahler, M.Sc. (physique)
Agent de brevet – Europe

Me François Légaré
Droit des affaires

François Sachouse, B. ing.
Webmestre

Me Vincent Allard
Agent de marques de commerce

Pendant la même période, François, notre webmestre, s'est attelé à la tâche de concevoir et mettre en ligne un système intranet extrêmement efficace. Lorsque ce travail fut terminé, nos intervenants n'avaient plus à venir au bureau pour rencontrer les inventeurs et vice versa. Nous avons donc décidé de ne pas renouveler notre bail, car il ne servait plus à rien de payer un loyer pour un étage complet alors que nous n'étions plus que trois dans le bureau, incluant Diane Richard, notre secrétaire.

Notre local ainsi déserté, nous avons décidé de déménager dans un plus petit bureau, mieux adapté à notre nouvelle situation. Je ne garde que des bons souvenirs de notre local du 4050, boulevard Rosemont. Pendant les sept ou huit premières années de l'Inventarium, les intervenants étaient souvent sur place pour y rencontrer les inventeurs.

C'était toujours un grand plaisir de remettre un brevet officiel à un de nos membres. Cette fois, c'est Fernand Gauthier qui en était le titulaire et récipiendaire.

Le contact humain était chaleureux et on s'amusait ferme tout en travaillant.

Mais on avait le choix de continuer à fonctionner de cette façon et augmenter les prix chaque année ou informatiser nos services et conserver les prix au même niveau. Je m'ennuie de cette époque, mais, quand je regarde l'expansion qui a suivi, je ne peux regretter d'avoir opté pour le virage informatique. François est actuellement en train de mettre la dernière main à un nouveau système extranet qui permettra à nos clients d'avoir directement accès à leur dossier en tout temps, 24 heures sur 24.

En informatisant notre système par obligation, sans nous en rendre vraiment compte, nous avons mis en place une structure de services tellement simple, efficace et économique que nous avons pu conserver nos prix au même niveau qu'en 2006. Ce sont donc nos clients inventeurs qui en profitent et il devrait en être encore ainsi pour plusieurs années. Mais plus encore, cette informatisation forcée nous a permis d'étendre nos services à la grandeur du Canada et même, dans certains cas, à l'échelle internationale puisque nous comptons maintenant plusieurs inventeurs européens parmi nos clients.

Depuis le lancement de l'Inventarium, nous avons ouvert des milliers de dossiers d'inventions, parmi lesquels des centaines se sont rendus à l'étape du brevet officiel. Plusieurs d'entre eux ont atteint le stade de commercialisation et certains ont connu le succès. Si l'Inventarium roule aujourd'hui à plein régime, c'est parce que nous comptons sur une équipe d'intervenants consciencieux, professionnels et profondément passionnés par leur travail. Mais que serait l'Inventarium sans le génie des inventeurs et des inventrices ? Sans ces gens qui, non seulement ont une bonne idée d'invention, mais font preuve d'audace et de persévérance tout au long du processus pour la protéger, la développer et la commercialiser.

Parmi nos inventeurs et inventrices, on retrouve de plus en plus de professionnels, avocats, ingénieurs, designers industriels, etc., et aussi de petites entreprises, et nous en sommes très fiers. Ce que Jeanne et moi apprécions surtout, c'est que la plupart de ces professionnels nous sont recommandés par des clients satisfaits de nos services ou des institutions impliquées, à différents niveaux, dans le domaine du développement et de la commercialisation de nouveaux produits. Le bouche à oreille est notre meilleure publicité et ce n'est qu'un juste retour des choses pour notre souci constant de toujours faire mieux. Comme je le dis souvent, la perfection n'existe pas, mais rien ne nous empêche de tenter de l'atteindre.

À la fin de ce livre, j'ai inclus deux annexes, dont un guide pratique de l'inventeur qui vous permettra de découvrir les différentes étapes du processus pour protéger, développer et commercialiser une invention ainsi qu'un hom-

mage à 50 de nos membres qui ont franchi avec succès les différentes étapes de ce processus.

Lorsque vous tournerez la dernière page de ce livre, il n'en tiendra qu'à vous de suivre leur exemple, de marcher dans leurs traces et de faire appel à votre tour à « l'escouade des inventions ». Et il n'y a pas d'âge pour y faire appel !

Stella Litalien, notre doyenne

L'Office de Certification Commerciale du Québec inc.
Québec Commercial Certification Office Inc.

Certificat d'intégrité
Certificate of Integrity

est accordé à | is hereby granted to

Inventarium

*pour son éthique et son excellence dans le service | for its excellence in customer service
à la clientèle et ses pratiques commerciales | and ethical business practices*

Depuis | Since
04/2006

Expiration
02/2013

Président directeur général
OCCQ / QCCO

Chapitre 16

Témoignages et commentaires

« La gratitude peut transformer votre routine en jours de fête. »
– William Arthur Ward

Lorsqu'on travaille fort et consciencieusement, qu'on traite toujours les dossiers comme si c'était les nôtres, il est toujours agréable de recevoir une certaine reconnaissance pour le travail accompli. Voici donc quelques-uns des témoignages et commentaires reçus d'inventeurs satisfaits de nos services.

• • •

Copie d'une lettre de Bruno Gagnon,
envoyée à Mme Mireille Jean, auteure du livre
Inventer c'est bien, breveter c'est mieux.

Mon nom est Bruno Gagnon et je suis notaire de profession. J'ai été également le fondateur du restaurant la Piazzetta à Chicoutimi, que vous connaissez certainement. J'ai un projet de développement informatique en restauration sur lequel je travaille depuis quelques années et qui me tient énormément à cœur. Je suis en contact présentement avec des partenaires et investisseurs potentiels pour le développement de mon produit. Étant notaire de formation, j'ai été dès le départ conscient de l'importance de bien protéger mon invention. J'ai donc obtenu un brevet pour celle-ci.

J'ai entendu cette semaine à la télévision que vous donniez des conférences pour sensibiliser les gens à l'importance du brevet. Ce que vous faites est super. Le problème des inventeurs, et je suis certain que vous êtes consciente de cela, est toujours et encore une fois la sempiternelle capacité monétaire. À l'époque où j'ai obtenu mon brevet, je n'avais pas les 22 000 $ demandés par une agence de brevets conventionnelle.

Je tiens donc à porter à votre attention qu'il existe une alternative à ces bureaux d'avocats qui sont extrêmement dispendieux. À l'époque, on m'avait référé à Inventarium dont le propriétaire est monsieur Daniel Paquette qu'on surnomme « le Policier-inventeur ». Cette entreprise est d'un professionnalisme exemplaire et les coûts pour l'obtention d'un brevet sont de loin beaucoup plus raisonnables que ceux des agences de brevets conventionnelles. Alors, je pense que votre auditoire serait vraiment intéressé à connaître cette alternative qui s'offre à eux.

Bien à vous,
Bruno Gagnon

• • •

Bonjour Mme Jeanne Morin et M. Daniel Paquette,

MERCI beaucoup pour toute cette excellente réalisation. J'apprécie énormément tout ce vous avez fait pour moi tout au long de ce cheminement vers le brevet officiel et le PCT international. Quelle belle performance de votre part et à un coût qui m'a permis de réaliser mon rêve. Merci et longue vie à votre entreprise qui est tellement utile au développement de nouveaux produits au Québec.

Mes meilleures salutations,
Roger Bonin

• • •

Bonjour Monsieur Paquette,

Je m'excuse de ne pas avoir fait parvenir un courriel pour vous mentionner que j'avais reçu votre lettre et le rapport de votre collègue monsieur Alain Bélanger, ing., comme vous me l'avez demandé. J'ai pris connaissance de la documentation le vendredi 24 octobre 2008 et j'étais vraiment très satisfait du travail exécuté ainsi que de la rapidité du processus, merci à toute l'équipe de INVENTARIUM.

Après avoir lu l'évaluation, j'ai réfléchi durant un week-end très occupé et j'ai décidé de vous faire parvenir une autorisation de recherche de brevets internationale en mode accéléré et en format informatique. J'espère que tout est conforme à la procédure pour la deuxième étape.

Merci à madame Morin, la gentille dame au secrétariat, Monsieur Bélanger et vous Monsieur Paquette pour votre expérience et votre dévouement pour un projet qui me tient à cœur. Et un gros merci à INVENTARIUM pour votre encouragement.

Justin Coulombe

• • •

Bonjour Monsieur Paquette,

Mon épouse et moi avons déposé une demande de brevet au Canada et aux USA par l'entremise d'un grand bureau d'agents de brevets situé au centre-ville de Montréal. Nous avons rédigé 98 % de la demande, traduite en anglais et dessiné toutes les figures. Nous avons dépensé environ 13 000 $ en honoraires jusqu'à présent et l'ensemble de nos revendications nous ont été refusées par l'examinateur américain. Nous croyons avoir été mal conseillés et exploités, dû à notre manque d'expérience. Nous croyons qu'il est temps de tirer sur la *plogue*.

À la lumière des informations citées sur votre site Internet, vous semblez avoir vécu une situation similaire. Nous sommes relativement déçus de notre expérience avec les agents de brevets.

Benoit Girard

• • •

Bonjour Daniel,

J'ai lu attentivement le rapport de brevetabilité fait par M. Poirier. C'est un travail exécuté avec beaucoup de professionnalisme. Je tiens à le féliciter et aussi à le remercier pour son souci du détail. Je suis comblé et très heureux d'avoir eu l'opportunité de rencontrer une équipe comme la vôtre.

Merci pour tout,
René Hade

• • •

Bonjour Daniel,

Les chemins tortueux et périlleux (sinon suicidaires).

Si j'avais à résumer en quelques mots mon expérience des trente dernières années, c'est avec cette phrase (ci-haut) que je l'aurais décrite. Je suis assuré que le plus grand défi d'un inventeur est d'avoir l'extrême chance et le grand bonheur d'être orienté vers une firme honnête et dont la direction a pour unique but d'aider, de comprendre et de conseiller l'inventeur.

Réaliser une invention est relativement facile, mais pour toutes les démarches à faire à partir de : Comment trouver un agent de brevets qui ne pense pas seulement à s'enrichir au détriment de l'inventeur. Rechercher et rencontrer une personne ayant une solide expérience et possédant elle-même des brevets. Disponible, compréhensive, pleine de ressources et offrant une gamme de services appropriés et peu coûteux.

J'ai eu cette chance inouïe un jour de rencontrer un tel être qui nous réconcilie avec la vie et qui nous démontre sans l'ombre d'un doute que chacun peut réaliser son rêve le plus cher. Inventarium est une firme unique en Amérique du Nord, sinon au monde, ce n'est pas peu dire. Merci à toi pour tous les services rendus et pour ceux à venir.

Longue vie à toi Daniel et à Inventarium. Continue ta mission, nous avons besoin de toi et de ton sourire si accueillant.

René Hade

• • •

Bonjour Jeanne et Daniel,

Je me considère comme l'un des privilégiés d'avoir assisté au séminaire de marketing hier. J'ai aimé la simplicité du conférencier et ses connaissances dans cette matière. C'est formidable de pouvoir avoir accès à de la connaissance spécialisée dans le domaine de l'invention. Je crois deviner qu'il va se rattacher des services additionnels suite à ce cours, comme étude de marché, etc. Comment te remercier pour ton dévouement et ta persévérance et pour tout ce que tu fais pour les inventeurs dont je fais partie.

Je peux t'affirmer que je l'apprécie BEAUCOUP. Merci également à Jeanne pour l'accueil si chaleureux. Vous êtes inséparables. Vous semez du bonheur et de l'espérance dans le cœur de tous ceux que vous rencontrez. Il y a des chemins dans la vie qui se croisent et qui changent la vision et la compréhension des choses. C'est ce qui m'est arrivé en faisant votre connaissance et celle de toutes les autres personnes que j'ai connues par votre intermédiaire.

Merci infiniment pour tout.
René Hade

• • •

Michel Paré, inventeur et homme d'affaires de Laval en banlieue de Montréal, n'avait aucune connaissance des étapes à suivre pour protéger son idée. Il s'adressa à quelques agences de brevets et fut littéralement renversé par les coûts faramineux pour l'obtention d'un brevet (plus de 10 000 $). Ces dépenses imprévues ne faisant pas partie de son budget d'opération, il communiqua avec l'OPIC (Office de protection intellectuelle du Canada) pour demander conseil. On lui conseilla d'utiliser la loi de la « petite entité » et de déposer lui-même son brevet. Il fit venir la documentation nécessaire et se lança, avec sa conjointe Madeleine Lapalme, dans cette véritable aventure, comme elle l'explique elle-même :

« Nous avons suivi les instructions à la lettre afin de remplir tous les documents de façon conforme, du moins c'est ce que nous pensions. Nous avons posté le tout accompagné du paiement. Ce fut le début d'un véritable calvaire, document non conforme, changement ici, changement là, etc., à un point tel qu'après plusieurs mois, découragés, on a tout mis cela dans un tiroir et avons abandonné l'espoir d'obtenir un brevet pour cette idée.

« Ce n'est que par pur hasard qu'on découvrait quelques mois plus tard l'existence de l'Inventarium et des coûts beaucoup plus accessibles pour obtenir un brevet. Quelques semaines plus tard, une nouvelle demande, conforme cette fois-ci, était déposée au bureau des brevets et nous retrouvions à nouveau l'espoir d'obtenir un brevet. Pas de danger qu'on vous ait connu au début, on aurait probablement déjà obtenu notre brevet ! »

Madeleine Lapalme, Laval, conjointe de Michel Paré,
président de Intercept inc.

• • •

Bonjour madame Morin et monsieur Paquette,

Ce petit mot pour vous remercier pour les services professionnels que vous m'avez rendus par l'entremise de l'Inventarium. L'année dernière, j'avais une idée d'invention à protéger et j'ignorais tout de ce qu'il fallait faire pour obtenir un brevet.

J'ai donc effectué une recherche intensive à la grandeur du Canada et j'ai contacté de nombreux agents de brevets. L'Inventarium est le seul endroit où j'ai senti qu'on répondait à mes questions avec honnêteté et réalisme, des gens serviables, connaisseurs, disponibles et sympathiques. Au début, j'avoue avoir été un peu sceptique à cause du faible coût de vos services, mais aujourd'hui je suis très heureux de vous dire à quel point la qualité et la rapidité de vos services ont largement dépassé mes attentes.

Aussi, j'ai énormément apprécié ma présence dans votre kiosque au dernier Salon national de l'habitation. J'y ai fait de nombreux contacts et j'ai réalisé une excellente étude de marché qui me permet aujourd'hui et avec beaucoup de fierté de vous annoncer que mon produit sera bientôt en vente.

Marc Dumont, Delson, inventeur du Perfectskater

• • •

Monsieur Daniel Paquette,
Président de l'Inventarium

Il y a un an environ, j'ai vu une annonce à la télévision d'une compagnie américaine, ISC (Invention Submission Corporation), qui disait que si on a une bonne idée d'invention à vendre, ils s'occupent de tout. Comme j'en avais une, j'ai trouvé ça attirant et j'ai communiqué avec eux.

Ils m'ont dit qu'ils étaient la plus grosse entreprise du genre au monde et ça m'a donné confiance. J'ai donc emprunté 12 000 $ pour signer leur contrat. Un peu plus tard, j'ai réalisé que mon invention était montrée partout et qu'elle n'était pas protégée. Ils m'ont dit de ne pas m'inquiéter parce que jamais personne ne s'était fait voler son invention avec eux. Mais je n'ai pas pris de chance et j'ai décidé d'investir encore de l'argent pour déposer un brevet.

Ça fait maintenant un an que j'ai signé avec eux et je n'ai reçu aucun téléphone d'entreprises intéressées à mon invention. J'espère encore cependant, surtout que dans le rapport qu'ils m'ont remis au début, ils confirment que mon invention a un très grand potentiel de marché.

Monsieur Paquette, je vous connais bien parce que j'ai lu votre livre et j'ai assisté à plusieurs de vos réunions, je réalise aujourd'hui que j'aurais dû vous demander conseil avant de signer et m'endetter de la sorte.

Même si je suis déçu des résultats pour l'instant, l'avenir me dira si j'ai pris la bonne décision. J'espère que mon expérience en incitera quelques-uns à bien peser le pour et le contre avant de signer ce genre de contrat.

Sandro D'ambrosio, inventeur

• • •

Monsieur Paquette,

J'habite en Belgique (très petit pays d'Europe !), et vais vous prendre deux minutes de votre temps. J'espère que je ne vous aurai pas fait perdre trop de celui-ci.

J'ai découvert votre site, donc l'Inventarium, par hasard et je tenais à vous féliciter de ce que vous faites pour les créateurs-inventeurs de chez vous. J'ai été stupéfait de voir ce que vous proposez ! Vous les prenez vraiment par la main jusqu'à leurs «rêves», leur si dur chemin !

Pourquoi je m'adresse à vous ?

J'ai plusieurs idées et projets, mais ici en Belgique, RIEN n'est prévu pour nous aider comme vous le faites ! Je serais Canadien, avec mes projets et l'Inventarium, j'en serais déjà rendu bien plus loin qu'actuellement ! Raison pour laquelle j'ai sursauté lorsque j'ai découvert ce que vous faites. Ici en Belgique, il faut se battre, passer devant l'autre, passer les administrations, les profiteurs, ceux qui ne veulent pas que vous arriviez avec vos projets… et perdre un temps fou pour avancer un peu !

Nous sommes dans un monde où il est très facile de critiquer et se plaindre, et si rare de féliciter. Mais là je tenais à le faire pour vous, vraiment. Je vous souhaite d'innombrables nouveaux inventeurs et vous présente, Monsieur Paquette, mes salutations distinguées.

Philippe Méganck

Il est fortement important pour un créateur de prendre connaissance et d'analyser la bonne démarche à suivre lorsqu'il crée une invention prometteuse. Un consultant en protection intellectuelle d'Inventarium, Gilles Boulanger, a évalué mon projet.

J'ai suivi ses précieux conseils à la lettre et je suis entièrement satisfait des résultats jusqu'à ce jour.
Il m'a informé sur les opportunités d'affaires, le marché potentiel, la durée de vie de mon projet, le cycle commercial, la publicité, la distribution de mon jeu MÉMOIRE VIVE, la concurrence et j'en passe...

BRAVO ! ET MERCI… POUR VOTRE PROFESSIONNALISME.

Les Productions Guylaine Tremblay
Ville de Saguenay

Bonjour, M. Paquette et Mme Morin,

Juste un courriel pour vous dire merci. Sans vous et Inventarium, je ne me serais jamais rendu à l'obtention de mon brevet provisoire. Je suis très heureux d'avoir connu Inventarium, car grâce à vous j'ai pu entrer dans un monde inaccessible pour quelqu'un d'ordinaire comme moi.

Merci, à la prochaine étape, le brevet officiel.

Un de vos clients satisfaits
Clément Laroche

• • •

Traduction française :

Mᵐᵉ Jeanne Morin
et M. Daniel Paquette,

Lors de nos recherches d'une entreprise qui pourrait nous aider à breveter notre invention, Inventarium s'est avéré un choix tout naturel. Dès le début, vous nous avez expliqué de façon simple et très claire les différentes étapes du processus. Tout au long de celui-ci, nous avons pu compter sur les précieux conseils d'experts et des services de très haute qualité, et ce, malgré des coûts exceptionnellement bas.

Mais ce qui est encore plus intéressant, c'est la coordination du processus entre Vancouver et Montréal qui nous a permis d'obtenir rapidement nos brevets au Canada et aux États-Unis, et ce, sans même devoir nous déplacer. En ce qui nous concerne, Inventarium fut un partenaire fiable et efficace et de ce fait, nous le recommandons à tous les inventeurs.

Marko and Lev Shtyn
Vancouver, B.C

• • •

M. Paquette et Mᵐᵉ Morin,

J'ai fait affaire avec Inventarium afin de déposer une marque de commerce et prendre des brevets pour une nouvelle famille d'instruments de musique. Tout au long des étapes qui ont mené à l'obtention de ces brevets, l'équipe d'Inventarium m'a donné un service d'excellente qualité. Il a été facile et agréable de travailler avec vous. Je referai certainement affaire avec Inventarium pour les brevets de mes prochaines inventions.

Claude Gauthier
Université de Moncton

« *Conservons par la sagesse ce que nous avons acquis par l'enthousiasme.* »
– Nicolas de Condorcet

Depuis le tout premier jour où j'ai perdu une invention, mes pesées de rétention, aux mains d'une entreprise québécoise, j'ai consacré une bonne partie de ma vie à rassembler les inventeurs, défendre leurs droits et protéger leurs intérêts. À une occasion, comme je l'ai mentionné précédemment, j'ai même payé de ma poche une partie des frais d'avocat d'un inventeur sans emploi qui s'était fait voler son idée. Alors, s'il y a quelque chose que je n'aurais jamais pensé vivre un jour, c'est bien d'être moi-même accusé d'avoir volé une invention. Eh bien, faut croire que cela manquait à mon bagage d'expérience, car ça m'est bel et bien arrivé.

En janvier 2000, un jeune homme est venu me rencontrer avec son père pour protéger son idée d'une nouvelle paire d'espadrilles munies de ressorts. Mais la recherche de brevets antérieurs a identifié plusieurs brevets démontrant différentes structures qui s'apparentaient à son idée et qui, par le fait même, prouvaient qu'elle n'était pas nouvelle. Certains des brevets dataient même du début du siècle. Dans un tel cas, nous recommandons à l'inventeur d'arrêter la procédure en vue d'obtenir un brevet, d'abord pour éviter d'investir de l'argent inutilement, mais plus encore, pour éviter une éventuelle poursuite de la part d'un détenteur de brevet toujours valide. En d'autres mots, il n'avait rien inventé de nouveau, car plusieurs personnes y avaient pensé avant lui. En fait, qui n'a pas un jour rêvé de faire de longs bonds avec des chaussures à ressorts ?

À la fin août, peu avant le début des Jeux olympiques de Sydney en Australie, la compagnie américaine Nike annonce, en grande pompe, la mise en marché de nouvelles espadrilles appelées Shox, dont la publicité laisse penser qu'elles s'apparentent à l'idée du jeune homme, mais qui en réalité sont très différentes. En effet, dans sa publicité, Nike utilisait le slogan « Toujours plus haut et plus loin ». En fait, il ne s'agissait pas de ressorts, mais bien d'un matériau intelligent qui absorbe les chocs et reprend rapidement sa forme initiale.

Ce qui trouble le jeune homme et son père, c'est que ce matériau a été moulé en forme de ressorts sous la chaussure. Ils croient donc que Nike leur a volé l'idée et, dans ce cas, il n'y a qu'une seule personne qui puisse lui avoir

US005343639A

United States Patent [19]

Kilgore et al.

[11] **Patent Number:** 5,343,639

[45] **Date of Patent:** Sep. 6, 1994

[54] **SHOE WITH AN IMPROVED MIDSOLE**

[75] Inventors: **Bruce J. Kilgore**, Lake Oswego, Oreg.; **Thomas McMahon**, Wellesley, Mass.; **John C. Tawney**, Portland; **Gordon Valiant**, Beaverton, both of Oreg.

[73] Assignee: **Nike, Inc.**, Beaverton, Oreg.

[21] Appl. No.: **136,992**

[22] Filed: **Oct. 18, 1993**

Related U.S. Application Data

[63] Continuation of Ser. No. 738,031, Aug. 2, 1991, abandoned.

[51] Int. Cl.5 .... A43B 13/20; A43B 21/28
[52] U.S. Cl. .... 36/29; 36/28; 36/35 B
[58] Field of Search .... 36/27, 28, 29, 35 R, 36/35 B, 7.8, 37, 38; 5/481

[56] **References Cited**

U.S. PATENT DOCUMENTS

507,490	10/1893	Gambino .	
622,673	4/1899	Ferrata .	
933,422	9/1909	Dee	36/38
949,754	2/1910	Busky .	
1,094,211	4/1914	Jenoi et al.	36/38

(List continued on next page.)

FOREIGN PATENT DOCUMENTS

806647	2/1949	Fed. Rep. of Germany .	
3400997	7/1985	Fed. Rep. of Germany .	
0465267	4/1914	France	36/38
1227420	4/1960	France .	
2556118	6/1985	France .	
146188	11/1990	Japan .	
1526637A1	12/1989	U.S.S.R. .	
21594	of 1903	United Kingdom .	
7163	of 1906	United Kingdom .	
2032761	5/1980	United Kingdom .	
2173987A	10/1986	United Kingdom .	

OTHER PUBLICATIONS

UK Patent Appl. GB 2032761 A, May 14, 1980 Dr. Herbert Funck.

Elastocell ™ Microcellular Polyurethane Products, Technical Information, Elastocell ™, a Means for Antivibration and Sound Isolation.

Elastocell ™ Microcellular Polyurethane Products, Material Data Technical Information, Long Term Static and Dynamic Loading of Elastocell ®.

Elastocell ™ Microcellular Polyurethane Products, Technical Bulletin, Spring and Damping Elements made from Elastocell.

(List continued on next page.)

Primary Examiner—Paul T. Sewell
Assistant Examiner—Ted Kavanaugh
Attorney, Agent, or Firm—Banner, Birch, McKie & Beckett

[57] **ABSTRACT**

The invention is directed to a midsole for a shoe including one or more foam columns disposed between an upper and a lower plate. One or more elastomeric foam elements are disposed between the upper and lower plates. The foam elements are made of a material such as microcellular polyurethane-elastomer based on a polyester-alcohol and naphthalene-disocyanate (NDI). In one embodiment, the foam elements have the shape of hollow cylindrical columns, and may include grooves formed on the exterior surface. One or more elastic rings are disposed about the columns and are removably disposable in the grooves, allowing the stiffness of the columns to be adjusted. In a further embodiment, inflatable gas bladders are disposed in the hollow regions. The heights of the gas bladders may be less than the heights of the columns such that when the midsole is compressed, the wearer experiences a first stiffness corresponding to compression of the columns alone, and a second stiffness corresponding to compression of both the columns and the bladders. Alternatively, the bladders may be inflated so as to cause the columns to be stretched, even when no load is applied. Since the level of inflation of the bladders may be adjusted, the overall stiffness of the midsole may be tuned to the individual requirements of the wearer.

17 Claims, 23 Drawing Sheets

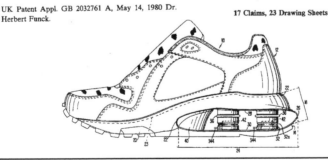

transmis l'information : Daniel Paquette. Ils se présentent donc à mon bureau sans crier gare et dans un état que je ne saurais décrire. Mais après une courte recherche dans la base de données des brevets américains, nous trouvons le brevet de Nike, datant de 1994, pour cette nouvelle technologie incorporée à la chaussure Shox.

Je leur remets donc le brevet de Nike en croyant que ça mettra définitivement un terme à leurs allégations. Mais rien n'y fait, ils n'en démordent pas. En fait, c'est comme s'ils persistaient à m'accuser d'avoir commis un meurtre en 1944 alors que je suis né en 1951. Je ne fus donc pas tout à fait surpris de faire l'objet, quelques semaines plus tard, d'une poursuite de 7 000 $ à la Cour des petites créances du Québec. Poursuite qui fut rapidement rejetée par le juge quelques mois plus tard.

Je croyais que cette histoire était définitivement terminée, mais une année plus tard, le père et le fils récidivent, et cette fois, ils n'y vont pas avec le dos de la cuillère; une poursuite de 200 000 000 $ me tombe sur la tête. Eh oui, vous avez bien lu, une poursuite de 200 millions de dollars est déposée en Cour supérieure, contre moi et la compagnie Nike.

J'étais assis à mon bureau lorsque je vois apparaître le journaliste Jean Lajoie de TQS dans l'entrée avec son caméraman. Je connaissais bien ce journaliste, car il m'avait déjà interviewé à plusieurs reprises auparavant en rapport avec mes inventions. Cette fois, il n'avait pas son sourire habituel, je dirais même que c'était plutôt le contraire. Devant mon étonnement de le voir ainsi se présenter à mon bureau sans s'être préalablement annoncé, il me demande comment je me sens face à la poursuite dont je fais l'objet. Mais comme je ne suis pas encore au courant de ce qui se passe, il me présente le document déposé à la Cour par mes accusateurs.

Jeanne est près de moi et à la vue du chiffre, elle s'esclaffe avec frayeur «200 mille dollars, oh my God!» et Lajoie réplique aussitôt «pas 200 mille, 200 millions». On s'est regardé pendant de longues secondes sans parler. C'est ce qu'on appelle, je crois, être sans mots. Mais Lajoie n'entendait pas à rire et son caméraman me pointait l'objectif à deux pouces du nez. J'avais beau lui expliquer la situation, rien n'y faisait. À chaque explication que je lui donnais, il répliquait aussitôt en disant «as-tu la preuve?».

Je l'invite donc à entrer dans mon bureau pour lui faire voir le brevet de Nike datant de 1994. J'ai beau lui montrer que le document de la Cour indique bel et bien que mes accusateurs sont venus me voir en 2000 et que, par le fait même, cette histoire n'a aucun sens, rien à faire. Dans sa tête de journaliste à sensation, il faut que je sois coupable, car le contraire ne serait d'aucun intérêt pour les téléspectateurs.

Lajoie et son complice de caméraman n'avaient pas encore quitté mon bureau que les appels de journalistes de différents médias se sont mis à arriver. J'étais habitué aux entrevues avec ces derniers, mais dans ce cas, c'était beaucoup moins agréable qu'à l'habitude.

Je dois absolument mentionner ici le professionnalisme de deux d'entre eux. Celui du quotidien *La Presse*, dont je n'ai malheureusement pas souvenir du nom, a écouté ma version des faits et l'a publiée telle quelle dans l'édition du lendemain, en même temps que celle du jeune homme. C'était, selon moi, la façon la plus honnête de traiter l'événement. Quant à Linda Sutherland du *Globe and Mail*, elle a écouté ma version dans les moindres détails et m'a demandé de lui envoyer, par télécopieur, la copie du brevet de Nike. Quelques heures plus tard, elle m'a rappelé pour me dire qu'après l'étude du document de Cour et du brevet de Nike par l'avocat du journal, elle considérait la prétention du demandeur tout à fait farfelue et sans fondement. Dans ces circonstances, elle m'a informé qu'elle n'allait pas publier la nouvelle.

Et concernant le journaliste responsable de diffuser cette nouvelle au *Journal de Montréal*, il ne m'a donné aucun signe de vie et a publié seulement la version du jeune homme. J'avoue que les trois ou quatre jours suivant la diffusion des différents reportages ont été difficiles à vivre, et pour moi, et pour Jeanne. Une dame visiblement en colère m'a même téléphoné pour me dire que depuis le premier jour où elle m'avait vu à la télévision, une vingtaine d'années auparavant, elle savait que j'allais un jour ou l'autre voler une invention. Pathétique !

Mais comme nous en avons tous les deux l'habitude, nous sommes rapidement retombés sur nos pieds. L'histoire de cette poursuite s'est terminée cinq ou six années plus tard. Comme c'est malheureusement le cas la plupart du temps, le document signé à la cour par toutes les parties impliquées ne me permet pas de divulguer les détails du dénouement de cette saga.

Mais ce que j'ignorais au début de cette histoire rocambolesque, c'est que le jeune homme en question souffrait de schizophrénie. Par malheur, quelques mois après le dépôt de sa poursuite en Cour supérieure, il s'est enlevé la vie.

La schizophrénie est une terrible maladie à laquelle j'ai souvent été confronté durant ma carrière de policier. Cette maladie mentale se développe généralement au début de la vie adulte et se manifeste principalement par un sentiment de persécution qui peut s'intensifier jusqu'à atteindre le délire paranoïde. C'est une maladie qui se contrôle par médicaments, mais gare à celui qui ne les prend pas de même qu'à son entourage. J'espère sincèrement que la recherche permettra un jour de guérir cette terrible et sournoise maladie.

Encore une fois, je croyais que cette affaire incroyable allait se terminer avec le décès du jeune homme, mais, à sa mémoire, son père a décidé de mener la poursuite jusqu'à sa conclusion. J'ose espérer que cette histoire d'espadrilles n'est pas ce qui a poussé ce jeune homme dans la force de l'âge à poser ce geste désespéré. Si c'est le cas, j'en suis désolé, mais je n'y pouvais rien.

Cette saga m'aura donc fait connaître ce que peut ressentir une personne qui est faussement accusée d'un crime. Et ce sentiment désagréable, je l'ai ressenti plus fort que tout autre, d'abord en vertu de mon statut de policier et, en second lieu, en tant que défenseur des droits des inventeurs. Mais en fin de compte, il me fallait probablement vivre cela pour pouvoir dire un jour que j'avais fait le tour du jardin dans le domaine de l'invention.

La plupart des inventeurs ont les deux pieds sur terre, mais certains d'entre eux ont tellement peur de se faire voler leur idée que ça frise la schizophrénie. Jeanne et moi faisons preuve de beaucoup de patience et d'empathie avec ces derniers, car nous comprenons leur état d'esprit. Mais, échaudés par la saga décrite précédemment, il nous arrive de jeter la serviette et de refuser de servir un client qui risque de nous rendre la vie impossible.

À titre d'exemple, l'année dernière, à la mi-mars, un inventeur, dont le brevet provisoire venait à échéance le 2 avril, communique avec moi pour passer à l'étape du brevet officiel. Mais cet inventeur était obsédé par la peur de se faire voler son idée. Pendant les douze mois précédents, il m'avait appelé une dizaine de fois à ce sujet et chaque fois j'avais passé de nombreuses minutes, en vain, à tenter de le sécuriser. Je n'avais donc pas du tout envie de subir ce calvaire pendant les 20 années de vie de son éventuel brevet officiel. Je lui ai donc signifié clairement que je refusais son mandat de déposer son brevet officiel, tout en lui conseillant de communiquer avec une agence de brevets conventionnelle. Il en pleurait au téléphone et me suppliait d'accepter son mandat. Mais ma décision était irrévocable.

Je n'ai plus eu de nouvelles de lui par la suite, et pour cause. Au mois d'octobre, en lisant la chronique des décès dans le *Journal de Montréal*, comme je le fais régulièrement, mon attention est attirée par la photo de cet inventeur dans la section «In memoriam». On y mentionne qu'il est décédé six mois auparavant, soit le 2 avril 2011. Je n'en croyais pas mes yeux et, dès mon retour au bureau, j'ai vérifié la date d'échéance de son brevet provisoire, qui était bel et bien le 2 avril. J'ose espérer qu'il s'agit d'une mort naturelle et que ce n'est pas ma décision qui l'aurait poussé à poser un geste malheureux. Mais si c'est le cas, comme je le crains, j'en suis profondément navré. En même temps, si vraiment il en est venu à poser un tel geste à cause de cela, je n'ose pas imaginer ce qu'il m'aurait fait subir durant les vingt années subséquentes.

Jeanne et moi ne sommes pas obligés de faire ce travail pour gagner notre vie. Nous pourrions très bien nous retirer définitivement demain matin, sans aucun problème. Mais nous adorons notre travail auprès des inventeurs et voulons, essentiellement, avoir du plaisir à les servir. Mais notre qualité de vie passe avant tout et ne laisse place à aucun compromis.

Le jour où nous avons créé l'Inventarium, je me suis retiré le droit d'inventer pour éviter d'entrer en conflit d'intérêts avec l'un ou l'autre de nos inventeurs. Ce qui ne signifie pas que je n'ai plus d'idées d'inventions, bien au contraire. Et c'est bien ce que je trouve le plus difficile, mais j'assume ma décision. Mes prochains projets ne seront donc pas de nouvelles inventions, car j'ai bien l'intention de diriger l'escouade des inventions encore plusieurs années.

Sans cela, soyez assuré que je serais déjà en train de chercher une solution pour diminuer les noyades d'enfants dans les piscines résidentielles. Je trouverais une solution simple, efficace et peu dispendieuse et j'y mettrais autant de cœur pour la concrétiser et la commercialiser que j'en ai mis pour mes accessoires de sécurité pour autobus scolaires. Comme je l'ai indiqué auparavant dans un des chapitres de ce livre, le risque zéro n'existe pas, mais rien n'empêche de tout mettre en œuvre pour l'atteindre. Cependant, je ne m'en fais pas trop avec cela, car je suis persuadé que plusieurs inventeurs travaillent déjà à trouver une solution à cet important problème.

Tout au long de l'écriture de ce livre, auquel j'ai consacré tous mes temps libres depuis bientôt six mois, j'ai revécu en pensée un bon nombre de situations auxquelles j'ai dû faire face, des bonnes comme des mauvaises. Heureusement, la balance penche plus du côté des bonnes. C'est bien certain qu'aujourd'hui, devant certaines situations, j'agirais de façon différente. Mais avec le recul, je réalise à quel point chacune de ces situations avait sa raison d'être, dans ce sens qu'elles ont toutes servi à paver la voie à la réalisation du projet Inventarium.

Quand l'idée m'est venue d'écrire ce livre, je savais pertinemment, pour en avoir déjà écrit un, que ce serait un travail long et ardu. Je me suis donc sérieusement interrogé sur la pertinence de cet exercice fastidieux. J'ai toujours dit que peu importe la situation qu'on vit, il y a toujours quelqu'un qui en a vécu une semblable avant nous. Et quand ces personnes réussissent à passer à travers, elles peuvent parfois nous aider en nous expliquant de quelle façon elles s'y sont pris. Honnêtement, quand la vie nous a bien servis et qu'on a la chance d'en sortir gagnant, je crois qu'on a le devoir de transmettre les connaissances acquises. Et la meilleure façon de vous les transmettre, c'est, selon moi, par la voie de l'écriture.

C'est donc en pensant à tous ceux et celles qui ont ou auront un jour une bonne idée d'invention et qui ignorent tout des étapes à suivre pour la concrétiser que j'ai pris la décision d'aller de l'avant. Si le résultat est que mon livre vous aide à persévérer, à réagir de la bonne manière dans une situation donnée, à éviter de faire une erreur ou à prendre de meilleures décisions, alors mon but aura été atteint.

Comme vous avez pu le constater tout au long des chapitres précédents, le cheminement qui m'a mené à la création de l'Inventarium n'a pas été de tout repos, mais ça en valait la peine. Aujourd'hui, ma vie avec Jeanne est beaucoup plus calme puisque nous nous concentrons maintenant sur une seule tâche, celle de maintenir un haut niveau de qualité des services que nous offrons aux inventeurs. Alors que durant la grande majorité de ma vie d'adulte, j'ai à peine dormi de cinq à six heures par nuit, aujourd'hui je « fais mes nuits ».

À l'Inventarium, je suis responsable de la section des services. Je vois à ce que les délais de remise de rapports soient respectés et que ces mêmes rapports soient à la satisfaction totale des clients. Je traite toujours les dossiers des inventeurs comme si c'étaient les miens et je ne regarde jamais les heures quand nous avons un surplus de travail. Au fil des années, mon enthousiasme n'a jamais diminué d'un cran et tout ce que je fais, je le fais avec passion. Ce que je veux au plus profond de mon cœur, c'est la réussite de chacun des inventeurs qui nous font confiance.

Même chose pour Jeanne qui s'occupe de tout ce qui touche l'administration. Je n'ai jamais connu une femme aussi travaillante et dévouée à son travail. Elle non plus ne compte pas les heures. Elle adore les inventeurs et, tout comme moi, leur voue une admiration sans bornes. Elle est remplie de compassion pour eux et prend toujours le temps de les écouter et de les conseiller, qu'il s'agisse d'un problème personnel ou en rapport avec leur projet.

En plus de l'entrée dans ma vie de cette femme extraordinaire en 1999, j'ai gagné le gros lot avec une belle-maman en or. La première fois que je l'ai rencontrée, j'ai été émerveillé par la sagesse et la gentillesse de cette grande dame qui a donné naissance à 18 enfants ! Et comme je venais tout juste de perdre ma mère, elle tombait à point. D'ailleurs, quand elle a su ce que je venais à peine de vivre, sans aucune hésitation, elle m'a dit qu'elle m'adoptait comme son onzième garçon. Et je peux vous assurer aujourd'hui que ce n'était pas des paroles en l'air.

Une nouvelle maman en or.

J'ai été tellement occupé dans ma vie que je n'ai jamais pu gâter ma propre mère, mais je me reprends avec elle. Une fin de semaine par mois, nous franchissons les 1 200 kilomètres de l'aller-retour Montréal Grand-Sault au Nouveau-Brunswick, pour aller la voir. Et il y a quelques années, nous avons réalisé le grand rêve de sa vie en l'emmenant voir le pape à Rome. L'année d'après, ce fut Notre-Dame-de-Fatima au Portugal. J'adore cette grande dame, et elle me le rend bien.

Mais mon gain avec Jeanne ne s'est pas arrêté là. J'ai également gagné Jamie, un deuxième fils qui est aussi *patenteux* que moi et avec qui je m'entends à merveille. Il évolue dans le domaine de la rénovation domiciliaire et l'immobilier dans la région de Gatineau. Hélas, il est comme moi et travaille toujours à trois ou quatre projets en même temps, de sorte qu'on ne se voit pas assez souvent à mon goût. Mais quand ça se produit,

on a beaucoup de plaisir à discuter ensemble. Je ne suis ni son père, ni son beau-père, je suis tout simplement son grand *chum*, et vice versa.

J'ai aussi gagné Tina, une fille formidable. Lorsqu'on discute ensemble, l'énergie et l'enthousiasme se coupent au couteau. Quand j'ai rencontré Jeanne, Tina était championne canadienne de marche olympique. Elle avait participé aux jeux de Barcelone en 1992 et à ceux d'Atlanta en 1996. Elle se préparait pour les jeux de Sydney en Australie auxquels elle n'a finalement pu participer, puisqu'elle est devenue enceinte durant son entraînement. Si vous désirez découvrir son parcours olympique, inscrivez simplement « Tina Poitras » sur Google.

En vraie femme de défi, Tina est aujourd'hui à la tête de sa propre entreprise, Namaste Leadership, où elle met à profit son expérience olympique à titre de coach de vie pour les gens d'affaires. En fait, c'est indirectement grâce à elle si j'ai eu la chance de rencontrer Jeanne. Comme je l'ai raconté, Jeanne était en convalescence chez elle depuis quelques semaines. Tina était alors commanditée par Vidéotron qui lui prêtait un appartement dans le même édifice que moi.

Quelques mois après ma rencontre avec Jeanne, Tina a donné naissance à Janie, aujourd'hui ado et avec qui j'ai des atomes crochus. Une jeune fille charmante qui adore la lecture. D'ailleurs, c'est à elle que j'ai promis le premier

À gauche :
Élizabeth, Tina,
Stéphane,
Janie et le
mignon Charly.
À droite :
Cloé, la petite
dernière et non
la moindre !

exemplaire de mon livre. Et, pour nous combler davantage, il y a également la gentille et sérieuse Élizabeth, fille de Stéphane. Et l'année dernière, Tina et Stéphane ont ajouté à notre collection l'espiègle petite Cloé.

Mon fils Éric a maintenant 31 ans et est directeur de comptes commerciaux pour la Banque Royale du Canada. Il partage sa vie depuis plusieurs années avec la superbe et gentille Joëlle, infirmière à l'hôpital Charles-Lemoyne de Greenfield Park. Ils viennent de faire l'acquisition d'une magnifique mai-son à Sainte-Julie, sur la rive sud de Montréal, et, comble de bonheur, ils vont bientôt ajouter un petit poupon à notre belle famille.

Éric et Joëlle.

Jeanne et moi formons un couple dans la vie et sommes associés en af-faires, mais le plus impor-tant, c'est que nous som-mes toujours de grands amis. Travailler côte à côte est un plaisir sans cesse renouvelé et nous espérons pouvoir continuer ainsi pendant de nombreuses années. Nous nous entraînons trois fois par semaine pour garder la forme et conservons d'excellentes habitudes alimentaires. Mal-gré tout, nous ne sommes pas éternels et pour ceux qui s'inquièteraient de la continuité de l'Inventarium, advenant un départ précipité, notre relève sera assurée par Jean-François Poirier, notre plus ancien intervenant et un profes-sionnel empreint de la culture de l'Inventarium. Et, comme c'est le cas pour tous nos intervenants, il voue un profond respect à tous les inventeurs.

La fin de mon livre ne marque cependant pas la fin de mon histoire. Bien au contraire, je compte y adjoindre quelques chapitres au cours des prochaines années. J'ai déjà lu une citation quelque part qui disait : « Quand tu as plus de souvenirs que de projets, c'est là que tu commences à vieillir. » En réalité, le mot retraite ne fait pas partie de mon vocabulaire, ni de celui de Jeanne.

En terminant, j'aimerais m'adresser à notre belle jeunesse. Au tout début de mon livre, j'ai mentionné à quel point je détestais l'école. J'avais tout particu-lièrement horreur des devoirs et des leçons. Mais ça ne m'a pas empêché de réussir dans la vie. Toutefois, si j'avais la chance de repartir à zéro, croyez bien que j'aurais soif d'apprendre. Je ferais comme mon frère Denis et j'étudierais pendant que les autres regardent la partie de hockey. Je ne compte plus les fois où le manque de connaissances m'a fait faire des erreurs. Pire encore, la plupart du temps, c'étaient toutes des choses que j'étais censé avoir apprises à l'école.

J'ai peut-être réussi, mais j'en ai bûché un *sapré* coup…

Hommage à 50 inventeurs

Mécanisme pour fermeture hermétique de porte de garage

Jacques Lussier
Québec (Québec)
Camionneur

Breveté au Canada,
aux États-Unis et en Europe

Marque de commerce:
SAUTERELLE
Entreprise: Sauterelle Inc.

Courriel:
jacques49lussier@gmail.com

Jacques Lussier est camionneur et, de ce fait, il effectue régulièrement des livraisons dans des entrepôts. Il a donc été à même de constater à quel point les portes de garage ferment mal et laissent passer beaucoup d'air froid. Le résultat est que les systèmes de chauffage d'appoint sont nécessaires pour assurer le confort des travailleurs attitrés au chargement et au déchargement des camions.

C'est ce qui a amené Jacques à s'intéresser à ce problème et à y trouver une solution logique: un système qui permet une fermeture totalement hermétique des portes. Son ingénieux mécanisme, qu'il a mis des mois à développer dans son propre garage, permet à la porte de glisser dans le mécanisme pour descendre, tout en étant poussée à la manière d'une porte de mini-fourgonnette contre des caoutchoucs pour assurer l'étanchéité.

Avant de passer au stade de la commercialisation, M. Lussier a fait procéder à des essais d'endurance avec un programme d'ordinateur pour contrôler le moteur. Le mécanisme a ainsi effectué 33 000 ouvertures et fermetures, et ce, sans usure visible ni aucune défaillance.

Jacques Lussier ne laisse rien au hasard. Il a fait réaliser une étude de marché par Inventarium et a protégé son invention en Amérique du Nord et en Europe. Il est également en voie d'obtenir l'homologation Energy Star, car il n'y a pas encore de produit écoénergétique dans ce marché, et il y a 70 millions de garages résidentiels en Amérique du Nord seulement! M. Lussier vient de démarrer son entreprise qui porte le nom de Sauterelle en référence à l'apparence de son mécanisme.

Le gabarit pour fabriquer des ponceaux

Errol Sheehy
Jonquière (Québec)
Tuyauteur

Brevets en instance
au Canada, aux États-Unis
et à l'international

Courriel :
marguerite.sheehy@hotmail.com

On dit que la nécessité est la mère de l'invention. Cette affirmation prend tout son sens dans le cas de Errol Sheehy parce qu'il avait lui-même besoin de ponceaux sur sa propriété quand il a développé cet outil qui sert à fabriquer des ponceaux de bois. Quand on construit de petits ponts au-dessus des tranchées, des ponceaux sont utilisés pour ne pas entraver la circulation de l'eau. Des morceaux de bois sont nécessaires pour la fabrication des ponceaux qui sont façonnés d'une manière semblable à des barils. Ce qui est difficile à atteindre, c'est l'angle de coupe qui donnera le diamètre approprié. Son gabarit s'adapte à tous les modèles de moulins à scie à plat et sert à maintenir les madriers en place pour donner le bon angle et les retourner. Il permet également d'effectuer 100 % du travail directement sur place.

Son gabarit peut aussi faciliter la fabrication de différents produits, comme des silos, piscines ou coffrages pour le béton. Certaines entreprises ont déjà manifesté de l'intérêt en tant que distributeur du produit à grande échelle. La Ville de Saguenay a récemment exprimé le désir de procéder à des tests en situation réelle avec cet outil qui pourrait lui permettre d'économiser des sommes substantielles sur la fabrication des ponceaux. M. Sheehy en est actuellement à l'étape de la production.

Jeu de société « Mémoire Vive »

Guylaine Tremblay
Saguenay (Québec)
Enseignante

Droit d'auteur et
marque de commerce

Entreprise : Les Productions
Guylaine Tremblay

Site Internet :
www.memoirevive.ca

L'idée d'amuser les gens n'est pas nouvelle chez Guylaine Tremblay, car déjà, à l'âge de 19 ans, elle travaillait dans un bar et aimait bien animer des soirées avec des jeux questionnaires, des chansons et des concours de tous genres. Plusieurs années plus tard, en discutant avec un copain, l'idée leur est venue de créer un vrai jeu de société comme on en retrouve sur les tablettes des magasins. Mais il y avait mésentente au sujet de la forme du jeu proprement dit ainsi que sur ses éléments de base. Considérant qu'on n'est jamais mieux servi que par soi-même, Guylaine a donc pris la décision de le réaliser seule.

C'était alors tout un défi pour une femme qui n'avait absolument aucune expérience dans ce domaine. Mais Guylaine est coriace et a gagné son pari. À cette époque, elle était enseignante à la polyvalente d'Arvida au Saguenay. Elle a parlé de son projet à ses élèves et tous étaient emballés par l'idée de participer à son développement. D'autant plus que son objectif principal était de faire travailler leur mémoire, améliorer leur concentration et enrichir leur culture générale. À un moment donné, elle a demandé à ses élèves si l'un d'entre eux avait un talent particulier en dessin. Et par chance, Antoine Buteau, âgé de

12 ans seulement, possédait ce talent. C'est donc lui qui a mis sur carton ce que Guylaine avait en tête. Mais auparavant, elle avait pris soin de contacter les parents d'Antoine pour prendre arrangement.

Depuis, deux modèles du jeu *Mémoire Vive* ont été commercialisés, un de format régulier et l'autre en format de poche, plus pratique pour les balades en auto ou les voyages en avion. Aujourd'hui, elle réalise des jeux d'animation et des exercices pédagogiques sous forme de jeux à télécharger en ligne. Elle anime également des jeux questionnaires pour enrichir le vocabulaire et parfaire les connaissances générales, un peu comme le concept de *Mémoire Vive*. De plus, elle vient de signer une entente importante, avec géniepublication. com, qui fera en sorte que ses exercices pédagogiques sous forme de jeu se retrouvent bientôt sur les tableaux interactifs dans les écoles. C'est ce qu'on appelle relever le défi !

Dispositif pour faciliter l'utilisation d'un aspirateur broyeur portatif

Léo Tardif
Repentigny (Québec)
Retraité

Breveté au Canada
et aux États-Unis

Courriel :
leo.tardif@gmail.com

Comme c'est le cas pour plusieurs inventeurs, c'est parce qu'il n'était pas satisfait des produits disponibles sur le marché que Léo Tardif a inventé cet ingénieux système qui facilite l'utilisation d'un aspirateur portatif. Depuis plusieurs années, il utilisait un souffleur broyeur pour éliminer les feuilles mortes de son terrain. Mais il y trouvait plusieurs inconvénients. Les derniers modèles de broyeurs sont très bons mais lourds et encombrants, particulièrement à cause du sac qui se gonfle. Le sac se remplit très vite et on doit le vider souvent. En mode aspirateur broyeur, le moteur est très haut et près des oreilles, ce qui est particulièrement désagréable. Ces appareils font également plus de poussière.

En étudiant minutieusement chacun de ces inconvénients, Léo Tardif en est venu à inventer une plateforme qui rend l'utilisation d'un aspirateur broyeur beaucoup plus facile et agréable. C'est en se souvenant de l'aspirateur traîneau Electrolux, avec un long cordon et un court tuyau d'aspiration, remplacé par l'aspirateur central, qu'il a vraiment eu l'idée de base de son invention. L'opérateur est loin du module central qui comprend un grand bac, un gros moteur et un grand filtre et dont l'air aspiré est rejeté à l'extérieur. Tout ceci est relié par un long tuyau flexible silencieux qui ne fait aucune poussière.

Monsieur Tardif a donc décidé d'utiliser le même principe, améliorant ainsi les conditions de travail de l'opérateur dont la seule fonction est de diriger le tuyau d'aspiration. En somme, le long tuyau simplifie l'opération et présente une foule d'avantages, comme un grand bac, peu ou pas de poids et beaucoup de capacité et de flexibilité. Avec ce système, plus besoin de vider le sac de l'aspirateur, les feuilles et les débris s'ensachent immédiatement dans des sacs de recyclage.

Brosses pour moto

Luc Pellerin
Deux-Montagnes (Québec)
Camionneur

Breveté au Canada
et aux États-Unis

Marque de commerce:
MOTOBROSSE
Entreprise: Motobrosse Inc.

Site Internet:
www.moto-brosse.com

La grande majorité des nouvelles inventions surgissent lorsque l'on rencontre un problème. Dans le cas de Luc Pellerin, on peut facilement identifier le sien. Comme pour la plupart des amateurs de motos, Luc est un passionné de ce sport et il passe régulièrement des heures et des heures à bichonner son jouet. Mais nettoyer ce type de véhicule n'est pas chose facile, car il y a beaucoup d'endroits difficiles d'accès. Ce problème, Luc l'avait décelé depuis

un bon moment et avait vérifié si certaines brosses déjà offertes en magasin pouvaient régler son problème. Mais ses recherches se sont avérées vaines. Un beau matin, il s'est réveillé avec la ferme intention de remédier à cette situation. Et quand Luc prend une décision, il est difficile à arrêter.

Sa première action fut de fabriquer son prototype avec toutes sortes de pièces qui lui tombaient sous la main. Et ça fonctionnait, et très bien à part ça ! Mais, comme il a pu le constater par lui-même, entre le prototype et le produit fini, il y a un monde. Toutefois, Luc a fait preuve de persévérance et avec raison car le produit fini est à la hauteur de son invention. Sa Motobrosse est munie d'un adaptateur pour tuyau d'arrosage qui permet de nettoyer et rincer en même temps. Elle se présente sous deux formats, dont un très petit pour les endroits difficilement accessibles. Et ce n'est pas ce qui manque sur une moto !

L'étude de marché que Luc a fait effectuer par Inventarium a démontré que la Motobrosse, dont la production est maintenant commencée, présente un marché potentiel énorme. Seulement au Québec, il y a 1,5 million de motos sur la route, 3 millions au Canada et 21 millions aux États-Unis ! Une entente est sur le point d'être signée avec une entreprise liée aux grandes chaînes de magasins, dont Zellers et Canadian Tire.

Fourche pour manipuler les balles de foin

Jacques Messier
Ritchance (Ontario)
Agriculteur

Brevet en instance au
Canada et aux États-Unis

Courriel :
lynda.fournier@xplornet.ca

Encore une preuve, avec Jacques Messier, que la nécessité est la mère de l'invention ! Mais on peut également ajouter que l'économie y est pour quelque chose. En effet, lors de l'achat de sa ferme pour faire de petites balles de foin, Jacques trouvait qu'il y avait beaucoup trop de travail effectué à la main. Au bout d'un an de réflexion et après avoir utilisé un ramasse-balles automoteur, il a eu l'idée de concevoir une fourche qui peut ramasser 27 petites balles de foin simultanément sans qu'elles se déplacent. Ainsi, il pouvait faire plusieurs balles de foin à la fois sans avoir recours à de la main-d'œuvre extérieure.

Il s'agit en fait d'une structure métallique avec composantes mobiles hydrauliques présentant la forme d'une fourche et qui s'attache à un tracteur ou à une autre machinerie ayant une pelle frontale. La fourche permet de ramasser les balles de foin au sol et de bien les contenir pendant leur manipulation grâce à une pièce mobile qu'il appelle le « grappin ». Lorsque vient le temps de redéposer les balles de foin, l'opérateur n'a qu'à dégager le grappin et à activer un levier hydraulique, lequel fait se déplacer un double mur qui pousse sur les balles de foin, les éloignant du tracteur.

À noter que l'invention de Jacques Messier pourrait également être adaptée pour servir sur les chantiers de construction afin de déplacer de la marchandise qui n'est pas sur palette.

Génératrice électromagnétique

Stéphane Mercier
Saint-Jean-sur-Richelieu
(Québec)
Entrepreneur

Instance de brevet
au Canada, aux États-Unis
et à l'international

Entreprise : Pro-Energie Inc.

Site Internet :
www.pro-energie.ca

Stéphane Mercier est un autodidacte dans le vrai sens du mot. Pour aider ses parents financièrement, il a dû abandonner ses études très jeune pour aller travailler sur une terre à bois. Grand adepte de cinéma, il aime bien regarder ses films préférés à répétition. Comme il le dit lui-même, plus il regarde un film, plus il y découvre l'envers du décor. Des choses qu'on ne remarque pas au premier visionnement. C'est d'ailleurs de cette façon que son idée d'invention lui est venue.

Dans un de ses films préférés intitulé *Intraterrestre*, par peur d'une guerre mondiale, l'acteur principal se fabrique un abri sous-terrain et y demeure pendant 35 ans. Pour s'éclairer, il se fabrique une génératrice. Et pourquoi pas, se dit Stéphane, pourquoi une telle machine ne pourrait-elle pas vraiment exister ? Sa décision est prise : c'est lui qui va la créer.

Mais il n'a aucune connaissance en électricité. Il décide donc de pallier ce problème en se rendant à la bibliothèque pour y ramasser tout ce qu'il peut trouver de livres sur les principes de base de l'électricité. C'est ainsi qu'il apprend à lire les schémas électriques. À cette époque, pour gagner sa vie, il est devenu camionneur. Rien à voir avec son rêve d'une génératrice électromagnétique, mais il faut bien manger. Son salaire est modeste et il doit se contenter d'acheter les composantes de sa machine une à une. Faut dire que Stéphane est alors père de quatre garçons.

Son atelier, ou laboratoire si vous préférez, est situé dans le vestibule de l'immeuble à logements où il habite. Son propriétaire est impressionné par sa détermination à arriver à ses fins et fait preuve de tolérance à son endroit. Un premier prototype est finalement construit, mais les résultats sont décevants. Pas complètement cependant, car son principe fonctionne, sauf qu'il ne conserve pas l'énergie produite. Stéphane réalise alors qu'il lui manque un accumulateur d'énergie. Et c'est en se servant des pièces provenant de sa radio d'auto qu'il remédiera à ce problème. Cette fois, ça fonctionne, et très bien.

Un soir qu'il s'affairait à améliorer les performances de sa génératrice, un homme arrive pour visiter le propriétaire de l'immeuble. Intrigué par la présence de Stéphane sous l'escalier, l'individu s'informe sur l'objet de ses travaux. Stéphane lui fait une démonstration de sa génératrice et le visiteur est stupéfait.

C'est que Luc Brault, l'homme en question, habite Kuujjuaq dans le Grand Nord où on utilise des génératrices au diesel dans les mines. Il demande donc à Stéphane s'il peut lui en fabriquer une. Mais Stéphane n'a pas les 3 800 $ nécessaires à l'achat des composantes pour sa fabrication. L'individu lui demande donc d'attendre et quitte l'immeuble pour revenir 20 minutes plus tard avec 3 800 $ en main. Trente jours plus tard, la génératrice est envoyée à Kuujjuaq par bateau. Entre-temps, Stéphane a pris soin de se présenter à l'Inventarium pour protéger son invention par un brevet provisoire.

Son deuxième client, paraplégique celui-là et habitant Saint-Hubert en banlieue de Montréal, utilisait une génératrice à essence. Mais celle-ci était trop bruyante et les voisins l'ont obligé à s'en débarrasser. Il utilise maintenant la génératrice de Stéphane et en est extrêmement satisfait. Et ses voisins aussi…

Conscient de l'importance de sa découverte comme de son manque de scolarité, il comprend que pour démarrer une production à plus grande échelle, il lui faut des partenaires. Il approche donc Sylvain Chartier, son beau-frère, ainsi qu'un ami, Yanick McBeth. Ces derniers croient suffisamment au projet pour abandonner leur emploi et se lancer dans l'aventure. Pendant une année, ils travailleront dans un tout petit garage, jusqu'à ce que le produit soit parfaitement au point. Aujourd'hui, ils sont installés dans une bâtisse de 4 000 pieds carrés, le produit est certifié CSA et la production est sur le point de débuter.

Le marché visé : celui des voiliers et des camions blindés de transport d'argent, dont plusieurs instruments intérieurs fonctionnent sur le 110 volts. Ils ont également été approchés par l'armée canadienne, mais pour des raisons qui demeurent secrètes pour le moment.

Quand je vous disais que Stéphane Mercier était un autodidacte !

Jeu de société «La fièvre du football»

Michel Winner
Montréal (Québec)
Comptable

Protégé par droit d'auteur

Courriel:
michelwinner@videotron.ca

Voici un inventeur qui porte bien son nom. Michel Winner se spécialise dans la création de jeux de société. Un sujet vous intéresse, vous désirez un jeu qui s'y rapporte, voilà votre homme.

Mais l'œuvre de sa vie, c'est le jeu «La fièvre du football» qu'il peaufine et améliore depuis plusieurs années déjà. Son but, un jeu de société qui vous donne autant de *feeling* que si vous faisiez partie d'une véritable équipe et que vous vous retrouviez sur un terrain, en plein Super Bowl par exemple.

Aujourd'hui, à 64 ans, Michel ne se considère plus comme un créateur de jeux de société mais beaucoup plus comme un artiste, un compositeur. Son instrument favori, ce sont des dés et un carton quadrillé avec lesquels il compose ses jeux. Il nous raconte son histoire.

Le premier jeu que j'ai inventé, celui qui m'a donné la piqûre, c'est «La fièvre du football» en décembre 1983. J'ai 35 ans et je viens de comprendre pourquoi, depuis mon plus bas âge, ce que j'aime faire le plus, c'est jouer. Même que j'inventais déjà mes premiers jeux, mais sans en être conscient. C'était juste un jeu pour moi d'essayer d'améliorer mes façons de jouer, et plus tard mes façons de travailler.

C'est bien beau d'avoir inventé un premier jeu, d'avoir connu du succès dans les différents salons, mais suis-je capable d'en inventer d'autres? Puis un jour, Rock Demers, éditeur de *Les contes pour tous*, a lancé un appel aux concepteurs de jeux de société. Ça m'a immédiatement intéressé et j'ai créé «Il faut sauver Cléo», un jeu tiré du film *La Guerre des tuques*. Est ensuite venu *La grenouille et la baleine* que M. Demers adorait mais, finalement, c'est Radio-Canada qui décidait ce qui allait être commercialisé ou non. Les responsables à Radio-Canada ne retiennent pas mon jeu, mais son favorablement impressionnés par mon aptitude à créer des jeux sur commande. Me voilà

LA FIÈVRE DU FOOTBALL

donc avec le mandat de créer un jeu sur la série *Lance et compte*. Un défi comme je les aime. En moins de deux mois, le défi était relevé.

J'ai aussi créé un jeu sur les Schtroumpfs, en utilisant les figurines comme pièces de jeu. Je peux aussi vous faire courir sur le circuit Gilles Villeneuve. J'ai également proposé un jeu pour le 25e anniversaire du Festival de Jazz de Montréal. Aujourd'hui, j'invente des jeux d'écriture pour ceux qui aiment écrire.

Mais mon bijou demeure *La fièvre du football* qui est aujourd'hui devenu un jeu de société réalité : « La conquête du DICEBOWL ». Faut croire que je ne serai jamais capable d'arrêter de composer… et je ne m'en plains pas. Quel amateur de football n'a pas comparé le football, style américain, à un jeu d'échecs ? Qui n'assiste pas à un match de football, autant sur place que sur son divan, sans devenir un gérant d'estrade à un moment donné de la partie ?

La fièvre du football répond à ces deux attentes. Vous êtes l'instructeur-chef de votre équipe, composée de joueurs aux talents différents qui évoluent sur un terrain quadrillé. Les déplacements permis, autant ceux des joueurs que du ballon, sont déterminés par une confrontation de dés continuelle. L'un vous oblige à devenir stratégique, l'autre à subir les mêmes émotions qu'un instructeur durant la partie. Et ça, je vous le garantis.

Super balançoire

Jocelyn Richer
Saint-Jérôme (Québec)
Charpentier, menuisier
Jacques Richer : décédé

Breveté au Canada
et aux États-Unis

Marque de commerce :
VIROMAX
Entreprise : Viromax Inc

Site Internet :
www.viromax.ca

Cette belle aventure a commencé en 1987 alors que les frères Jacques et Jocelyn Richer vivaient encore chez leurs parents. Jeunes adultes, Jacques et Jocelyn regardaient à la télévision des vidéoclips démontrant des exerciseurs de l'armée américaine et de l'armée russe. C'est à cet instant que l'idée de génie illumine leur cerveau d'inventeur.

Le temps qu'il faut pour le dire, les voilà déjà chez le ferrailleur à la recherche d'acier usagé et de vieilles pièces de camion telles que différentiel, jante, etc. Après quelques semaines seulement, le montage du premier prototype se fait rapidement dans la fébrilité et l'enthousiasme. Au moment où la super balançoire est prête, c'est le plus jeune des frères, Jocelyn, qui fait le premier test. Le tout est sécurisé avec des clôtures et des immenses chambres à air autour de la cage de la balançoire. Quelle expérience représente ce premier tour pour Jocelyn, de l'adrénaline à l'état pur !

Déjà la famille, les amis et tout le voisinage s'empressent de venir voir « la machine » dans la cour et assister au spectacle. L'été suivant, la popularité de la balançoire est évidente : le gazon est disparu suite au va-et-vient des participants et des spectateurs. Il fallait maintenant sortir la balançoire de la cour et la faire connaître un peu partout, comme le dit Jocelyn.

Que de recherches et de labeur pour obtenir des assurances et rencontrer les normes de sécurité ! Il faut de la persévérance car tout le monde se lance la balle, dans les ministères ! Les frères Richer, par leur détermination, franchissent toutes les étapes jusqu'à l'obtention de dessins d'ingénieurs. Dix ans plus tard, en 1997, ils sortent de la cour avec une nouvelle balançoire complètement améliorée qu'ils nomment « VIROMAX ». Ce nom veut tout dire !

Le premier événement majeur a lieu à l'automne 1997 au Festival western de Saint-Tite. Les organisateurs, dont M. Gaétan L'Heureux, donnent l'occasion aux deux frères d'installer leur invention sur un terrain en location à l'école primaire du village. Dès le début du festival, Jacques et Jocelyn effectuent les démonstrations à répétition. En venant vérifier si tout fonctionne bien, M. L'Heureux accepte de payer l'entrée à des jeunes de l'école pour qu'ils puissent essayer la balançoire. Trente minutes plus tard, l'aventure VIROMAX prend son envol. La foule curieuse s'accroît sans cesse et l'attente pour vivre la sensation est de plus d'une heure et demie. Mission accomplie : les frères Richer ont transmis leur passion.

La balançoire VIROMAX devient rapidement, durant les saisons 1999-2000, une entreprise jeune et dynamique avec une dizaine d'employés tous aussi passionnés de la balançoire. Un deuxième prototype encore plus perfectionné voit le jour.

Après le Festival de Saint-Tite, les balançoires se retrouvent dans plusieurs festivals au Québec en plus d'une apparition à la populaire émission de télévision *Le Point J*. Valérie-Anne Giscard D'Estaing, présente à l'émission et éditrice du *Livre mondial des inventions*, tombe sous le charme de la VIROMAX.

Elle fait paraître, en deuxième page de l'édition 2000, une page de texte et des photos décrivant bien la balançoire, au lieu des deux pouces carrés d'espace habituel. Il s'agit de tout un cadeau pour la jeune entreprise, qui la propulse plus loin dans l'aventure !

En juin 2000, les propriétaires de VIROMAX sont invités au premier Salon de l'invention, du génie et de la créativité à Montréal. Les frères Richer vivent une fin de semaine de rêve tout en partageant leur passion. À la clôture du salon, ils remportent le prix du public.

Parallèlement, un autre événement majeur fournit une visibilité extraordinaire aux balançoires de nos deux inventeurs. La dernière Tournée Players 2000 leur offre un contrat à gros budget pour accompagner les courses Formule Indi. Cette tournée promène les deux VIROMAX de ville en ville : Québec, Montréal et Toronto.

La saison 2001 se poursuit avec la tournée des festivals du Québec, du nord au sud, d'est en ouest. Les balançoires tournent à fond et leur popularité augmente auprès d'une clientèle très variée. Pour terminer l'année en beauté, le festival des couleurs de Tremblant et du mont Sainte-Anne font virer au maximum les deux balançoires à la fois à chaque emplacement au sommet des montagnes : c'est le summum !

En décembre 2001, un dur coup survient, et pour l'entreprise et pour le plus jeune des frères : le décès de Jacques laisse Jocelyn dans le deuil et seul dans l'aventure. Quelques festivals sont à l'horaire pour la saison 2002 pour terminer l'aventure où elle avait commencé, au Festival de Saint-Tite… De l'année 2003 à l'année 2010, la deuxième balançoire demeure dans la cour et l'autre est désassemblée. Les différents festivals et organisations ne cessent de communiquer avec Jocelyn pour retenir les services de VIROMAX, mais le cœur n'y est plus.

Les années passent et, à l'été 2010, la piqûre et le goût de cette belle aventure refont surface dans l'esprit de Jocelyn. Et cette fois-ci, d'une manière encore plus électrisante. Un actionnaire fait son apparition et le travail reprend avec motivation dans le nouveau contexte technologique d'aujourd'hui. En 2011, les deux actionnaires prennent la décision de refaire une beauté à la balançoire VIROMAX et de lui ouvrir de nouveaux horizons. Quelques investissements permettent la progression de l'invention, comme de nouveaux plans de prototypes transformables et la confection d'équipements améliorés tout en revoyant les critères de sécurité.

La vocation de la balançoire évolue davantage vers des projets spéciaux. Jocelyn en est à terminer les plans de fabrication d'une super balançoire qui en fera voir de toutes les couleurs aux adeptes de sensations fortes.

Guide de coupe pour toupie, scie circulaire et scie sauteuse

Fernand Roy
Thetford Mines (Québec)
Inventeur et entrepreneur

Breveté au Canada
et aux États-Unis

Entreprise :
Innov-Solutions Inc.

Site Internet :
www.innovsolutions.com

Après la lecture du court historique sur Fernand Roy, vous comprendrez facilement pourquoi il fut lauréat du prix Génie créatif, le prix le plus convoité de notre Salon Invention-Génie-Créativité en 2000. Mais, comme cela arrive fréquemment dans le monde de l'invention, c'est de façon tout à fait inattendue qu'il s'est lancé dans ce domaine. Et quand Fernand se lance, ce n'est pas à peu près.

Soudeur-monteur de métier et père d'une mignonne petite fille, Fernand est un bricoleur dans l'âme. C'est donc pour lui-même et non dans un but de commercialisation qu'il a fabriqué un accessoire qui répondait parfaitement à ses besoins. Un guide de coupe pour toupie, scie circulaire et scie sauteuse muni d'un positionneur de lames qui évite le calcul de la distance depuis le bord de la scie jusqu'à la lame.

Un jour, un copain est venu chez lui et, en voyant son invention, lui dit : « Il faut que tu sortes cet objet de génie de ton sous-sol, tous les bricoleurs voudront s'en procurer un. » Ces paroles furent l'élément déclencheur d'une suite d'événements qui l'ont mené à créer sa propre entreprise avec des associés et à consacrer sa vie à inventer de nouveaux produits. Un talent évident qui dormait en lui et qui était resté jusque-là inexploité.

En 2000, il a participé à notre salon d'inventions où il présentait son guide de coupe et son écritoire chevalet qu'il venait à peine d'inventer. Le succès remporté et la réaction des visiteurs ont tôt fait de le convaincre de passer le reste de ses jours à inventer. C'est d'ailleurs par la suite qu'il a créé l'entreprise Innov-Solutions avec ses associés.

Fernand explique également que, tout au long de l'exposition, les visiteurs ont manifesté un autre besoin, celui d'une fausse équerre qui faciliterait la lecture dans les endroits sombres. Étant à l'écoute des gens, comme tout bon inventeur digne de ce nom doit l'être, il a inventé la main d'angle commercialisée aujourd'hui sous la marque « Exact-Angle Innov-V ».

Plusieurs autres inventions ont suivi. Quand on dit que les inventeurs indépendants peuvent être une source importante de création d'emplois, on ne peut faire autrement que de penser à Fernand Roy.

Système de retenue de drap de lit

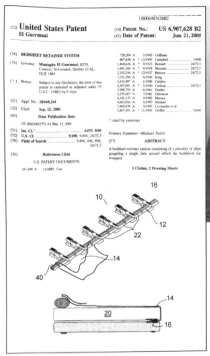

Mustapha El Guermaaï
Maroc
Médecin gynécologue - obstétricien

Breveté au Maroc, au Canada et aux États-Unis

Courriel :
guermust
@hotmail.com

Le Dr Mustapha El Guermaaï est diplômé de la Faculté de médecine de Liège en Belgique. Il travaille fort et plusieurs heures par jour, de sorte que lui et son épouse font appel à du personnel d'entretien pour s'occuper des tâches de la maison. Il n'est donc pas habitué de faire son lit à son réveil.

Mais lors d'un court séjour au Canada où il habitait chez un ami, il s'est vu [...] de faire son lit lui-même et trouvait vraiment désagréable que son drap soit toujours sorti de sous son matelas. En homme pratique qui n'aime pas les complications, il s'est mis à griffonner sur une feuille de papier une première ébauche d'un système de retenue qui règlerait son problème. Ses proches trouvant l'idée intéressante, il a décidé de passer à l'action et a déposé son brevet au Maroc. Et pour le Canada et les États-Unis, il a fait appel à Inventarium.

Maintenant que ses brevets ont été obtenus, il se prépare à la fabrication du produit fini et à sa mise en marché. Il n'a cependant pas l'intention d'abandonner la médecine active pour se lancer dans la commercialisation de son invention. Il est donc actuellement à la recherche d'une entreprise qui serait intéressée à la commercialiser pour lui, non seulement en Amérique du Nord mais n'importe où ailleurs dans le monde.

Un marché gigantesque, considérant qu'il y a au moins un lit dans tous les logements et maisons du monde.

Coins en plastique pour faciliter l'assemblage de modules et de meubles

Yvon Renaud
Montréal (Québec)
Menuisier

Instance de brevet
au Canada et aux États-Unis

Entreprise :
Renaud-Mai Enr.

Courriel :
renaudmai@videotron.ca

Comme tous les menuisiers, il arrive régulièrement à Yvon Renaud d'avoir à assembler des meubles et des modules. Le problème est que très souvent il a besoin d'aide pour retenir les pièces ensemble. La main-d'œuvre coûte cher et n'est pas toujours disponible au moment où on en a vraiment besoin.

En homme pratique, Yvon Renaud a décidé de régler ce problème une fois pour toutes. Il a donc inventé des coins pratiques pour l'aider dans ses travaux d'assemblage. L'idée est simple, mais géniale. Pour s'en convaincre rapidement, il suffit de regarder une courte vidéo sur www.InventionEnAction.com (écrire Third Hand à la recherche)

Malgré la simplicité de l'idée, tout ne s'est quand même pas fait en quelques jours, comme nous l'explique l'inventeur. Il lui a fallu confectionner un grand nombre de prototypes avant d'arriver au produit fini, tel qu'on

le retrouvera bientôt en magasin. Le produit sera conçu par technique de moulage de plastique par injection, ce qui nécessite la fabrication d'un moule de production. Chose qui ne devrait plus tarder, nous dit Yvon qui a bien hâte de voir son travail récompensé.

À n'en pas douter, ce produit est voué à un très beau succès.

Le jeu Fruit "O" Gume

Virginie Kelly
Saint-Augustin-de-Desmaures (Québec)
Étudiante en médecine et soins de santé

Protégé par droit d'auteur et marque de commerce

Courriel:
Virginiekelly@videotron.ca

Site Internet:
www.virginiekelly.wix.com/fruit-o-gume

Faire manger aux enfants cinq portions de fruits et légumes chaque jour, voilà tout un défi pour les parents. C'est d'ailleurs pour les aider à relever ce défi qu'en 2007, dans le cadre d'un projet de fin d'études au programme international de l'école de Rochebelle, Virginie Kelly a créé le jeu Fruit "O" Gume. Un jeu pour inciter les jeunes à mieux manger.

Alors que la malbouffe est partout et que l'obésité infantile est devenue un problème mondial, on peut dire que son jeu tombe à point. D'ailleurs, la santé est le domaine de prédilection de Virginie qui vient de commencer son externat en médecine à Québec.

Son jeu consiste en un carton magnétique à coller sur le frigo, avec des cartes aimantées sur lesquelles sont dessinés une trentaine de fruits et de légumes différents et sept autres portant les noms des jours de la semaine. Chaque jour, l'enfant doit aller apposer une petite carte sur le tableau toutes les fois qu'il mange un fruit ou un légume. Le but, c'est qu'il prenne l'habitude de manger ses cinq portions quotidiennes.

Une étude de marché réalisée par Inventarium a démontré un potentiel réel pour ce produit, spécialement dans les garderies et auprès des familles en général. Rien de comparable n'a été identifié sur le marché. La fabrication du produit fini est maintenant chose faite, mais, faute de temps, Virginie aimerait bien trouver un distributeur intéressé à commercialiser son jeu à grande échelle.

C'est ce que nous lui souhaitons, et ce, le plus rapidement possible, car la malbouffe continue de gagner du terrain.

Méthode permettant de filtrer les courriels indésirables

Jean-Louis Vill
Québec (Québec)
Recherche et développement
Gouvernement du Québec

Brevets: Canada, États-Unis, Europe, Chine, Inde et Japon

Marques de commerce: PIDKEY et PIDMAIL

Entreprise: Pidware Inc.

Site Internet: www.pidware.com

Je ne connais aucun utilisateur d'Internet qui ne maugrée devant la tonne de courriels indésirables qu'il reçoit. Jean-Louis Vill ne fait pas exception à la règle. Sauf que lui a décidé un jour de régler son problème et, par le fait même, celui des autres. Mais comment en est-il venu à trouver cette fameuse solution que tout le monde cherche en vain? Laissons Jean-Louis nous le raconter lui-même.

En 2001, j'ai voulu démarrer une entreprise sur Internet «ezStockExchange» avec un associé qui se spécialisait dans le traitement des données boursières récoltées sur Internet. Potentiellement, cette compagnie pouvait générer des profits importants en allant chercher seulement un client par mois. Nos clients nous trouvaient et nous contactaient via Internet. Cependant, les pourriels (courriels indésirables) nous empêchaient de nous développer.

Les pourriels étant une réelle nuisance au développement de notre entreprise, au cours de l'été 2002, je me suis mis à réfléchir au moyen d'éliminer ces courriels indésirables. Nous ne pouvions pas nous permettre d'investir du temps à trier ce qui est bon ou pas dans notre boîte de courrier. Précisons aussi que beaucoup de virus sont envoyés de cette façon.

Une chose qui entre-temps m'avait frappé, c'est la façon dont Yahoo (technologie captcha – Carnegie Mellon University) avec ses images réussissait à limiter le nombre de comptes créés par des robots de polluposteurs. Je voyais là une piste de solution bien que j'avais entendu dire (je n'ai pas vérifié) que la technologie n'était qu'en partie efficace, car, apparemment, les polluposteurs payaient des gens dans certains pays pauvres juste pour entrer le code apparaissant dans les images.

La première solution que j'ai trouvée a été de créer un site permettant uniquement de rediriger le courriel. Le but était de pouvoir utiliser des adresses «jetables». À ce moment, j'ai enregistré un site AOLEMAILS.COM (Advanced On Line email). Le nom a été choisi en fonction des recherches qui étaient faites sur Internet à ce moment-là, la combinaison AOL et email étant très en demande à cette époque. Au fur et à mesure que j'avançais dans mon projet, j'ai commencé à me demander pourquoi le pourriel ne pouvait pas être arrêté.

Plus je travaillais sur mon site AOLEMAILS (à temps partiel, car je devais aussi travailler sur ezStockExchange), plus la solution se dessinait dans mon esprit. J'ai fini par découvrir que le problème était abordé de la mauvaise façon. Que la solution se trouvait du côté utilisateur, c'est-à-dire que l'utilisateur devait pouvoir donner son adresse courriel, et seulement ceux à qui il l'avait donnée devaient pouvoir le joindre. Que juste le fait d'avoir la bonne adresse ne devait plus simplement suffire.

La solution est devenue évidente, donner la clé de sa boîte aux lettres et pouvoir la changer et la distribuer à loisir. Ainsi, les polluposteurs ne pourraient plus continuer leurs pratiques dévastatrices. La solution s'appliquait non seulement pour l'utilisateur final, mais aussi pour les entreprises. J'ai informé mon associé de ezStockExchange que j'avais trouvé la solution contre le pourriel et que ezStockExchange en profiterait. Fier de cette découverte, j'en ai glissé un mot dans ma famille.

Ne sachant pas que je pouvais faire breveter une méthode, j'ai pensé à créer un Webmail complet et j'ai enregistré MailRedirection.com en juillet 2003 à cette fin. La solution étant claire, il fallait la mettre en œuvre. J'ai commencé à m'intéresser à Linux, Postfix (serveur de courrier), PHP (programmation Web), PHP Graphics, etc., bref tout ce qui me permettait de faire avancer mon projet. J'ai travaillé seul pendant sept mois, période durant laquelle j'ai glané ici et là des informations, entre autres auprès de personnes qui connaissaient Linux, le tout en vue de créer le Webmail. J'étais aussi préoccupé par le temps qui passait et la possibilité que quelqu'un pourrait me voler mon idée. À ce moment, je ne savais toujours pas que je pouvais breveter une méthode.

En juin 2004, j'apprends qu'il est possible de faire breveter une méthode, aussi je décide que ce sera la priorité. Je connais Invention Québec. J'enregistre donc ezSpamFilter le 19 juin 2004, car à ce moment, je comprends que j'ai la possibilité de développer un programme incorporant la méthode que j'ai développée, et ce, progressivement.

Plus tard, Invention Québec me dit que je ne peux pas breveter une méthode. Pour confirmer cette information, je décide de contacter Inventarium qui m'explique exactement le contraire. Le 26 juillet 2004, je faisais donc breveter ma méthode antipourriels par l'entremise d'Inventarium. J'ai également protégé les marques de commerce Pidmail et Pidkey au Canada et aux États-Unis par son entremise. La mise en marché a finalement débuté et tout fonctionne tel que je l'avais prévu. À partir de ma méthode brevetée, je viens de créer un antispam pour Skype intégrant ma méthode brevetée. Ce nouveau produit sera déjà disponible quand vous lirez ces lignes.

Fort de ce premier succès, je viens également de déposer un autre brevet pour une nouvelle méthode, toujours dans le domaine informatique.

Contrôleur de freins électrique

Éric Maisonneuve
Saint-Amable (Québec)
Technicien en automation
industrielle-robotique

En instance de brevet
au Canada et aux États-Unis

Courriel :
emautomation@videotron.ca

Éric Maisonneuve est propriétaire d'une compagnie en automation de machinerie industrielle (robotique) et développe plusieurs équipements par année. Durant sa jeunesse, quand un appareil se brisait dans la maison, c'était plus fort que lui, il sentait le besoin d'y mettre son nez. Il avait ce don pour analyser et solutionner le problème, même si à ce moment il n'avait aucune connaissance dans le domaine.

L'idée de son invention lui est venue à la suite de commentaires répétés de personnes de son entourage qui avaient toujours un problème de freinage lorsqu'ils tiraient une remorque, tente-roulotte ou roulotte.

Son appareil a pour but de générer un courant électrique à une ou plusieurs bobines de freins électriques (sur tout type de remorque, roulotte, tente-roulotte) proportionnellement à la poussée de la remorque sur le véhicule qui la tire au moment du freinage du véhicule. Cet appareil est installé entre la remorque et le véhicule qui tire.

Dans la partie mécanique se trouve un orifice ovale permettant un coulissement lors du freinage. Le principe de fonctionnement de cet appareil est de détecter la compression d'une matière flexible (caoutchouc, uréthane, ressort…) par l'inertie de la remorque appliquée vers le véhicule lors du freinage de ce dernier.

Au moment de la compression de la matière flexible, un axe transmet ce mouvement à une plaquette perforée qui obstrue (proportionnellement à la compression) des optocoupleurs (constitués d'une DEL [diode électroluminescente] et d'un phototransistor). Lors de l'obstruction des optocoupleurs, ceux-ci transmettent des signaux électriques à un microcontrôleur programmable. Ce microcontrôleur génère une onde carrée variable (PWM), selon la programmation, à un transistor de puissance.

Ce transistor de puissance transmet le courant aux bobines qui actionnent le mécanisme de freinage de la remorque. Un signal électrique de freinage provenant du véhicule permet au système de fonctionner. Par un circuit électronique à une fréquence précise, il est possible d'actionner manuellement le système.

Plusieurs prototypes fonctionnels sont déjà fabriqués et Éric s'attend à une pénétration du marché assez lente, compte tenu du contexte économique actuel et de la complexité du produit.

Armature coffrante pour béton armé

Françoise Dauron
Vaux-sur-Seine, France
Experte en construction

Philippe Durand
Vaux-sur-Seine, France
Ingénieur

Brevets : Canada, États-Unis, Europe et plusieurs autres pays

Entreprise : Coffratherm

Site Internet :
www.3dr-coffrages.com

Ce fut un grand honneur pour nous en 2004 que ces deux professionnels et entrepreneurs aguerris choisissent Inventarium pour déposer et faire la gestion de leurs brevets canadien et américain.

Philippe Durand et Françoise Dauron ne sont pas seulement associés en affaires, ils forment également un couple dans la vie et se complètent parfaitement dans tous les sens du mot. En 1992, ils ont fondé la société COFFRATHERM, une entreprise de génie civil spécialisée dans la technologie et l'innovation pour l'industrie de la construction. Ensemble, ils ont breveté de nombreuses solutions innovantes. Aujourd'hui, leur entreprise est connue sous les marques de Coffrage DIPY® et 3DR® Structural Formwork, sur cinq continents.

M. Durand est ingénieur diplômé de l'École nationale supérieure des Arts et Métiers et travaille sur ce projet depuis plus de 20 ans. Autant dire qu'il maîtrise parfaitement son sujet. De son côté, Françoise Dauron possède une vaste expérience de plus de 30 années dans la haute direction de diverses entreprises du domaine de la construction. Elle s'est jointe à lui un peu plus tard et s'est impliquée à fond dans son projet. Ensemble, ils ont déposé plusieurs brevets.

Leur invention consiste en une armature 3D en acier, dotée d'une grille géotextile coffrante, armature autostable, manuportable (10 kg/m^2), adaptable à toutes les formes et qui intègre les armatures et l'isolation extérieure. Même lors d'une coulée de béton fluide, rien ne filtre au travers de la grille géotextile. Une innovation qui augmente la sécurité et la productivité sur les chantiers, contribue à la protection de l'environnement et permet de réduire les investissements. Un projet qui ne peut que séduire les grands noms du bâtiment, dont VINCI, BOUYGUES, SPIE, etc. qu'ils comptent déjà parmi leurs clients.

Qui sait, peut-être qu'un jour leur invention servira à la construction du complexe Inventarium…

Dispositif d'entraînement à l'utilisation de la toilette pour jeune garçon

Louise Giard
Saint-Jean-sur-Richelieu
(Québec)

Breveté au Canada,
aux États-Unis
et à l'international

Marque de commerce :
Dick'n'Peter Straight Shooters

Entreprise :
Mom's Rescue Team Inc.

Site Internet :
www.momsrescueteam.com

Louise Giard est une ex-policière de la GRC, mère de cinq enfants et inventrice-entrepreneure qui a vraiment tout ce qu'il faut pour réussir : une idée géniale, une formation en marketing et une détermination à toute épreuve. Elle sait ce qu'elle veut, elle est minutieuse et structurée. Laissons-la nous raconter son intéressante histoire.

J'allais assister à un cours sur le marketing sur Internet en Virginie, aux États-Unis. Il fallait apporter un produit avec lequel travailler et je n'arrivais pas à trouver quoi que ce soit. Je n'étais pas en affaires, j'étais maman de cinq jeunes enfants à la maison, et je cherchais depuis quelque temps un produit que j'allais créer moi-même et qui, bien sûr, me rapporterait des sous.

Donc, j'étais en mode « observation » et ouverte à tout ce qui m'entourait et aurait le potentiel de m'emmener quelque part. Le cours approchait à grands pas et je n'avais rien sur quoi travailler. Faute d'une meilleure idée, j'ai décidé d'y aller avec une traduction en français d'un certain produit écrit que le professeur vendait déjà sur Internet. Il trouvait l'idée bonne, ça ne lui enlevait rien, bien au contraire, et ça me donnait un outil avec lequel apprendre. Je dois ajouter que j'allais à ce cours avec une dame d'une province maritime, et que nous voulions développer un produit ensemble.

Durant une pause, le formateur nous racontait ses péripéties lors de ses voyages d'affaires à l'étranger. Nous nous amusions tous beaucoup, jusqu'à ce qu'il mentionne un petit détail observé dans les toilettes publiques. C'est comme si une lumière s'était allumée dans ma tête ! Donnant un coup de coude à ma compagne, je lui dis : « C'est ça ! » – « Quoi ça ? » – « C'est ce qu'on va faire : une cible pour les petits garçons, pour qu'ils apprennent à uriner dans la toilette. »

Pendant qu'elle dormait le soir, les images se bousculaient dans ma tête et moi je dessinais. Je voyais ces deux petites mouches portant un chapeau de pêcheur et de pompier, une cible qui allait motiver les petits garçons à quitter leurs éternelles couches-culottes pour enfin «viser à la bonne place»! C'était d'une pierre deux coups : premièrement, plus de dépenses exorbitantes pour des couches-culottes qui non seulement ne rendent pas les enfants autonomes, mais polluent grandement l'environnement ; et deuxièmement, des toilettes beaucoup plus propres en faisant en sorte que les petits garçons (et peut-être les grands aussi…) s'enlignent correctement !

Depuis ce cours aux États-Unis où j'ai trouvé le principe de l'invention que je voulais développer ainsi que son nom, j'ai foulé plusieurs sentiers inconnus auparavant. À mon retour, en travaillant sur le projet, j'ai vite compris que la dame qui m'accompagnait et moi n'allions pas faire bon ménage. J'ai dû malheureusement prendre la dure décision de continuer mon chemin seule, ce qui allait rendre tout plus difficile financièrement.

Aujourd'hui, j'ai un produit fini, donc moulé en plastique de bonne qualité qui fonctionne très bien, portant le nom de Dick'n'Peter Straight Shooters, dans un superbe emballage traduit en français-anglais-espagnol, un brevet canadien, américain et international, une marque de commerce au Canada et aux États-Unis, une compagnie du nom de Mom's Rescue Team (L'Équipe Secours Mom's), un site Internet, une vidéo, un certificat de propreté disponible dans les trois langues, le prototype d'un joli présentoir, et d'autres produits connexes qui sont en développement.

Je fais des démarches pour le présenter à différentes compagnies. Pour une ex-policière de la GRC, maman à la maison de cinq enfants qui ne connaissait rien au monde des affaires et au développement de produits, ce n'est pas si mal ! Je dois absolument témoigner ma reconnaissance à toutes ces personnes compétentes qui ont croisé mon chemin, de Daniel Paquette de l'Inventarium au designer industriel, au dessinateur, au graphiste, à l'agent de liaison en Chine, et j'en passe. Je conclus en soulignant que de faire passer une invention du stade de l'idée à celui de la vente demande une somme astronomique de détermination et de vision. Je comprends maintenant profondément que ceux qui réussissent ont bien mérité le fruit de leurs efforts !

Système pour entraîner un chat à utiliser une toilette conventionnelle

Denis Bérubé
Laval (Québec)
Journalier

Breveté au Canada
et aux États-Unis

Marque de commerce :
KIT-TY COACH

Courriel :
denberu2000@yahoo.ca

Denis Bérubé a mis au point un procédé original qui permet d'entraîner un chat à utiliser une toilette conventionnelle. Une première version de cette idée géniale a connu un grand succès au début des années 2000. Mais Denis n'a cessé d'améliorer son produit afin qu'il soit encore plus discret.

Le processus d'utilisation commence par l'installation d'un balcon en plastique sur la porcelaine de la toilette de sorte que le chat ne touche jamais au siège. Deux petites avancées accueillent une demi-lune composée d'une matière qui s'apparente à des retailles d'hosties sur laquelle il faut déposer un peu de litière afin d'aider le chat à établir un lien entre sa litière et la toilette. Une fois le chat entraîné, les deux avancées peuvent être retirées et seul le balcon demeure.

M. Bérubé en est à l'étape de la fabrication d'un nouveau moule après quoi il s'attaquera à la commercialisation de son produit amélioré. Pour avoir une meilleure idée de l'utilisation de celui-ci, vous pouvez visionner une vidéo de démonstration sur www.InventionEnAction.com (écrire Kit-Ty Coach à la recherche)

Taille-sapin robotisé

Michel Paquette
Trois-Rivières (Québec)
Homme d'affaires et producteur de sapins de Noël

Breveté au Canada et aux États-Unis

Entreprise : Gestion Le Stéphanois Inc.

Site Internet : www.sapinieredelamauricie.com

Michel Paquette est propriétaire d'un parc d'autobus scolaires à Trois-Rivières. Comment donc a-t-il pu en arriver à inventer un taille-sapin robotisé?

À la suite de la construction d'une autoroute près de chez lui alors qu'il habitait Saint-Étienne-des-Grès, Michel, dérangé par le bruit incessant des véhicules, a décidé d'aller s'installer quelques kilomètres plus loin. C'est ainsi qu'il

s'est retrouvé avec une terre et des bâtiments de ferme. En faisant le tour de sa terre, il s'est rendu compte que l'ancien propriétaire y cultivait des sapins de Noël. En tout, il y en avait environ 4 000. Un jour, un type se présente et lui offre d'acheter le lot. La transaction est rapidement conclue, à prix dérisoire.

Un voisin lui a alors suggéré de se lancer dans la production de sapins, ajoutant que ça pouvait être très rentable et qu'il avait l'emplacement pour. Voulant en connaître un peu plus à ce sujet, Michel est devenu membre de l'Association des producteurs d'arbres de Noël. Il s'est ensuite rendu visiter une plantation et en est revenu avec 5 000 pousses qu'il a plantées. Quelque temps plus tard, il en avait planté 10 000 de plus. Et en 1997, sa plantation en comptait 125 000.

Mais chaque année, de la fin juillet au début septembre, il faut tailler ces arbres afin de leur donner la forme conique que les gens aiment tant pour leur décoration des Fêtes. Pour ce faire, il devait engager des tailleurs qui travaillent avec des machettes de 16 à 20 pouces de long. Le problème est qu'il est difficile de dénicher des bons tailleurs et, bien souvent, la taille est belle le matin, mais déficiente un peu plus tard dans la journée. C'est une tâche ardue de garder le même rythme et le même angle de mouvement pendant huit heures d'affilée. Et quand un arbre est mal taillé, on doit attendre une année supplémentaire avant de le tailler à nouveau.

Michel Paquette n'en pouvait plus de cette perte de temps et surtout du manque de rigueur de ces employés saisonniers qui n'ont pas nécessairement la même notion de la qualité que le patron qui paie leur salaire. Un soir, après avoir fait le tour de sa plantation, il en a eu assez et a congédié les employés. Il est allé s'asseoir avec une bonne bière, comme il le dit lui-même, et s'est mis à réfléchir à un appareil qu'il pourrait installer en avant de son tracteur et qui lui permettrait de faire lui-même le travail.

À partir de cet instant, son invention a tranquillement commencé à prendre forme dans sa tête. Il est ensuite allé rencontrer un bon «patenteux» ayant de très bonnes connaissances dans le domaine de l'hydraulique et ensemble, ils ont développé le premier prototype de son taille-sapin. Ce n'était pas parfait, mais ça faisait le travail mieux que les humains et ça ne se plaignait jamais.

À un certain moment, il a même demandé à deux gros producteurs, également membres de l'Association, de venir le rencontrer avec leurs deux meilleurs tailleurs de sapins. Pendant que les deux tailleurs s'exécutaient dans une rangée, lui faisait de même dans l'autre. Ils sont arrivés ensemble au bout du rang sauf qu'il n'y avait aucune comparaison au niveau de la qualité de la taille. En plus d'avoir tout fait seul sans se fatiguer, la coupe de tous ses sapins était uniforme.

Entre-temps, il avait pris soin de bien protéger son invention avec des brevets, au Canada et aux États-Unis. Il n'a jamais cessé d'améliorer son appareil, de sorte qu'aujourd'hui, il peut même s'en servir pour tailler les haies de cèdres. En plus, avec ce dernier modèle, il a amélioré le temps de taille de 75 %, de sorte qu'il peut maintenant tailler de 1 200 à 1 400 arbres en huit heures. Aujourd'hui, il en est au stade de la commercialisation, mais ne sait pas encore ce que sera sa décision finale. Va-t-il commercialiser son appareil ou devenir le meilleur producteur de sapins de Noël, grâce à sa technologie ? Beau dilemme !

Balai à feuilles à double action

Manon Bélanger
Saint-Jérôme (Québec)
Représentante au centre
d'appels d'Hydro-Québec

Breveté au Canada
et aux États-Unis

Site Internet :
www.inventarium.com/1863

Courriel :
misstick2003@videotron.ca

Par une magnifique journée, le 13 avril 2004, jour de l'anniversaire de sa fille, Manon Bélanger s'apprêtait à ramasser les débris laissés par l'hiver autour des haies. Comme c'est souvent le cas, la plupart des débris étaient coincés dans la partie centrale de la haie. Avec son balai à feuilles conventionnel en plastique, elle eut beaucoup de difficulté à se rendre jusqu'aux sacs de croustilles, verres, paquets de cigarettes, etc. En voulant aller plus loin pour les atteindre, à cause de la base des branches, les dents de son balai en plastique pliaient ou cassaient tout simplement.

L'idée lui est alors venue d'un balai à double action. Elle partit donc acheter deux balais à feuilles existants pour fabriquer son prototype. Elle a fixé les balais l'un en-dessous de l'autre et, du premier coup, ça fonctionnait à merveille.

Son nouveau balai à feuilles à double action est conçu de façon à pouvoir être transformé, grâce à une poignée amovible fixée sur le manche, qui permet alors de ne faire sortir que les dents centrales du balai. Il a comme principal avantage d'atteindre beaucoup plus aisément les endroits restreints, comme la base des haies, buissons, arbustes ou tout autre endroit difficile d'accès et où s'accumulent les surplus de feuilles et les débris saisonniers. Ce révolutionnaire balai à feuilles risque donc de toucher un marché potentiel très large et d'atteindre un niveau international assez rapidement. Manon est actuellement à la recherche de partenaires, investisseurs ou entreprises intéressés à commercialiser son invention.

Désherbeur

Rhonda Genest
Varennes (Québec)
Femme d'affaires

Breveté au Canada, aux États-Unis et en Europe

Marque de commerce:
DEE-WEEDER

Entreprise:
Rhonda Arrivages Inc.

Site Internet:
www.deeweeder.com

Il n'y a pas à dire, Rhonda Genest n'est pas seulement une inventrice, mais elle est également une entrepreneure dans l'âme. C'est à l'été 2003, alors qu'elle travaillait dans son jardin par un bel après-midi d'été, que l'idée d'un désherbeur lui est venue.

Mais de l'idée première au produit fini il peut parfois s'écouler beaucoup de temps. Ce n'est donc que trois années plus tard que Rhonda a trouvé le temps nécessaire pour s'occuper de son idée. À partir de ce moment, tout s'est bousculé. Elle a d'abord procédé au dépôt de ses brevets officiels au Canada, aux États-Unis et en Europe pour ensuite entreprendre la fabrication de son prototype final. La première production de 5 000 unités en provenance de Chine est arrivée en février 2010 et le succès a été immédiat.

Lors d'un test de marché, plus de 400 désherbeurs ont été vendus par le magasin Canadian Tire de Greenfield Park. Après ce succès évident qui confirmait l'engouement pour son produit, une trentaine de succursales de Canadian Tire ont emboîté le pas. En cinq mois, plus de 8 000 personnes se sont procuré cet accessoire qui non seulement arrache les mauvaises herbes, mais recycle également la terre, refait les bordures, râtelle et ramasse, sarcle et nivelle. Une vraie petite merveille !

En 2011, son produit s'est retrouvé dans tous les Canadian Tire au Canada et récemment, une importante entreprise de télémarketing américaine s'est manifestée, laissant présager des ventes astronomiques dans les mois à venir. Pour en rajouter, Rhonda vient de sortir le modèle à long manche qui est déjà en magasin au Canada et en Europe. En plus de participer au Salon national horticole de Saint-Hyacinthe, aux dernières nouvelles, Rhonda était à la recherche d'un entrepôt aux États-Unis et veillait à distance à sa production en Chine. Qui dit mieux ?

La remorque pliable à essieu rétractable

René Bernard
Saint-Lin-Laurentides (Québec)
Éleveur de chevaux

Brevet en instance au Canada, aux États-Unis et à l'international

Entreprise :
Remorque Bernard

Site Internet :
www.remorquebernard.com

René Bernard est entraîneur de chevaux depuis une quinzaine d'années. Un grand amateur de rodéos qui a, à son actif, deux participations à la Coupe Canada aux éditions 2007 et 2008 du Festival Western de Saint-Tite. Mais qu'est-ce qui peut bien l'avoir amené à inventer une remorque pliable à essieu rétractable ?

Contrairement à ce qui se produit avec la plupart des inventeurs, René ne s'est pas levé un beau matin avec la vision d'une remorque nouveau genre. Son coup était plutôt prémédité, car il pensait déjà depuis longtemps à entreprendre la commercialisation de remorques domestiques. Mais pour se lancer officiellement dans cette aventure, il lui fallait trouver le modèle de remorque idéal. Il a passé beaucoup de temps à regarder les modèles proposés sur le marché, mais aucun ne répondait à tous les critères qui lui permettraient d'offrir le meilleur produit.

Un jour, au cours d'une balade en auto, il a remarqué une remorque domestique toute rouillée stationnée dans la cour arrière d'une maison privée. Il a d'abord pensé que cette remorque n'avait pas sa place à cet endroit et qu'en plus, la rouille en réduisait considérablement la valeur marchande. À proximité de la remorque en question, il y avait un poêle barbecue en-dessous d'une housse. Il s'est alors dit que l'idéal serait que la remorque se plie de façon à pouvoir être également remisée sous une housse semblable. C'est donc à ce moment que l'idée lui est venue de développer son propre concept de remorque domestique.

Sa première action en ce sens fut de coucher ses critères de base sur papier : légère, robuste et esthétique tout en offrant une bonne capacité de charge et un grand volume lors de l'utilisation. Et comme autre critère à atteindre, et non le moindre, assez compacte pour être remisée dans l'abri d'auto, côte à côte avec le BBQ ! Et comme il le dit lui-même, ces critères étaient incontournables et ne laissaient place à aucun compromis. Tout un défi ! Qu'il a su relever avec brio, comme vous pouvez le constater par vous-même sur les photos ci-contre. Faut dire que les structures métalliques n'ont pas vraiment de secrets pour cet expert en débosselage de formation qui a déjà remporté le premier prix lors d'un concours du meilleur débosseleur de carrosserie automobile.

René n'a rien laissé au hasard tout au long du développement de sa remorque. Même la peinture a fait l'objet d'une étude minutieuse, un autre domaine où René est également expert. Il a choisi une peinture en poudre à base de zinc, la meilleure sur le marché et cinq fois plus résistante que les peintures normalement utilisées sur les remorques domestiques. C'est d'ailleurs la raison pour laquelle, exposées aux intempéries, les remorques rouillent rapidement.

René Bernard est définitivement ce qu'on peut appeler un inventeur-entrepreneur. Étant déjà familier avec le domaine de la propriété intellectuelle, il a effectué une recherche sur Internet parmi plus de 3 000 brevets et, comme prévu, aucun ne couvrait tous les aspects de sa structure. En homme minutieux au possible, il met actuellement autant de soin à la préparation du produit fini qu'il en a mis à élaborer son prototype de démonstration.

Tous les fournisseurs ont été choisis avec soin et tous, sans exception, sont établis au Québec. Ce critère avait d'ailleurs été fixé dès le début et était également incontournable, même si plusieurs lui ont conseillé de faire fabriquer certains éléments en Chine. Au moment où vous lirez ces lignes, il y a de fortes chances que les remorques domestiques pliables de René soient déjà disponibles sur le marché. Son plus grand souhait est que ses deux enfants, un garçon de 18 ans et une fille de 19 ans, soient activement impliqués dans son entreprise. Mais à 38 ans, René devrait leur servir de mentor pour encore plusieurs années.

Souhaitons-lui la meilleure des chances.

Accessoire pour nettoyer les phares d'automobiles

Lyne Bourbeau
Saint-Denis-de-Brompton
(Québec)
Enseignante

Brevet en instance
au Canada et aux États-Unis

Marque de commerce :
L.P.W. 10

Entreprise :
Produits-Écolo-Auto enr.

Site Internet :
www.lpw.com

Lyne Bourbeau s'était mis en tête d'inventer quelque chose un jour et de faire fortune. Quelques années plus tard, le simple hasard l'amène à se procurer mon livre *Une bonne idée vaut une fortune* qui, de son propre aveu, a comblé son désir de réussite et de découverte. Certaines idées sont venues par la suite, mais, après quelques recherches, il s'est avéré que celles-ci avaient déjà été inventées.

Mais en 2009, l'idée d'un accessoire pour faciliter le nettoyage des phares d'automobiles a surgi. Cette fois, c'était la bonne et Lyne n'a pas hésité à se lancer dans les démarches de protection, développement et commercialisation de son invention. Après une période de réflexion profonde sur la structure idéale de son produit, elle a entrepris la fabrication d'un prototype artisanal.

Aujourd'hui, grâce à cette invention géniale, finis les gants mouillés et les arrêts risqués sur le bord de la route pour nettoyer les phares avec de la neige. En plus d'aider à mieux voir le soir, son accessoire, dont la marque de commerce est L.P.W.10., permet également d'être mieux vu par les autres automobilistes. À noter que son produit est entièrement écologique. Les ventes vont bon train et les magasins à grandes surfaces démontrent un intérêt marqué. Évidemment, pour peu que l'on fasse preuve d'imagination, le L.P.W.10. peut servir à différents usages comme le nettoyage de jantes de pneus, de miroirs d'automobiles, etc.

La brique décorative SIMAX

Marcel Bergevin
Repentigny (Québec)
Homme d'affaires –
entrepreneur en construction

Breveté au Canada
et aux États-Unis

Marque de commerce :
SIMAX

Entreprise : SIMAX Inc.

Site Internet :
www.simax.ca

Marcel Bergevin est ce qu'on appelle un inventeur-entrepreneur dans l'âme, c'est-à-dire qu'il ne fait pas qu'inventer, il commercialise également son invention. Faut dire que Marcel connaissait parfaitement son marché puisqu'il est entrepreneur dans le domaine de la construction.

Tout a débuté en 2001, pendant une période où il allait travailler régulièrement dans le secteur du Vieux-Montréal. Il devait souvent monter des murs de vieilles briques, mais ce matériau était alors une denrée rare, car la plupart de celles qui sont disponibles en raison d'une démolition sont vendues d'avance. C'est donc à cause d'un important manque de matière première que Marcel a eu l'idée d'inventer une brique qui répondrait parfaitement à ses propres critères. Et quels étaient les critères à atteindre avec sa recette de brique ? Être la plus légère possible pour en faciliter le transport, avoir l'apparence d'une vraie, être écologique en ne laissant aucun déchet de fabrication, être ininflammable et finalement, et non le moindre, se couper à l'exacto. Eh bien, après quelques années d'essais, d'erreurs, d'essais… tout ce que vous venez de lire se retrouvait dans sa brique !

Sa première action pour protéger sa fameuse recette fut de venir à l'Inventarium pour déposer ses brevets canadien et américain. Mais Marcel est arrivé à la bonne place au bon moment car nous étions justement à préparer notre kiosque pour le Salon de l'habitation. Étant donné qu'il s'agissait d'un produit directement relié à l'habitation, tout a donc été mis en œuvre pour lui faire une place dans notre kiosque. Cette année-là, la SGF était commanditaire de notre Pavillon

des inventeurs, ce qui nous a permis d'augmenter le nombre d'exposants et de réduire le coût de location des kiosques. Une chance en or pour Marcel dont les finances ne lui auraient pas permis autrement de participer à ce prestigieux salon. Ce fut le succès instantané et ça n'a jamais arrêté depuis. Pendant les dix jours d'exposition, il a eu droit à de nombreux reportages dans des journaux et des magazines de toutes sortes.

En peu de temps, il a dû louer un grand bâtiment à Repentigny pour y installer son usine. Aujourd'hui, la compagnie SIMAX (pour Simon et Maxime, ses deux fils) compte cinq employés et sa brique est disponible dans certaines grandes chaînes de magasins comme RONA et Reno-Dépôt. Il se prépare actuellement à signer une importante entente avec un très gros distributeur dont un des principaux clients est Home Depot. Son défi sera alors de répondre à la demande.

Vélo à neige

Serge Ferron
Shannon (Québec)
Technicien monteur
mécanique

Breveté au Canada
et aux États-Unis

Marque de commerce :
SNOW CROZZ

Site Internet :
www.snowcrozz.com

Depuis sa tendre enfance, Serge Ferron rêvait de chausser des skis. N'étant pas très habile, il songeait à trouver un autre moyen pour profiter des pentes de ski. Père de quatre enfants, c'est en regardant son cabanon rempli de vélos et de planches à neige qu'il a eu l'idée géniale de mettre les vélos sur les planches. À l'aide de fixations spécialement conçues à cette fin, il a trouvé une façon facile et sécuritaire pour enfin dévaler les pentes tout en s'amusant avec ses enfants.

Cependant, de l'idée à la mise en marché de son invention, il a dû faire preuve de patience et d'ingéniosité pour arriver à fabriquer un prototype parfaitement fonctionnel. Serge a créé sa propre entreprise et son projet «Snow Crozz» en est maintenant à l'étape de la commercialisation. Tous les essais en situations réelles ont été concluants. Les enfants adorent ce nouvel engin récréatif et l'adoptent dès la première descente.

Mais, comme il l'explique lui-même, la partie n'est pas gagnée d'avance, car le Québec est une province régie par une règlementation très sévère dès que le mot «sport» est évoqué. Ouvrir des portes et changer des mentalités n'est pas facile. Serge vise maintenant à présenter son vélo à neige dans les autres provinces canadiennes, et éventuellement aux États-Unis. À sa grande surprise, l'hiver dernier, il a été approché par des éleveurs de chiens de traîneau. Ce projet est en plein développement et des résultats positifs ne devraient pas tarder.

Jeu de société «Pêcher par plaisir»

Samuel Garnier Létourneau
Sainte-Catherine-de-la-Jacques-Cartier (Québec)
Militaire :
Armée canadienne

Brevet en instance au Canada et aux États-Unis et droits d'auteur

Courriel :
samuel.garnier.letourneau @gmail.com

Comme vous pouvez le constater, Samuel Garnier Létourneau est soldat dans l'armée canadienne et au moment où la photo a été prise, en 2011, il était en mission en Afghanistan. On pourrait donc croire que Samuel a créé un nouveau jeu de guerre comme il en existe déjà plusieurs sur les tablettes des magasins. Mais non, son jeu a plutôt comme sujet son hobby préféré, la pêche.

Le but de son jeu est d'attraper suffisamment de poisson afin de remporter la partie de pêche ou le tournoi.

L'idée lui est venue il y a six ans environ alors qu'il cherchait un jeu sur la pêche dans les magasins et sur Internet. Certains jeux existaient mais ne répondaient pas à ses aspirations. Il a alors décidé d'en créer un qui correspondrait parfaitement à ses critères : simple, facile à apprendre, amusant et éducatif. Il a d'abord commencé avec des dés et des tableaux pour, un an plus tard, y ajouter

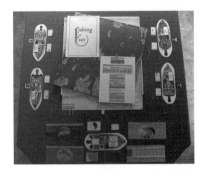

un boîtier troué pour recevoir les billes. Après de nombreuses tentatives, il a réussi à fabriquer le prototype qui satisfaisait parfaitement à ses exigences et lui permettait enfin de pouvoir procéder à des essais en situation réelle.

Samuel est minutieux et structuré et suit son plan de développement tel un soldat en mission de combat qui ne doit rien laisser au hasard. Revenu depuis peu d'Afghanistan, il en est actuellement à l'étude des matériaux pour réduire le coût de fabrication, qui nécessitera certainement un moule. Il lui faut en outre faire l'achat des dessins pour illustrer les cartons et la boîte d'emballage. Il compte aussi déposer sa marque de commerce dans peu de temps de même que l'incorporation de son entreprise, car Samuel ne veut pas se contenter de fabriquer son jeu, il veut également créer sa propre maison d'édition et commercialiser une gamme de jeux sur différents sujets qui l'intéressent. Comme il le dit lui-même, il y va à son rythme et il lui reste beaucoup à faire et à apprendre.

Et oui, Samuel est un grand pêcheur mais pas un pro. Cependant, il aspire à le devenir et son jeu pourrait bien l'y aider. Il a beaucoup lu et en connaît pas mal sur la pêche mais compte tout de même faire vérifier ses tableaux par des pêcheurs professionnels avant d'entreprendre la commercialisation de son jeu.

D'ici deux ans, il prévoit commencer à participer assidûment à des tournois de pêche à l'achigan, qui est son poisson préféré à cause du combat qu'il livre. Et en bon pêcheur sportif et respectueux de la faune aquatique, il retourne systématiquement ses prises à l'eau.

Mon cher Samuel, prends tout ton temps si tu veux pour sortir ton jeu, mais sors-le au plus vite qu'on puisse enfin y jouer !

Bicyclette à pédalier linéaire

Stéphane Paquette
Luskville (Québec)
Mécanicien d'appareillage

Breveté au Canada
et aux États-Unis

Courriel :
rx7sc@hotmail.com

Depuis leur arrivée dans le monde moderne, les pédaliers de vélos n'ont pas beaucoup évolué, sauf pour y ajouter un nombre croissant de vitesses. Fondamentalement, le principe du pédalier consiste encore en un mouvement de rotation des pédales qui fait tourner une première roue dentée par l'intermédiaire d'une chaîne. Les récents développements de la technologie nous ont donné le vélo allongé, mais ils utilisent toujours le même principe du pédalier rotatif.

Mais Stéphane Paquette a décidé que cela avait assez duré et a fait travailler son imagination. Voici donc son nouveau principe de pédalier qui propose une alternative confortable et efficace à la bicyclette conventionnelle : la bicyclette à pédalier linéaire. Le pédalier rond conventionnel n'est efficace que pour $1/4$ de tour du fait que son vecteur de force change constamment de direction. Le pédalier linéaire est caractérisé par un vecteur de force qui est dirigé parallèlement au glissement du pédalier, ce qui se traduit par une plus grande distance parcourue pour moins d'énergie.

Ce nouveau vélo de 21 vitesses comprend plusieurs ajustements pour accommoder confortablement des cyclistes de 4 pi 10 po à 6 pi 8 po. Le plaisir et le rendement supérieur sauront séduire bien plus que les adeptes du vélo.

Harnais pour monteurs d'acier

Paul-Émile Fortin
Saint-Fabien-de-Rimouski
(Québec)
Retraité

Breveté au Canada
et en instance de brevet
aux États-Unis

Entreprise :
Cuir A Fer Inc.

Monteur d'acier lui-même, Paul-Émile Fortin était à même de constater les problèmes reliés au transport des outils et accessoires nécessaires à son travail. L'originalité de son harnais est l'ajout de supports protecteurs qui atténuent le fardeau de ces travailleurs, améliorant leur qualité de vie dans l'exercice de leurs fonctions. Ce harnais, unique en son genre, contribue également à réduire les accidents causés par les harnais généralement utilisés dans ce domaine et mal adaptés au travail spécifique de ces employés spécialisés.

Avant de lancer son produit sur le marché, M. Fortin a procédé à la fabrication de plusieurs prototypes qui lui ont servi à réaliser une étude de marché en situation réelle auprès de ses collègues. Leurs commentaires lui ont ensuite permis d'améliorer son harnais dans les moindres détails. Il n'est donc pas surprenant qu'il reçoive des éloges des utilisateurs qui sont unanimes à en apprécier les bienfaits.

Pour la commercialisation de son produit, il a créé sa propre entreprise, Cuir A Fer Inc., qu'il exploite avec son épouse. Le succès ne s'est pas fait attendre et leur entreprise connaît une augmentation fulgurante des ventes, et ce, dans tous les secteurs où ce type de harnais est indispensable.

La bouteille-flûte

Antoine Bécotte
Montréal (Québec)
Expert en marketing

Breveté au Canada, États-Unis, Chine, Hong Kong, Europe et Brésil

Marque de commerce : WEEZZLE

Courriel :
antoine
@ultimatefandevice.com

Fallait y penser !

C'est exactement ce qu'a fait Antoine Bécotte lorsque l'idée lui est venue d'inventer une bouteille qui permettrait aux amateurs de sport de manifester leur joie ou leur mécontentement.

L'idée est simple, mais géniale. Un petit sifflet est adapté à une bouteille d'eau ou de boisson gazeuse par exemple, et lorsque la bouteille est vide, une simple rotation de la pièce située sur le dessus du petit bidule installé sous la bouteille transforme le contenant en une flûte au son strident.

Antoine vise le marché des articles publicitaires qui est énorme, tout particulièrement aux États-Unis. Comme vous avez pu le constater à la lecture de mon livre, c'est un marché que je connais très bien pour l'avoir exploité avec différents produits, dont la Gourd'O. Les annonceurs de partout dans le monde sont constamment à la recherche de nouveaux gadgets originaux. Imaginez un seul instant si Coca-Cola adoptait l'idée de faire une promotion avec la bouteille-flûte d'Antoine au prochain Superbowl…

Une idée géniale à laquelle j'aurais aimé avoir pensé avant Antoine !

Le bol interactif pour chien

Kathleen Desrosiers
Mascouche (Québec)
Technicienne en santé
animale

Brevets de design industriel
au Canada et aux États-Unis

Marque de commerce : AÏKIOU

Site Internet : www.aikiou.com

Kathleen Desrosiers est technicienne en santé animale et spécialisée en psychologie canine. Elle possédait donc tous les outils pour avoir cette idée géniale d'un bol interactif pour chien. Selon elle, plusieurs animaux développent des problèmes de comportement lorsqu'ils s'ennuient. Son bol présente plusieurs compartiments munis de petites portes coulissantes.

Pour avoir accès à sa nourriture, le chien doit utiliser ses pattes ou son museau. Son principe est basé sur le fait que les animaux sauvages passent une grande partie de la journée à chercher de la nourriture. La stimulation mentale et physique qu'entraîne le bol Aïkiou redonne aux chiens l'équilibre perdu lors de la domestication.

Depuis le début de sa commercialisation, le bol Aïkiou ne cesse d'accumuler les distinctions. Par exemple, lors du Global Pet Expo qui avait lieu à Orlando en février 2012, à la suite d'une décision unanime des 30 juges vétérinaires, Kathleen s'est vu décerner le premier prix Best in show du docteur Marty Becker, DMV. Une reconnaissance qui a eu de belles conséquences pour Kathleen et son associée, Isabelle Rochon, car elle leur a permis de signer des ententes avec de nouveaux distributeurs dans plusieurs pays à l'international.

Chapeau, Kathleen, pour ce grand succès !

Amplificateur magnétique

Guillaume Marquis
Montréal (Québec)
Technicien en génie
électrique

Breveté au Canada
et aux États-Unis

Entreprise:
Marquis Énergie Enr.

Courriel:
guillaumemarquis76
@hotmail.com

Comme la plupart des inventeurs, Guillaume Marquis a commencé très jeune à faire preuve d'imagination. À l'époque de l'école primaire, lui et ses copains se lançaient régulièrement des défis, comme de fabriquer des canons à balles de tennis avec des cannettes de boissons gazeuses. Même qu'à l'âge de 8 ou 9 ans, lui et son groupe ont voulu remettre en fonction un vieux véhicule de la Deuxième Guerre mondiale qu'ils avaient découvert dans une grange à Saint-Jean-de-Matha. Mais faute de soutien familial et d'argent, ce projet n'a pu être réalisé.

Sa lubie a toujours été de modifier les objets, peu importe leur nature. Il se souvient même d'avoir déjà acheté des souliers qu'il a défaits en pièces pour ensuite les remonter à son goût. Depuis ce temps, il le fait avec l'ensemble de ses vêtements et souliers et tout autre article qu'il achète. La plupart du temps, il se contentait de dessiner ces modifications sur papier, mais plus tard, il a commencé à les bricoler directement sur les objets. Pour payer ses études, il travaillait comme préposé à l'entretien au Stade olympique et au Biodôme.

C'était plus fort que lui, il modifiait autant les moteurs que le design des appareils d'entretien comme les aspirateurs électriques, polisseuses, balais, etc. Tout au long de ses nombreux emplois, il essayait toujours d'apporter des améliorations techniques à la méthodologie utilisée pour rendre ces appareils plus sécuritaires et plus ergonomiques pour les travailleurs.

Guillaume a toujours été attiré par l'astronomie et les phénomènes physiques. Il se considère d'ailleurs lui-même comme un astrophysicien. Il a lu à peu près tout sur les grands scientifiques tels que Einstein, Tesla, Hubble, etc. et il lit encore des revues traitant de tout ce qui se passe en science. À l'âge de 22 ans, il s'est inscrit en électronique industrielle, option électrodynamique, instrumentation et contrôle. C'est à cette époque qu'il a commencé à noter plus sérieusement ses idées d'invention.

Mais Guillaume est un gars d'action et d'expériences et il commençait à trouver le temps long, au point qu'il songeait sérieusement à abandonner ses études, car le système scolaire en place n'encourageait pas assez la créativité jumelée au champ d'études. Par hasard, en cherchant une information sur Internet, il est tombé sur un groupe de passionnés ayant créé une génératrice d'énergie propre. Il était passionné par ce domaine et c'est à cette période de sa vie qu'il a décidé de mettre un jour à profit ses connaissances pour créer son propre amplificateur magnétique.

Il avait déjà une bonne idée du fonctionnement de son invention, mais avant de commencer à y investir du temps et de l'argent, il a fait une sérieuse recherche de brevets antérieurs sur Internet. Bizarrement, la seule machine qui utilisait un principe ayant quelque similitude datait de 1920. Il savait cependant que l'évolution de la technologie lui permettrait aujourd'hui d'aller beaucoup plus loin. Et c'est bien ce qu'il a fait en développant un amplificateur magnétique qui génère une puissance de sortie supérieure à la puissance d'entrée en utilisant le magnétisme des aimants, des électroaimants. Il a déjà obtenu son brevet aux États-Unis et est en instance de brevet au Canada.

Guillaume a fondé sa propre entreprise, Marquis Énergie, et a loué un local dans l'arrondissement du Plateau-Mont-Royal pour y installer son prototype. Il s'affaire actuellement à y aménager un banc d'essai géant et un laboratoire pour continuer ses recherches dans ce domaine. Plusieurs autres inventions lui trottent dans la tête, mais, comme c'est souvent le cas, le manque d'argent et de temps l'empêche de s'y attaquer.

Système de retenue pour véhicules

Albert Chartier
Chertsey (Québec)
Inventeur de profession

Plusieurs brevets :
Canada, États-Unis, Europe
et autres pays

Courriel :
albert.chartier@sympatico.ca

Contrairement à la grande majorité des inventeurs, qui cèdent les droits d'exploitation de leurs brevets et continuent à travailler dans leur domaine, Albert Chartier vit de ses nombreuses inventions. Il est né le 24 janvier 1960

en Ontario et, après un court passage au Manitoba, sa famille est venue s'installer définitivement au Québec. Lui et son épouse, avec qui il partage sa vie depuis plus de 30 ans, sont parents de quatre enfants. Cet inventeur prolifique a de qui tenir, car c'est en observant son père, l'homme le plus débrouillard au monde selon lui, qu'il a développé le goût d'inventer.

Certaines de ses inventions sont vendues un peu partout dans le monde, dont son système de sécurité « Power Chock ».

Un quai de chargement est un endroit très dangereux et la cause d'accidents mortels tous les trois jours. Selon l'agence OSHA (Occupational Safety & Health Administration) du Département du travail des États-Unis, environ 200 accidents de chariot élévateur surviennent chaque jour. On estime que pour chaque accident rapporté, on en compte 600 évités de justesse qui ne sont pas signalés. La tâche la plus difficile pour un employeur, c'est d'avoir à annoncer un jour à une famille que l'être cher ne rentrera pas. L'installation d'un dispositif de retenue adéquat pour véhicules aide à prévenir ces accidents aux quais de chargement.

De nombreuses entreprises utilisent à leurs quais de chargement des dispositifs qui peuvent créer une fausse impression de sécurité. Les cales en caoutchouc sont inefficaces pour retenir une remorque dans un environnement sec, et complètement inutiles en présence de glace ou de neige. Les systèmes de retenue des barres anti-encastrement arrière (BAE), aussi appelés crochets, présentent un problème majeur parce qu'ils retiennent le véhicule par sa barre anti-encastrement arrière. De nombreux systèmes de retenue ont une force de deux à trois fois supérieure à celle d'une BAE, qui est de 5098,4 kg (11 240 lb) lorsqu'elle est en parfait état. Comme le stipule l'article S.5.2.1 de la norme n° 223 de l'Agence fédérale américaine NHTSA (National Highway Traffic Safety Administration), « la force de la barre anti-encastrement arrière n'est pas suffisante pour résister aux forces exercées pendant le départ inopiné d'une remorque d'un quai de chargement ».

C'est donc en tenant compte de tous ces inconvénients des systèmes existants qu'Albert a développé son mécanisme qui permet de retenir le véhicule par la pièce la plus robuste, la roue. La base du système consiste en une cale robuste de 45,7 cm (18 po) en acier à haute résistance à la traction, montée à l'extrémité d'un bras articulé à contrepoids qui en facilite la manipulation. La cale se place devant la roue arrière du véhicule et s'ancre dans une plaque au sol en acier galvanisé. Le système doit sa force de retenue sans égale aux dents de la cale qui s'accrochent aux grilles robustes de la plaque au sol. Selon le modèle, son système de retenue peut être relié à un système de communication, de détecteurs, d'alarmes, de feux intérieurs et extérieurs et de dispositifs de verrouillage.

Albert compte plusieurs autres inventions reliées à la sécurité qui sont déjà sur le marché. Il travaille actuellement sur un dispositif pour sécuriser les intervenants routiers et s'affaire également, avec le ministère des Transports, à mettre en service un dispositif pour récupérer les débris routiers qu'il a lui-même développé. Décidément, avec toutes ces idées en tête, c'est à se demander s'il réussit à dormir un peu !

Sa plus grande fierté est de constater que plusieurs personnes ont un travail qui découle de ses inventions.

Quand on dit que les inventeurs indépendants peuvent apporter leur contribution à l'essor de l'économie, on en a ici la preuve incontestable. L'équipe de l'Inventarium est extrêmement fière de compter un inventeur de la trempe d'Albert Chartier parmi ses membres. Voici quelques-unes de ses réalisations.

Ci-dessus, à gauche : Ce dispositif pour récupérer les débris routiers est actuellement en essai au ministère des Transports. Les tests en situation réelle sont terminés et une commande importante est prévue à court terme.
Ci-dessus, à droite : Ce produit qui sert à enrouler les courroies pour retenir la marchandise sur les camions est commercialisé au Canada et aux États-Unis.
Ci-contre : Cet accessoire multifonctions qui est sur le point d'être commercialisé sert à la fois de désoucheur et de de chevalet pour la coupe des gros arbres.

Surfaceur de sentier de VTT ou motoneiges

**Pascal Martin
et Luc Dufort**
Saint-Lin-Laurentides
(Québec)
Hommes d'affaires et
opérateurs de surfaceur

Breveté au Canada
et aux États-Unis

Entreprise :
Les surfaceurs L.N. Sno-Pac Inc.

Site Internet :
www.lnsno-pac.com

Après un peu moins de trente années d'implication auprès des inventeurs québécois, je suis toujours aussi impressionné par leurs réalisations. C'est d'ailleurs ce qui entretient ma passion pour ce domaine. Luc Dufort et Pascal Martin comptent plusieurs années d'expérience dans le surfaçage de sentiers de motoneiges et de quads. Ils ont combiné leurs idées afin de développer le surfaceur le mieux adapté aux conditions des sentiers particulièrement difficiles à entretenir par l'achalandage grandissant, des véhicules plus performants ainsi que les exigences croissantes de la qualité des sentiers.

Nos deux inventeurs ont remarqué que les différents surfaceurs déjà sur le marché présentent tous des points faibles tels que : incapacité de fonctionner dans certains sentiers et courbes des boisés sans heurter les arbres et les endommager ; aucun système d'inclinaison de surfaceur pour maintenir un sentier horizontal sur le sens de la largeur ; aucun surfaceur ne peut reculer sans faire une démarcation importante sur le sentier ou encore sans devoir relever le surfaceur en entier et laisser des marques avec les roues. C'est donc en tenant compte de ces trois importants critères de base que Luc et Pascal ont conçu leur surfaceur.

Cette magnifique invention permet de procéder au surfaçage de sentiers de VTT ou motoneiges étroits, sinueux ou très boisés, sans endommager les arbres. Elle permet de maintenir les sentiers de niveau, surtout dans les courbes, et de reculer tout en laissant le surfaceur baissé et ainsi garder le sentier uniforme (sans démarcation). Elle peut être tirée par une dameuse ou un tracteur de ferme modifié sur chenilles.

Le surfaceur comporte trois pivots inclus dans les trois axes dimensionnels (hauteur/largeur/longueur) et un châssis conique. Le premier pivot, contrôlé par deux vérins hydrauliques branchés en croisé, sert à rendre le châssis articulé, en plus d'être conique, afin de pouvoir serpenter entre les arbres sans les toucher. L'axe de ce pivot est sur le sens de la hauteur. La course peut aller jusqu'à 60 degrés de chaque côté.

Le deuxième pivot fait basculer le surfaceur vers la gauche ou la droite. L'axe est sur le sens de la longueur, au centre. La course peut aller jusqu'a 5 degrés de chaque côté.

Le troisième pivot permet la flottaison du plateau compacteur afin de pouvoir créer un sentier le plus uniforme possible en conservant le plateau horizontal, peu importe la hauteur requise des couteaux et couteaux niveleurs situés sous le châssis central. Ce pivot est désaxé vers le devant d'environ 5 % par rapport à son centre de gravité (sur le sens de la largeur du surfaceur) afin d'avoir plus de pression vers le devant du plateau (créée par le poids du surfaceur) et

permettre un transfert de poids vers l'arrière lorsque le surfaceur se relève par un vérin hydraulique pour le mode transport.

Le plateau a un rayon qui le relève dans la partie avant afin de recevoir la neige préparée par les couteaux niveleurs qui sont parallèles à celui-ci sur le sens de la largeur. Ce même plateau a un rayon du côté arrière afin de pouvoir reculer sans relever le surfaceur et donc sans laisser de marques sur le sentier. Ce pivot est rattaché par des tubes d'acier à un châssis fait principalement de tubes d'acier. La partie inférieure du plateau est munie de guides ajustables l'empêchant de glisser latéralement lorsque le sentier est incliné. Le surfaceur peut être rattaché au véhicule tracteur par un pôle rigide ou un système de conduite articulé par vérin hydraulique.

L'entreprise fonctionne avec Luc à la conception et la mise en marché alors que Pascal s'occupe de la conception et de la fabrication du surfaceur par l'entremise de l'atelier de soudure Concept-pro dont il est le propriétaire. Tous les deux possèdent un grand bagage tant au niveau de la soudure, de l'usinage, de la métallurgie ainsi que de la conduite d'équipements lourds et agricoles. Leurs différents modèles de surfaceurs sont disponibles partout au Canada et aux États-Unis. On ne peut que lever notre chapeau bien haut devant ces deux inventeurs-entrepreneurs.

La boîte à lunch napperon

Caroline Lebel
Laval (Québec)
Couturière

Denis Lebel
Mascouche (Québec)
Technicien en architecture

Breveté au Canada,
aux États-Unis et en Europe

Courriel:
lebel_rebel@hotmail.com

Denis Lebel a beaucoup d'imagination. En 1995, il a eu une première idée d'invention qui consistait en une chaise-parapluie. Il s'agissait simplement de la sortir de son étui, de l'ouvrir à la façon d'un parapluie et de s'asseoir confortablement pour regarder un feu d'artifice, par exemple. Denis en a fait plusieurs prototypes avant d'arriver à celui qui répondait parfaitement à ses critères. Malheureusement, à cette époque, Denis était très occupé et a mis tellement de temps à terminer son prototype qu'il s'est fait damer le pion par un autre inventeur, plus rapide.

Sa deuxième idée fut de concevoir un bermuda avec fermetures éclair qui pouvait se transformer rapidement en pantalon simplement en ajoutant deux pièces de tissus. Denis en a parlé à sa sœur Caroline qui n'y croyait pas vraiment, de sorte qu'il a décidé d'abandonner l'idée. Mais quelques années plus tard, ce concept a fait son apparition sur le marché. À partir de cet instant, Denis s'est bien promis que c'était la dernière fois que pareille chose se produisait.

En 2006, c'était au tour de Caroline d'avoir une bonne idée d'invention. Cette idée géniale lui est venue alors qu'elle travaillait dans la maison de son employeur. Elle ne voulait pas salir la place et apportait toujours un napperon avec sa boîte à lunch. C'est en prenant un de ses repas que l'idée lui est venue d'une boîte à lunch qui se transforme en napperon en un tournemain.

Après quelques semaines de cogitations, elle avait déjà dessiné un modèle qui répondait à tous ses critères. Elle l'a montré à Denis et, cette fois, ils étaient tous les deux d'accord d'aller de l'avant. En moins de trois jours, Denis avait fabriqué un prototype fonctionnel. Un sac à lunch thermo, en tissu, qui se convertit en un clin d'œil en napperon une fois ouvert. Indispensable pour tous ceux qui mangent à l'extérieur de la maison.

Offrant deux produits en un, cette boîte à lunch est à la fois utile pour transporter des aliments et les conserver au chaud ou au froid et procure un espace pour manger propre et hygiénique une fois convertie en napperon. Fabriquée de tissu résistant, elle se transforme en un clin d'œil grâce à des fermetures à glissière. D'un design unique, elle est facile d'entretien, compacte, souple, sécuritaire, résistante, légère, étanche et lavable à la machine. Elle peut également présenter des dimensions variées, aller sur les vélos et servir de trousse de maquillage.

Sans perdre de temps, ils se sont ensuite présentés à Inventarium pour y déposer leur brevet au Canada, aux États-Unis et à l'international. Les démarches pour intéresser une entreprise à leur invention ont été un peu plus longues que prévu, mais ont finalement abouti avec la signature d'une entente de distribution avec la compagnie Geocan de Saint-Léonard. Ce produit est maintenant commercialisé et devrait bientôt se retrouver sur les tablettes des pharmacies Jean Coutu.

Mais Denis n'avait pas l'intention de s'arrêter là. Une de ses connaissances lui a suggéré l'idée d'un nouveau sac de hockey qui améliorerait la vitesse de séchage de l'équipement. Cette suggestion n'est pas tombée dans l'oreille d'un sourd et Denis s'est rapidement attaqué à son développement. Il est allé bien au-delà de l'idée première et a ajouté un dispositif de minuterie pour avoir du chauffage au début et par la suite pour tempérer l'équipement (même principe qu'une sécheuse à linge).

Plus encore, il y a ajouté un système ionique qui élimine les mauvaises odeurs. Et on sait qu'il y en a dans un sac de hockey ! Son sac est composé d'un sous-plancher pour que l'air circule d'un bout à l'autre sans rencontrer d'obstacles. Le sous-plancher est composé de lamelles de plastique, placées verticalement à une distance d'un pouce pour faire sécher l'équipement de hockey. Le fond est étanche et sert de réceptacle si on y dépose l'équipement trempé, une fois lavé.

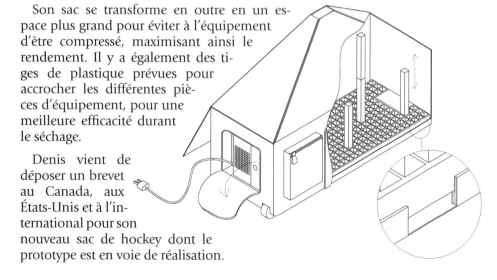

Son sac se transforme en outre en un espace plus grand pour éviter à l'équipement d'être compressé, maximisant ainsi le rendement. Il y a également des tiges de plastique prévues pour accrocher les différentes pièces d'équipement, pour une meilleure efficacité durant le séchage.

Denis vient de déposer un brevet au Canada, aux États-Unis et à l'international pour son nouveau sac de hockey dont le prototype est en voie de réalisation.

Machine à énergie potentielle gravitationnelle

Antal Meneïde
Montréal (Québec)
Opérateur de machinerie

Brevet en instance

Courriel :
antal_meneide@hotmail.com

Tout a commencé en 1999 pour Antal Meneïde, originaire d'Haïti et résident permanent au Canada depuis 1977, pendant ses études à l'Université d'Ottawa dans le but de devenir enseignant. Durant son stage à l'école Curé-Labrosse de Saint-Eugène, alors qu'il donnait des cours de sciences et technologies à des élèves de 3e secondaire, il a été à même de constater combien ses élèves aimaient les sciences et étaient attentifs à ses démonstrations et à ses expériences. Et tout particulièrement le jour où il leur a montré différents effets produits par des aimants et des électroaimants.

L'idée lui est alors venue de lancer un défi à ses jeunes protégés. Il les a regroupés en trios et leur a demandé de fabriquer chacun un petit véhicule propulsé uniquement par l'énergie produite par des aimants et électroaimants. Lorsque chaque groupe eut terminé, une course a été organisée pour déterminer le véhicule le plus performant. Il a été renversé par l'intelligence de ces jeunes.

Cette expérience l'a fait énormément réfléchir, à tel point qu'il en est venu à la conclusion que tous les enfants du monde méritaient mieux comme environnement que ce qu'on leur offre actuellement. Ce qui l'a ensuite mené à une grande réflexion sur son avenir, avec comme résultat de prendre la décision qui allait changer sa vie radicalement, c'est-à-dire quitter l'enseignement et revenir à Montréal. Ce qu'il désirait dorénavant, c'était se trouver un emploi qui lui permettrait d'avoir assez de temps libre pour se consacrer à la recherche. Le résultat de ses longues cogitations fut l'invention d'une machine à énergie potentielle gravitationnelle basée sur des principes naturels.

Les premières années ont été consacrées à imaginer les différentes composantes, ainsi que le mécanisme. Depuis l'année dernière, il en est à la fabrication du premier prototype. Il ne peut avancer au rythme qu'il voudrait et on peut le comprendre, car Antal est père de six enfants! Mais il est déterminé à aller jusqu'au bout de son rêve, soit de fabriquer cette fameuse machine qui produira de l'énergie propre et peu coûteuse que l'on pourra utiliser dans tous les pays du monde. Ce qui le motive jour après jour, c'est l'amélioration de la qualité de vie des enfants à travers la planète.

Autrement dit, c'est l'avenir de l'humanité.

Ce grand humaniste a surnommé son projet «Wishy Watty» tiré de l'expression *Wishy Washy* qui signifie indécis. C'est d'ailleurs à la suite d'un discours de Barack Obama au cours duquel ce dernier a qualifié les grands pays de *Wishy Washy* qu'il a choisi ce nom. Le président américain faisait ainsi allusion au fait que les grands pays industrialisés n'arrivent pas à se décider sur les moyens à prendre pour réduire les gaz à effet de serre versus l'économie.

Antal Meneïde en est actuellement à la phase de fabrication de cet appareil qui demande des pièces propres à son système. Il lui faut donc les faire fabriquer sur mesure et, pour cela, il doit les réaliser au préalable en polystyrène, grandeur nature tel qu'on le voit sur la photo. Heureusement, il n'est pas seul dans cette aventure puisqu'il est en contact avec des spécialistes en métallurgie et un maître soudeur qui l'appuient dans son projet. Pour le bien de tous les enfants du monde, on ne peut que lui souhaiter que tout fonctionne comme il l'imagine.

Système de levier pour souffleuse à neige

Nelson et Steeve Dupont
Rimouski (Québec)
Déneigeurs

Instance de brevet au Canada et aux États-Unis

Courriel:
nelsondupont@hotmail.ca

Le moins qu'on puisse dire c'est que cette invention est une histoire de famille. Celle des frères Nelson et Steeve Dupont qui a débuté en 2006 alors que Nelson a eu l'idée d'installer un système hydraulique pour pouvoir élever la souffleuse installée sur son tracteur. Faut dire que le domaine du déneigement n'a plus de secrets pour lui puisqu'il pratique ce métier depuis plusieurs années déjà, tout comme son frère Steeve.

Le but de cette invention est de faire lever la souffleuse du sol d'une hauteur de 0 à 6 pouces. Ceci permet de laisser de la neige au sol et du fait même, de ne pas ramasser de gravier avec la souffleuse. Cet accessoire permet également de ne pas endommager le pavé avec la souffleuse tant et aussi longtemps qu'un fond de neige durcie n'a pas été créé sur le sol.

Bien que leur premier prototype puisse être considéré comme une réussite, il présentait tout de même certaines lacunes. Les rouleaux qui servaient de point d'appui et permettaient également de taper la neige causaient des problèmes lorsque la neige était mouillée. Le prix de fabrication aussi, qui dépassait les 3 000 $, freinait leurs élans.

Mais les frères Dupont étaient persuadés qu'il y avait moyen de rendre cet accessoire plus simple, plus efficace et moins dispendieux. Ils ont donc continué leurs cogitations jusqu'à ce que Steeve ait l'idée de remplacer les rouleaux par des roues munies de pneus de caoutchouc. Après certaines autres modifications mineures, non seulement l'appareil est-il plus efficace mais son prix a été réduit à tel point qu'il est actuellement en vente à 1 500 $, installation incluse.

Les frères Dupont sont actuellement en réflexion à savoir s'ils vont commercialiser eux-mêmes leur invention où s'ils vont en céder les droits d'exploitation à une entreprise active dans ce domaine. Ils préfèrent cependant être prudents dans leurs démarches et attendent les résultats de l'étude de leur demande de brevets au Canada et aux États-Unis.

La brouette multifonctionnelle

Benoît Lalande
Montréal (Québec)
Journalier

En instance de brevet

Benoît Lalande est le parrain d'un petit garçon nommé Gabriel. Quelques mois après la naissance de ce dernier, une maladie génétique entraîne plusieurs problèmes de santé majeurs avec déficience physique et intellectuelle importante. Benoît est à même d'observer les difficultés que cela occasionne aux parents : fatigue, stress, etc. Depuis, il n'a de cesse de chercher des façons d'alléger leur fardeau.

Lors d'une sortie en famille au parc Yamaska pour un pique-nique, il remarque que la grosse brouette en plastique servant à transporter Gabriel prend trop de place dans l'auto, ce qui n'est vraiment pas pratique. C'est à ce moment précis que l'idée de sa brouette multifonctionnelle lui est venue. En plus de pouvoir transporter deux enfants et différents objets, comme des jouets ou une glacière, sa brouette papillon, comme il la nomme, peut servir de chaise longue pour la plage et de luge pour l'hiver. Bien qu'il ait créé ce produit en pensant à Gabriel, sa brouette est aussi utile pour les familles en général que pour celles qui ont un enfant handicapé.

Benoît en est maintenant à la phase de commercialisation. Il compte verser un pourcentage de ses redevances à la Fondation du Dr Julien, une œuvre qui lui tient vraiment à cœur. Pédiatre social, le docteur Gilles Julien s'est donné comme mission d'aider les enfants issus de milieux défavorisés à atteindre leur plein potentiel. Habitant lui-même dans le quartier Hochelaga-Maisonneuve, Benoît ne peut que constater les bienfaits du travail colossal de cet homme à qui il voue une admiration sans borne. C'est pourquoi il veut le supporter dans sa mission.

Bravo, Benoît !

Moules à petits fours

Rony Augis
Paris, France
Agent hospitalier

Breveté au Canada,
aux États-Unis
et en Europe

Courriel :
nyro971@yahoo.fr

Les meilleures inventions sont souvent créées lorsque l'on fait face à un problème. Mais dans le cas de Rony Augis, c'est sa sœur qui avait un problème. En effet, celle-ci adore faire des petits gâteaux en grande quantité, qu'elle distribue ensuite dans sa famille. Mais plus ça va et plus ses petits gâteaux sont en demande. C'est donc en la voyant travailler avec un outil de fabrication artisanale que M. Augis a eu l'idée de créer des moules pour en accélérer le processus de fabrication. Et le résultat fut à ce point étonnant qu'il a décidé de commercialiser, non seulement les petits gâteaux de sa sœur, mais également ses moules en visant un marché grand public.

Rony Augis voit grand et ambitionne de vendre ses moules dans plusieurs pays. C'est pourquoi il nous a mandatés pour enregistrer ses dessins industriels au Canada et aux États-Unis, pour ses moules de production. Ceux-ci présentent certaines particularités qu'on ne retrouve dans aucun autre moule à gâteaux. En tout, il possède maintenant cinq modèles de moules différents. Je vous promets que Jeanne et moi irons goûter vos petits fours très bientôt, M. Augis.

Abris pour bateaux et VR

Robert Richard
Saint-Hippolyte (Québec)

Pierre Beaudoin
Saint-Bruno-de-Montarville
(Québec)
Hommes d'affaires

Breveté au Canada
et aux États-Unis

Marque de commerce:
NAVIGLOO

Site Internet:
www.navigloo.com

En 2002, Robert Richard a eu l'idée géniale de remplacer l'abri traditionnel fait de bois par une armature robuste, facile à monter et fabriquée de matériaux réutilisables. Dès lors, M. Richard et Pierre Beaudoin, son ami et voisin de chalet, ont commencé à mûrir l'idée et décidé de s'attaquer au projet. C'est alors le départ d'une grande aventure pour ces deux entrepreneurs. Déjà à la retraite depuis quelques années, ils avaient le temps d'entreprendre un tel projet. «Notre motivation était aussi de laisser à nos enfants une partie de l'expérience acquise tout au long de nos carrières respectives.»

Ensemble, MM. Richard et Beaudoin se rendent dans une quincaillerie pour trouver le matériel nécessaire au premier prototype d'armature imaginé par Robert Richard. Les premiers tests ont été faits à partir de tubes ABS et des bases de cuves de toilettes. C'était pour le moins artisanal mais tout de même le point de départ de ce qu'est devenu l'abri pour bateau Navigloo. L'entreprise Prima Innovations a signé des ententes de distribution avec des chaînes canadiennes et des États-Unis, dont Canadian Tire, Costco.ca, Costco.com, etc.

Prima Innovations a également développé un abri pour véhicules récréatifs. Ce produit a fait son apparition sur le marché en 2012. Il s'adapte autant aux tentes-roulottes qu'aux roulottes de plus grandes dimensions.

Nos deux amis inventeurs viennent d'emménager dans un nouvel entrepôt beaucoup plus grand. C'est bon signe !

Le protège-lèvres pour cannettes

Roger Bonin
Salaberry-de-Valleyfield
(Québec)
Homme d'affaires

Brevet en instance
au Canada, aux États-Unis
et à l'international

Marque de commerce : Sip-On

Entreprise : SipClips Inc.

Site Internet :
www.sip-on.com

Roger Bonin a œuvré dans le domaine de la vente et du marketing et est retraité depuis 2008. Son invention consiste en un protège-lèvres pour cannettes. Il propose en fait un dispositif simple et ingénieux qui permet à son utilisateur de boire directement de la cannette, confortablement, tout en se protégeant des contaminants qui pourraient se trouver autour de l'ouverture. De plus, le Sip-On, du nom de sa marque de commerce, couvre le rebord tranchant de l'ouverture afin de protéger les lèvres des petits comme des grands lorsqu'ils boivent directement à la canette.

Mais les avantages de ce produit ne s'arrêtent pas là : grâce à sa conception unique et astucieuse, le Sip-On fait en sorte que le contenu ne touche jamais à l'extérieur de la cannette durant la consommation afin d'assurer un maximum de protection contre la contamination. Et ce n'est pas tout puisque le Sip-On est également muni d'un fermoir intégré, qui protège l'ouverture contre une éventuelle chute de débris ou d'insectes tels que les abeilles, dont la piqûre peut parfois être mortelle pour certaines personnes.

Ce pratique accessoire est offert dans une variété de couleur attrayantes pour différencier votre cannette de celle de vos voisins. Le Sip-On s'adapte à la grande majorité des cannettes sur le marché : bières, boissons gazeuses, boissons énergisantes, jus de fruits et de légumes, etc. Monsieur Bonin vise le marché de détail mais également celui des articles promotionnels.

Embauchoirs à chaussures à double fonction

Marko Shtyn et Lev Shtyn
Vancouver, C.-B.
Hommes d'affaires

Breveté au Canada et aux États-Unis

D'origine russe, Marko et Lev Shtyn ne sont pas seulement des frères dans la vie et des associés en affaires, mais ils sont également les meilleurs amis du monde. Tous les deux très impliqués dans différents sports, dont le soccer, ils se sont rendu compte à quel point les chaussures de sport perdaient rapidement leur forme et leur confort à cause de l'eau et de l'humidité. Ces chaussures sont dispendieuses

et un mauvais entretien en réduit considérablement la durée de vie.

Selon eux, le problème majeur qui cause la dégradation rapide des chaussures est la difficulté à les faire sécher rapidement. Ils se sont donc attaqués sérieusement à ce problème et il en a résulté des embauchoirs à chaussures à double fonction. Outre étirer les chaussures pour leur conserver leur forme originale, ils font en sorte qu'elles sèchent rapidement grâce à un élément chauffant.

L'innovation réside surtout dans le fait que les produits actuellement sur le marché offrent l'une ou l'autre de ces fonctions mais aucun ne fait les deux. Bien que ces embauchoirs soient principalement destinés aux souliers de sport, ils sont aussi utiles à tout genre de chaussures. En plus de les rendre davantage confortables, ils leur permettent de garder une forme impeccable et d'éviter les craquelures au niveau du cuir. En augmentant la longévité de la chaussure, les embauchoirs chauffants permettent du même coup de réaliser des économies substantielles.

Au niveau des affaires, Marko et Lev ont fait leurs classes dans l'entreprise familiale dirigée par leur père. Ils ont eux-mêmes réalisé leur étude de marché, conçu leur plan d'affaires et créé leur propre entreprise. La commercialisation de leur produit devrait bientôt débuter. Souhaitons-leur un grand succès.

Armoire et station pour maquillage et coiffure

Daniel Boyer
Mont-Tremblant (Québec)
Journalier – fabrication de rampe
d'aluminium

Brevet en instance au Canada
et aux États-Unis

Marque de commerce: Auramiss

Courriel: dajuzabo@hotmail.com

En 1989, Daniel Boyer a obtenu son diplôme d'études collégiales en design industriel au cégep du Vieux-Montréal. C'est en 2006, alors qu'il travaillait dans la rénovation résidentielle, que Daniel a eu l'idée de son invention. Il a remarqué à quel point les femmes sont mal installées pour leur session de maquillage et de coiffure. Mettant son talent de designer à l'épreuve, il a entrepris de concevoir une station de maquillage pour utilisation person-nelle à la fois pratique et esthétique.

Sa première action avant de trop s'engager dans cette aventure fut de faire une minutieuse recherche sur Internet et dans les revues et magazines consacrés aux femmes. N'ayant rien trouvé qui réponde à tous ses critères, il a décidé de foncer. Ce qui fut le plus difficile à concevoir est le mécanisme de déploiement. D'un seul mouve-ment, en ouvrant la porte, le miroir arrive à la hauteur du visage, les lumières s'allument automatiquement et les accessoires, séchoir, brosse à cheveux, etc., sont immédiatement accessibles sur les tablettes. À noter que Daniel a pensé à tout, y compris à ajouter une prise de courant intégrée au module. La station peut être installée pour utilisation debout ou assise.

Son prototype est complètement terminé et Daniel en est actuellement à la phase de soumission pour la réalisation du produit fini. À cette étape-ci, il aimerait bien rencontrer des partenaires financiers pour l'accompagner dans la commercialisation de son invention qui fait déjà l'envie des femmes aux-quelles il l'a présentée. Son objectif : que le produit soit entièrement fabriqué au Québec.

Barre de levier améliorée

Éric Lachance
Chertsey (Québec)
Manœuvre spécialisé
en coffrage

Breveté au Canada
et aux États-Unis

Les meilleures inventions sont souvent créées par des employés dans leur milieu de travail, comme pour le cas d'Éric Lachance qui évolue dans le domaine de la construction depuis plusieurs années. C'est d'abord son père Rosaire qui a eu l'idée d'une barre de levier mieux adaptée à ses besoins. Mais comme il n'y en avait pas sur le marché, son fils a décidé de prendre les choses en main pour remédier à la situation.

Le problème est qu'il n'existe aucune barre de levier pour arracher les clous des plafonds. Divers prototypes ont donc été réalisés avant d'arriver avec le produit idéal. Sa barre de levier est tellement efficace qu'elle fait l'envie de ses compagnons de travail. Convaincu qu'il avait en sa possession un produit gagnant, Éric a décidé de protéger son produit par brevet. Il a ensuite fabriqué deux modèles différents, un pour arracher les clous des plafonds et l'autre pour arracher les cloisons.

Mais avant de se lancer dans la fabrication à grande échelle, Éric préférait attendre que ses brevets soient acceptés, ce qui est maintenant chose faite au Canada et aux États-Unis. Il en est aux derniers préparatifs et ajustements nécessaires pour entreprendre la commercialisation. Souhaitons-lui la meilleure des chances, c'est très mérité.

Système informatique de gestion du service pour la restauration

Bruno Gagnon
Saguenay (Québec)
Notaire

Breveté au Canada
et aux États-Unis

Courriel:
brunogagnon2008
@hotmail.com

Il y a quelques années, en tant que propriétaire du restaurant Piazzetta à Chicoutimi, Bruno Gagnon voulait tout simplement améliorer l'ensemble du processus qui mène à l'expérience du client. Des cuisiniers aux clients en passant par les serveurs, son système permet, entre autres choses, de calculer les temps de réponse à chaque étape du service et même d'avoir facilement une évaluation de la clientèle. L'information recueillie est naturellement disponible pour les propriétaires et/ou les franchiseurs.

L'optimisation du personnel et la satisfaction du client sont les objectifs premiers de ce système. Il a aussi conçu ce système parce qu'il voulait connaître en tout temps la réelle qualité du service dispensé par son personnel en son absence. Comme il le dit lui-même, la motivation première à toute invention ou innovation, c`est toujours un «besoin» non comblé qui en est la genèse. Bruno a donc décidé de satisfaire lui-même ce besoin.

Maintenant titulaire de brevets officiels au Canada et aux États-Unis, il est actuellement en contact avec des partenaires et investisseurs sérieux.

Pièges pour trappage d'animaux à fourrure

Aurèle Ouellette
Lac-aux-Écorces (Québec)
Homme d'affaires

Brevet déposé au Canada
et aux États-Unis

Entreprise:
Les Pièges Ouell Enr.

Site Internet:
www.pieges-ouell.ca

Piège à tige pour castor

Natif de la région de Mont-Laurier, Aurèle Ouellette était un «patenteux» hors pair qui fabriquait tout ce qu'il désirait, bicyclette, skis, raquettes, etc. C'était également un trappeur dans l'âme puisque déjà, à l'âge de 4 ans, il attrapait des lièvres au collet avec son frère.

Vers l'âge de 7 ans, il a lu dans le journal qu'une compagnie vendait des pièges pour faire du trappage de visons et de rats musqués. Il faut se rappeler qu'à l'époque, les manteaux et les chapeaux de fourrure étaient indispensables pour faire face aux hivers rigoureux. Comme il voulait commencer à trapper les animaux à fourrure, lui et son frère ont décidé qu'il leur fallait absolument se procurer ces pièges. Mais ils étaient tous les deux sans le sou et c'est donc en vendant au magasin général les lièvres qu'ils attrapaient qu'ils se sont finalement équipés pour la trappe.

Mais Aurèle n'aimait pas ces pièges qu'il considérait comme cruels. Ils étaient plus ou moins efficaces et il arrivait régulièrement que l'animal piégé ne meure pas instantanément. C'est donc ce qui l'a incité à inventer ses propres pièges, mais beaucoup plus tard dans sa vie.

À l'âge de 37 ans, en exerçant son métier de mécanicien dans le village de Lac-aux-Écorces où il habitait depuis plusieurs années, il fut gravement blessé par un pneu qui avait éclaté. Pendant trois ans, il a dû recevoir des traitements de physiothérapie. Mais à la fin, les médecins l'ont avisé qu'il devrait bientôt se résigner à se déplacer en fauteuil roulant. Aurèle ne l'entendait

Piège breveté pour belette, hermine, vison, écureuil, mouffette et rat musqué sous l'eau

cependant pas ainsi et a décidé qu'il allait s'en sortir par lui-même. Il a commencé en adoptant de bonnes habitudes alimentaires et en faisant beaucoup d'exercice, notamment la marche.

Entre-temps, Aurèle avait fait l'acquisition d'une cabane à sucre qui l'occupait beaucoup. Mais il trouvait le temps long rendu à l'automne. C'est ce qui l'a convaincu de retourner à sa passion, le piégeage d'animaux à fourrure. Sa première action en ce sens fut donc de s'inscrire à un cours de trappage et de gestion des animaux à fourrure. Notez que ce domaine est très règlementé. Il faut savoir gérer ses prises tout en tenant compte du cycle de reproduction propre à ces animaux. Tout doit être fait dans le plus grand respect de la faune.

Mais Aurèle s'est vite rendu compte que les pièges sur le marché n'étaient pas adéquats pour la belette. Un jour, il a décidé qu'il allait créer ses propres pièges, lesquels répondraient à tous ses critères, dont le principal, tuer l'animal instantanément pour lui éviter toute souffrance. Des pièges humanitaires comme il les qualifie lui-même. Mais inventer des pièges pour animaux à fourrure et les commercialiser n'est pas chose facile.

Sachant que ce domaine est exigeant au sujet des certifications, il a consacré trois années de sa vie à la recherche et au développement en collaboration avec le ministère des Ressources naturelles et de la Faune, pour arriver à un modèle de piège mortel certifié conforme aux normes internationales de piégeage sans cruauté. Il a mis près de deux ans pour concevoir le premier et a dû fabriquer plusieurs prototypes et les faire essayer à d'autres trappeurs professionnels avant de s'attaquer à la certification. Sachez qu'on ne peut commercialiser un piège qui n'a pas obtenu les certifications internationales.

Depuis 1997, il est strictement défendu de trapper avec des pièges qui ne sont pas certifiés. La principale norme à respecter, c'est que le piège doit être mortel pour éviter à l'animal de souffrir. Et c'est sa force puisque tous ses pièges ont passé les tests avec succès et reçu leur certification. Aujourd'hui, tout est beaucoup plus simple à ce niveau, car les pièges sont testés à l'aide d'un logiciel qui calcule la trappe, la vitesse, les risques de blessures pour l'utilisateur, etc.

Monsieur Ouellette a fondé son entreprise, Les pièges Ouell, en 2006 pour commercialiser ses pièges et ses accessoires qui sont aujourd'hui disponibles

partout au Québec dans les magasins de chasse et pêche. À noter que ses pièges sont également utiles aux acériculteurs, aux exterminateurs et pour les par-
ticuliers dont les biens sont endommagés par des animaux indésirables.

Moulinet réducteur de tension pour la pêche blanche et autres

Daniel Blais
Lanoraie (Québec)
Dessinateur industriel
en tuyauterie

Instance de brevet
au Canada et aux États-Unis

Courriel :
danifranpou@gmail.com

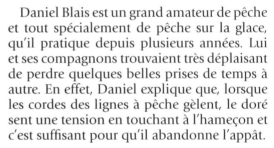

Daniel Blais est un grand amateur de pêche
et tout spécialement de pêche sur la glace,
qu'il pratique depuis plusieurs années. Lui
et ses compagnons trouvaient très déplaisant
de perdre quelques belles prises de temps à
autre. En effet, Daniel explique que, lorsque
les cordes des lignes à pêche gèlent, le doré
sent une tension en touchant à l'hameçon et
c'est suffisant pour qu'il abandonne l'appât.

C'est donc ce qui lui a donné l'idée d'inventer un système qui permettrait de réduire
cette tension et ainsi augmenter le nombre
de prises. Au tout début, Daniel s'est contenté d'ajouter un petit ressort à sa corde,
mais il s'est rendu compte que le résultat
n'était pas à la hauteur de ses attentes. Puis,
l'idée lui est venue de fabriquer un petit
moulinet qui, installé sous l'eau, jouerait le
même rôle qu'un moulinet de canne à pêche,
et ce, même si la corde est gelée. Comme on dit souvent, fallait y penser !

Son moulinet permet un déroulement de 18 à 24 pouces. Il a commencé par
fabriquer six prototypes avec lesquels il a procédé à ses tests. Même si l'idée

peut paraître simple, il lui aura quand même fallu améliorer plusieurs fois ses prototypes pour en arriver au produit tel qu'on le retrouve aujourd'hui. D'ailleurs, son dernier modèle est muni d'un réglage de tension. À noter qu'avec ce modèle, son invention peut également être très utile pour la pêche d'été.

Son produit n'est pas encore sur le marché, car Daniel désire d'abord obtenir ses brevets. Son but n'est pas de se lancer lui-même dans la production, mais plutôt de céder les droits d'exploitation de ses brevets au plus offrant. On peut le comprendre, car il veut se garder du temps pour pêcher…

Guitare avec un réseau de cordes

Claude Gauthier
Dieppe
(Nouveau-Brunswick)
Professeur de mathématiques
à l'Université de Moncton

Breveté au Canada
et aux États-Unis

Marque de commerce:
TRITARE

Entreprise:
Trifidius Inc.

Claude Gauthier est professeur au Département de mathématiques et de statistique à l'Université de Moncton au Nouveau-Brunswick. L'idée à l'origine de ce nouvel instrument de musique, le premier inventé au Canada, vient d'une étude qu'il a effectuée sur un nouveau système de nombres. Les mathématiques furent utilisées afin d'optimiser les caractéristiques acoustiques de cet instrument.

Les sons produits par la tritare résultent des vibrations d'un ou de plusieurs réseaux de cordes ayant chacun la forme d'un Y inversé. Des microphones amplifient les sons produits par ces réseaux de cordes, de la même façon que pour une guitare électrique. Cependant, contrairement à la guitare, les sons de la tritare peuvent être non harmoniques, c'est-à-dire composés de sons dont les fréquences ne sont pas des multiples d'une fréquence fondamentale. Cette propriété fait en sorte que la tritare peut produire des sons très semblables à ceux d'une guitare, ou encore des sons qui ne peuvent pas être produits par une guitare, les sons de certaines cloches, par exemple. Plusieurs prototypes ont déjà été fabriqués. Cet instrument soulève un grand intérêt chez les musiciens.

Dispositif de contrôle d'air pour appareil de chauffage au bois

Emmanuel Marcakis
Montréal (Québec)
Ingénieur en mécanique
et entrepreneur

Breveté au Canada,
aux États-Unis et
à l'international

Entreprise :
Foyers Suprêmes Inc.

Site Internet :
www.supremem.com

Emmanuel Marcakis a fondé son entreprise en 1982 et est aujourd'hui un homme d'affaires prospère. Il n'est pas seulement un entrepreneur accompli mais également une personne profondément convaincue qu'il faut protéger l'environnement pour les générations futures. Il aurait pu se contenter de vendre des appareils de chauffage au bois qui respectent les normes établies, mais il a décidé d'aller plus loin en inventant un dispositif de contrôle de l'air de combustion.

Son dispositif facilite le début de la combustion en laissant entrer un supplément d'air dans l'appareil tout en permettant de réduire automatiquement le supplément au fur et à mesure que la température du système augmente. Même si la température diminue par la suite, le mécanisme de suralimentation demeure inactif car il doit être immédiatement activé manuellement afin d'être opérationnel.

Une fois le système ajusté, l'utilisateur n'a plus besoin de s'en préoccuper, tout se fait automatiquement. En plus d'augmenter l'efficacité de l'appareil, tout est brûlé sans aucune pollution. Son dispositif répond aux normes très sévères de l'EPA (Environnemental Protection Agency) qui régissent le domaine des appareils de chauffage au bois.

Emmanuel Marcakis a plusieurs autres inventions, dont certaines sont actuellement en instance de brevet. Il est maintenant en semi-retraite mais continue de s'occuper du développement des produits. La relève de son entreprise est assurée par ses trois enfants, Alexandre, Katherine et Anastasia.

Support pour transport de matériel de longueur excessive

Denis Durand
Sainte-Ursule (Québec)
Inventeur-entrepreneur

Instance de brevet
au Canada et aux États-Unis

Entreprise :
Créations Dekarana Inc.

Site Internet :
www.dekarana.com

Comme plusieurs inventeurs dans l'âme, dès son jeune âge, Denis Durand se servait de tout ce qui lui tombait sous la main pour fabriquer ce dont il avait besoin, Go Karts, boîtes à savon, bicyclettes, etc. Encore aujourd'hui, il se souvient parfaitement du visage de ses parents quand ils le voyaient arriver de l'école avec tout ce qu'il avait pu trouver de bon dans les poubelles du voisinage. Pour lui, les vieilles tondeuses à gazon et télévisions abandonnées étaient comme une manne tombée du ciel. Des matériaux tout à fait gratuits avec lesquels il pouvait laisser aller son imagination pour leur donner une deuxième vie. Denis se souvient également à quel point ses jeux de blocs Lego et Meccano l'ont aidé à développer son imagination.

Parvenu à la vingtaine, il s'est installé un petit atelier dans un espace de rangement où il fabriquait toutes les choses qu'il souhaitait. Il était spécialement attiré par tout ce qui concernait l'électricité. Sans aucune étude dans ce domaine, il en comprenait parfaitement les principes de base, au point où il fabriquait des dynamos et des moteurs électriques à partir de zéro.

Conséquemment à un accident de la route, il fut déclaré invalide au travail par la SAAQ et recevait une compensation pour suffire à ses besoins. Mais être payé à ne rien faire, ce n'était pas une option pour lui. Il a donc demandé d'être retiré de ce programme et a entrepris la construction d'un véritable « laboratoire » pour pouvoir enfin concrétiser ses projets d'inventions. Il rêvait

Son laboratoire, ou plutôt, sa deuxième maison

alors, et rêve encore aujourd'hui, de fabriquer une génératrice à énergie propre pour éliminer les moteurs polluants.

Aussi incroyable que ça puisse paraître, c'est justement en construisant son atelier que l'idée de sa première invention, aujourd'hui commercialisée, lui est venue. En effet, il avait tellement de problèmes pour le transport des matériaux de longueur excessive qu'il a fini par se fabriquer un support d'appoint qu'il attachait à sa camionnette. Les employés du magasin où il s'approvisionnait étaient tellement impressionnés par son support qu'ils lui ont fortement suggéré de le commercialiser.

Le Mul-T-Rack au repos
Le Mul-T-Rack au travail

Plusieurs prototypes plus tard, le produit était fin prêt à être présenté à une entreprise disposée à le mettre en marché. Denis n'a pas tardé à trouver preneur, mais, auparavant, il avait bien pris soin de protéger son invention par le dépôt d'un brevet provisoire. Son Mul-T-Rack est aujourd'hui commercialisé au Canada et bientôt en Amérique du Nord. En bon entrepreneur, Denis a également créé son entreprise, Créations Dekarana (**De**nis, **Ka**thleen, **Ra**phael, **Na**omie).

Mais il n'a pas l'intention de s'arrêter à ce grand succès. Il a plusieurs autres inventions en route dont trois officielles qui font déjà l'objet de brevets. Au moment d'écrire ces lignes, Denis est en pourparlers pour l'octroi d'une licence internationale de commercialisation pour une autre de ses inventions, une sangle à cliquet coulissant. Si tout se concrétise, comme ça semble vouloir être le cas, cette entente lui permettra d'obtenir les fonds nécessaires pour pouvoir se consacrer à plein temps à la création d'une source d'énergie propre.

Comme le dit le titre d'un des chapitres de mon livre : inventeur un jour, inventeur toujours. Bravo Denis, c'est avec des personnes comme toi qu'on bâtit une économie solide.

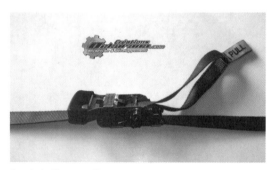

Sangle à cliquet coulissant

Labyrinthe de l'Imaginaire

Florent Veilleux
Montréal (Québec)
Artiste multidisciplinaire

Entreprise :
Imagique

facebook.com
/florent.veilleux

Au cours de ma carrière d'inventeur, j'en ai rencontré des personnes brillantes ; je n'aurais d'ailleurs pas assez de pages dans ce livre pour les énumérer toutes. Mais Florent Veilleux occupe une place spéciale dans mon cœur. De tous ceux que j'ai connu, c'est celui qui marie le plus l'imagination et le savoir. Son œuvre est colossale.

Les œuvres de ce génie ont été exposées un peu partout au Canada et même aux États-Unis. En 1997 et 1998, son exposition *Romantisme post-moderne* occupait la plus grande salle du musée McCord à Montréal. Un succès monstre. À la demande de la direction, c'est dans une salle contiguë à son installation qu'il crée les ateliers de recyclage créatif Totem Cinétique, pour les enfants de 7 à 12 ans. Il animera ensuite ces ateliers atypiques pendant près de dix ans dans les écoles, collèges, université (UQAM) et en ateliers pour tous : Fêtes de la terre, Musique à Tremblant, Fête du Canada, Centre des sciences, Tohu, etc.

Les œuvres de Veilleux sont essentiellement faites avec des objets de récupération, industriels ou familiers, qu'il transforme, robotise et met en situations paradoxales. Ses machines sont en général accompagnées de

« textes pataphysiques » qui précèdent, accompagnent ou prolongent l'action des machines.

Associant l'électronique, la vidéo, l'écriture, les sciences, le recyclage, dans la « sculpture mécanique », Veilleux innove dans le domaine des arts visuels par la réalisation, à grande échelle, d'installations monumentales luminocinétiques, sonores et interactives, composées de machines absurdes hilarantes et de robots humanoïdes parlants touchant un auditoire universel. Au fil des années, j'ai visité la plupart de ses expositions et chaque fois j'en avais le souffle coupé. Il faut voir le visage des enfants durant ses ateliers. Quand je me rappelle comment j'étais distrait à l'école, je ne peux qu'imaginer à quel point il aurait réussi à retenir mon attention.

Florent est né à Rivière-du-Loup en 1941. Avec son cours classique et un diplôme d'électronicien en poche, il s'installe en 1963 à Paris où, pendant dix-huit ans, il mènera en France une vie d'artiste autodidacte multidisciplinaire. Auteur-compositeur-interprète, il est lauréat des Relais de la Chanson française en 1966 et enregistre plusieurs disques et se produit avec les Dutronc, Lama, Hallyday, Adamo, Bedos, avec qui il fait Bobino, etc.

En parallèle, il excelle dans plusieurs formes d'art : l'écriture, la mise en scène, la photographie, l'audiovisuel, la comédie, les effets spéciaux pour le théâtre et le cinéma, le spectacle pour enfants, alors qu'il écrit et met en scène la comédie musicale dans laquelle il joue, *Et la souris répondit bip bip bip*, dont un disque sera tiré.

De retour au Québec en 1981, il se consacre à l'écriture en publiant *La Fiancée d'Archi*, à la photographie et la présentation audiovisuelle de l'œuvre d'art, et à la vidéo expérimentale et d'art. Plusieurs de ses courts métrages vidéo sont sélectionnés par le FIFA et autres festivals de films sur l'art. Il s'adonne aussi à la « sculpture cinétique » et remporte un prix d'excellence au concours Vert du Centre de design de l'UQAM, avec son œuvre *Trophée Joualvert*, l'unique œuvre cinétique présentée en compétition.

En décembre 1999, avec une quarantaine de ses machines absurdes exposées au musée McCord un an plus tôt, il relève le défi d'animer les vitrines géantes de Tristan & America au Rockefeller Center de New York, avec Le Buggy de l'An 2000, (*The Y2K Buggy*), une installation extravagante à la démesure de la paranoïa mondiale entourant le passage à l'an 2000. Cent-cinquante pieds linéaires animés 24 heures sur 24, angle 6e Avenue et 49e Rue, du 9 décembre 1999 au 10 janvier 2000.

Actuellement, et depuis le 1er mai 2000, on peut visiter sa double « installation mystificatrice » : le PTEEM et le PTEVM, premier transformateur d'électricité en eau et premier transformateur d'eau en vent au monde, au Centre des sciences, dans le Vieux-Port de Montréal. La même année, il participe à la 1re Manif d'Art de Québec à côté de Wim Delvoye, expose ses installations éclatées au Festival Juste pour rire (*Le p'tit musée Veilleux*), à la TOHU

(*Pataville, les Avenues Imaginaires*), à la Station C (*Délire machinal* et *Les solutions imaginaires*), etc.

En parallèle avec l'écriture, la vidéo et les ateliers de recyclage créatif Totem Cinétique pour les enfants, il réalise plusieurs œuvres géantes luminocinétiques personnalisées, dont l'*Arche de la Fuite* pour le musée de Trois-Rivières, *La Tour de Bébel* pour le siège social du Cirque du Soleil, *La reine Tricéphale 1re*, dans les vitrines de l'Usine 106U. Il est aussi conférencier à Design international à l'UQAM, au cégep l'Assomption, au 24 heures de science à Concordia. Thèmes développés : la pataphysique appliquée, la télévision verticale, la recherche de l'axe du vide…

L'exposition Poneylectrik, 33 machines absurdes sous influence, (Maison de la culture Ahuntsic-Cartierville, 6 décembre 2007 au 26 janvier 2008), sera sa dernière installation monumentale. Le pataphysicien de 68 ans focalisera désormais toute son énergie créatrice à faire de 2009 l'année de l'élaboration et de l'ouverture du Labyrinthe de l'Imaginaire, un Centre d'art cinétique unique au monde qui exposera en permanence la totalité de ses œuvres dont la ma-

L'Arche de la Fuite – tiré du Labyrinthe de l'Imaginaire

jeure partie, incluant ses œuvres géantes comme *les Arches*, la *Tour de Bébel*, le *Poneylectrik*, est entreposée pour un temps limité.

Le *Labyrinthe de l'Imaginaire* n'est pas un rêve, mais une réalité tangible à faire vivre. Il est le fruit de plusieurs rêves réalisés durant toute une vie de création. Il est également un Cirque et un Centre de l'Imaginaire qui assurera la sauvegarde, la pérennité et le rayonnement de son œuvre magistrale. Cela ne pourra se faire sans aide. À cet effet, Florent Veilleux a récemment transformé son atelier en véritable musée de l'absurde, composé de plus de cent machines « détonantes ». Les autres œuvres sont inédites et expérimentent de nouvelles avenues tout aussi pataphysiques et paradoxales.

Ce musée de l'absurde, qu'il appelle aussi « *showcase* hilarant de la dérision », est aujourd'hui ouvert aux professionnels des arts et de la culture, aux médias, au collectionneur, à l'investisseur, au mécène, au visionnaire, bref, à toute personne qui, directement ou par voies détournées, permettra au *Labyrinthe de l'Imaginaire* de se matérialiser. Le « *showcase* hilarant de la dérision » est conçu de telle sorte que, d'entrée de jeu, la réalité bascule à 180 degrés pour faire place à une « aventure libératrice » qu'on ne pouvait croire possible avant de l'avoir visité.

Le guide pratique de l'inventeur

Il est possible de vérifier si une idée d'invention mérite qu'on s'y attarde ou non. Il suffit tout simplement d'en parler aux gens de votre entourage et de bien observer leur réaction dans les premières secondes suivant vos explications. Ce petit test peut paraître simpliste, mais il fonctionne généralement assez bien, en autant que vous utilisiez le moindrement votre sens de l'observation. En tout cas, il fonctionnait pour moi. Évidemment, vos proches ne voudront pas vous décevoir et vous affirmeront que vous avez une bonne idée. Cependant, ce sont les toutes premières secondes de leurs réactions qui trahissent toujours leurs véritables sentiments et vous pouvez vous y fier.

Si votre idée vise un secteur d'activité particulier, il est évidemment conseillé de l'exposer à des personnes connaissant ce domaine. Il m'aurait été bien inutile, par exemple, d'approcher des gens n'ayant jamais pratiqué le jogging pour leur parler de mes Jog'O.

Lorsque la réaction de personnes concernées par un problème est positive, dites-vous que vous êtes sur la bonne voie et poursuivez vos recherches. Si la réaction est négative, méfiez-vous, quoiqu'il soit toujours possible que les gens n'aient pas bien saisi votre idée. Faites alors d'autres tentatives en gardant en tête l'éventualité d'abandonner quand viendra le temps d'investir. Il faut bien comprendre qu'il n'existe pas de méthode infaillible pour valider une idée. Rappelez-vous simplement l'*incola* de Pepsi. Ils avaient fait tous les tests et études de marché possibles avant de lancer cette liqueur incolore qui fut un échec lamentable.

Si vous n'avez pas encore trouvé le concept qui mérite que vous y investissiez temps et argent, ce n'est peut-être qu'une question de temps. En identifiant un problème quelconque, il se peut que vous déteniez votre élément déclencheur, car la plupart du temps l'inspiration provient de notre environnement immédiat et des situations que nous vivons régulièrement et qui exigent une solution. Le premier concept ne sera peut-être pas le bon, mais plus vous évoluerez, plus les idées viendront. Il y a des mois où je peux avoir deux ou trois bonnes idées qui méritent que je m'y arrête.

Il y a plusieurs petits trucs pour exercer son cerveau, développer son imagination et sa concentration. Personnellement, je suggère toujours à ceux qui me demandent comment trouver une bonne idée d'invention, de créer un jeu de société en prenant pour base un sujet qui les passionne. Par exemple, si je prends la course de 100 mètres comme point de départ, j'imagine déjà qu'il me faudra un grand carton sur lequel je dessinerais une piste de course de cinq ou six couloirs divisés en 100 sections, chacune valant un mètre. J'ajouterais des pions représentant chacun un grand coureur et les règles du jeu me viendraient pratiquement d'elles-mêmes en me penchant sur ce prototype. Je pourrais ensuite faire travailler mon imagination pour donner à mon jeu des valeurs éducatives, amusantes et compétitives.

Il est possible et facile pour tous d'utiliser cette méthode et de concevoir des jeux à partir de la construction d'une maison, d'une course de bateaux ou d'une enquête policière. Tout en vous amusant, vous forcerez votre cerveau à travailler et vous baliserez le chemin qui vous mènera sûrement à votre première idée d'invention.

Quand vous serez prêt à consacrer temps et argent à une idée qui vous semblera présenter un potentiel commercial intéressant, établissez dès le départ les critères qui caractériseront votre invention. Vous devez en déterminer le prix, la taille, le poids, le matériau à utiliser, autant d'éléments que vous inscrirez dans un cahier. Cet exercice vous permettra de réviser vos critères de temps à autre et de vérifier si vous les respectez. De plus, vous serez ainsi à même de les mémoriser et de tenter de trouver des solutions en fonction de ces mêmes critères de base.

En réalité, il s'agit de l'étape la plus laborieuse du processus d'invention. Ne pouvant être limitée dans le temps, elle génère des déceptions, de la frustration, mais aussi de la joie quand les solutions apparaissent enfin. Il faut apprendre à être très patient et surtout se répéter continuellement que la solution existe et qu'on la trouvera. C'est cette étape qui fait d'une personne un inventeur, mais n'oubliez pas que tant que vous n'aurez pas trouvé une solution à chacun des problèmes que pose votre invention, vous ne pourrez passer à l'étape suivante. Rappelez-vous mon support à bicyclettes que j'avais présenté à l'entreprise Plastiques Anchor même si je n'étais pas entièrement satisfait du résultat de mes cogitations.

Par ailleurs, ayez toujours avec vous un carnet de notes dans lequel vous pourrez griffonner une solution qui vous arriverait à l'improviste. Souvenez-vous comment j'ai réglé le problème de mes Jog'O en voyant le D de la firme Dominion, à trois heures du matin, en patrouillant. Les solutions surgissent aux moments où on s'y attend le moins et, lorsqu'on a un crayon sous la main, il suffit alors de griffonner sommairement et de reproduire plus tard ce croquis dans le cahier à dessins.

Si, par contre, vos solutions répondent parfaitement à vos critères de base et vous satisfont pleinement, vous pouvez alors aborder l'étape suivante, soit celle des croquis.

LE CROQUIS

Après avoir résolu tous vos problèmes, il est temps d'esquisser au moins un dessin sommaire de ce que sera votre invention. Le plus important à cette étape, c'est de se rappeler que ce croquis doit comporter toutes les solutions que vous avez trouvées. Je vous conseille de vous procurer un cahier à dessins que vous soustrairez aux regards des curieux qui pourraient être tentés de vous voler vos idées.

Il n'est pas nécessaire d'être un excellent dessinateur pour faire ces croquis, car ils ne servent qu'à nous aider à améliorer le design final ou le mécanisme de l'invention. Je n'ai moi-même aucun talent de dessinateur, ce qui ne m'a jamais empêché de reproduire la forme précise de l'objet qui me hantait. J'y mets simplement un peu plus de temps. La plupart des gens ont beaucoup de difficulté à imaginer une invention si on ne leur présente pas un croquis détaillé. C'est normal et c'est pourquoi votre cahier à dessins vous sera d'une grande utilité quand vous voudrez connaître l'opinion des gens sur votre projet. Je vous conseille cependant de demander à ceux qui examineront vos croquis de signer la page de ce dessin. Éventuellement, une telle signature pourra servir si vous avez à défendre vos droits.

Il faut également inscrire des notes dans votre cahier à dessins. Détaillez continuellement vos croquis en inscrivant les particularités des modifications que vous apporterez au fur et à mesure de l'évolution de votre travail. Ainsi, plus tard, vous serez en mesure de vous rappeler pourquoi vous avez abandonné ou retenu un élément. Tant que vous ne serez pas entièrement satisfait de votre dessin final, vous devrez persévérer. Il se peut que vous ayez à noircir des dizaines de pages, mais tant que vous n'aurez pas la conviction que le dessin est au point, vous ne pourrez passer à l'étape suivante.

LE PREMIER PROTOTYPE

Le premier prototype est conçu à partir du croquis final. C'est une étape importante et aussi un des moments les plus valorisants pour un inventeur, car c'est cet objet qui lui prouvera et prouvera aux autres que son invention fonctionne réellement et qu'elle règle le problème auquel son concepteur s'est attaqué. À ce stade, vous n'avez pas à vous préoccuper du design de votre appareil, pas plus que de sa grosseur ou du prix que vous aviez fixé à l'origine. La seule chose qui compte, c'est que l'objet réponde vraiment au besoin pour lequel il a été conçu.

Comme il s'agit d'un objet très rudimentaire, vous pouvez le fabriquer avec ce qui vous tombe sous la main, de façon à dépenser le moins d'argent possible. N'achetez pas d'outils. Contentez-vous de louer ceux qui vous manquent. L'investissement dans l'achat d'outils est totalement inutile et le moment où vous aurez besoin de tous vos sous viendra assez vite.

Lorsque vous entreprendrez la fabrication de votre prototype, vous constaterez rapidement qu'il est parfois très facile de reproduire votre dessin, même si vous n'êtes pas un excellent bricoleur. Si, par contre, vous éprouvez trop de difficulté ou si l'aspect technique dépasse vos compétences, n'hésitez pas à avoir recours à un ami ou un parent plus habile ou qui possède une formation adéquate. La plupart d'entre eux seront heureux de vous rendre service et flattés de vous aider dans la réalisation de votre invention.

Il se peut que votre prototype ne vous donne pas satisfaction et ne rencontre pas toutes vos exigences. Si c'est le cas, vous devrez retourner à votre planche à dessin pour trouver la solution idéale. C'est parfois très frustrant, mais c'est nettement préférable au refus des manufacturiers potentiels ou à un échec commercial. Dans le cas de mon support à vélos, pressé par les événements, j'ai agi trop vite et j'ai dû tout recommencer, ce qui n'est guère mieux. Par contre, si votre prototype vous satisfait, il est temps de poursuivre vos travaux.

Néanmoins, avant d'entreprendre l'étape suivante, il convient de faire une mise au point et de procéder à un petit examen de conscience. Il ne s'agit pas ici, en s'accordant quelques moments de réflexion et en examinant les particularités de ce travail d'inventeur, de décourager qui que ce soit, mais plutôt de faire prendre conscience de l'ampleur de la tâche qui attend celui qui décide de développer et commercialiser son idée. Si le succès se manifeste, il n'y a aucun doute que l'inventeur vivra des moments de bonheur qui lui feront oublier les tracas de la mise au point et de la production de son invention.

Cependant, avant de connaître cette euphorie, il faut s'assurer d'être suffisamment bien armé pour affronter les épreuves que suppose la création d'un produit. C'est pourquoi il convient, avant de s'engager dans des démarches coûteuses, de se demander si on croit toujours autant au produit que l'on veut mettre en marché. Il faut aussi savoir si on a bien interprété les réactions des gens à qui on s'est adressé. Leurs premières réactions étaient-elles vraiment celles qui vous ont poussé à poursuivre votre recherche ? Et si elles étaient négatives, avez-vous préféré ne pas en tenir compte ? Et si cela génère de l'insécurité chez votre conjoint, acceptera-t-il de vous voir engloutir autant d'argent, sans garantie que ces sommes reviendront un jour ?

Si votre petit examen de conscience vous confirme que vous êtes prêt à continuer, étudions les chemins que vous devrez emprunter. Dans le cas contraire, il est préférable de tenter de vendre votre invention dès ce moment, mais il ne faut cependant pas vous attendre à en retirer une fortune.

PHASE DE LA PROTECTION

Dans la suite de ce chapitre, je vous présente le cheminement à suivre pour protéger, développer et commercialiser une idée d'invention par le biais de l'Inventarium. Entre l'éclair de génie et la commercialisation du produit fini, il y a toute une série d'étapes à franchir. Dans la mesure du possible, il faut franchir ces étapes dans un ordre logique, sans quoi on risque d'avoir de mauvaises surprises. Dans le présent chapitre, je vous explique chacune de ces étapes et leur importance.

Si vous croyez avoir une bonne idée d'invention, il faut prendre soin de bien la protéger avec un brevet provisoire avant de la divulguer publiquement. Mais avant de déposer ce brevet, on doit d'abord passer par trois étapes préliminaires : l'obtention de la trousse d'ouverture de dossier, l'évaluation de l'idée d'invention et la recherche de brevets antérieurs.

À l'Inventarium, la première étape consiste à vous procurer la trousse d'ouverture de dossier dont le document principal est le formulaire de divulgation confidentielle. Ce formulaire de huit pages inclut une entente de confidentialité portant la signature d'un agent autorisé de l'Inventarium.

L'ÉVALUATION DE L'IDÉE

Cette étape a pour mission première de vérifier si l'invention est réalisable et commercialisable. Il est en effet possible que certaines lois ou normes puissent vous empêcher de commercialiser un produit. Par exemple, si votre invention comporte un gaz dont l'utilisation est défendue par le Protocole de Kyoto, il ne vous servira à rien d'obtenir un brevet. Vaut mieux alors le savoir avant qu'après avoir dépensé temps et argent à sa protection et à son développement.

Il peut également être intéressant pour vous de connaître l'opinion d'un professionnel sur différents aspects de votre invention. Son opinion peut différer de la vôtre et vous amener à remettre en question la pertinence d'enclencher le processus.

À la suite de l'analyse des renseignements que vous aurez transmis dans votre formulaire de divulgation confidentielle, l'évaluateur rédigera un rapport d'une quinzaine de pages de commentaires, suggestions et recommandations réparties dans sept sections distinctes :
- La description de l'invention
- Les occasions d'affaires
- Les facteurs sociaux
- L'introduction sur le marché
- La concurrence
- Le sommaire des occasions et obstacles
- La conclusion

Son rapport comportera des observations et commentaires objectifs, fruits de son expérience, qu'il se sera permis de formuler dans le seul but de vous aider à orienter vos démarches futures. Cette évaluation ne prétend pas être une étude poussée dévoilant vos chances de réussite, mais plutôt un aide-mémoire auquel vous pourrez vous référer tout au long du processus.

L'évaluateur en profitera également pour identifier puis énumérer les caractéristiques de votre invention, les codes sources, les classes et les classifications qui feront l'objet d'une attention particulière lors de la recherche de brevets antérieurs.

LA DESCRIPTION DE L'INVENTION

Après la lecture du formulaire de divulgation confidentielle, l'évaluateur rédigera la description de l'invention. S'il a des doutes quant à sa bonne compréhension, il contactera l'inventeur pour éclaircir les points nébuleux. Il est extrêmement important que la description reflète parfaitement l'invention car cela pourrait fausser le travail de l'agent de recherche et, à la limite, du rédacteur de brevet. C'est d'ailleurs pourquoi, avant de passer à l'étape de recherche de brevets antérieurs, l'inventeur doit signer un document reconnaissant que la description apparaissant dans son rapport est en tous points conforme à son invention.

OCCASIONS D'AFFAIRES

Dans cette section, notre évaluateur donnera son opinion sur les sept points suivants :
- Le marché potentiel
- La gamme de produits
- La durée de vie du produit
- Le cycle de vie commercial
- La recherche et le développement
- L'immobilisation
- La production

Le marché potentiel

Il est grandement important pour un inventeur de prendre connaissance et d'analyser le marché potentiel auquel se destine son invention. Il sera ainsi en mesure de savoir à qui s'adresse son produit, de quelle façon la clientèle cible doit être approchée, quelles sont les périodes fortes de vente durant l'année, etc.

La gamme de produits

Une gamme complète de produits pourrait découler de l'invention initiale. En effet, la mise en marché d'une série de produits similaires ou complémentaires ayant des styles variés ou divers niveaux de qualité doit être prise en considération.

La durée de vie du produit

Un produit peut physiquement durer plus ou moins longtemps en fonction de l'utilisation que l'on en fait, de la fréquence d'utilisation et des matériaux qui le constituent.

Le cycle de vie commercial

Le cycle de vie commercial d'un produit est la période durant laquelle ce dernier se vend, ce qui implique par le fait même que la demande soit maintenue.

La recherche et le développement

L'importance accordée à la recherche et au développement d'un produit est primordiale afin de maximiser ses chances de réussite lors de son entrée sur le marché. Dans le but de mieux connaître les points forts et points faibles d'un nouveau produit, il est fortement recommandé de fabriquer au moins un prototype fonctionnel et de le soumettre à une série de tests en situations réelles.

L'immobilisation

L'immobilisation représente la somme des dépenses initiales nécessaires à la fabrication d'un nouveau produit. Ces dépenses se rapportent aux terrains, aux bâtiments, à la machinerie, aux protections intellectuelles, etc.

La production

Pour inciter les consommateurs à se procurer un nouveau produit, ce dernier se doit d'être attrayant et vendu à un prix raisonnable. Pour ce faire, les coûts de production doivent être minimisés en choisissant judicieusement les matériaux à utiliser ainsi que les méthodes de fabrication appropriées.

FACTEURS SOCIAUX

La légalité

Plusieurs produits sont contrôlés par des lois, règlements ou normes. Des organismes tels que CSA, ULC et ISO peuvent freiner le succès commercial d'un produit si ce dernier ne se conforme pas aux normes ou standards en vigueur. Il est donc primordial de bien s'informer sur l'existence de telles normes qui pourraient s'appliquer à votre invention.

La sécurité

Comme nous l'avons mentionné au paragraphe précédent, certains produits sont contrôlés par des normes bien strictes. Bien que divers organismes exercent un contrôle dans le but de protéger les consommateurs, il est tout de même possible qu'un produit représente un certain danger lors de son utilisation.

La collectivité

Certains produits répondent à des besoins fortement ressentis de la part des consommateurs et procurent ainsi à l'ensemble de la collectivité la possibilité de changer de façon significative ses habitudes de vie.

L'environnement

Depuis quelques années, la protection de l'environnement est devenue un sujet de grande importance qui se retrouve au cœur de multiples débats et qui occupe une place marquée dans notre quotidien. Avec le temps, nos habitudes en tant que consommateurs se sont transformées et tendent vers un meilleur équilibre avec la nature qui nous entoure. Cette prise de conscience a influencé nos habitudes de consommation et doit donc être considérée lors de la mise en marché d'un nouveau produit.

La politique

Plusieurs organismes tels que la Ligue des droits de l'Homme, Green Peace ou la Société Saint-Jean-Baptiste ont une influence sur les habitudes de consommation du public et en ce sens doivent aussi être pris en considération. En effet, il est préférable pour un nouveau produit de respecter les courants de pensée de tels organismes plutôt que de les confronter.

L'INTRODUCTION SUR LE MARCHÉ

La publicité

La facilité avec laquelle les consommateurs reconnaissent l'usage d'un nouveau produit détermine en grande partie l'importance qui doit être accordée à sa publicité.

Les besoins

Certains produits peuvent transformer de façon significative nos habitudes de vie alors que d'autres comblent des besoins de moindre importance. Toutefois, il est important de souligner que le potentiel commercial d'un produit ne dépend pas seulement du type de besoin à combler mais également de la façon dont il répond à ces besoins.

L'apprentissage

La facilité avec laquelle les gens accepteront votre invention doit être prise en considération. Il n'est pas toujours aisé de prévoir la réaction des consommateurs devant un nouveau produit, surtout si ce dernier nécessite un certain apprentissage et n'est pas compatible avec les usages et coutumes existants. Un nouveau produit qui nécessite un apprentissage ardu de la part des consommateurs avant qu'ils ne parviennent à l'utiliser correctement aura probablement de la difficulté à être accepté et a donc moins de chances de devenir populaire.

La distribution

Les coûts et difficultés rencontrés au niveau de la distribution d'un nouveau produit dépendent principalement de l'établissement et/ou de l'accessibilité des réseaux spécialisés.

Le rachat

Lorsqu'un produit fait son apparition sur le marché avec toute la publicité qui l'entoure, plusieurs consommateurs curieux d'en faire l'essai vont spontanément se le procurer. Si ce dernier répond de façon satisfaisante à leurs attentes, il est alors fort probable qu'ils y deviennent fidèles. Ils en parleront alors à leurs collègues, familles et amis qui pourraient bien vouloir se le procurer eux aussi.

Le service après-vente

Lors de l'achat d'un nouveau produit, les consommateurs avertis prennent en compte les coûts reliés au service après-vente et à l'achat de pièces de rechange. Il existe même des lois visant à protéger les consommateurs en rendant certaines pièces de rechange suffisamment disponibles sur le marché.

LA CONCURRENCE

L'indépendance

L'usage de certains produits est étroitement lié à l'utilisation d'objets qui leur sont complémentaires. Par exemple, il suffit de penser à l'interrelation qui existe entre les disques compacts et les lecteurs de disques compacts.

La concurrence actuelle

La concurrence entre des produits similaires est principalement basée sur des critères tels que le prix de vente, le rendement, l'apparence et la durabilité. De plus, la présence de compétiteurs influence grandement la facilité avec laquelle un nouveau produit peut pénétrer le marché. Il est également important de tenir compte de la façon dont peut réagir la concurrence face à l'apparition de votre produit sur le marché. Ainsi, vous serez en meilleure position pour réagir face aux diverses stratégies de vos compétiteurs.

La fonction

La facilité avec laquelle un objet peut être utilisé influence grandement sa popularité auprès des consommateurs. En effet, un produit qui apporte des avantages par rapport à la concurrence mais qui présente un fonctionnement plus complexe ne plaira probablement pas à la majorité.

La durabilité

Les consommateurs avertis savent très bien qu'il peut être avantageux de payer un peu plus cher pour un produit donné, sachant qu'il aura une durée de vie plus longue qu'un produit concurrentiel moins dispendieux.

LE SOMMAIRE DES OCCASIONS ET OBSTACLES

Basé sur sa vaste expérience, l'évaluateur énumérera la liste des occasions ainsi que des obstacles auxquels vous devrez faire face tout au long du processus de recherche, développement et commercialisation.

LA CONCLUSION

Dans sa conclusion, l'évaluateur mettra l'accent sur la pertinence ou non de votre invention par rapport aux consommateurs. Dans l'éventualité où son évaluation s'avère positive et que votre invention soit considérée comme brevetable, il vous invitera à passer à l'étape de la recherche de brevets antérieurs. Il terminera en vous donnant bon nombre de conseils, suggestions et recommandations.

LA RECHERCHE DE BREVETS ANTÉRIEURS

Cette recherche est l'étape la plus importante du processus vous menant à l'obtention d'un brevet pour votre invention. Elle est indispensable pour confirmer que votre invention est vraiment nouvelle ou si, au contraire, elle fait déjà l'objet d'un brevet antérieur.

Deux types de recherche sont offerts : une recherche dans la base de données des brevets américains qui contient environ 70 % des brevets déposés dans le monde ou encore une recherche de niveau international.

Ce qu'il faut savoir, c'est qu'il n'y a qu'un seul inventeur dans le monde pour une invention. Une recherche aux États-Unis seulement comporte donc un risque réel puisqu'il est possible qu'un brevet pour une invention semblable à la vôtre, n'ayant pas fait l'objet d'un dépôt aux États-Unis, soit cité en opposition par les examinateurs de brevets. Dans un tel cas, vos demandes de brevets officiels seraient rejetées, peu importe dans quels pays vos demandes ont été déposées. La recherche internationale est donc hautement recommandée.

Après une minutieuse analyse des brevets qu'il aura jugés pertinents à votre invention, l'agent rédigera un rapport détaillé du résultat de sa recherche réparti en sept sections distinctes :
- La description du mandat de l'agent de recherche
- La description de l'invention
- Les caractéristiques de l'invention
- La recherche d'antériorité
- La description des brevets jugés pertinents
- L'analyse des brevets jugés pertinents
- Les critères pour l'obtention d'un brevet officiel
- La conclusion

LA DESCRIPTION DU MANDAT DE L'AGENT DE RECHERCHE

Le mandat de l'agent de recherche consiste à effectuer une recherche de brevets antérieurs sur votre invention en tenant compte des informations que vous aurez transmises à l'Inventarium par le biais de votre document de divulgation confidentielle et des documents qui y sont annexés. Il se servira également de la description de votre invention ainsi que de la liste des codes sources, classes et classifications préparée par l'évaluateur.

Cette recherche a pour but de répertorier les brevets décrivant des structures et des mécanismes qui ressemblent légalement à votre invention afin d'être en mesure d'évaluer vos chances d'obtenir un brevet. En prenant connaissance de ces brevets, vous serez également en mesure de comparer les technologies déjà utilisées et, si possible, d'améliorer l'aspect technique de votre invention.

Prenez note que l'agent de recherche n'est pas tenu de répertorier tous les brevets pertinents reliés au domaine de votre invention puisque cette recherche se termine dès qu'un brevet décrit une invention jugée identique ou très similaire à la vôtre, éliminant ainsi toutes possibilités d'obtenir un brevet officiel pour cette invention.

LA DESCRIPTION DE L'INVENTION

Dans le but de vous certifier que l'agent a effectué sa recherche à partir de la bonne description de votre invention, la description apparaissant sur son rapport sera exactement la même que celle qui apparaîtra sur votre rapport d'évaluation. À noter qu'au préalable, vous aurez signé un document confirmant que cette description correspondait en tous points à votre invention.

LES CARACTÉRISTIQUES DE L'INVENTION

Dans cette section, l'agent de recherche énumérera les caractéristiques de votre invention qui auront fait l'objet d'une recherche dans les brevets antérieurs.

LA RECHERCHE D'ANTÉRIORITÉ

Dans cette section, l'agent énumérera la liste des principales classes et sous-classes de documents qu'il aura consultés pour effectuer sa recherche.

LA DESCRIPTION DES BREVETS JUGÉS PERTINENTS

Dans cette section, l'agent identifiera les brevets antérieurs qu'il aura jugés pertinents et qui se rapportent plus particulièrement à votre invention. À chaque brevet, il décrira les caractéristiques qui y sont revendiquées et qui correspondent à l'une ou l'autre des caractéristiques de votre invention.

L'ANALYSE DES BREVETS JUGÉS PERTINENTS

À la suite de l'analyse des brevets antérieurs jugés pertinents que l'agent aura répertoriés lors de sa recherche, il vous fera part de sa conclusion en ce qui concerne les principales caractéristiques de votre invention pour le potentiel de protection. Pour obtenir un brevet officiel, il faut que votre invention apporte un élément supplémentaire aux systèmes déjà brevetés. Donc, si une ou plusieurs caractéristiques de votre invention n'ont pas été retrouvées dans les brevets antérieurs, la probabilité d'obtenir un brevet est excellente.

Cependant, si l'analyse des brevets antérieurs démontre que ses différentes caractéristiques se retrouvent déjà dans l'un ou l'autre des brevets répertoriés, les possibilités d'obtenir un brevet sont plus faibles mais pas nécessairement nulles. En effet, il est possible d'obtenir un brevet officiel si on peut démontrer que la technique utilisée pour arriver à un résultat équivalent ou meilleur se distingue de celles utilisées dans les différents brevets répertoriés. Connaissant parfaitement votre invention dans ses moindres détails, si vous en venez à cette conclusion et que vous décidez de continuer la démarche en vue d'obtenir un brevet officiel, il vous sera suggéré de faire précéder cette démarche par le dépôt d'un brevet provisoire vous concédant une date de priorité qui protégera votre invention pour une durée de 12 mois.

Le brevet provisoire consiste en fait à divulguer, dans un document officiel remis au bureau des brevets américain, tous les éléments que vous connaissez déjà de votre invention. Cette protection obtenue, il vous sera alors possible de parler de votre invention plus librement et en toute tranquillité d'esprit, que ce soit pour la développer, l'améliorer ou encore pour en vérifier le bien-fondé par une étude de marché.

Aussi, dans le domaine de l'invention et de l'innovation, il est fréquent qu'une invention non brevetable au départ le devienne en cours de développement. Prenons l'exemple de Urgenstop, mon système auxiliaire d'urgence pour feux de circulation.

Au départ, tous les éléments que je comptais utiliser étaient de droit commun (détecteur de pannes, clignotant, chargeur de piles, piles rechargeables, etc.), de sorte que le résultat de la recherche de brevets antérieurs a été défavorable. Cependant, au cours du développement du produit, il a été nécessaire de créer un détecteur de pannes spécifiquement adapté aux feux de circulation. J'ai donc pu déposer et obtenir un excellent brevet pour cette invention.

Prenez note cependant que si vous apportez des modifications significatives à votre invention avant le dépôt de votre brevet officiel, il sera alors préférable de faire réaliser une recherche complémentaire de brevets antérieurs sur ces éléments nouveaux. Si aucune des caractéristiques décrites dans votre brevet provisoire ne s'avère brevetable, votre brevet provisoire n'aura aucune utilité et seules les nouvelles caractéristiques brevetables feront l'objet d'une étude lors du dépôt de la demande de brevet officiel.

CRITÈRES POUR L'OBTENTION D'UN BREVET

Ce qu'il faut savoir, c'est que pour octroyer un brevet officiel pour une invention, les examinateurs du bureau des brevets doivent déterminer si l'invention répond aux quatre critères suivants :
- Elle doit se rapporter à un sujet conventionnellement brevetable ;
- Elle doit être utile ;
- Elle doit être nouvelle à l'échelle mondiale ;
- Elle ne doit pas être évidente pour les personnes versées dans le domaine de l'invention ;

Ces critères sont cumulatifs et doivent tous être satisfaits pour que l'invention puisse être reconnue comme brevetable. Ne pouvant se substituer aux examinateurs de brevets, l'agent de recherche ne peut conclure hors de tout doute qu'une demande de brevet officiel sera acceptée ou rejetée.

CONCLUSION

Vous devez être conscient du caractère aléatoire des recherches de brevets antérieurs effectuées par l'agent de recherche. À l'échelle internationale, il existe des dizaines de millions de brevets triés en plusieurs classes et sous-classes totalisant plus de 140 000 zones de classifications. Au bureau des brevets américain seulement, plus de 4 000 employés classent les documents, et le choix des classes et sous-classes peut varier d'un individu à l'autre.

Malgré toutes les précautions qu'il apporte à ses recherches, l'agent de recherches ne peut garantir qu'il a examiné tous les brevets qui existent sur un sujet donné puisqu'il est toujours possible qu'un tel document ait été classifié différemment, mal classé ou tout simplement égaré.

En outre, il est également possible que des références plus pertinentes à l'invention deviennent disponibles par la suite. Il se peut qu'il existe une demande de brevet en instance pour une invention similaire, mais qui ne soit pas encore rendue disponible pour la recherche. La demande de brevet en instance reste inaccessible au public pour une période de 18 mois à partir de sa date de dépôt, et par conséquent l'agent ne peut pas l'identifier.

La recherche se limitant à l'identification de brevets antérieurs, il est aussi possible qu'il existe d'autres documents, dans des catalogues, sites Internet, revues, journaux ou autres, qui pourraient potentiellement être cités en opposition à l'invention par un examinateur de brevets.

Le résultat de la recherche de brevets antérieurs constitue néanmoins une bonne référence qui permet à l'inventeur de prendre une décision éclairée et au meilleur de ses intérêts.

LE DÉPÔT DU BREVET PROVISOIRE

La protection de base pour une invention qui s'est avérée brevetable après la recherche de brevets antérieurs est le brevet provisoire. Le dépôt d'un brevet provisoire permet d'établir une date de priorité valide pour 12 mois et reconnue dans tous les pays signataires du traité du PCT (environ 140 pays), dont le Canada et les États-Unis. Cette date de priorité sera ultérieurement revendiquée lors du dépôt des demandes de brevets officiels pourvu que ces demandes soient déposées avant la date d'échéance du brevet provisoire.

Le brevet provisoire peut être déposé aux États-Unis ou en Angleterre. Pour des raisons pratiques et économiques, à l'Inventarium, nous préférons le déposer en Angleterre. Le brevet provisoire n'est jamais publié ni examiné, il sera accepté d'office pourvu qu'il soit conforme aux critères d'acceptation du bureau des brevets.

Avant la fin du délai de 12 mois, si vous n'êtes pas encore prêt, techniquement ou financièrement, à procéder à l'étape du dépôt de votre brevet officiel, vous pourrez redéposer votre brevet provisoire, à cette exception près que vous perdrez alors l'avantage que vous conférait la première date enregistrée, puisque seule la date de la deuxième demande sera retenue. Cela signifie que si au cours des 12 mois précédents quelqu'un d'autre a déposé une demande de brevet sur une invention similaire à la vôtre, le brevet lui sera accordé et vous devrez dès lors abandonner votre projet.

Le principal avantage de ce brevet provisoire est de vous permettre de vérifier la pertinence de votre produit avant d'accumuler des dépenses pour son développement et son lancement officiel. Considérant également qu'un brevet officiel demande un investissement important, si le résultat de votre étude n'est pas satisfaisant et que vous y renoncez, vous aurez épargné d'importantes sommes d'argent que vous pourrez consacrer à votre prochaine invention.

Le brevet provisoire est réalisé par notre rédacteur de brevets à partir des renseignements qui sont dévoilés dans le formulaire de divulgation confidentielle. Il comprend le descriptif de l'invention, une revendication générale, les dessins techniques et le précis. L'inventeur a la responsabilité de fournir les dessins techniques qui doivent accompagner le descriptif de son invention. S'il ne possède pas ces dessins, l'Inventarium peut les réaliser pour lui à un coût très avantageux. Notre dessinateur travaillant en collaboration étroite avec le rédacteur, il sera en mesure de réaliser le nombre exact de figures dont il aura besoin.

Aussitôt votre brevet provisoire déposé, nous vous en transmettrons la date de priorité et le numéro d'enregistrement. Votre invention pourra ensuite être divulguée en toute sécurité, que ce soit pour la développer, en vérifier le marché potentiel, trouver des entreprises ou investisseurs intéressés, etc. Il est cependant recommandé de faire signer des ententes de confidentialité aux intervenants à qui vous présentez votre invention dans un but de développement ou de commercialisation.

L'accusé de réception officiel de votre brevet provisoire vous parviendra dans les cinq à dix jours suivants, et vous pourrez alors en commander une ou plusieurs copies certifiées. Ce document, dûment scellé par les bureaux des brevets, pourrait vous être très utile lors d'éventuelles rencontres avec des investisseurs, entreprises ou autres.

Pendant l'année de protection de votre brevet provisoire, il est important de fournir tous les efforts possibles pour mettre rapidement au point votre produit afin de pouvoir déposer vos demandes de brevets officiels avant sa date échéance.

PHASE DE DÉVOPPEMENT

LES PLANS ET DEVIS

La présentation finale d'un produit équivaut à son passeport auprès du grand public. Un produit peut être parfaitement au point, d'une très grande utilité, mais il sera boudé parce qu'il n'est pas suffisamment intéressant à regarder ou à manipuler. C'est pourquoi il vaut mieux utiliser les services d'un designer professionnel, un spécialiste dont le travail consiste à trouver la présentation idéale pour un article donné.

Ces designers n'arrivent pas au résultat final par pure intuition. Afin d'imaginer ce à quoi doit ressembler un produit, ils se demandent à qui il est destiné, où, quand et comment on l'utilisera. Il leur importe également de définir si cet objet est sécuritaire et appelé à durer, d'estimer le nombre d'individus qui l'utiliseront et de savoir de quel matériau il sera fabriqué. Le designer doit également s'interroger sur le style, la qualité et les dimensions de l'objet.

Une fois les réponses trouvées, il s'attellera à la tâche et vous remettra des plans et devis qui serviront à la fabrication du prototype final. À cette étape, il faut donc examiner chacun de ces plans en détail pour y déceler la moindre erreur. Il est aussi recommandé de présenter les plans du modèle final à quelques personnes pour recueillir leur opinion. Après tout, c'est l'inventeur, et non le designer, qui a le dernier mot. Si le travail de ce spécialiste vous convient, vous devrez alors songer à créer le prototype final.

À noter que le designer industriel pourra aussi intervenir au niveau de l'emballage de votre produit. En fait, pour connaître le succès sur le marché, l'emballage doit susciter autant d'attention que le produit lui-même. Quand un consommateur regarde un produit sur une tablette de magasin, il faut qu'il puisse en comprendre l'utilité en quelques secondes seulement sans quoi son attention sera détournée vers un autre article.

À noter que l'Inventarium offre tous les types de dessins industriels suivants :
• Modélisations et animations 3D
• Illustrations réalistes de présentation
• Dessins d'assemblages et de détails de fabrication
• Dessins de schémas électriques, hydrauliques et de canalisations
• Dessins d'architectures et de structures
• Prototypage rapide par impression 3D en couleurs

Notre intervenant est également enseignant en dessin industriel et, à ce titre, nous offrons les cours suivants :
• Formation sur des logiciels de dessins assistés par ordinateur
• Formation sur les normes de dessins techniques

LE PROTOTYPE FINAL

Il s'agit du moment le plus exaltant du processus. Généralement, quand on arrive à ce stade, ça fait des mois qu'on patiente. Le prototype doit être conforme aux plans et devis fournis par le designer et posséder l'apparence et les caractéristiques du produit fini. Autrement dit, il doit ressembler à ce que vous recherchez et doit fonctionner selon vos désirs. Les services d'un expert sont requis pour mener cette tâche à bien et le choix de ce spécialiste ne pose généralement pas de problèmes, la plupart des designers travaillant de concert avec un modéliste. L'Inventarium offre également ce service.

Une fois réalisé, votre prototype vous servira à vendre votre invention ou à céder une licence de fabrication à un industriel de votre choix. C'est aussi ce prototype qui permettra au fabricant de définir avec précision le coût de production de l'objet. Vous pourrez aussi l'utiliser pour effectuer une véritable étude de marché. Cette étude vous donnera de bons indices sur l'occasion d'apporter des modifications à votre produit. Si c'est le cas, n'hésitez surtout pas, même si ces modifications génèrent des coûts additionnels.

Dites-vous bien qu'une fois la production en cours, vous ne pourrez plus rien modifier. Si les consommateurs n'aiment pas ce que vous avez mis au point, vous vous retrouverez devant un échec pour avoir négligé l'opinion des utilisateurs potentiels consultés au cours de l'étude. Tout au long de ma carrière d'inventeur, j'ai vu plusieurs inventeurs connaître l'échec pour cette raison. Pourtant, à la base, l'idée du nouveau produit était excellente mais ce dernier ne correspondait pas parfaitement aux besoins précis du consommateur.

LE BREVET OFFICIEL

Le but ultime d'inventer un produit n'est pas d'obtenir un brevet, c'est d'en faire un succès sur le marché. Mais lorsqu'on croit détenir un produit gagnant, on aimerait bien en avoir le monopole de commercialisation. Le dépôt de demandes de brevets officiels est l'ultime étape reliée à la propriété intellectuelle de votre invention.

L'obtention d'un brevet donne une valeur ajoutée à votre produit car nul ne peut le fabriquer, le vendre ou même l'utiliser sans votre permission. Ce monopole n'est cependant valide que dans les pays où votre brevet a été déposé et obtenu. C'est ce monopole que recherchent les entreprises et, pour l'acquérir, elles sont parfois prêtes à y mettre le prix car c'est ce qui peut leur permettre de voler des parts de marché importantes à leurs principaux compétiteurs.

Vous pouvez décider de vendre votre invention ou de la commercialiser vous-même. Il est évident que si vous ne réussissez pas à intéresser les industriels à votre produit ou si vous vous rendez compte que son potentiel commercial est moindre que vous ne l'aviez imaginé, il vaudra peut-être mieux abandonner immédiatement. Par contre, si votre invention obtient le succès escompté, vous devrez, quelques mois avant la fin de votre année de protection temporaire, déposer une demande de brevet officiel et déterminer dans quels pays vous entendez vous protéger.

Le brevet d'invention est en quelque sorte un pacte signé avec le gouvernement d'un pays qui vous concède, pendant une période de 20 ans, le monopole de l'exploitation de votre produit. Après cette période, n'importe qui peut fabriquer, vendre ou utiliser votre invention sans avoir à vous demander la permission ou vous verser de redevances. Retenez cependant qu'entre la demande et l'obtention d'un brevet, il peut s'écouler deux ou trois ans.

Pour que votre brevet soit accordé, il faut que votre invention satisfasse aux critères suivants:

- La nouveauté : une invention ne doit pas avoir été divulguée publiquement, c'est-à-dire publiée dans un livre ou un journal, présentée à la télévision ou dans un salon d'exposition, etc. Si vous devez en discuter avec des associés éventuels (banquiers, partenaires industriels ou commerciaux), faites-leur signer un accord de confidentialité.
- L'invention doit être utile et novatrice : cela paraît évident, mais elle doit impliquer une rupture avec les méthodes communément pratiquées dans la profession, utiliser de nouvelles techniques, aboutir à un produit qui n'existe pas.
- Elle doit être réalisable industriellement : un concept scientifique, une œuvre d'art, une théorie, etc. ne sont pas brevetables.
- Elle ne doit pas être évidente pour les personnes versées dans le domaine.

Si vous n'avez pas les connaissances techniques et juridiques pour rédiger et déposer un brevet, je ne vous conseille pas de tenter de le faire par vous-même. D'ailleurs, certains témoignages d'inventeurs, que l'on peut lire sur notre site Internet, sont assez éloquents à ce sujet. Vous avez toutes les chances de dépenser beaucoup d'argent et d'énergie pour un brevet mal rédigé, qui ne protégera pas valablement votre invention. Rédiger un brevet relève de personnes compétentes dans ce domaine. Nos intervenants sont qualifiés pour effectuer ce travail de façon professionnelle dans le but d'atteindre un rendement optimal pour votre brevet officiel.

À cette étape, l'Inventarium vous propose trois options, soit le dépôt de vos demandes de brevets officiels :
- Au Canada et aux États-Unis simultanément
- Au Canada, aux États-Unis plus le dépôt d'un PCT international
- Un PCT international seulement

Sur réception de votre demande, notre rédacteur rédigera le descriptif de votre invention et notre agent de brevets agréé, les revendications. Ce document vous est ensuite remis pour approbation et signature. Les demandes de brevets sont ensuite transmises aux bureaux de brevets canadien et américain et un délai de huit à douze semaines s'écoulera avant d'en recevoir les accusés de réception officiels.

Les demandes de brevets officiels sont soumises à un examen exhaustif de la part des examinateurs qui émettent, dans un délai se situant généralement entre 12 et 24 mois, un rapport d'objections au monopole revendiqué par la demande de brevet. Il est possible de recevoir plusieurs rapports d'objections durant ce processus d'examen. L'étude de ce rapport permet à notre agent d'évaluer vos chances d'obtenir votre brevet. Cette information vous est alors transmise de même que le rapport de l'examinateur.

Si vous décidez de continuer le processus, notre agent rédige le document d'argumentations et les amendements nécessaires pour satisfaire les exigences de l'examinateur. Lorsque le brevet est accordé, si tel est le cas, l'examinateur émet un avis d'acceptation que nous vous transmettons dès réception. Si, au contraire, le résultat s'avère défavorable, il vous sera possible d'abandonner le processus et d'ainsi économiser des frais supplémentaires inutiles. Le processus complet pour l'obtention d'un brevet se situe généralement entre 24 et 36 mois.

LE PCT INTERNATIONAL

Un traité international, le PCT (Patent Cooperation Treaty), permet de faciliter l'obtention de brevets dans les pays qui en sont signataires (environ 140). Un peu à l'image du brevet provisoire, ce traité permet d'obtenir un délai supplémentaire de 18 mois pour réfléchir à la pertinence d'obtenir un brevet dans l'un ou l'autre de ces pays. Le PCT doit être déposé au plus tard 12 mois après la date de priorité de votre brevet initial, qu'il s'agisse d'un brevet provisoire ou officiel.

Détenir un PCT est évidemment un gros avantage si vous désirez commercialiser votre produit ailleurs qu'au Canada et aux États-Unis. Il en va de même lors de négociations avec une entreprise désireuse d'obtenir les droits d'exploitation de votre invention, surtout si celle-ci vise aussi un marché international. La procédure du PCT comprend trois étapes, le dépôt de la demande, la demande d'examen préliminaire internationale et la phase nationale.

Parallèlement à la préparation des documents pour votre demande de brevets canadienne et américaine, notre agent de brevets remplit les documents nécessaires au dépôt de votre PCT international. Ce dépôt est effectué en même temps que vos dépôts canadien et américain, à moins que vous ayez choisi le dépôt d'un PCT international seulement. Au cours de la première phase, l'office récepteur du PCT, en l'occurrence l'OPIC, établira un rapport de recherche de brevets internationale à l'intérieur duquel l'agent de recherche se prononce sur la brevetabilité de l'invention.

Après la réception de ce rapport, il est possible d'apporter certains amendements, jugés pertinents, aux revendications du brevet avant de demander l'examen international préliminaire. Cet examen doit être demandé avant le 20e mois à partir de la date de priorité du brevet provisoire. Le rapport d'examen préliminaire, incluant les commentaires, suggestions et recommandations de l'examinateur, vous sera transmis vers le 28e mois suivant votre date de priorité.

Le passage à la phase nationale du PCT doit se faire avant le 30e mois à compter de votre date de priorité, sans quoi votre PCT sera considéré comme abandonné. Suivant la réception du rapport d'examen préliminaire et avant la date limite, il faut choisir les pays dans lesquels vous désirez déposer votre brevet officiel. Pour chaque pays ou groupe de pays comme l'Union européenne, le coût d'une demande de brevet officiel doit être déterminé à la suite d'une demande de cotation à nos différents partenaires de chaque pays visé. Ces coûts sont évidemment influencés par les divers taux de change en vigueur dans ces pays au moment de la demande.

LE DESSIN INDUSTRIEL

Si la recherche de brevets antérieurs a démontré que votre invention ne peut faire l'objet d'un brevet officiel, mais qu'elle peut cependant être protégée par le dépôt d'un dessin industriel, c'est à ce moment qu'il faut procéder à cette étape.

Le brevet de dessin industriel est un document légal qui procure un monopole d'exploitation d'une invention durant une période de quinze ans aux États-Unis et de dix ans au Canada, renouvelable ensuite pour un autre cinq ans. Le processus complet pour l'obtention d'un brevet de dessin industriel peut s'échelonner sur une période pouvant atteindre et même dépasser douze mois. Conséquemment à l'obtention d'un brevet de dessin industriel, personne ne pourra fabriquer, vendre ou utiliser votre invention sans votre permission. Ce monopole n'est cependant valide que dans le ou les pays où le brevet a été accordé.

Le dessin industriel est une propriété intellectuelle qui couvre la forme ou l'esthétique d'un produit. En d'autres mots, seule l'apparence du produit est protégée, comme dans le cas d'un nouveau modèle d'automobile, par exemple, la fabrication ou le mode de fonctionnement demeurant du domaine public. Par exemple, dans le cas de la Gourd'O, je n'ai pas inventé la gourde, puisque ce produit existait déjà depuis plusieurs années. Je lui ai simplement donné une nouvelle apparence. Mais l'apparence fait parfois toute la différence. Rappelez-vous de l'immense succès de la Ford Mustang, créée en 1964 par Lee Iacocca. À cette époque, elle avait permis à la compagnie Ford de voler d'importantes parts de marché à ses compétiteurs.

Il n'y a pas de délai pour déposer une demande si le dessin n'a pas été divulgué publiquement. Dans le cas où l'invention a fait l'objet d'une divulgation publique, l'inventeur a un délai de douze mois pour déposer sa demande, sans quoi il perd ses droits exclusifs.

Après le dépôt d'une demande de brevet de dessin industriel, il peut s'écouler de huit à douze semaines avant de recevoir les accusés de réception officiels des bureaux des brevets canadien et américain. Toutes les demandes sont soumises à un examen de la part des examinateurs de brevets. Lorsque le brevet est finalement accepté, l'examinateur émet un avis d'acceptation préalable à la délivrance du brevet.

LA MARQUE DE COMMERCE

Certaines inventions, comme le Coca-Cola, gagnent à ne pas être protégées. La recette de cette boisson gazeuse n'a jamais fait l'objet d'une demande de brevet et, conséquemment, sa composition n'a jamais eu à être dévoilée. Mais l'inventeur préférait protéger sa marque de commerce...

La marque de commerce consiste en un mot, un symbole ou un dessin (ou une combinaison de ces éléments) servant à distinguer les produits ou les services d'une personne ou entreprise de ceux d'un tiers offerts sur le marché.

Représentant la réputation du producteur, la marque de commerce est considérée comme une propriété intellectuelle très importante.

Le processus et le suivi d'une demande de marque de commerce sont sensiblement les mêmes au Canada et aux États-Unis, sauf en ce qui concerne le montant des taxes à payer et la durée du droit d'utilisation de la marque. Au Canada, l'enregistrement d'une marque de commerce donne le droit exclusif d'utiliser cette marque pendant 15 ans et est renouvelable tous les 15 ans pourvu que la marque soit toujours en usage. Aux États-Unis, ce droit exclusif d'utilisation est de dix ans et est renouvelable tous les dix ans par la suite.

Après le dépôt de votre demande de marque de commerce, il peut s'écouler quelques semaines pour recevoir l'accusé de réception officiel du bureau des brevets. Le Bureau des marques de commerce effectuera ensuite des recherches dans les archives des marques de commerce afin de trouver toute autre marque pouvant entrer en conflit avec celle soumise par le requérant. Par la suite, la demande est examinée afin de voir si elle est conforme aux exigences de la Loi sur les marques de commerce.

La demande est ensuite publiée dans *Le journal des marques de commerce*. Le Bureau des marques de commerce laisse le temps nécessaire pour que le public fasse opposition (conteste) à la demande. Si personne ne dépose une déclaration d'opposition à la demande, la marque est admise.

Nous suggérons toujours aux inventeurs d'inscrire trois marques de commerce différentes sur leur formulaire de divulgation. Notre agent procède alors par ordre numérique. Si la première marque identifiée n'est pas disponible ou recommandable, il passe à la deuxième et ainsi de suite.

Il faut faire preuve de créativité dans le choix de vos trois marques et éviter les marques descriptives qui seront automatiquement refusées. À titre d'exemple, vous ne pouvez demander une marque qui décrit un produit ou un service : si votre produit est un sac dans lequel vous insérez du pain, vous ne pouvez demander la marque **Sac à pains** ou encore, si vous offrez des services en comptabilité, vous ne pouvez demander la marque **Services comptables**.

Dans le même ordre d'idées, il faut aussi éviter de choisir trois marques semblables, car si la première ou une marque similaire est déjà utilisée, il y a de fortes chances que les deux autres ne seront pas recommandées. Par exemple, si la marque **Wall Street Master Game** est déjà utilisée dans le domaine des jeux de société ou un domaine connexe, il est évident que la marque **Wall Street Game** ne sera pas recommandée puisqu'elle pourrait créer de la confusion chez les consommateurs et possiblement générer une poursuite.

À l'ère d'Internet, la marque de votre produit est d'une importance capitale car elle permettra à tout individu de retrouver facilement votre produit sur les moteurs de recherche. Plus celui-ci sera populaire, plus votre marque de commerce prendra de la valeur. À titre d'exemple de la valeur d'une marque, une étude menée récemment aux États-Unis a permis d'identifier les marques qui en ont le plus :

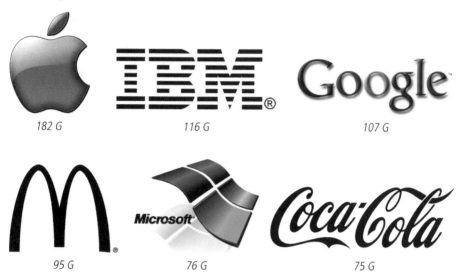

182 G   116 G   107 G

95 G   76 G   75 G

LE DROIT D'AUTEUR

Le droit d'auteur s'applique aux œuvres de création telles que poèmes, photos, tableaux, pièces musicales, jeux de société et programmes d'ordinateur. Certaines œuvres peuvent rapporter une fortune sur le marché, tandis que d'autres ne rapporteront rien. Indépendamment de leurs qualités ou de leur valeur commerciale réelle, toutes ces œuvres peuvent être protégées par un droit d'auteur en vertu de la loi canadienne.

Le fait de posséder un droit d'auteur sur une œuvre quelconque confère un certain nombre de droits qui sont protégés en vertu de la Loi sur le droit d'auteur. En fait, il est interdit à quiconque de copier une œuvre dont il n'est pas l'auteur sans l'autorisation de son titulaire. L'objectif de la Loi sur le droit d'auteur est similaire à celui de tous les autres types de propriété intellectuelle, celui de protéger les titulaires de droit d'auteur tout en favorisant la créativité.

Vos œuvres revêtent sans doute une grande valeur à vos yeux. Il est donc à votre avantage de protéger votre propriété intellectuelle.

LE MARKETING DE VOTRE INVENTION

Une fois le prototype final mis au point et la demande de brevet déposée, le véritable travail débute. Si vous voulez gagner de l'argent grâce à votre invention, vous devez la faire connaître au public. Il n'existe qu'une façon d'y arriver et c'est avec une stratégie de marketing efficace.

Le marketing comprend un ensemble de mesures et d'études relatives à la pénétration d'un produit sur le marché. Il ne s'agit pas, comme plusieurs le croient, de vendre le produit tout simplement. Les décisions prises lors d'une campagne de marketing consistent à cibler la clientèle visée par un produit, à définir sa présentation et son emballage, à réaliser les prospectus et à concevoir la publicité ainsi que la stratégie de mise en marché spécialement adaptées à ce produit.

Avant d'en arriver là, l'inventeur doit d'abord décider ce qu'il entend faire de son invention. Il peut la vendre à un manufacturier pour un montant global ou encore la céder en échange de redevances généralement fixées selon un pourcentage. L'autre option consiste à fonder sa propre entreprise pour produire et vendre l'invention aux détaillants.

La plupart des inventeurs optent pour le premier choix et cèdent leur invention à une compagnie qui s'occupera de toutes les démarches, de la production à la distribution. Pendant ce temps, l'inventeur peut se tourner vers sa prochaine invention. C'est que la plupart des inventeurs n'en ont pas encore fini avec leur première invention qu'ils ont déjà une autre idée en tête…

Au premier coup d'œil, cette solution semble la plus simple et la plus rentable, en apparence. Parce qu'en réalité, il n'est pas aussi facile que cela de convaincre les industriels. Ils connaissent généralement très bien leur clientèle et savent ce qui lui convient. Pour réussir à intéresser un entrepreneur à votre produit, il faut commencer par étudier le marché relatif à son domaine. Mais pour cela, il vous faut des informations de première ligne qui sont parfois difficiles à trouver.

Inventarium peut vous aider à ce niveau par la réalisation d'un plan de commercialisation personnalisé à votre invention. La réalisation de cette étude est un travail long et ardu qui exige des connaissances particulières et nécessite de consulter certains logiciels de recherche qui, dans la plupart des cas, ne sont pas accessibles à tous. En fait, il serait probablement plus dispendieux pour vous de vous abonner à ces logiciels spécialisés que de faire réaliser l'ensemble du travail par notre spécialiste. Selon moi, ce plan est absolument indispensable à tout inventeur le moindrement sérieux dans sa démarche.

Le plan de commercialisation est toujours précédé d'une consultation avec notre spécialiste en marketing. Conformément à notre politique de tout mettre en œuvre pour garder le coût de nos services le plus bas possible, cette consultation a lieu par téléphone de façon à éliminer les déplacements de part et d'autre. La durée de cette consultation est indéterminée puisque notre expert prendra le temps nécessaire pour répondre à toutes vos questions. Il vous informera également sur les aspects suivants :
- L'importance de bien identifier votre client cible
- Comment ajouter de la valeur à votre invention

- Comment définir le profil de votre produit
- La nécessité ou non de fabriquer un prototype de votre invention
- Les pièges et dépenses inutiles à éviter
- La préproduction et son utilité
- L'importance de l'emballage de votre produit
- Commercialiser vous-même ou vendre l'idée
- Ce qui est important à savoir sur l'industrie reliée à votre produit
- La préparation avant d'approcher une entreprise
- Les redevances et la vérification comptable
- Le genre de compagnies à approcher et à éviter

Il en profitera aussi pour aborder les différents aspects reliés à la négociation de contrats, le marketing, la publicité et la vente d'un nouveau produit.

Peu importe que vous commercialisiez vous-même votre invention ou la cédiez en retour de redevances, la collecte de certaines informations est indispensable à l'atteinte de votre objectif. Notre spécialiste en marketing a donc conçu un plan de commercialisation qui répond parfaitement à vos besoins à cette étape-ci de l'évolution de votre projet.

Son mandat consiste à apporter les réponses aux éléments suivants :
- La définition du profil du nouveau produit
- L'identification du client cible
- L'identification des produits concurrents déjà en place
- L'identification des principales entreprises du domaine
- L'identification des entreprises à approcher ou à éviter
- Déterminer si ces entreprises travaillent déjà sur un produit semblable
- Leur politique en matière de *licensing* (autorisation d'exploitation)
- Les barrières et influences internes et externes de ces entreprises
- La façon d'approcher ces entreprises
- L'étude de l'industrie reliée au domaine de l'invention (culture, concurrence, etc.)
- L'étude des tendances de cette industrie (chiffres)
- La recherche de données importantes (cycle de vie du produit, ventes, etc.)
- L'identification des meilleurs canaux de distribution reliés à ce domaine
- La nécessité ou non de fabriquer un prototype pour la présentation
- La préparation d'une lettre de sollicitation d'entreprise, française et anglaise

Le plan de commercialisation est divisé en neuf sections distinctes :
- L'approche
- L'industrie
- Les tendances
- Le produit
- Les événements
- La distribution
- Lettre de sollicitation
- Liste des entreprises

L'APPROCHE

Il y a beaucoup de variables qui entrent en ligne de compte pour réussir le lancement d'un nouveau produit. L'objectif du plan de commercialisation personnalisé à votre invention est de vous donner les outils et renseignements nécessaires pour réussir. Chacune des rubriques de ce rapport est en lien avec le succès de votre projet. Bien comprendre l'industrie dans laquelle vous allez faire concurrence est très important. Chaque industrie a sa propre façon de faire des affaires, calculer les profits, vendre aux détaillants et respecter certains critères gouvernementaux.

Donc, la première partie de ce rapport concerne l'industrie de votre invention. Les questions les plus pertinentes auxquelles il faut trouver les réponses sont : Quelles entreprises de ce secteur d'activité pourraient être intéressées par votre nouveau produit ? De quelle façon les approcher ? Quelles sont les tendances actuelles de cette industrie ? Existe-t-il des barrières que je devrais connaître avant de mettre mon produit sur le marché ? Est-ce que les canaux de distribution sont facilement accessibles ?

Les premières parties du rapport brossent un tableau de l'industrie. Ce tableau vous aide à comprendre les clients dans le domaine, pourquoi ils achètent, combien ils dépensent, quelle est leur philosophie en rapport avec le produit, etc. Munis de ces précieux renseignements, vous serez mieux placé pour faire une offre convenable aux entreprises. Les différentes sections de ce plan de commercialisation vous livrent des commentaires, suggestions et informations concernant le client cible, les fabricants et les détaillants.

L'INDUSTRIE

Chaque industrie a ses propres règles, méthodes et personnalités. Comme des individus, les industries peuvent être agressives ou conservatrices avec un minimum de changements. C'est la raison pour laquelle il est important de comprendre minimalement la philosophie du secteur d'activité avant d'entreprendre les démarches de commercialisation d'un nouveau produit.

Dans le but de vous aider à bien connaître le domaine de votre produit, à cette section, vous trouverez de l'information concernant les produits, les ventes, les tendances et l'évolution de cette industrie. Vous y trouverez également les commentaires, suggestions et recommandations de notre expert en rapport avec les observations faites tout au long de sa recherche.

LES TENDANCES

Les tendances dans un domaine sont très significatives. Elles peuvent faciliter nos démarches ou les entraver. Un bon exemple est le virage vert. Tous les produits écolo et bio sont actuellement les bienvenus. Si vous tentez de commercialiser un produit qui va à l'encontre des tendances d'une industrie, vous devez avoir une bonne raison pour convaincre les entreprises d'embarquer. Par contre, si vous pouvez profiter d'une tendance, votre produit sera plus facile à faire accepter et en fin de compte à vendre au consommateur.

Exemple: la décision du gouvernement du Québec d'exiger que tous les véhicules soient équipés de pneus d'hiver sera suivie par la même obligation en Ontario. Il s'agit là d'une tendance qui crée plusieurs occasions d'affaires dans ce domaine: nouveaux services, ventes de pneus accrues, etc. Parfois aussi un produit est neutre, c'est-à-dire qu'il ne profite d'aucune tendance et ne reflète rien de négatif aux yeux du consommateur.

À cette section, notre expert livre le résultat de ses observations en rapport avec les tendances de l'industrie reliée à votre invention.

LE PRODUIT

Le prototype final d'un produit a beaucoup d'utilité. Il permet de voir si celui-ci est fonctionnel. La publicité, l'emballage et les coûts peuvent être calculés avec exactitude. Il est également possible de faire de la publicité avec un prototype. Rappelez-vous de l'histoire de ma Gourd'O, par exemple. J'avais réussi à convaincre l'acheteur du Carnaval de Québec d'en acheter une bonne quantité alors que je ne possédais qu'un prototype en bois. Souvent les compagnies hésitent à aller de l'avant ou à acheter une idée s'il n'existe pas de prototype ou s'il n'est pas fonctionnel. La raison principale est que dans 10% des cas, le produit ne fonctionne pas comme prévu et ne le pourra jamais, donc l'idée doit être abandonnée. Les entrepreneurs connaissent cette réalité. Avec un prototype fonctionnel, la crédibilité n'est plus une question ou un obstacle.

Avant d'investir temps et argent dans la fabrication du produit fini, on doit examiner les obstacles externes. Il peut y avoir une réglementation imposée par CSA, ISO et ULC qui exige que les produits soient testés afin de s'assurer de leur qualité et de la sécurité du consommateur. Qu'importe les tendances, les qualités ou les faiblesses d'un produit, lors de son introduction sur le marché, c'est la concurrence qui détermine le succès ou l'échec. Premièrement, les produits de la concurrence limitent le potentiel du nouveau produit.

Même si votre produit est excellent et supérieur à celui de la concurrence, le consommateur n'ira pas l'acheter s'il en possède un semblable. Où se situera le vôtre? Si le produit de la concurrence est de bonne qualité et qu'il s'est bien vendu, le marché a été comblé. Si les consommateurs sont satisfaits avec ce produit, ils n'iront pas en acheter un semblable, qu'importe son attrait ou sa valeur. D'autre part, si la clientèle est insatisfaite, alors la porte est ouverte pour accueillir un nouveau produit.

À cette section, notre expert livre ses commentaires, suggestions et recommandations sur votre prototype et également sur tous les aspects de votre produit face à la concurrence.

LES ÉVÉNEMENTS

Les expositions sont les endroits tout désignés pour vérifier l'intérêt qu'un produit peut soulever. Vous avez l'occasion de voir les nouveautés et de découvrir si un produit semblable au vôtre vient d'apparaître sur le marché. Souvent, les gestionnaires qui sont très difficiles à joindre sont aux foires pour voir les nouveautés.

On y retrouve également les associations ou regroupements reliés à votre secteur d'activité et qui sont des sources d'information importantes. Ils tiennent régulièrement des activités dont certaines peuvent être directement reliées à votre marché

Le plan de commercialisation comprend donc la liste des expositions, événements et associations reliés au domaine de votre invention.

LETTRE DE SOLLICITATION

Le plan de commercialisation inclut la préparation d'une lettre modèle de sollicitation d'entreprise en version française et anglaise.

LISTE DE FABRICANTS

Dans cette section, vous trouverez la liste et les coordonnées des fabricants et des contacts relatifs au domaine de votre invention ainsi que les compagnies qui sont les plus importantes et intéressantes dans ce domaine.

PAGE WEB SUR VOTRE INVENTION

Pour améliorer vos chances d'intéresser des entreprises ou investisseurs à votre invention, notre spécialiste en marketing suggère toujours d'appuyer vos démarches par une page Internet personnalisée à votre invention. Inventarium offre ce service, incluant l'hébergement de votre page Web sur son serveur.

Vous avez alors le choix entre une page Web avec photos seulement ou avec photos et vidéo. Si vous choisissez la page Web avec photos et vidéo, vous devez nous fournir une courte vidéo démontrant clairement le fonctionnement de votre invention. Une vidéo sans parole est l'idéal car elle pourra facilement être comprise, peu importe qui la regarde. Si vous n'avez pas de vidéo, l'Inventarium offre ce service à prix très abordable. Vous pouvez voir un exemple d'une page Web avec vidéo sur Internet à l'adresse suivante : www.inventarium.com/3311.

UN OUTIL DE PREMIÈRE LIGNE

La réalisation de cette étude implique de consulter certains logiciels de recherche qui sont inaccessibles au grand public. Mais c'est un travail nécessaire car, selon moi, cette étude est un outil indispensable pour bien connaître le domaine relié à votre invention.

Avec votre plan de commercialisation et votre page Web en main, vous êtes prêt à entreprendre les démarches pour trouver des entreprises ou investisseurs qui pourraient potentiellement s'intéresser à votre invention. En premier lieu, vous devez prendre connaissance des précieuses informations colligées dans votre plan de commercialisation, les étudier une à une et les approfondir en utilisant les divers moteurs de recherche facilement accessibles sur Internet.

Par exemple, si notre spécialiste y indique un ou plusieurs produits concurrents au vôtre, il est important d'effectuer une recherche plus exhaustive sur chacun de ces produits pour bien cibler les avantages de votre invention sur ces derniers. Même chose pour les entreprises identifiées dans le rapport; il est d'une importance capitale de vérifier lesquelles méritent votre attention. Vous pouvez facilement vérifier leur réputation, leur chiffre d'affaires, le nombre d'employés, l'étendue et l'ampleur de leur marché, etc. Vous pouvez également vérifier si ces entreprises font l'objet de poursuites légales. Voici d'ailleurs un petit truc à ce sujet: inscrivez leur nom sur Google suivi des mots «poursuites civiles», «poursuites judiciaires» ou «*lawsuit*», selon que l'entreprise en question évolue dans un marché francophone ou anglophone.

Votre gage de succès est de connaître parfaitement le domaine de votre invention de façon à pouvoir bien cibler vos actions et interventions et, avant toute chose, d'avoir les réponses à toutes les questions qui pourraient éventuellement vous être posées lors d'éventuelles négociations.

Si vous choisissez de céder les droits d'exploitation de votre invention, voici quelques conseils pour vos négociations futures avec les grandes entreprises. L'aspect monétaire est rarement abordé au début des discussions, qui peuvent s'étirer sur une assez longue période avant de se traduire par une entente intéressante, et ce, pour plusieurs raisons. Aux yeux des multinationales, beaucoup de détails priment sur l'argent.

L'approche est un peu comme un mariage. On ne parle jamais du coût de la cérémonie à la première rencontre. Dans le cas contraire, les chances sont grandes qu'il n'y ait jamais de deuxième rencontre. En affaire, on risque de ruiner une négociation qui aurait pu apporter de plus gros bénéfices à long terme.

Il y a beaucoup de détails que nous désirons connaître avant de fixer le prix désiré et c'est la même chose de leur côté. Ce qu'il faut comprendre, c'est que le développement et la commercialisation d'un nouveau produit peuvent impliquer plusieurs départements différents. Ils peuvent également affecter les opérations de plusieurs de leurs partenaires ou divisions dans les différentes régions du globe où ces entrepreneurs sont actifs. Les décisions se prennent souvent par la voie de comités. Aussi, dans ce milieu, une erreur très grave peut coûter la carrière de quelqu'un. On n'a qu'à penser au Coca-Cola amélioré qui, en quelques mois à peine, a failli causer la faillite de l'entreprise. Le directeur du marketing qui avait lancé cette idée a dû se trouver un autre emploi.

Donc, soyez très attentif, sachez écouter plutôt que parler et posez les bonnes questions, vous comprendrez mieux quels sont leurs besoins réels, comment vous pouvez les aider, qui ils sont, si vous pouvez travailler avec eux et, surtout, combien ils sont prêts à payer et beaucoup d'autres informations nécessaires à une bonne entente. Gardez votre esprit ouvert. Le moment venu de parler argent, vous aurez assez d'informations pour faire une offre équitable de part et d'autre.

Pour revenir à l'illustration du mariage, plus on prend son temps, plus on sait si on souhaite vraiment se marier, quel genre de mariage on veut, combien on est prêt à payer pour la cérémonie et quel voyage de noces on désire ensemble... C'est la même chose pour l'établissement des prix ; cette partie est souvent la plus facile si nous avons fait ce qu'il faut pendant les préliminaires. Mais soyez réceptif dès le début.

Évitez le dogmatisme, l'arrogance et les ultimatums. Vous voulez une bonne entente, il faut que les deux parties aient l'impression d'avoir fait une bonne affaire. Ceci ne veut pas dire de ne pas négocier intelligemment, mais il y a une différence entre intelligence et arrogance.

Les gens qui sont logiques et raisonnables font souvent de bonnes affaires et manquent rarement une bonne occasion pour cause d'entêtement. Ils concluent des ententes à long terme et, la plupart du temps, des plus profitables. La ligne directrice est celle-ci : lorsque vous recevez une offre, si vous en êtes satisfait, peu importe ce que d'autres disent ou pensent, c'est le *deal* pour vous. Si vous n'êtes pas heureux, passez à une autre entreprise parce qu'il vous faudra vivre longtemps avec votre décision.

Après l'envoi de vos lettres de sollicitation, si une ou plusieurs entreprises sont intéressées à votre invention et que vous préfériez confier le mandat de négocier à un professionnel, notre spécialiste pourra jouer ce rôle. Étant l'auteur de votre plan de commercialisation, il connaît très bien votre secteur d'activité et, par le fait même, sera plus efficace que quiconque.

Il est évident que si vous parvenez à intéresser plus d'une entreprise à votre produit, votre pouvoir de négociation sera plus grand. Ne perdez cependant pas de vue que ce n'est pas forcément le groupe le plus offrant qui doit déterminer votre choix. Les gens qui manifestent le plus d'enthousiasme pour votre produit et ceux avec qui vous vous sentez le plus à l'aise valent parfois mieux que ceux qui offrent beaucoup. Signer un contrat avantageux demande de la patience et une analyse judicieuse des éléments offerts par un éventuel partenaire. Prenez donc tout votre temps pour bien connaître les gens avec qui vous désirez faire affaire.

Lorsque viendra le temps de vendre votre invention, retenez les services d'un avocat spécialisé dans le droit commercial. Ce dernier vous aidera dans vos négociations et pourra vous faire comprendre la portée des clauses du contrat que l'on vous propose. Notre avocat en droit commercial peut vous aider à ce niveau.

En dépit de certaines expériences personnelles qui pourraient m'inciter à croire le contraire, la plupart des hommes d'affaires sont honnêtes et font généralement des offres raisonnables. Mais les contrats commerciaux sont complexes et nécessitent souvent des précisions et des mises au point. Ajoutons que la langue juridique est tellement spécialisée que l'on peut se sentir complètement dépassé par ces discussions. N'oubliez pas non plus qu'un tel contrat est susceptible de vous rapporter des sommes rondelettes pendant plusieurs années, ce qui signifie qu'il vaut la peine d'investir un peu d'argent pour mettre les choses au clair et obtenir une entente équitable et sans équivoque.

Rappelez-vous ma mésaventure avec l'homme d'affaires qui devait me verser des redevances sur la vente des Jog'O. Le contrat avait été signé malgré l'avis de mon avocat et c'est seulement grâce à une clause obtenue à l'arraché que j'ai réussi à me sortir de ce piège, même si le contrat était encore valide pour deux ans. Dites-vous bien aussi qu'un homme d'affaires averti et honnête préférera vous voir assisté d'un avocat familier avec ces questions. Ainsi, les choses iront plus vite et les protections à accorder à chacune des parties reposeront sur des bases professionnelles.

À la conclusion d'une telle entente, il se peut que vous soyez confronté à un nouveau choix. On peut vous offrir un paiement unique et final pour votre invention. Si vous acceptez, vous céderez votre invention ainsi que ses droits de production en échange d'un seul chèque. Si vous possédez les brevets de ce produit ou si vous avez déposé des demandes en ce sens, ces documents légaux deviennent la propriété exclusive de l'acheteur. Si votre invention remporte un grand succès commercial, vous devrez vous contenter de ce que vous aurez reçu à la signature du contrat. Par contre, si cette tentative constitue un échec, vous n'aurez pas à rendre le montant que vous aurez perçu.

La plupart des inventeurs n'aiment pas cette façon de vendre leur invention, escomptant qu'elle obtiendra un grand succès commercial et craignant d'être privés d'un gain beaucoup plus substantiel. C'est pourquoi le système des redevances occupe le haut du pavé. Dans un tel cas, les deux parties prennent le risque ensemble. Si les ventes sont bonnes, le manufacturier touchera son profit et l'inventeur recevra un pourcentage du prix de vente. Plus le succès sera grand, plus les partenaires feront des gains. Par contre, si le public boude le produit, le manufacturier ne fera pas suffisamment d'argent pour couvrir ses frais et l'inventeur ne touchera pas assez pour compenser le temps et l'argent investis dans ce travail.

Si vous vous engagez dans une telle négociation, il vous faut savoir que les redevances consenties par les entreprises varient généralement de 2 à 7 %, à moins que plusieurs sociétés ne se battent entre elles pour obtenir les droits de production de votre invention. Si c'est le cas, laissez jouer la loi du marché et faites votre choix. Ordinairement, cette dernière situation survient quand on a pris le temps d'intéresser suffisamment de firmes à son projet. C'est parfois payant d'être patient. Il est donc possible qu'une ou plusieurs firmes décident d'accompagner leur offre de redevances d'un montant forfaitaire.

Parce qu'il s'écoule habituellement un laps de temps assez long entre la signature du contrat et le début de la production de l'objet, le manufacturier peut verser à l'inventeur une avance sur les redevances. Cette avance signifie que vous ne toucherez pas un sou tant et aussi longtemps que la somme totale des droits à acquitter sur l'invention n'atteindra pas le montant de cette avance. Par exemple, si on vous accorde 5 000 $ de droits à la signature du contrat, vous ne recevrez pas d'autres sommes tant que les ventes de votre invention n'auront pas généré plus de 5 000 $ de redevances. Par contre, si l'expérience est un échec, vous n'aurez pas à rembourser cette avance. Sachez également qu'il n'y a pas de montant d'avance prédéterminé. Lors de cette négociation, l'inventeur tente, normalement, d'obtenir le maximum alors que le manufacturier essaie de donner le moins possible...

D'autres contrats où il est stipulé que l'inventeur touche des redevances contiennent une clause exigeant une performance minimale de la part du fabricant. Ce dernier, lié par contrat, doit avancer chaque année un montant minimum de redevances, sans égard aux ventes effectuées. Cette clause est avantageuse, car elle oblige le manufacturier à mettre rapidement le produit sur le marché et à en faire une promotion efficace.

Après la signature d'un contrat basé sur le versement de redevances, l'inventeur est en droit de se mettre à rêver au succès de son produit. Il peut même se voir millionnaire. C'est d'ailleurs parce qu'ils nourrissent ce rêve que la plupart des inventeurs choisissent de se faire payer par redevances plutôt que de céder la totalité de leurs droits sur une invention. Après tout, ils ont consenti des efforts pendant des mois, parfois des années, parce qu'ils croyaient en leur produit. Il est donc bien normal qu'ils continuent d'y croire une fois qu'ils ont signé un contrat...

Pour ceux qui ont cédé la totalité de leur invention et des droits qui s'y rattachent, cette vente peut être une incitation suffisante à entreprendre une autre invention. Plusieurs inventeurs ont trouvé le bonheur en travaillant d'arrache-pied à de nombreux projets, comme ce fut le cas pour moi. Nécessairement, avec les années, plusieurs inventions deviennent désuètes et ont besoin d'être remplacées par de nouveaux produits plus adaptés aux exigences du rythme trépidant de nos sociétés...

La meilleure façon de prévoir l'avenir, c'est de l'inventer... en créant votre propre entreprise qui produira et diffusera votre invention. Mais il s'agit là d'un projet bien ambitieux qui engloutira des sommes importantes d'argent et d'énergie, sans compter qu'il exigera une adaptation rapide à un milieu avec lequel l'inventeur n'est pas toujours familier. Vous devrez déployer vos qualités humaines tout autant que vos habiletés de technicien, d'organisateur et de commerçant pour assurer à votre invention le succès commercial qu'elle mérite.

Si telle est votre décision, tout au long de vos démarches, je vous conseille d'écouter avec attention ce que les industriels vous diront durant vos rencontres. Toutes les remarques qu'ils feront quant à la façon de fabriquer votre produit, à son design, son emballage ou son marketing ont leur importance. Ces gens savent de quoi ils parlent et les indications qu'ils fournissent ainsi peuvent se révéler précieuses pour la bonne mise en marché de votre produit. Ces personnes sont d'autant mieux informées qu'elles sont entourées de spécialistes en marketing qui leur disent exactement ce que les consommateurs recherchent.

Chaque nouvelle entreprise est généralement lancée dans l'enthousiasme et l'optimisme, mais moins de 25 % de ces projets commerciaux ou industriels survivent à la première année d'exploitation. Après deux ans, le nombre d'entreprises toujours en activité est encore plus restreint. Heureusement, certains réussissent et leurs entreprises finissent par atteindre des dimensions qu'envient des hommes d'affaires d'expérience. On n'a qu'à penser à mon ami Paul Gallant, l'inventeur des casse-tête 3D dont les produits ont fait le tour du monde en moins de temps qu'il n'en faut pour le dire. Avec de la motivation, de la persévérance, du travail et de l'argent, cette formule a des chances de devenir un succès.

Je peux moi-même en témoigner, puisque c'est ce que j'ai fait en créant, avec mon associé Guy Cloutier, Hicom Nouveautés pour commercialiser plusieurs de mes inventions. Je ne prétends pas détenir la formule magique pour réussir en affaires, bien que j'estime pouvoir tracer les grandes lignes d'un plan d'affaires tel que j'ai fini par le concevoir au fil des années. Il existe d'ailleurs d'excellentes sources de références sur le sujet.

L'étude de marché constitue une phase primordiale pour quiconque veut lancer un nouveau produit. Elle sert à cibler la clientèle visée ainsi qu'à identifier les éléments qui pourraient l'inciter à choisir un article plutôt qu'un autre. L'étude de marché sert également à savoir si son apparence remporte ou non du succès auprès des consommateurs et à déterminer le prix qu'ils accepteraient de payer pour ce produit.

Gardez toujours en tête que ce sont les consommateurs qui auront le dernier mot. Les gens n'acceptent pas de verser un sou de plus que ce qu'ils estiment être la valeur d'un produit. Le prix que se fixe au départ un inventeur est généralement celui que les consommateurs consentiraient à payer. Dans le jargon du métier, on appelle cela le « prix psychologique » et il faut s'en tenir à ce prix. Personnellement, comme vous avez pu le constater tout au long des précédents chapitres, lorsque j'avais fixé mon prix cible, l'atteindre devenait une obsession.

C'est également grâce à ce genre de sondage qu'il est possible de prendre des décisions quant au soutien à apporter à la commercialisation d'un produit. Il s'agit sans contredit d'une phase indispensable, puisque c'est celle qui peut décider de son avenir en déterminant à l'avance la réponse potentielle de la clientèle. Plusieurs groupes se spécialisent dans de telles études, mais, personnellement, j'ai toujours préféré faire ces études moi-même dans des salons d'exposition.

En analysant votre étude de marché, vous serez en mesure d'identifier les avantages de votre produit sur celui de vos compétiteurs. Après avoir établi les différences qui vous favorisent, faites-en la promotion par des feuillets publicitaires et assurez-vous d'avoir un emballage de qualité, car cet élément est partie intégrante du succès ou de l'échec de votre produit. Il est fascinant d'observer à quel point un bel emballage peut produire de l'effet sur le public. Pensez à vos propres habitudes de consommation. Vous optez bien souvent pour la marchandise qui est la mieux présentée et emballée avec le plus de soin et d'originalité.

Une autre méthode, un peu plus coûteuse toutefois, consiste à présenter votre invention dans une ou plusieurs foires commerciales reliées à son domaine. Les salons d'inventions constituent une formidable vitrine pour un nouveau produit. Vous pourrez profiter de cette tribune pour effectuer une étude de marché et pour vérifier l'intérêt du public, mais aussi pour connaître l'opinion des gens d'affaires sur votre invention. Il existe également de plus en plus de salons d'inventions, dont certains jouissent d'une excellente réputation et accueillent des milliers de visiteurs. Profitez-en pour vous faire voir ! Et puis, si votre invention remporte un prix dans l'une de ces expositions, vous lui assurerez encore plus de rayonnement.

Puis il vous faudra déterminer l'endroit où sera entreposé votre produit et de quelle façon il sera livré. Établissez-en aussi les coûts, c'est très important. Les possibilités relatives à sa distribution sont légion. Vous pouvez privilégier la distribution par le biais d'un représentant qui inclura le nouveau produit dans la gamme de ceux qu'il offre déjà. Vous pouvez également vous associer à un distributeur et faire une partie du travail, ou encore procéder par vente directe par Internet, par info-pub et même par catalogue. Tout dépend de vos objectifs et de votre clientèle cible. L'analyse soignée de chaque nouveau produit devrait vous fournir de bonnes indications sur le circuit de distribution à emprunter.

On affirme souvent qu'en affaires, il faut savoir s'entourer des personnes les plus compétentes si l'on veut réussir. C'est vrai. Mon expérience personnelle m'a appris qu'il est inutile, et téméraire, d'essayer d'occuper soi-même toutes les fonctions. À moins que vous ne soyez un gestionnaire accompli, je vous recommande de trouver rapidement un partenaire, un bras droit qui gérera les affaires de l'entreprise et qui veillera à tenir la comptabilité de l'argent reçu et dépensé. Il vous faut faire la projection la plus réaliste possible des dépenses d'opération anticipées et établir le prix de vente de votre produit de façon à pouvoir vous garder un profit normal. Ça peut sembler simple, mais c'est beaucoup plus complexe qu'on peut l'imaginer.

Établissez ensuite un plan marketing avec des dates d'échéance que vous devrez respecter scrupuleusement. En tout temps, vous devrez voir personnellement à la bonne marche de vos affaires ; surtout, assurez-vous de maintenir le moral des troupes à son niveau le plus élevé.

Le succès de votre entreprise en dépend.

NOTES PERSONNELLES

MARQUIS

Québec, Canada